SÁBADO À NOITE 2

BABI DEWET

SÁBADO À NOITE

DOS BAILES PARA A FAMA

Presidente
Henrique José Branco Brazão Farinha

Publisher
Eduardo Viegas Meirelles Villela

Editora
Cláudia Elissa Rondelli Ramos

Projeto Gráfico e Editoração
S4 Editorial

Capa
Listo Estúdio Design

Preparação de Texto
Marlon Alves dos Santos

Revisão
Regina S. Oliveira

Impressão
Assahi Gráfica

Rua Sergipe, 401 – Cj. 1.310 – Consolação
São Paulo – SP – CEP 01243-906
Telefone: (11w) 3562-7814/3562-7815
Site: http://www.editoraevora.com.br
E-mail: contato@editoraevora.com.br

DADOS INTERNACIONAIS DE CATALOGAÇÃO NA PUBLICAÇÃO (CIP)

D513s

Dewet, Babi

Sábado à noite: dos bailes para a fama/Babi Dewet. – São Paulo: Évora, 2014.

400 p. ; 23 cm - (Trilogia Sábados à noite ; 2)

ISBN: 978-85-63993-63-2

1. Ficção brasileira. I. Título. II. Série.

CDD- B869.3

agradecimentos

Se você está lendo o segundo livro da trilogia, obrigada. Obrigada por dar mais uma chance a esses personagens! Sem você, eles não teriam mais história.

Obrigada aos fãs de McFLY, Galaxy Defenders, por terem apoiado SAN desde o início e terem feito deste livro um pedaço de vocês. Sinto-me orgulhosa de fazer parte de um fandom tão fantástico.

Obrigada à Gui, minha agente e reencarnação do Darth Vader, por me lembrar de meus horários, de minhas viagens, de datas especiais e até de que preciso comer um pouco mais saudavelmente: você ama este livro mais do que eu e tenho o maior orgulho de tê-la mandando em mim o dia todo! Bricio, Sarah, Maya, Bruno, Fer, Ryoshi, Caio, Panda, Rick, MaryK, Marcão, Yanna e, sim, Nat Puga – obrigada, amo vocês como amo meus personagens, e, garanto, isso não é pouco. Davi, Mila, Alê, Shaira, Gutti, Aline, Shimoda, Egon, Grace, Teru, Lívia, Patoka, Kenshin e Pri – obrigada, vocês são inspirações todos os dias e, de uma forma importante, parte da minha vida. Um agradecimento enorme à tia Ângela e tia Lucia, por toda ajuda e entusiasmo falando do meu trabalho e compartilhando SAN para todo mundo no Facebook. Obrigada também ao pessoal do KpopStation, que me acolheu no kpop, e até demorou para descobrir que eu tinha lançado um livro, e, mesmo assim, muitos de vocês até leram SAN só para saber se eu não era maluca! Trika, Carla e Sayu, amo vocês!

Iris Figueiredo, Barbara Morais, Paula Pimenta, Carolina Munhóz e Thalita Rebouças – agradeço também a vocês, autoras que me inspiram a dar o melhor de mim todos os dias, seja em comentários, risadas, jantares, mensagens ou e-mails sem noção!

Não posso deixar de agradecer à SAN Crew, que me apoia todos os dias e que são personagens de SAN na vida real – a todos vocês, obrigada! Aos queridos amigos que me ajudaram a fazer os booktrailers, obrigada por darem rostos tão bonitos aos meus personagens.

Obrigada à minha irmã Bee, ao meu pai, à minha mãe, ao meu irmão (Beni, seja bem-vindo) e aos meus quatro gatinhos. Meus alunos também merecem um espaço aqui, embora eu tenha certeza de que terei de obrigar todos eles a ler isso em voz alta na sala de aula! Obrigada por serem minha família todos os dias.

Um agradecimento especial à equipe da minha editora: Henrique, Edu, Claudia e todos os envolvidos neste projeto – obrigada por fazerem com que eu me sinta especial e não serem uns bruxos malvados. É incrível poder participar de cada etapa da publicação dos meus livros.

E, por último, a Tom, Danny, Dougie, Harry e James Bourne – sem vocês, os personagens de SAN teriam máscaras e não rostos. Tenho os melhores ídolos do mundo.

Babi Dewet

prefácio

Ainda não consigo acreditar que fui convidada para escrever o prefácio de SANII! É uma honra para mim. Antes mesmo de a trilogia ser lançada por uma editora, recebi um *e-mail* da Babi sobre os planos que tinha para *Sábado à Noite*, e, desde então, acompanho essa história. Infelizmente, não sou da época da *fanfic*. Sou obrigada a morrer do coração com cada novidade divulgada sem ter uma pista sequer! Ok, vou admitir, adoro ter essa sensação. Por isso, tentem imaginar a minha reação com este convite especial, ainda mais porque tive a oportunidade de ler *Sábado à noite – Dos bailes para a fama* antes mesmo de ser lançado!

Já estava morrendo de curiosidade com o que aconteceria com Amanda e Daniel. Será que ela ficaria menos chata? Ele voltaria para Alta Granada? Eles finalmente se perdoariam? Tantas perguntas! Sem falar na saudade das travessuras dos marotos, das músicas e da fofura do Caio (você ainda é o meu personagem preferido, viu?). Posso garantir que o livro é surpreendente! Repleto de reviravoltas, e quando você pensa que, finalmente, está tudo bem... *Boom*! Tudo muda outra vez.

Enquanto lia, lembrava de momentos especiais da minha adolescência. Ah, a minha adolescência! (Eu sei, pareço uma avó contando dos bons tempos, mas é isso que acontece quando envelhecemos!) A adolescência pode ser cruel e todos precisam encará-la como um teste para a vida adulta. É um vestibular, em que a nota será o tipo de pessoa que você vai se tornar. Alguns estão preparados, apostam todas as suas fichas, outros estão inseguros e simplesmente só querem que passe o mais rápido possível. Quando as coisas são boas, acontecem em um piscar de olhos; quando ruins, duram uma eternidade.

Amanda sabe bem do que eu estou falando. Ela está em uma das piores fases da sua vida. Tudo o que tinha como seguro está desmoronando. E por causa de um garoto, vejam só! Um garoto que seria o amor da vida dela. Mas vocês sabem, né? Cada ação tem um efeito. Ela se arrepende, mas já não pode voltar atrás. Amanda não é mais a rainha do colégio, suas amigas não são mais como antes e até Bruno, praticamente o seu porto seguro, não está encarando a situação muito bem. Que fase da vida! Ninguém quer sofrer, porém o mais interessante é que aprendemos com isso tudo. Eu, pelo menos, aprendi muito! O momento de fossa existe, a tristeza tem que ser curtida, mas, em um determinando momento, a vida precisa continuar. Bola pra frente! Provavelmente, você vai olhar para trás e pensar: "Ufa, passou! Mas sabe que sinto saudades?", como eu estou fazendo agora...

E a adolescência é como uma grande partida de *paintball*! E se você, assim como eu, nunca jogou, saiba que não é só sobre tiros de bolinhas de tinta para todo lado.

Você precisa conhecer as regras, dividir-se em equipes, ou, simplesmente, jogar cada um por si. Em uma equipe, seus amigos podem lhe dar cobertura. Ajudar. Proteger. Mas você também pode ser surpreendido. Uma pessoa da equipe adversária pode lhe socorrer quando você precisar, às vezes as coisas precisam ser justas. Em uma partida de cada um por si, você não sabe em quem confiar. Pode receber a ajuda de qualquer lugar e ser atingido de todas as formas. Em Alta Granada, a partida está explosiva, mas as regras e as pessoas mudam o tempo todo; as atitudes podem ser inesperadas. Preparem-se para ser bombardeados de surpresas! Boas e ruins.

Considero *Sábado à noite – Dos bailes para a fama* um ótimo exemplo de como os jovens podem mudar e aprender com seus erros, o que não os impedem de cometer outros. É claro que a vida não fica perfeita de uma hora para outra, mas sabe o ditado "há males que vem para o bem"? Pois é.

Eu imagino o sofrimento que todos vocês devem ter sentido com o final de SAN1. Eu praticamente me descabelei com tudo aquilo que eles aprontaram. Morri de raiva da Amanda e quis bater no Daniel. A Babi esmagou nossos corações e reduziu a pedacinhos sem pena. Poxa, Babi! Resultado? Você está aí louquinho para saber o que vai acontecer! E isso não melhora, o final deste livro é tão chocante quanto o primeiro. (Babi, você vai me deixar louca!)

Todos nós temos um pouco dos personagens de *Sábado à Noite,* jovens, loucos, lutando por seus sonhos; pesando a vontade das famílias e as possibilidades; aproveitando oportunidades e simplesmente curtindo o que ainda podem. Nenhum deles sabe como será o futuro. Só sabem do presente, e que as chances estão aí para não serem desperdiçadas.

Aproveitem este livro, embarquem na história desses garotos, torçam, descabelem-se ao som da trilha sonora da Scotty e preparem-se para fortes emoções! Depois, não digam que eu não avisei! Desejo a todos uma ótima leitura.

Pâmela Gonçalves, criadora do *blog* literário *Garota It*

prólogo

Eu não sei como te dizer isso, mas todo sábado à noite é meu motivo pra te ver. Você não sabe, e talvez não venha mais a ouvir isso. Não vou desistir de você. Vou embora amanhã cedo, às onze e meia. Meu voo é pro Canadá; estou indo encontrar meus pais. Não sei quando volto nem quando nos veremos novamente. Eu só queria que soubesse que todos nossos momentos foram os melhores da minha vida. Eu não sou eu sem você. Mas, ao mesmo tempo, não consigo entender se você é isso que todos veem ou se é quem eu vejo. Sabe? Eu... eu preciso ir. "Ela foi embora". Um bom nome para uma música, não acha? Se tudo tiver dado certo, uma hora dessas você deve estar achando irônico que quem tenha te deixado fui eu. Espero que possamos nos perdoar com o tempo. Tenho que ir. Se cuida e... olhe à sua volta. Olhe pra nós dois. Podemos ser muito mais do que as pessoas acham que somos, não é? Eu amo quem você é.

Amanda sentou-se no sofá da casa de Daniel, enrolando a barra do vestido todo amassado da noite anterior. Segurava o bilhete nas mãos, apertando tanto que os dedos doíam, sem coragem de lê-lo novamente.

Deixe as chaves com o Bruno quando sair.

Olhou para os lados e respirou fundo, ainda sentindo o coração bater muito forte. Estava tremendo, sem saber bem o que fazer ou sentir. Seu ouvido zumbia. O que diabos estava acontecendo?

De repente, a porta da casa se abriu, e ela levou um susto.

Bruno entrou, usando uma roupa de moletom, encarando a garota sem entender nada.

– O que você está fazendo aqui? – perguntou.

Amanda apenas se levantou, entregou as chaves nas mãos de Bruno, com o bilhete de Daniel, e saiu andando pela rua.

• • •

Caminhava lentamente pela rua vazia, sem conseguir pensar em muita coisa. Olhava de relance para trás como se fosse ver o amigo vir correndo em sua direção, mas isso não aconteceu. Não estava frio, mas ela tremia da cabeça aos pés, perguntando-se se era realmente verdade o que estava acontecendo. Daniel, o seu Danny, tinha sido capaz de fazer algo assim? Ele tinha motivos para deixá-la, mas era para tanto? Ele foi realmente embora depois da noite mais importante de sua vida?

Levou um susto quando seu celular tocou, pois não se lembrava de que o segurava tão forte, quase machucando sua mão.

– Amanda?

A voz da sua melhor amiga soou do outro lado, totalmente preocupada. Será que ela sabia de alguma coisa?

– Oi, Anna – respondeu simplesmente, tentando não transparecer nada na voz. Falhou totalmente. Não tinha vontade de conversar.

– Onde você está? Tô na porta da sua casa com as meninas – Anna insistiu.

– Chegando aí...

– Mandy? Você está bem?

– Não... – a garota riu melancólica. – Mas eu mereço, certo?

– Fiquei preocupada. Ontem... você e... Daniel... – Anna não sabia bem como abordar o que estava pensando.

Mais cedo, Anna recebera um telefonema do garoto, pedindo que fosse encontrar a amiga porque ela estaria sozinha. Ele disse só isso, agradeceu e desligou. Ela não entendeu muito bem, mas parecia sério.

– Falo com você daqui a pouco – Amanda desligou o celular sem esperar uma resposta e andou mais depressa para casa, segurando o choro. Esperava que ninguém na rua a visse daquela forma.

• • •

– Não consigo acreditar nisso! – Carol dizia horrorizada, tampando a boca com as mãos. – Você e o Daniel? Amanda, isso é ridículo!

– Por que você não nos disse nada? – Guiga perguntou com a testa franzida e o rosto triste. Ainda não sabia o que pensar da situação toda desde a noite passada, mas sentia-se ligeiramente culpada por não ter dado atenção à amiga o quanto queria.

– Ao menos podia ter confiado na gente... – Maya soou um pouco grosseira. Não tinha conseguido dormir muito bem, embora estivesse feliz por ter descoberto tudo sobre romances, garotos, Scotty. Tudo.

Mas Amanda parecia ainda muito confusa. Levantou-se do sofá e foi até a cozinha. Voltou segurando um copo de água, com cuidado para não fazer muito barulho e acordar sua mãe. Pensou em seus pais e suspirou. Seria outro grande problema com o qual lidaria mais tarde.

– Eu confio em vocês. Mas isso não importa, importa? Ele já foi embora mesmo...

– Não é o fim do mundo, amiga – Guiga falou, colocando a mão no ombro de Amanda, que balançou a cabeça.

– Como é que você pode ser boa comigo? Eu fiquei com o Daniel! O Daniel! – Amanda sentiu os olhos se encherem de lágrimas. Evitou o olhar da amiga.

– Eu sei, vi com meus próprios olhos... – Guiga parecia confusa.

– E? – Anna perguntou preocupada. Não tinha tocado no assunto com Guiga, pois sabia que era algo para ser resolvido entre ela e Amanda.

– E o quê? – Guiga não estava entendendo.

– Você não está brava comigo? – Amanda perguntou, piscando os olhos.

Com o copo esquecido na mão, ela quase derramou a água. Guiga franziu a testa.

– Por que estaria? Tudo bem, é estranho gostar de um maroto e tal... mas não tenho motivos pra ficar brava.

– Não? – Anna perguntou baixinho.

– Claro que não, ela também tá quase seguindo os passos da idiota aqui – Maya riu, apontando para Amanda, que olhou rapidamente para Anna.

Carol gargalhou.

– Vou embora! Estou com sono e não dormi as oito horas que os médicos recomendam. Quando vocês ficarem boas da cabeça, me liguem, ok? – Carol se levantou, pegou sua bolsa e saiu da casa de Amanda antes que alguma das suas amigas pudesse dizer algo.

Amanda suspirou, tentando colocar os pensamentos em ordem, enquanto todas ficaram em silêncio, pensativas, e lembrou-se das palavras de Maya sobre Guiga seguir pelo mesmo caminho.

– Como assim, seguir meus passos?

– Não sei ainda... – Guiga parecia incomodada. – Eu... o Fred, bem, ele...

– Fred? – Amanda perguntou em choque.

– Respire fundo – Anna arregalou os olhos – e me diga uma coisa: você gosta do Fred?

– Gosto. Muito. E ele gosta de mim. Mas a Amanda já sabia disso... – Guiga apontou para a amiga.

– Quê?! Eu sabia? – Amanda franziu a testa e quase engasgou com a água, que resolvera beber para tentar se acalmar.

– Eu disse pra você, outro dia, que estava enrolada porque gostava de um maroto, amiga. Não se lembra?

– Era o Fred? – Amanda perguntou baixinho, olhando para Anna.

– Quem mais poderia ser? – Guiga não estava entendendo.

Amanda se apoiou na parede e começou a rir.

– Sou muito burra, Anna!

– Não, você não é... só não houve muita... muito diálogo! – Anna tentou amenizar.

Amanda balançava a cabeça, rindo descontroladamente.

– Eu... eu não acredito! – largou o copo na mesinha de centro e, ainda rindo, pegou o celular e saiu de casa às pressas.

As três amigas se entreolharam.

– O que deu nela? – Guiga perguntou.

Anna balançou a cabeça e pediu que as duas se sentassem. A história seria longa.

• • •

Ninguém se surpreendeu mais do que Amanda. Ela estava acabada. Tinha se achado terrível por ter causado tanto sofrimento a si mesma e a Daniel, e, no fim, por nada! Lixo de sentimento! E agora ele tinha ido embora... E todos a odiavam, com razão. Era uma idiota. Nem Bruno falava mais com ela direito. Com quem iria conversar?

Parou no meio da calçada para pensar aonde estava indo e, então, correu pela rua de cima, arrependendo-se de não ter colocado um tênis. Ela sabia com quem poderia desabafar.

• • •

Amanda fitava os pés descalços, doloridos, sentada na ponta da cama de Kevin. Tinha trocado o vestido por um pijama de flanela do amigo e ligado para sua mãe, avisando que almoçaria fora. Pelo visto, ela nem percebera que não tinha dormido em casa. Pelo menos, alguém no mundo não estava de olho nela.

– Eu acabei com a Scotty... – ela disse, chorando. – E fiz o Daniel se mudar, largar os amigos... nem o Caio fala mais comigo!

– Calma, Mandy...

– Não consigo, estou nervosa – ela resmungou, esfregando os olhos. – Eu... a Guiga nunca gostou dele, Kev! Fui cega esse tempo todo! Quando me tornei tão burra?

– Quando ele voltar...

– E se ele não voltar e... se ele me odiar? Tipo pra sempre?

– Por que ele faria isso? – o amigo perguntou, tentando acalmar a garota, sem sucesso.

– Por que ele me deixaria sem me falar nada? – ela começou a chorar mais alto.

– São essas horas que fazem a gente crescer, não é? – Kevin a abraçou, enquanto a menina apenas balançou a cabeça. – Você precisa ficar calma, respirar fundo e continuar a vida. Chorar não vai mudar nada.

– Você parece tão confiante – ela disse, ainda abraçada ao amigo.

– Se não formos confiantes, mocreia – o menino riu e beijou sua testa –, a gente não vive. – Levante-se, pegue uma roupa minha emprestada, e vamos alugar algum filme. Depois, a gente continua discutindo sobre o imbecil do Daniel e como ele vai se arrepender profundamente de ter deixado você sozinha.

• • •

À noite, em sua cama, Amanda tentava dormir, mas não conseguia. Toda vez que fechava os olhos via flashes da noite anterior. Sentia-se enjoada, atormentada e com medo. E se todos a abandonassem como Daniel fez? E se ela fosse capaz de abandonar a todos como fez com ele? Sentia um vazio enorme, um buraco negro no peito.

Levantou-se e pegou seu iPod. Talvez, com um pouco de música, se sentisse melhor. Antes de se deitar novamente, deixou a janela aberta, como se fosse para melhorar o sentimento de prisão que incomodava seu corpo. Encarando o teto, Amanda colocou os fones de ouvido e ligou o iPod aleatoriamente. A voz de um rapaz soou em seus ouvidos, era uma música do Fall Out Boy, colocada ali por Bruno. Sentiu seus olhos se encherem de lágrimas.

Where is your boy tonight? I hope he is a gentleman.
(Onde está seu garoto hoje à noite? Eu espero que ele seja um cavalheiro.)

Maybe he won't find out what I know
(Talvez ele não irá descobrir o que eu sei)
You were the last good thing about this part of town
(Você era a última coisa boa nesse pedaço da cidade)

Sábado à noite 2

um

O dia estava claro em Alta Granada, ensolarado, e com um vento leve que fazia os cabelos dançarem. Como uma boa cidade pequena, suas ruas despertavam cedo. Enquanto os adultos passavam a maior parte do tempo trabalhando, os jovens perambulavam sem leis. Mas, naquele dia, nada disso era importante. As segundas-feiras depois de um baile sempre eram mais movimentadas no principal colégio da cidade. Todo mundo fofocava e contava as impressões do fim de semana, mostrando fotos e discutindo qual imagem e *fanart* da Scotty usariam no próximo *layout* do fã-clube da banda.

Mas as coisas não iam bem naquele dia. Não dessa vez. Aquela segunda-feira parecia um pregão da bolsa de valores em período de mudança de câmbio. Todos falavam ao mesmo tempo, todos se horrorizavam ao mesmo tempo. Meninas rasgavam fotos e garotos vestiam roupas mais folgadas e imitavam os músicos da Scotty no dia a dia. Os populares estavam sendo ignorados. Tudo havia mudado.

Anna e Guiga se sentiram em uma prova oral. Todos na escola vinham perguntar se era verdade que a amiga delas, Amanda, tinha saído com um dos Scotty, que, na verdade, era um dos caras bagunceiros do colégio. As pessoas pareciam confusas, muitas se recusavam a acreditar que Daniel era um Scotty, assim como seus amigos, e fofocas de todo tipo começaram a rolar...

"Foi ela quem fez ele ser expulso..."

"Por culpa dela que a Scotty vai acabar?"

"Que vaca...". "As santas são sempre as piores!"

"Mas o tal do Marques? Tem certeza?"

"Eu vi tudo com meus próprios olhos... Amanda e Daniel no baile..."

Anna rolou os olhos ao passar por um grupo de estudantes do terceiro ano, tentando manter a calma. Viu Carol e Maya no fim do corredor e andou até lá, preocupada.

– Que papo é esse de que a Amanda está grávida do Daniel, e que ele foi embora depois que ela decidiu ter o bebê? – Carol perguntou.

Guiga e Anna riram.

– Depois de saberem que ela pegou o Daniel só porque descobriu que ele era um Scotty, acredito que estão falando de tudo – Anna disse.

Maya bufou, visivelmente enfurecida, prendendo os cabelos vermelhos e lisos em um coque desarrumado.

– Não acredito nesse povo! Eles presenciaram a cena, e daí? Qual o grande mistério? – Maya perguntou.

Três garotas pararam diante delas. As amigas se entreolharam. Oh oh...

– Bom-dia, Rebeca – Anna tentou ser simpática.

A garota balançou a cabeça, parecendo muito triste.

– Por culpa dela... ela mandou meu Daniel embora! – falou.

– Seu? – Guiga perguntou gaguejando.

Rebeca passou as mãos pelos cabelos castanhos, demorando-se muito no movimento, como se quisesse toda a atenção.

– A gente ficou uns dias e... ele gostava de mim! Mas aquela garota... ela roubou meu namorado e ainda fez com que ele fosse embora!

Rebeca falava alto, praticamente gritando. Algumas pessoas pararam para ver a discussão. Maya olhou para Guiga, que levantou os ombros sem entender.

– Vai fazer algo da vida, garota! – Anna disse rápido e saiu andando em direção contrária.

As outras três amigas a seguiram, deixando as garotas mais novas para trás. Furiosa, Anna andava pelo corredor quase lotado, quando esbarrou em Caio.

– Ops, desculpe – ele falou.

Estava mais pálido que o normal, com os cabelos molhados, como se tivesse acabado de sair do banho e colocado o uniforme. Anna balançou a cabeça.

– Tudo bem, estamos todos tendo um péssimo dia hoje.

– Vocês também, hm? – Rafael enfiou ainda mais o boné na cabeça, como se o acessório fosse escondê-lo da vista de todos.

Fred se aproximou parecendo muito bravo, mas, ao olhar para Guiga, sorriu de repente.

– É só o que falam... Amanda, Daniel, Scotty... – Anna balançou a cabeça observando Caio, que ficou com as bochechas vermelhas ao perceber seu olhar. – Por que... como vocês fizeram pra gente não reparar esse tempo todo?

– O quê? – Caio perguntou de maneira inocente.

– Que somos os Beatles! – Fred disse, rindo. – Que vocês são os Scotty, cara!

– Ahhh... – Caio ficou mais corado ainda.

– Somos espertos, oras – Rafael rebateu fazendo pose, tentando descontrair.

Bruno se aproximou, com expressão enfezada e aparência de quem não dorme há muito tempo. Apesar de tudo, continuava muito bonito. Os cabelos castanhos estavam bagunçados, e ele usava uma camiseta quadriculada por cima do uniforme. Olhou para os amigos, ignorando as garotas.

– Vão ficar aqui? Eu vou pra sala. Tem uma garota me perseguindo!

Saiu andando apressado, olhando sempre para trás. Uma menina o parou no meio do corredor, e, logo em seguida, mais cinco se juntaram para falar da Scotty.

– Vou sair daqui antes que alguém me veja perto desses garotos – Carol bufou, caminhando na direção oposta à aglomeração de alunos que se formava em volta dos marotos, as novas celebridades do colégio.

– Olha... eu sei que algumas de vocês não sabiam disso entre a Amanda e o Daniel. Eles se gostavam, acreditem – Caio tentou explicar, percebendo que Anna concordava, enquanto Maya e Guiga apenas balançavam a cabeça. – Mas a Amanda cometeu o maior erro da sua vida negando-o na frente de todos, no momento em que ele mais precisava... Todos sabem que não foi ele quem roubou as provas!

– Mas... eu sei – Anna ia defender a amiga, mas respirou fundo e achou melhor deixar essa discussão de lado.

Ela pensou que nada o que falasse iria mudar o que tinha acontecido, certo? Também não havia como justificar as atitudes de Amanda. Era tudo tão surreal e tão bagunçado, que não era fácil de tentar arrumar as coisas assim. Afinal, Anna nem sabia por onde começar.

– Eu não a perdoarei, como parece que o Danny já fez. O que quer que eles tenham feito depois do baile não é da minha conta, mas não consigo mais pensar nela sem ficar com raiva – Caio dizia apontando o dedo indicador para as meninas, muito sério. De repente, não parecia mais o garoto tímido e engraçado de sempre.

– A gente entende vocês – Guiga disse, baixinho, envergonhada.

Fred sorriu, colocando o braço ao redor do ombro do amigo, tentando acalmá-lo.

– Mas a gente ainda gosta de vocês, é claro.

Após a declaração repentina de Fred, Rafael se engasgou com a própria saliva, e Caio ficou pálido, esquecendo-se de que estava com raiva.

– Eu nem sei por onde ela anda... Não a vejo desde ontem de manhã – Anna falou, ignorando o que Fred tinha dito, e sentiu as bochechas ficarem levemente quentes. – Eu tenho medo do que ela pode fazer, pois sei que está arrependida.

– Isso não vai trazer o Daniel de volta – Rafael comentou, batendo as mãos. – Vamos pra aula, já estamos atrasados. Depois a gente conversa melhor e com menos ouvidos em volta.

• • •

– Eu não vou pra escola!

– Você precisa...

– Não tente me convencer...

– Nem que tenha de ir amarrada...

– KEVIN! – Amanda gritou, quando o garoto tentou puxá-la à força.

– Qual é – ele riu –, você tem que encarar isso!

– Já não basta encarar isso sozinha no meu quarto, à noite? Vou precisar ouvir que EU expulsei o Daniel do colégio?

– As pessoas nem devem falar nada...

– Tá brincando?! Você sabe como aquela escola é! – Amanda sentou-se na cama, observando Kevin encostado no vão da porta do seu quarto. – Eles não perdoam ninguém por nada! Você tem que ser perfeito pra eles gostarem de você.

– Eles não precisam gostar de você – Kevin disse, calmamente. – Suas amigas devem estar preocupadas.

– Duvido.

– Oraaaaa... – Kevin a puxou pela mão. – Penteie logo essa juba e vamos!

– Keviiin... – ela disse manhosa.

O amigo apenas arqueou a sobrancelha. Com má vontade, Amanda passou uma escova nos cabelos, prendendo-os do pior jeito possível, colocou um casaco largo por cima do uniforme e enfiou um chinelinho de dedo.

– Se você não estivesse de saia, diria que é um garoto – o amigo zombou, fechando a porta do quarto.

– Bem que você queria, né? – ela disse, rindo, e ele gargalhou.

• • •

Os corredores do colégio estavam vazios. O sinal já tocara alguns minutos antes. Kevin e Amanda ouviam o som de seus passos no piso de mármore, sempre impecavelmente limpo, enquanto caminhavam em direção às suas salas.

– Atrasados! – o garoto sorriu e fez um sinal de vitória com as mãos, empurrando a amiga para a porta da sua sala. – Até mais tarde, boa sorte!

Kevin sumiu ao dobrar o corredor, indo para sua aula. Amanda encarou o corredor vazio e frio à sua frente, e as duas portas do segundo ano: a da sua classe e a da classe de Daniel. Não, não era a sala de Daniel, porque ele não estava mais lá. Pensou em desistir, em fugir. Desaparecer da face da Terra. Mas não iria mudar nada, porque, em qualquer lugar que se escondesse, continuaria sentindo essa dor dentro do peito.

Quando entrou na sala, o silêncio foi imediato. Todos a observavam. Todo mundo. Viu Anna e as amigas sentadas no fundo. Pediu licença à professa de Química e caminhou lentamente até lá, mirando os pés, sem coragem de encarar ninguém. Os olhares, porém, estavam voltados para ela, e os cochichos aumentavam conforme atravessava a sala de aula. Pensou ter ouvido um xingamento, mas não sabia se era verdade. Eles não fariam isso com ela, fariam? A professora mandou todos ficarem quietos e voltou a dar sua matéria.

Amanda não conseguia prestar atenção em nada. Sua cabeça estava a mil. Daniel, a festa e, depois da festa, ambos na casa dele, a manhã seguinte... Tudo passara muito rápido. Ela viu o rosto de Daniel aproximando-se, e estava com raiva. Ele a chamava de burra e...

– Mandy?

Ela sentiu um cutucão no ombro. Abriu os olhos, tomando um susto, e mirou a sala vazia. Olhou para o lado e viu Anna e Maya paradas.

– Você dormiu duas aulas seguidas! – Maya disse.

Carol e Guiga estavam um pouco adiante, ainda sentadas em suas carteiras.

– Jura? – Amanda parecia confusa, sem perceber que caíra no sono. – Não dormi bem ontem...

– A gente imaginou – Carol falou rispidamente.

– Eu nem sei por que vim pra aula – Amanda levantou-se. – Vou tomar água.

Saiu da sala chutando os próprios pés, desanimada. Os corredores estavam lotados, porque era troca de professores, e Amanda começou a achar um erro ter saído.

– Ô, garota!

Ouviu alguém chamando por ela. Parou e olhou para trás.

– Rebeca...

– Não ache que vai sair impune. Eu vi você beijando o Daniel no sábado!

– Poxa, legal. Vá tirar satisfações com ele – Amanda respondeu sem a menor vontade de aguentar o ciúme de uma garota maluca àquela hora.

– Como, se você o expulsou da escola? – Rebeca provocou.

Amanda parou, mordendo os lábios, e se virou para a garota.

– Por que você acha isso? – perguntou aflita.

Algumas pessoas pararam a fim de assistir a discussão.

– Porque você podia ter mentido e dito que estava com Daniel, já que ele fazia tanta questão... – Rebeca riu.

Amanda arqueou a sobrancelha.

– Por quê? Você acha que foi ele quem roubou as provas?

– Olha, pode ter sido, eu não sei. Mas ele quis mostrar para todos que estava com você, e você não fez nada! Podia ao menos ter fingido que era legal e dizer que estava com ele!

– Não sabia que ele seria expulso se eu não dissesse.

Amanda estava cansada, não devia explicações a Rebeca nem a ninguém, mas sentia-se na obrigação de se defender. De repente, ela tinha se tornado o novo Judas da escola.

– Você é uma egoísta! – Rebeca parecia estar com raiva. – Tudo bem ele ter roubado as provas, mas por que ele iria querer dizer que estava com você? E o que foi aquilo no sábado?

Amanda apenas se virou de costas e continuou a andar. O corredor estava em silêncio, os alunos não conversavam mais nem riam alto. Nunca o bebedouro pareceu tão longe. Rebeca, porém, continuou falando.

– Você não pode me ignorar, garota! Eu estava com o Daniel, a gente tinha ficado na noite anterior, e do nada vocês se beijam? Na frente da escola inteira?!

Amanda sentiu uma pontada forte no coração. O seu Daniel estava com aquela menina irritante no dia anterior à noite mais importante da sua vida? Será que isso era verdade? Sentiu a raiva aumentar. Ela queria esganar Rebeca!

– Que ótimo, seu namoradinho era da Scotty! Uhul – Amanda respondeu irônica, sem se virar, levantando uma das mãos.

– E seria melhor ainda se ele estivesse aqui! – Rebeca quase gritou.

Amanda se virou para ela. Todos prestavam atenção e pareciam imóveis. Aquele era o confronto mais empolgante do ano, e Amanda poderia ter certeza de que as fofocas durariam por muito tempo ainda. Bruno e Caio apareceram no meio da multidão. Amanda se sentiu no meio de um espetáculo, um circo de horrores.

– Olhe aqui, garota, você não sabe de nada! Você não é ninguém para mim. Não vou ficar discutindo, sinceramente...

– Por que você beijou ele no sábado? – Rebeca avançou com rapidez e a pegou pelo braço.

Amanda viu Bruno dar um passo em sua direção, mas foi impedido por Caio, e encarou Rebeca bem nos olhos.

– Você está me machucando... – disse entredentes.

Por Deus, não! Ela não queria brigar. Não precisava de mais confusão nisso.

– Você é uma piranha mesmo... Só porque descobriu que ele era da Scotty...

– Se você não viu bem, quem veio me beijar no sábado foi ele! Até aquele momento, eu não sabia quem ele era ou quem deixava de ser! – Amanda gritou, soltando-se dos braços de Rebeca. – E me largue, eu não quero nem preciso discutir isso com você!

Saiu andando de volta à sala, passando pelas pessoas. Parou na frente de Bruno e viu que ele tinha uma expressão incompreensível no rosto.

– Você não devia me odiar por isso. Mas você faz suas escolhas.

Amanda passou por ele, empurrando-o com o ombro. Por um momento, sentiu-se em um filme, com o coração pulsando muito rápido enquanto acelerava o passo para entrar na sala de aula. Todos começaram, automaticamente, a fofocar.

• • •

– Você brigou mesmo com a Rebeca? – Kevin perguntou, sentando-se em cima da mesa do pátio, na hora do recreio.

– Não... – Amanda grunhiu com a testa encostada na mesa.

Anna e Carol conversavam sobre os novos modelos da coleção de uma marca famosa, enquanto Maya e Guiga faziam comentários sobre as pessoas que passavam.

– Você devia ter socado ela...

– Kevin! – Amanda riu, levantando a cabeça e passando a mão na marca da testa.

André e Breno chegaram perto.

– Vão se sentar? – Maya perguntou.

– Não... err – Breno ficou vermelho –, não podemos, temos uns assuntos e...

O menino parecia sem graça. André só olhou para os lados.

– Kevin, venha logo... – ele chamou antes de sair andando.

Maya franziu a testa, e Kevin olhou para Amanda.

– A gente se vê! – despediu-se, já correndo atrás dos amigos.

– Por que ele foi tão grosso? – Guiga perguntou.

– O André nem falou conosco! – Maya estava indignada.

– Por minha causa, ué – Amanda balançou a cabeça.

– Não, não é por sua causa... – Anna tentou amenizar.

– Se vocês não perceberam – Amanda sorriu de forma amarga, sabendo que a dor de cabeça só estava começando –, ninguém mais senta conosco.

– Só porque hoje é o primeiro dia depois dos acontecimentos chocantes, Mandy – Guiga falou baixinho.

– Imagine daqui a uma semana? – Amanda riu nervosa. – As pessoas não gostam mais de mim, inventam coisas sobre mim, e vocês estão sendo vítimas disso – ela se levantou. – Acho melhor a gente ficar um tempo afastada.

– Você ficou maluca? Andou fumando alguma coisa? – Maya enfureceu-se com o comentário da amiga. – Logo quando você mais precisa da gente?

– Agora que precisa da gente, você pode contar conosco. Sempre pôde, mas você parecia não saber disso – Carol se intrometeu, sem dar muita bola.

– Desculpe por isso – Amanda baixou o olhar, levantou-se e começou a se afastar. – Preciso ficar sozinha.

– Carolina! Você não precisa ser grossa! – Anna repreendeu a amiga.

– Estou chateada com ela e tenho todo o direito – Carol disse triste. – Ela não confiou em mim!

– Ela não queria que a Guiga soubesse! – Anna falou, novamente.

– Bingo! – Guiga sorriu nervosa. – Ela podia ter me falado!

– Ela não queria machucar você nem o Daniel! – Anna se sentia como um disco arranhado, repetindo sempre a mesma explicação.

– Ela fez os dois! – Carol respondeu. – Pode ser melhor ela ficar um tempo sozinha, quem sabe isso não a ajude?

– É, eu não sei... – Anna coçou a cabeça.

Ela ainda pensou sobre o que poderia fazer e, ao ver Caio, Rafael e Bruno se aproximarem, tentou sorrir.

– Pelo visto, vocês e os *boybands* brigaram. – Bruno abriu um sorriso largo.

– Não brigamos! – Carol retrucou.

– Posso sentar? – Rafael perguntou, e todas concordaram em tom de múrmuro.

– Cadê a Amanda? – Caio perguntou.

– Sozinha por aí... – Anna deu de ombros.

– Ela vai ficar bem – Guiga disse, fazendo bico. – Cadê o Fred?

– Ahhhhhhh, você perguntou por mim! – Fred falou rindo ao se aproximar, dando um susto nas meninas.

Guiga ficou vermelha, sem saber onde enfiar a cabeça. Como não o vira chegando?

– A intenção era que você não ouvisse – ela riu sem jeito.

Fred sentou-se ao lado delas, observando a chegada de uma garota que parecia não ter mais que 13 anos.

– Vocês são mesmo os Scotty? – perguntou envergonhada.

– Somos – Fred concordou.

– Não você! – a menina falou, provocando risos em Caio.

– Éramos – Bruno respondeu baixinho, de forma amarga.

– Gente, que coisa! Sim, menininha fofa, no que podemos ajudá-la? – Rafael deu uma piscada, tentando ser simpático.

– Podem assinar isso pra mim? Eu realmente adoooro a banda de vocês!

– Opa! – Caio pegou o caderno, rindo, e assinou seu nome antes de passar para Rafael.

Os dois se deram língua de forma infantil.

– Que coisa chique! – Anna zombou.

– Obrigado, humm... menina – Bruno disse sem graça.

– Vocês são muito talentosos! – ela falou rapidamente antes de sair de perto.

– As pessoas nos amam! – Rafael sentenciou.

– Vocês com certeza contrataram essa garota... – Maya rolou os olhos.

Rafael parou o que estava dizendo e abriu a boca, horrorizado.

– Como você pode pensar isso de mim, doce de coco?

– Ah, Rafael, se toca! Como um fim de semana muda a vida das pessoas, não é mesmo? – Maya disse, rindo.

Em seguida, ela viu uma galera acenando para os marotos, e todos riram concordando, ainda chocados.

• • •

Amanda avistou os amigos de longe, que pareciam se divertir. Sorriu e sentou-se na raiz de uma árvore. Uma atitude tinha mudado tudo na sua vida. E nem estava sendo tão dramática assim. Tentava convencer-se de que era apenas uma adolescente e que, provavelmente, o mundo não estava acabando. Mas era assim que se sentia, com um buraco na alma. Como agora sabia disso, não faria mais nada de errado. Não interessa o quanto fosse custar.

Mas o que fazer com essa falta de vontade de viver?

dois

Naquela semana, Amanda tentou se manter distante e sozinha. Sincronizou seu iPod para que tivesse todas as músicas possíveis para passar um dia inteiro sem perturbações. McFly, All Time Low, Simple Plan... Estava tudo lá. Fazia muito tempo que não escutava suas músicas favoritas, e essa era a hora. Em algum momento do dia, dava um "olá" às amigas e, na hora do recreio, seguia para os fundos do colégio sem olhar muito para as pessoas à sua volta. Sentia que todo mundo a encarava, apontando e comentando. Sentia-se ridícula, feia e sem nenhuma autoestima. Mas como já dizia a banda McFly: *just tell yourself, I'll be ok*. Ela ficaria bem. Nada é para sempre.

• • •

– Agora, só vou fazer o que é certo, Kev – Amanda disse, enquanto caminhavam pela rua de manhã cedo, na quinta-feira.

Ela contava os dias como se fossem anos. O cabelo estava amarrado de qualquer jeito, enquanto a saia do colégio parecia de alguma forma fora do lugar.

– Você não é a mesma que eu conheci – Kevin sorriu, sentindo orgulho da amiga, embora não falasse isso.

– Eu era fútil, só pensava em mim! Não é? Sei que era por isso. Sei que acreditei nas coisas erradas.

– Amiga, vamos assumir que não foi só por futilidade...

Kevin parou na esquina do colégio e olhou para o rosto da menina. Os dois sorriram. Amanda concordou e pegou seus livros das mãos dele.

– Você está um lixo, mocreia – disparou.

– Obrigada! – ela riu. – Vai logo antes que seus amigos fiquem bolados porque você está comigo. Não vão querer mais dançar músicas de *boyband* da Coreia quando você pedir.

– Ridícula! Até mais tarde.

Ele disse, saindo de perto dela e indo ao encontro de Breno e André, que estavam apoiados na entrada da escola, conversando com algumas meninas mais novas. Amanda apertou os livros contra o peito e respirou fundo. Mais um dia. Menos um dia.

• • •

– Sua amiga estava procurando você.

Amanda ouviu uma voz atrás de si enquanto andava até a entrada do colégio. Parou e respirou fundo. Por que não tinha ligado a droga do iPod? Agora, não dava para fingir que não tinha ouvido...

– Albert.

– Dizem as más línguas que você saía com Daniel Marques às escondidas – ele zombou, ficando ao seu lado. – Esses boatos me impressionaram!

– Por acaso você não faz parte das más línguas, Albert?

O garoto parecia ter mais gel no cabelo do que o normal, e as mangas da camiseta da escola estavam dobradas, muito justas em seus bíceps musculosos. Arght... O que ela tinha visto nele algum dia?

– Não, eu fiquei na minha. Mas me impressionou mais ainda você ter se virado bem naquela noite na praia...

– Você é patético.

– Então... ele largou você, foi? Como está se sentindo?

Ela percebeu um brilho de vitória no olhar de Albert e se sentiu ridicularizada.

– Péssima, se é isso que você queria ouvir. Parabéns!

– Exato. Mas roubar as provas... Tsc, tsc.

Ele fez uma expressão que não a convenceu. Amanda parou de andar e o encarou.

– Albert, me diga que você não teve nada a ver com isso!

– Eu não tive. Bom, se tivesse... Minha intenção não teria sido mandá-lo embora do planeta, sabe?

– Ele foi para o Canadá.

– É quase outro planeta – Albert deu de ombros.

– Você é um cínico. Se eu descobrir que você teve algo a ver com o roubo das provas, isso não vai ficar barato.

Albert parou de acompanhá-la, enquanto ela subia as escadas para entrar no colégio, e berrou.

– EU NÃO VOU SAIR COM VOCÊ DE NOVO! E SE VOCÊ FIZER COMIGO O QUE FEZ COM O POBRE MENINO DO SCOTTY?

Amanda ficou paralisada, embaixo da grande porta do colégio, e olhou em volta. Todos os alunos estavam parados, admirando a cena, horrorizados. Ela viu o sorriso frio no rosto de Albert, que parecia divertir-se bastante com aquilo tudo. Amanda suspirou e decidiu ignorar a todos. E, no caso de Albert, ignorá-lo só faria bem a ela.

– Vão procurar algo pra fazer! – ela gritou para os alunos parados perto dela e entrou na escola.

• • •

Quando chegou à sala de aula, Amanda levou um empurrão de uma menina que jurava nunca ter visto mais gorda. Será que ela nunca reparou no pessoal da sua própria classe? De repente, sentiu como se um véu caísse dos seus olhos e todo mundo tomasse formas diferentes. O garoto de óculos na primeira fila até era bonitinho. E a menina com cara de criança tinha amigas! Uma delas parecia a Lindsay Lohan!

– Olhe para mim – Carol pediu a Amanda, que se sentou na carteira atrás dela e levantou o rosto. – Ai, meu Deus...

– Santo Scotty! – Anna gritou, rindo. – Acreditam que ouvi isso no corredor?

– Carol, ai meu Deus o quê? – Amanda perguntou alarmada.

– Você não penteou o cabelo hoje! – Carol riu nervosa. – Caraca, quem é você?

– Quer minha escova? – Maya ofereceu, simpática.

Amanda concordou silenciosamente. Nem tinha reparado nisso. Carol olhou para a garota com pena.

– Amiga, isso vai passar.

– Faz quase uma semana... – Amanda tentava pentear os cabelos embaraçados.

– Eles vão se esquecer – Guiga disse, apoiando-se na cadeira da frente e enrolando seus cachinhos com os dedos.

– Isso é um colégio... – Amanda diminuiu o tom da voz quando a professora de Literatura entrou na sala, olhando diretamente para ela.

– Senhorita, aqui não é salão de beleza. Guarde a escova ou vou ter de mandá-la para a secretaria – a professora disse, ajeitando os óculos.

Pela primeira vez, Amanda percebeu quanto a senhora Vera era feia. Entregou a escova para Maya, dando de ombros. Anna e Guiga apenas abaixaram a cabeça, e Carol virou-se para a frente.

Ok, isso estava se tornando um pesadelo.

• • •

Amanda tentou se manter um pouco distante das amigas, mas não parecia funcionar sempre que queria. Elas procuravam, de verdade, fazê-la se sentir mais relaxada. Não que, com as pessoas à sua volta, funcionasse muito bem. Em apenas dois minutos, recebeu dois apelidos maldosos, jurou ter ouvido um Avada Kedavra e, de uma vez só, sentiu-se alvo de mais olhares do que em sua vida inteira.

– Fã-clube do Scotty? – Guiga comentou, enquanto abria a bolsa na hora do recreio, seguindo para a mesa que as amigas sempre se sentavam. – Essa é nova.

– Deus do céu, o que estão fazendo com os marotos? – Maya riu.

– Estão transformando o que é ruim em bom – Carol disse, limpando as mãos com álcool em gel, e viu Maya colocar a língua para fora.

– Eles são bons – Amanda defendeu, obtendo apoio de Anna e Guiga, que balançaram a cabeça, concordando.

– Acho que chegou a hora de terem o que merecem – Carol bufou.

Duas meninas se aproximaram, carregando panfletos nas mãos.

– Estamos fazendo uma campanha – explicou a menina de olhos puxados e cabelos pretos lisos, que usava um arco com orelhas de gatinho, no estilo otaku, e cinto verde – para que os bailes de sábado à noite voltem!

– Cancelaram? – Guiga perguntou, pegando um dos panfletos.

– Por causa desse problema todo com os meninos da banda Scotty. Não há outro grupo para se apresentar, nem os meninos da gaita de fole do primeiro ano se inscreveram... Todos querem a Scotty de volta!

– Que pena... – Carol falou, deixando as amigas em dúvida se estava sendo irônica ou falando a verdade.

– Pois é. Por isso, começamos uma campanha para ajudá-los – disse a amiga da japonesa, entregando a todas um panfleto que dizia: “Tragam Daniel Marques de volta.

Queremos a melhor banda da cidade outra vez!". Mas parou na vez de Amanda: – Acho que você não precisa.

– É, acho que não.

Amanda se virou de costas, colocando as mãos nos bolsos do casaco, e saiu de perto. Sentiu um aperto enorme no peito. Ela queria Daniel Marques de volta!

– Ei! – Anna andou até ela. – Não ligue pra essas meninas.

– Pode ir tomar seu lanche em paz, amiga. Depois, nos falamos. Tenho algumas coisas pra fazer! De verdade! – Amanda sorriu, deu uma piscada e saiu andando.

Anna olhou para o panfleto. Por que estavam levando tudo isso tão a sério? Como um problema pessoal acabou virando uma bola de neve dessas?!

• • •

Amanda caminhava pelo gramado do colégio, tateando seu iPod no bolso, e já pensava em qual álbum do McFly iria ouvir novamente. Radio:active? Ou voltaria às raízes? Wonderland não faria bem naquele dia. Muito deprê. De repente, sentiu uma mão tocar em seu ombro.

– Você não parece bem – Kevin disse.

– E por que estaria?

– Mocreia... – ele a encarou. – Isso vai passar.

– Não fala mais nada, ok? Você sabe que não é bem assim. Eu não sou idiota. Tantas fofocas! As pessoas não cansam de falar mal de mim. Em uma semana, sou odiada por separar os meninos do Scotty, por destruir o namoro de merda do Daniel e da Rebeca, e eu me odeio por ter ido pra casa dele depois do baile!

Ela começou a chorar, sem perceber. Kevin abraçou a garota. André e Breno pararam perto dos dois, sem graça.

– Amanda...

– Não preciso que venham dizer nada. Vão cuidar da reputação de vocês! – ela se soltou dos braços de Kevin, secando as lágrimas. – Obrigada, Kev, mas não quero que você seja prejudicado por minha causa.

Com as mãos nos bolsos, ela continuou o trajeto até a parte de trás do colégio, sentindo na pele os olhares das pessoas, que riam, falavam besteiras e comentavam sobre o seu estado. Reparavam em tudo.

Que ódio. Que saco! Não estava bom desse jeito? Ela se lembrava de cada momento depois do baile, de cada toque, de cada beijo, e tudo parecia muito irreal. Não era o Daniel que ela amava, certo? Era um Daniel que já não era mais seu, e isso não era justo. Ela sabia que não era.

Sentou-se num banquinho de pedra, no pátio atrás da escola, e olhou para o corredor que estava fechado. O almoxarifado. Ela riu. Tinha sido a única que podia apertar a bunda dele.

– Rindo sozinha? – Kevin reapareceu ao seu lado.

– Apenas lembranças. O que faz aqui? Eu não mandei você ficar lá na frente?

– Resolvi ficar com você – ele deu de ombros, cruzando as pernas.

– E os outros? – a menina arqueou a sobrancelha.

– Sei lá. Vamos, me conte do que está rindo. Eu também preciso de motivos pra rir, sabe?

Amanda olhou piedosa para seu amigo. Quase nunca pensava que ele podia, também, estar passando por problemas. Então, contou do almoxarifado. Contou da praia. Contou da noite chuvosa.

– Sabe do que mais? – ele perguntou, enquanto ela explicava como tinha sido ir à casa de Daniel pela primeira vez. – Você tem sorte de ter vivido um amor assim.

– Ah, é, tenho...

Ela revirou os olhos, irônica, mas, quando ia começar a reclamar de novo, foi interrompida.

– Tem mesmo... A maioria de nós nunca sentiu nem metade disso tudo. Agora, posso confessar uma coisa?

– Contanto que não diga que resolveu virar hétero e que me ama...

– Não, boba! – ele gargalhou. – Eu amo você, mas não desse jeito... Você é esquisitinha, mas é bem legal.

Ela deu um tapa no braço dele, fazendo-o rir novamente antes de continuar:

– Aquela noite, no baile, quando eles tocaram aquela música linda e eu vi que o Daniel olhava pra você...

– Você sabia que era o Daniel?

– Sou um cara esperto, querida. Mas deixe-me falar que estou inspirado... – pigarreou, fazendo graça. – Bom, foi uma das cenas mais bonitas que eu já vi. E tenho certeza de que muitos concordam com isso. Aquela música tocando até que, de repente, ele desce de máscara e todos param pra olhar. E você parada no meio do salão, chorando. Cara, vou dizer uma coisa... eu chorei junto.

– Chorou? – ela sorriu com os olhos brilhando.

– Recebi uma porrada do Breno por isso, mas não me contive. Sabia que era o Daniel. As pessoas não. Eu sabia quanto aquilo ia ser difícil. Ele sabia. Você não. Sei lá, me senti cúmplice...

– Ahnnn, Kev...

Amanda sentiu os olhos se encherem de lágrimas. Como em tão pouco tempo Kevin se tornara indispensável em sua vida?

– Sério... não sei o que fizeram depois, se foi bom ou não. Mas vocês mereciam ficar juntos.

– Dormi na casa dele, Kev. Você sabe disso – ela ficou séria, observando Kevin concordar.

– Mas dormiu, dormiu mesmo?

– Não – Amanda confessou, ficando vermelha, enquanto Kevin sorriu.

– E ele deixou você na manhã seguinte? Por que ele fez isso? Acho que eu não perdoaria ninguém que tivesse me deixado logo depois de... bom, você sabe, sexo e panz.

– Eu mereci, Kev. Sei que mereci. Foi a noite mais bonita e mais confusa da minha vida.

Amanda voltou a chorar, e o amigo passou os dedos em seu rosto, limpando as lágrimas.

– Sei que ele me quis e que ele me amava naquele momento – Amanda soluçou. – Mas, na manhã seguinte, foi o dia mais terrível de todos, porque, de repente, tudo sumiu.

– Inclusive a sua virgindade! – Kevin disse, bravo.

– Parece horrível – ela sorriu –, e é, mas eu quis fazer isso.

– Depois de uma cena daquelas no baile, até eu...

Os dois sorriram, cúmplices.

– Mas eu sabia o que estava fazendo... Acho...

– O dia em que aquele garoto voltar, você vai saber se o que aconteceu significou algo pra ele.

– Eu acho que nem quero saber.

– Então, só nos resta esperar, certo?

Amanda concordou. Era bom ter Kevin ao seu lado; pelo menos um de seus amigos não pensava apenas em si mesmo nem se preocupava com popularidade. Ela não sabia como tinha conseguido viver daquele jeito até então.

três

Daniel olhou para fora do seu novo quarto. Estava nevando. Colocou as luvas e desceu as escadas até a sala, ajeitando os cabelos rebeldes ao enfiar o gorro na cabeça.

– Mãe, vou sair – berrou.

Ele bateu a porta atrás de si. Precisava ligar para Bruno, mas não queria fazer isso ali. Não aguentava mais ficar sozinho, ouvindo as reclamações de seus pais dentro de casa. Eles já tinham problemas demais, com o acidente e o tratamento para a recuperação total dos movimentos das pernas do pai, e não precisavam também de um adolescente rebelde, expulso do colégio, reclamando. Sua mãe o matriculou em uma espécie de supletivo, e as provas começariam na semana seguinte. Ele não sabia mais o que fazer para se distrair até lá.

No caminho, ele viu um casal se abraçando por causa do frio. Sentiu inveja. Daniel queria estar fazendo a mesma coisa. Também queria poder abraçar quem amava.

Sentou-se em um banco próximo de casa e pegou seu novo celular.

• • •

– Caaaaaaara, você tá vivo! – Bruno berrou, apertando com força o telefone, e gargalhou, enquanto Caio puxou a barra da sua blusa, querendo saber quem era. – É o Danny.

– Heeeeey, figura, como tá? – Caio berrou, aproximando o ouvido do telefone colado na orelha de Bruno.

– Bem... – Daniel riu do outro lado da linha – está nevando!

Bateu um vazio em seu peito. Como sentia saudade dos amigos! Sabia que eles estavam reunidos, provavelmente comendo pizza e disputando algum duelo mortal no videogame, enquanto ele aturava os dramas de seus pais em um lugar distante.

– Nevando? Nossa, que maneiro! Manda uma foto pra gente – Bruno disse. – Que bom falar com você! A gente está com saudade! Sexta-feira de noite, e você tá em casa!

– Pois é, pois é... Como andam as coisas? – Daniel perguntou.

Bruno olhou para Caio temeroso.

– Como assim?

– Como assim o quê, Bruno? Quero saber como anda a vida nessa primeira semana sem mim... – Daniel hesitou: – Como ela está?

– Humm – Bruno murmurou –, sabia que você ia perguntar isso...

– Vamos, Bruno! Estou sem internet aqui! Esse maldito telefone raramente faz chamada! – Daniel quase implorou.

– Como você acha que ela está? – perguntou irritado.

– Sinceramente, não sei.

Daniel mordeu os lábios, sentindo as orelhas geladas, mesmo debaixo do gorro. Maldito país frio.

– Cara – Caio pegou o telefone –, as coisas vão ficar bem, você vai ver.

– Já ouvi isso antes, Caio – Daniel bufou e respirou fundo. – De qualquer forma... Vamos ao que interessa? E a banda?

• • •

Sexta-feira, como sempre, era uma noite para fazer alguma coisa. Mas não significava ficar até tarde na rua, já que isso era algo para os sábados. Nem todos os pais agiam como os de Amanda, que a deixavam dormir na casa dos amigos sem se preocuparem. E pais de cidade pequena gostam de padrões!

– Vamos ao shopping hoje? – Guiga perguntou, sentando-se na cama de Anna, logo após chegarem juntas do colégio. – Preciso comprar umas coisinhas...

As amigas se entreolharam, e Amanda riu.

– Coisinhas?

– Humhum – Guiga respondeu, ficando vermelha de repente.

– Hummm, não se compra camisinha em shopping, amiga – Maya zombou e recebeu um tapa.

As meninas riram histericamente, enquanto Guiga parecia cada vez mais roxa.

– Não é disso que estou falando.

– Nem teste de gravidez – Carol falou alto, vendo Guiga lhe mostrar a língua.

– Oh, meu Deus! – Amanda sorriu. – Você quer roupas novas?

Todas olharam para a amiga, que não sabia se ria junto ou se ficava brava.

– Qual problema? – perguntou.

Anna se levantou, afastando-se da escrivaninha, onde arrumava alguns perfumes, classificando-os por cor e marca. Ela é paranoica com arrumação.

– Pois quando queremos roupas novas é porque vamos sair...

– E? – Guiga sorriu.

– COM QUEM VOCÊ VAI SAIR? – Carol gritou, desatando mais risos de Amanda e Maya.

– Ehrrr...

– Quem? – Anna perguntou.

– Fred! Fred, ok?! Vou sair com ele!

– Você o quê? – Amanda abriu a boca e, depois, mordeu os lábios, pensando que Guiga estava certa e tinha que aproveitar seu romance.

– Eu... – Guiga olhou sem graça para Amanda, que sorriu amarelo.

– Boa sorte, amiga – ela disse.

– Vamos aproveitar, então, que o mundo está enlouquecendo e vamos encontrar o melhor *look* pra você sair com um encrenqueiro excluído socialmente! – Maya completou, brincando.

– No circo vende roupas? – Carol entrou na brincadeira e levou outro tapa de Guiga. – Ai! Tudo bem, vamos procurar por um vestido então!

As meninas riam, e Amanda se sentiu deslocada.

– Vou ao banheiro.

Amanda saiu do quarto de Anna. Parou no corredor sem conseguir respirar. Sentia-se feliz por Guiga, mas não podia deixar de sentir uma ponta de inveja. O que Daniel estaria fazendo naquela hora?

• • •

O baile do primeiro sábado à noite sem a Scotty foi um fracasso total. Sem ninguém para substituir a banda, o diretor convidou um DJ para tocar músicas da moda, o que acabava não agradando a todos. Muitos alunos adoraram, mas a festa ficou bem mais vazia que o normal. Amanda nem se deu ao trabalho de ir. Apenas Carol e Maya passaram por lá para encontrar Breno e os amigos. Anna teve que ficar em casa, cuidando do cachorro já velhinho, enquanto seus pais iam a um evento beneficente da empresa da família, e Guiga foi à sorveteria com Fred. Amanda resolveu assistir a alguns filmes e treinar lições de música no violão.

Vez ou outra checava o celular, como se fosse tocar de repente, com o Daniel se lembrando de que ela existia. Uma vez até tentou discar para o número dele, mas a gravação disse que não existia mais. Claro, era ridículo.

• • •

Quase cancelaram o segundo baile de sábado à noite. O fracasso foi tanto, que a festa acabou mais cedo, e os estudantes terminaram a noite em um luau improvisado ao som de Fred e Caio no violão. Rafael ficou doente e não pôde ir, enquanto Bruno preferiu encher a cara sozinho e pensar na vida. Amanda sabia que Anna tinha ido, embora a amiga não tivesse dito nada. A semana inteira tinha sido a mesma coisa, as mesmas fofocas e os mesmos comentários, como se ninguém tivesse mais nada para falar. Por que as pessoas não arrumavam um problema maior e deixavam de atormentá-la? Custava alguma menina trair o namorado, cortar o cabelo ou, sei lá, ficar grávida? Poxa!

Decidiu ligar para Kevin e chamá-lo para fazer algo naquele domingo. Passara tanto tempo sozinha, tocando violão, que perdeu a graça.

– Garotaaaaaa! – ele berrou na porta do quarto de Amanda.

– Espera – ela riu do lado de dentro.

– Anda logo, poxa... Tenho de ir pra casa do primo do Breno estudar!

– Certo, calma!

– Garotaaaaaaaa! – ele continuou berrando.

Amanda abriu a porta com o violão na mão.

– Se você continuar me chamando de garota, teremos problema.

– Que eu saiba, você ainda é uma garota. Chata! – Kevin entrou no quarto sorrindo, de calça jeans, tênis colorido e blusa polo branca.

– Você se arruma bem pra ir estudar – Amanda riu. – E gastou um vidro inteiro de perfume, foi?

Kevin apontou para o traje dela, que usava short jeans velho e blusa preta, com o ombro caindo, onde se via um desenho do Snoopy já desbotado pelos anos de lavagem, e sentou-se ao seu lado na cama.

– E você, pelo visto, está mais molambenta que o normal. – O que diabos quer me mostrar?

– Feliz em me ver, Kev? – ela perguntou.

– Desculpe – o menino sorriu e deu-lhe um beijo na bochecha, com os lábios ressecados. – Estou meio nervoso.

– Com...?

– Estudos – ele deu de ombro, coçando a cabeça.

– Humm... sabe que só temos provas daqui a dois meses, não sabe?

– Estudar nunca é demais; eu não entendo por que você me enche o saco – ele disse, emendando rapidamente: – sériomostralogooquevocêquer!

Amanda riu. Bem clássico, Kevin estava fugindo do assunto!

– Ok. Eu andei treinando essa joça.

– Ahhh, Deus, agora quer virar um Scotty?

– Cale a boca, estou tentando me concentrar em algo legal.

Ela bateu nele, e Kevin fez sinal para que ela seguisse com o que estava querendo fazer. Amanda tossiu, concentrou-se e ficou vermelha, fazendo o amigo rir mais uma vez.

– *Diga que você me quer, diga que nada é em vão. Diga o que eu quero ouvir, e eu farei o mundo parar para você!* – Amanda cantou, tocando no violão a versão acústica da música que ela e Daniel fizeram tempos atrás, *Quero te abraçar*. Imaginou que, se pensasse na letra como algo corriqueiro, acabaria não ficando tão chateada quando ouvisse. Estava dando certo!

Kevin sorriu. Soava realmente bonito, e parecia sair do coração, embora ela não cantasse tão bem. Amanda parou, de repente, sorrindo envergonhada.

– Continue – ele pediu.

– Mas você estava atrasado... – ela disse, prendendo o cabelo e soltando o violão, enquanto Kevin dava de ombros, tirando o tênis e cruzando as pernas em cima da cama.

– A gente pode dar prioridade para outras coisas mais importantes.

A garota sorriu alegremente, concordando. Afinal, quem se importa com os estudos?

• • •

As coisas na escola mudaram. Um surto de popularidade fez os marotos serem recebidos com braços abertos, sorrisinhos escondidos e beijos. Agora, até Fred se deu bem. De acordo com Guiga, os dois estavam namorando. Anna dizia que já era hora de assumirem o romance, mas, depois de quase um mês dos acontecimentos, Amanda achava tudo muito estranho.

E os próprios marotos também estranhavam a nova situação. Claro que, de acordo com eles, a vida tinha melhorado cem por cento. Mas não podiam deixar de achar estranho quando alguém que nunca tinham visto na vida os parava para conversar.

– Anteontem eu fui literalmente agarrado! – Rafael contou, enquanto entregava um copo de Coca-Cola para Caio e via Fred descer as escadas da casa de Bruno.

– Perfumado?! Aonde vai? – Bruno perguntou.

– Sair com a Guiga – Fred respondeu, colocando a carteira no bolso traseiro do jeans surrado e pegando a chave do carro.

– Hummm – Caio exclamou bem alto.

Ele e Rafael começaram a rir, cuspindo Coca-Cola pelo chão. Bruno também riu, mas Fred fez uma careta.

– Vocês são uns babacas. Mesmo com a popularidade, vocês não aproveitam. É meu último ano na escola, eu preciso me dar bem... Boa-tarde, encalhados! – saiu batendo a porta da entrada.

– Cara sortudo! – Rafael disse, enfiando a mão na pipoca e esfregando o pé, apenas de meia, no refrigerante derramado no chão, numa tentativa de secar tudo.

– Sortudo? – Bruno riu.

– É, cara – Caio concordou. – Ele também é mais corajoso do que a gente.

– Pelo menos, mais do que o Bruno ele é – Rafael comentou, como se Bruno não estivesse ali.

– É mesmo, Bruno é o maior babaca...

– Ei, caras! Estou aqui! – ele lembrou.

Caio e Rafael se viraram para ele, fingindo surpresa.

– Desculpe, cara, mas você é um imbecil! – Caio comentou.

– Vou dar uma volta – Bruno deu de ombros e enfiou os pés no chinelo.

– Traz pizza! – Rafael gritou antes de ele se ver sozinho na rua.

Bruno respirou fundo.

Claro, ele estava sendo um completo idiota.

E não somente com sua própria vida amorosa.

Olhou para o meio-fio e se sentou, lembrando-se de quando Amanda vinha pegar carona com ele. Por que doía tanto pensar nela? Os dois já não eram melhores amigos antes mesmo de ele conhecer Daniel? Que direito ele tinha de ficar ao lado do amigo e contra ela? Por que não havia sequer ouvido a história dela?

Balançou a cabeça, começando a achar que era ele quem fazia tudo errado. Para completar o dia, um carro parou em frente à sua casa, com música alta e gritinhos femininos. O garoto se levantou e viu Maya e Anna saírem do carro, mas reparou que Carol continuou sentada no banco do carona.

– Boa-tarde, Bruno – Anna cumprimentou. – Ocupado?

– Estava observando a consistência do meio-fio.

Ele riu, e elas sorriram. Carol, porém, encarava a rua. Parecia não querer estar ali.

– Vamos tomar sorvete? – Maya perguntou. – Os meninos estão aí?

– Desistiram dos *boybands*? – Bruno perguntou rindo e virando-se para a porta de casa.

Até Carol sorriu sem querer.

– Não – Anna disse, piscando. – Eles estão ocupados, mas como vocês agora são tão populares, são nossa segunda opção.

– Hmmmm, bom saber – ele olhou para elas antes de abrir a porta de casa. – Cadê... a...

– Amanda? – Carol perguntou, notando que ele concordou silenciosamente.

– Em casa. Faz uma semana que ela não sai conosco, se você não percebeu – Maya alfinetou. – E ela não vai sair, acho...

– Ah, ok – Bruno sentiu um aperto no peito e abriu a porta de casa. – Caras?

– Trouxe comida? – Rafael gritou lá de dentro.

– Trouxe! – Bruno respondeu rindo, ouvindo as meninas gargalharem.

• • •

Último sábado à noite do primeiro mês desde a viagem de Daniel para o Canadá. Para longe dela. Na cabeça de Amanda, era como um registro de missão, do tipo sobrevivência. Havia vida inteligente no Sistema de Ensino Alta Granada? Ela às vezes duvidava. Não que os fins de semana fossem bem melhores agora. Ligou a TV de casa e ficou assistindo a programas banais, como estava acostumada a fazer. *America's next top model*, *Hell's kitchen*, *The voice*... O que veria a seguir?

O celular vibrou em cima do sofá.

– Alô?

Amanda atendeu no primeiro toque. Não podia deixar de notar que estava tendo um pequeno problema relacionado a telefones. Como se esperasse sempre que Daniel fosse ligar.

– Oi, amiga, que houve? – a voz de Anna era alta.

Amanda estranhou.

– Hmm... nada.

– Venha encontrar a gente aqui! – Anna pediu.

Amanda ouviu alguém cochichar algo.

– Onde vocês estão?

– Na casa do André. Estamos aqui desde ontem! – Anna disse, rindo. – Acabamos dormindo sem querer...

Sei. Dormiram sem querer. E na casa do André? Não que ela quisesse ir mesmo, nem se tivesse sido chamada. Ok, mas isso doía. Ela NÃO fora convidada.

– Ah, certo. Não, tranquilo... Vou ver mais alguma coisa na TV e mais tarde ligo pra você.

Desligou o telefone, sem esperar resposta. Olhou para o teto, pensativa. Não tinha ninguém para lhe fazer companhia naquele momento. Ninguém.

Sentia falta de Bruno. Desde o maternal, ele era seu amigo, seu companheiro. Era o irmão que ela nunca teve. Mas ele decidiu tomar um lado na história, e não era o dela. Nem ao menos ouviu sua parte ou se preocupou em saber como ela estava lidando com tudo o que aconteceu. Amanda, porém, não o culpava. Se alguém tivesse feito o que ela fez com alguma de suas amigas, também ficaria decepcionada. Mas será que ela agiria como Bruno, se a situação fosse com ele?

Instantaneamente, começou a chorar. Como podia ter deixado sua vida ficar daquele jeito? Até suas melhores amigas não queriam mais sair com ela. Nem seus melhores amigos. Somente Kevin ainda estava ali. Mas ela não podia esperar que o amigo ficasse 24 horas ao seu lado; ele também tinha uma vida e seus próprios problemas. Sem falar nos "estudos" com o primo do Breno. Ah, claro, todos tinham suas prioridades. Ela precisava arrumar alguma.

• • •

Dias de semana. Relatório do início do segundo mês desde que Daniel foi embora. Nenhuma ligação, nenhum *e-mail*, mensagem ou aviso de fumaça. Apocalipse chegando. Os meninos da Scotty ficaram famosos, e as pessoas planejavam até usar máscaras nas festas de Dia das Bruxas em sua homenagem. Aliás, máscaras estavam populares. Até as letras de músicas da banda tinham sido pichadas nas ruas da cidade. E tudo isso lembrava que um deles havia descido do palco, em sua última apresentação, para beijar uma das meninas do colégio. Todo mundo sabia disso. Até o avô de Guiga ligou, do interior do Nordeste, para perguntar se ela era a tal garota. Se fosse, teria o casamento arranjado em minutos! Que tipo de menina se dá ao desfrute desse jeito?

Só que, para Amanda, não era tão interessante assim. Não aguentava mais a pressão de tantas pessoas. Será que não desistiriam de maltratá-la? Isso deveria ser crime! Deveriam punir essa gente por não falar com ela, por rir dela ou, simplesmente, por começar a cantar alguma coisa do Scotty para informá-la de que eles não existiam mais por causa *dela*. Como se ela fosse o centro do universo e, dessa vez, sem realmente querer ser.

Ótimo, que todos fizessem o que tinham vontade de fazer. Não iria dar mais a mínima bola. Estava decidida. Não iria mais se chatear por causa desse povo. Eles não mereciam.

– Vá se ferrar! – Amanda gritou, de primeira, quando um garoto começou a fingir que chorava ao seu lado.

Algumas pessoas se entreolharam e saíram de perto. Amanda deu de ombros e aproximou-se de Kevin, que estava mais à frente com os amigos, encostando em seu braço.

– Bom-dia, meninos. Podem me emprestar o Kev?

– Bom-dia! – Breno respondeu, sorrindo.

Mas Amanda sabia que aquele sorriso não era verdadeiro. Ela tinha alguma doença por acaso?

– Pode sim, ele é todo seu – André também sorriu.

Céus, eles estavam sendo muito falsos ou ela é quem estava se tornando amarga, com mania de perseguição?

– Obrigada. – Amanda apenas agradeceu e puxou Kevin para caminhar ao seu lado. – Cansei.

– Hmm... certo. De que mesmo?

– De tudo! De todo esse povo me enchendo...

– Já era hora. Estava querendo saber aonde sua coragem tinha ido.

Ele sussurrou a palavra "Canadá" logo depois, fazendo a garota sorrir.

– Não sei se sou corajosa desse jeito... – ela sentou-se no banco do pátio com o garoto.

– Convenhamos! Quem aqui foi pra cama com o esquisito do Daniel Marques? – Kevin levantou a mão.

Amanda desatou a rir.

• • •

De longe, Bruno respirou fundo, ajeitando o boné na cabeça. Conseguia ver, claramente, todo o pátio da escola e exatamente onde Amanda estava, já que, ultimamente, quase ninguém ficava perto dela.

– O que está pensando, cara? – Rafael o cutucou.

– Nada...

– Você não me engana desde que fingiu dor de barriga na semana passada pra não sair com as meninas. Pode ir falando.

Bruno apontou para Amanda e Kevin, sentados no banco do colégio.

– Sinto falta dela.

– Eu sempre soube! – Rafael riu. – Vou confessar que eu também. Sempre achei ela super, mega e ultradivertida – ele imitou um movimento *gay* com as mãos, fazendo Bruno gargalhar. – Mas vamos encarar os fatos, cara... A gente só ficou do lado do Daniel nessa história toda.

– Eu me sinto mal, cara. Sei que ela ama o Daniel e sei quanto ele gosta dela. Incrível isso!

– Parece até um certo casal que conheço – Rafael tossiu.

Bruno pôs a língua para fora.

– O negócio é... ela está sorrindo. Com aquele garoto. E...

– Ciúmes? – Rafael sorriu vitorioso..

– Eu queria – Bruno mordeu o lábio – vê-la sorrindo desse jeito de novo, sabe? Fico feliz por ela.

– Mas não é a mesma coisa quando não é com você, certo? – Rafael disse, observando Bruno apenas concordoar. – Você devia falar com ela.

– Eu não sei...

– Caaaras! – Fred apareceu de repente, tirando os meninos de seus pensamentos.

Com o cabelo preso dentro de uma enorme touca de crochê esquisita, que provavelmente tinha dedo de escolha feminina, Fred convocou a turma:

– Vamos, o diretor quer ver vocês!

– Ahn? – Caio tirou o fone de ouvido. – Ahn?

– Você está ganhando algum dinheiro com isso? Agenciamento? – Bruno perguntou.

Fred não lhe deu atenção; apenas empurrava todos para dentro do colégio, rindo. Bruno ainda se virou para trás e seu olhar cruzou com o de Amanda. Ela sorriu, e ele retribuiu o sorriso.

• • •

– Vocês ouviram? – Anna apareceu na sala de aula quase correndo, eufórica.

Amanda e Carol olharam para ela e perguntaram juntas:

– O que aconteceu?

– Os bailes de sábado à noite vão voltar! – Anna sentou-se na carteira em frente a Guiga.

– Mas... hein?! Eles nem acabaram de verdade, só se tornaram uma festa superfalida – Maya parecia confusa.

– Como? – Amanda arregalou os olhos. – Quero dizer... a Scotty...

– Parece que o Fred vai substituir o Daniel na banda! – Anna começou a rir. – Daqui a pouco as pessoas começam a se esquecer de que Daniel existe, amiga! Melhor pra você.

Anna piscou para Amanda, que sorriu sem achar graça nenhuma.

– Nossa! E ele nem me contou! – Guiga parecia animada. – Como você soube disso? Certeza de que não é mentira? Ouvi aquelas garotas do primeiro ano dizendo um monte de...

– Caio me disse – Anna ficou subitamente vermelha e se virou para a frente quando o professor entrou na sala.

Amanda apoiou a cabeça nas mãos. Os bailes de sábados à noite de volta. Scotty de volta. Cadê o Daniel? E bateu com a testa na mesa, arrependendo-se disso depois por ter ficado com um galo.

•••

quatro

Diário estelar dos caras mais bonitos do mundo. Sim, vamos voltar. Sim, Fred acha que é a coisa mais sem sentido do mundo e, mesmo assim, topou. Acho que ele quer mostrar para Guiga quão bom pode ser em cima do palco. Todos querem. Quem nunca? Garotas olham para a gente lá de baixo como se fôssemos deuses, amigos do Percy Jackson ou, ainda melhor, estrelas do rock. A gente sabe que nossa música é pop, embora o Bruno fique bravo quando falo isso. Se Travis Barker tocou até hip hop, por que eu não posso sonhar em ser mais famoso que a Madonna?

– Rafael! – Caio berrou da cozinha da casa do amigo, acordando-o de seus pensamentos. O garoto chegara a uma conclusão sobre uma conversa que tinham tido antes do almoço. – Acho que deveríamos chamar nosso mascote de Dougie, em homenagem ao McFly.

– Isso é ser puxa-saco demais – Rafael sentou-se na bancada da pia, vendo o amigo lavar a louça. A mãe dele tinha deixado bem claro que não queria nada sujo quando voltasse. – Meu lagarto novo não tem cara de Dougie... Talvez só Doug, tipo o Funnie do desenho.

– Dá no mesmo, cara! – Caio deu de ombros, enquanto Rafael pontuava todas (sério, todas!) as diferenças possíveis que encontrava para discordar dele.

• • •

Fim de semana chegando. Depois do novo pôster dos bailes de sábado à noite ter sido colocado no corredor do colégio, ninguém mais falava de outra coisa. Provas em pouco mais de um mês? Quem se importava com isso? Fred só pensava em sua estreia e não queria saber de mais nada!

– Danny me passou as instruções, cabeçudos... Vocês não precisam me explicar tudo de novo – Fred disse para Bruno, enquanto andavam pelos corredores do colégio naquela quarta- feira.

Bruno apenas riu. Quando olhou para o lado, viu Amanda diante do cartaz anunciando o baile, com um novo desenho da Scotty, ainda com máscaras, mas sem Daniel.

– Um minuto – pediu aos amigos.

Estava com o peito apertado, mas seria agora ou nunca. Os meninos continuaram andando pelo corredor, enquanto ele parou atrás da garota.

– Esse pôster costumava ser mais bonito – ela disse, subitamente, sem olhar para trás. – Embora fosse melhor tirar essas máscaras desnecessárias.

– Meu rosto lindo não pode ser gasto dessa forma – Bruno sorriu –, vamos aos poucos.

Ela se virou, também sorrindo, e encarou Bruno antes de voltar a olhar para o pôster.

– Boa sorte com a nova banda, agora com um integrante geriátrico.

– Não é nova. Daniel nunca vai deixar de ser um de nós.

– Eu sei – ela concordou. – Mas ele não está aqui, está?

De novo, Amanda encarou o amigo. Bruno fitou seus olhos, viu a dor que a menina sentia e passou a mão em sua bochecha, mas ela se afastou, gesto que fez com que seu coração ficasse mais apertado. Amanda era a sua menina, a sua protegida. Como ficaram assim tão distantes?

– Isso também machuca a gente, sabe? Mas eu sei quanto você está mal...

– Você não sabe, Bruno – ela apertou os olhos, e uma lágrima escapou, escorrendo pelo seu rosto. – Não é somente o fato de ele ter ido embora, mas, pior de tudo, é ter sido eu quem o mandou embora, Bruno. Tentei ignorar as pessoas à minha volta que me diziam isso, mas elas estão certas...

– Ei, ei... para com isso, chega. – Bruno puxou a garota para perto, abraçando-a.

Pronto, era tudo o que ele queria. Ter sua amiga de volta. O mundo parou por um segundo.

– Você e o Daniel já começaram isso fazendo tudo errado – acrescentou. – A culpa é de ambos, e não somente sua.

– Eu não sabia o que estava fazendo, Bruno. Estava defendendo uma amizade que, poxa, sinceramente... – ela limpou outra lágrima e olhou para o garoto.

– Como assim? – ele não entendeu.

Amanda apenas apontou para o pátio onde estavam centenas de pessoas conversando.

– Elas estão lá. E eu aqui.

– Elas?

– Eu fiz mal ao Daniel por causa da Guiga. Mas ela está lá, com o Fred. E eu aqui, sozinha.

Enquanto ela tentava se explicar, Bruno mordeu o lábio. Céus! Ele nunca tinha parado para pensar nisso. Como tinha sido egoísta.

– Eu... cara... me desculpa? – ele pediu subitamente.

– Mas... – a menina arregalou os olhos – hein? Senhor Bruno Torres está me pedindo desculpas?

– Bom, eu não tenho sido um bom amigo.

– Pro Daniel você tem sido, sim.

– Mas o Daniel não está aqui. E eu amo você desde pequena, você é quase minha irmã, e eu não tinha o direito de tomar partido.

– Tinha sim, Bruno. Tirei seu amigo de você. Mas só não entendo por que você nunca quis me escutar ou saber o meu lado na história.

– Fui um imbecil egoísta! Fiquei chateado pelo fim da banda, pela expulsão do Danny. Mas tudo vai se resolver, serão só poucos meses longe dele.

Bruno piscou, tentando não chorar também. Ele se fazia de durão e ranzinza, mas, por dentro, emocionava-se com facilidade. Sentiu pena de ver o jeito como Amanda falava de Daniel, sobrecarregada de tanta culpa.

– Ele volta? – a garota arregalou os olhos, repentinamente curiosa.

Bruno mordeu o lábio. Ok, ele também não podia criar expectativas. Daniel poderia se virar pelo Canadá e não voltar mais. Tudo era possível.

– Deve voltar – deu de ombros, fingindo desinteresse, e a menina concordou. – Falei com ele alguns dias atrás.

Bruno percebeu que os olhos dela brilharam. Amanda se voltou para o pôster de novo.

– Só espero que ele esteja bem, e que não me odeie.

– Eu também.

Bruno mentiu. Daniel não a odiava. Pelo menos, não é o que parecia toda vez que ambos se falavam; lá, do Canadá, ele sempre perguntava sobre ela.

– Fico feliz que conversamos, senti sua falta – ela deu um rápido beijo na bochecha do amigo. – Agora, vou liberar você para os fãs antes que me ataquem por estar tomando seu tempo.

Amanda saiu apressada pelo portão do colégio, antes mesmo que Bruno pudesse dizer alguma coisa.

• • •

– Mandy, vamos montar uma *boyband*? – Kevin sugeriu, enquanto voltavam para casa a pé.

– Ah, claro, eu canto e toco violão, e você dança.

– Claro que não! Não sei dançar – disse, e parou em frente à sorveteria de seu pai. – Você toca e eu canto.

– Ah, sim, e isso chama *boyband*? – ela perguntou sorrindo.

– *Boybands* são sexy. E quero fazer parte de uma, oras.

– Kevin, você está ficando cada dia mais *gay*... O que está havendo?

– Sua coragem me contamina, *baby*! – ele piscou para ela, dando um beijo estalado em sua bochecha. – Agora, vai daqui sozinha, tenho que ajudar meu pai hoje.

– Ah, ok. Busco você amanhã de carro, tá? Meu pai finalmente me liberou!

Após o amigo entrar na sorveteria, Amanda saiu andando pela rua, sorrindo. Pelo menos, agora ela tinha o Bruno de volta. O clima ainda estava um pouco estranho, mas já era um começo.

E foi só pensar em Bruno que um carro parou perto dela.

– Sobe, amiga!

Era Anna, gritando. Caio desceu do carro e foi para a parte de trás. Amanda arqueou a sobrancelha, apoiando o braço no vidro do motorista.

– Boa-tarde pra vocês. – Ela disse, vendo Bruno ao volante e Anna, Rafael, Caio e Maya espremidos no banco de trás.

– O banco da frente ficou livre pra você, anda logo! – Bruno intimou.

Ele era tão mandão. Ela sentia falta disso.

– Hmmm... bom saber – falou dando a volta e entrando no carro.

– Tire a mão de mim! – Maya gritou na parte de trás.

– Caraca, eu não tô com a mão em lugar nenhum! – Caio se defendeu.

– Falei com o Rafael – Maya deu um tapa aleatório nele, e todos riram.

– Caio, pula pra cá – Anna disse, sorrindo. – Err... só pra deixar a Maya do lado do Rafael.

– Muito obrigada, Anna Beatriz! – Maya gargalhou.

Rafael e Caio se embolaram ao trocar de lugar. Amanda sorriu, vendo Bruno balançar a cabeça.

– Cadê a Carol e a Guiga? – ela perguntou.

– Com os devidos namorados – Anna respondeu. – Não é o máximo?

– Ahn – Amanda percebeu o olhar perdido de Bruno. – Claro que é. Uau.

– A Guiga e o Fred agora não se desgrudam! Nojento! – Rafael comentou. – As pessoas até dizem que agora ele é popular.

– Ahhhh, que maravilha! – Maya disse, irônica. – Bom saber que ele só quer ser popular.

– A gente não precisa mais de vocês para isso – Bruno sorriu de forma marota, quase exibida. – Não quando somos os Scotty.

Caio fez barulho atrás, rindo, e Anna balançou a cabeça antes de falar:

– Agora ficam todos assanhados porque as garotas não param de dar em cima.

– Vocês tiveram suas chances – Caio olhou para ela.

– Tivemos? – Anna sorriu irônica.

Todos no carro ficaram em silêncio. Caio se arrependeu da brincadeira e ficou mais vermelho que um pimentão.

– Eu tive – Bruno olhou para Amanda, que sorriu.

Amanda havia decidido tentar mudar e encarar a situação de forma mais madura. Era preciso seguir em frente.

– Mas – Bruno continuou –, como nem tudo na vida são rosas, a gente às vezes se machuca.

– Bom, diga isso por você. Ninguém me deu chance nenhuma aqui! – Anna falou, enquanto Caio bufou, incrédulo.

– Não vou discutir mais com você! – ele respondeu.

Caio e Anna viraram-se para lados opostos. Amanda sorriu, pensando que não era a única que tinha mudado. Todos tinham! Como a vida era imprevisível.

• • •

– Amanda! – Anna bateu o pé no chão, com as unhas recém-pintadas.

– Eu não quero ir – a garota respondeu pela décima vez, escondendo o rosto no travesseiro. – Não estou com humor para bailes de sábado à noite.

– Que absurdo você deixar tudo isso por causa do Daniel! – Anna cruzou os braços.

– Olha só – Amanda se levantou da cama –, não é somente por causa do Daniel. Você não sabe o que tenho passado, aguentando esse povo rindo de mim o tempo todo. Minha única utilidade lá será virar alvo de piadas.

– E desde quando a nova Amanda se importa com isso? – Anna sorriu vitoriosa.

Amanda balançou a cabeça, pensando no que fazer.

– Aim...

– Vamos, vamos... vamos apoiar o Fred hoje!

– E desde quando você se importa com o Fred? – Amanda franziu a testa.

– A gente – Anna mordeu os lábios – também mudou, tá legal? Tudo isso só mostrou pra todas nós quanto fomos idiotas e mesquinhas.

– Hmm, que bom – Amanda disse sem sorrir.

– Eles ainda são idiotas, ainda são os marotos, mas... sei lá...

– Ver todas as meninas em cima deles mudou seu ponto de vista, né? – Amanda perguntou, levantando-se e entrando no *closet*.

– De forma alguma – Anna riu –, Caio que se dane!

– Eu não falei do Caio.

Amanda olhou para ela com uma expressão horrorizada, visivelmente brincando com o desespero da amiga. Anna ficou vermelha.

– Não fique assim – Amanda continuou –, sempre soube que vocês iam ficar juntos.

– Não estamos juntos!

– Mas vão ficar – Amanda afirmou, pegando um vestido verde-escuro simples. – O que acha?

Anna apenas sorriu.

• • •

cinco

Como nos bailes passados, Amanda estava sentada na mesma mesa de sempre. Era ótimo ver suas amigas se divertirem e, enfim, escutar as músicas da Scotty de novo. A diferença é que, embora ainda usassem máscaras em algumas músicas, todos já sabiam quem eles eram, e Daniel não estava mais ali.

Fred estava se saindo muito bem por sinal. Nada do que Amanda imaginara, sinceramente. Ele não era tão desajeitado e cheio de confiança no palco, o que fazia dele um ser humano fofo e simpático visto dali de baixo.

Ela olhou à sua volta. Todos se divertiam, batendo palmas e cantando os *covers* que a banda fazia de Beatles e The Who. Até Raul Seixas rolou! Sempre havia um idiota que gritava "toca Raul". Os meninos da Scotty eram bons, mas faltava algo. Era estranho não ter mais o seu guitarrista preferido lá em cima. Era estranho ver os olhares das pessoas sobre si e, ainda por cima, era estranho estar sentada sozinha na mesa, enquanto todos se divertiam.

– Achei que você estaria aqui – Albert disse, sentando-se na frente da garota.

– Infelizmente... – ela rolou os olhos.

– Que ótimo humor para um sábado à noite. Quer dar um passeio na praia?

Ele lançou um olhar maldoso para a garota. Amanda sentiu suas pernas tremerem e a raiva aumentar. Por que ele tinha sempre que trazer as piores lembranças para ela?

– Vá se ferrar, Albert. Eu não sou mais idiota.

– Então, o sumiço do Scotty serviu pra alguma coisa?

Ele sorriu, bebendo um gole do copo que segurava. Ela tinha certeza de que não era o refrigerante servido na festa. Albert tinha uma queda por bebidas alcoólicas, mesmo sendo menor de idade.

– Vou lembrar de agradecê-lo quando voltar – ele disse.

– Você é impossível, Albert.

– Ora vamos, a banda é bem melhor sem ele. Até o perdedor de cabelo grande é melhor que o Daniel Marques no palco.

Aquele comentário apertou o coração de Amanda. Ela não suportava mais ficar perto de Albert.

– Com licença.

Amanda se levantou sem dizer mais nada, saindo do salão. Encostou-se na parede do corredor e colocou a mão no peito. Ok, ela não podia chorar agora. Não mais. Ela seria forte, mesmo com tantos outros tentando fazê-la fraquejar o tempo todo. Olhou para os lados. Os corredores vazios e, ao fundo, uma música conhecida, *Perto demais*.

Ela não podia mais ficar ali.

Andou pelo corredor, sentindo-se mal. Pisou errado e quase caiu do salto, mas segurou-se na parede a tempo. Sentou-se no chão, vendo que não iria adiantar andar por aquele corredor, que parecia ficar cada vez maior. Ela então teve um *flashback*. Uma lembrança. Um sábado à noite, aquele corredor... Passos ecoando. Olhou para o lado e viu um casal passar por ela rindo. O coração tinha ido a mil com o barulho dos passos! Como podia ser tudo tão real e tão presente o tempo todo?

Ela ficava desejando, do fundo do coração, que Daniel aparecesse na ponta do corredor, usando aquele suéter vinho encardido e com a calça larga no meio das coxas. Qualquer barulho fazia seu coração saltar e imaginar a figura do garoto correndo em sua direção. Pegou o celular. Ele estava vibrando.

•••

You and I have got a lot in common
(Você e eu temos algo em comum)
we share all the same problems
(nós dividimos os mesmos problemas)
Luck, love and life aren't on our side
(Sorte, amor e a vida não estão do nosso lado)
I'm in the wrong place at the wrong time
(Eu estou no lugar errado na hora errada)
always the last one in a long line
(sempre o último numa fila enorme)
waiting for something to turn out right, right.
(esperando por algo para fazer com que isso se acerte.)

•••

Ela leu a mensagem. Era uma música do McFly! O que, diabos, significava aquilo? De onde tinha vindo? Tentou ver o número que enviara a mensagem. Desconhecido. Não fazia sentido nenhum para ela, a não ser a vontade de chorar, que se tornou maior ainda. Quem estava brincando com ela daquele jeito?

Olhou para os lados e se levantou. Iria para casa.

•••

Passaram-se três semanas desde que a Scotty voltara à tona, com Fred no lugar de Daniel. As coisas no colégio não iam tão ruim quanto ela imaginava, e ainda tinha arrumado mais tempo para estudar. Isso acabava ocupando todo seu tempo. Não foi a nenhum outro baile, mas Kevin sim, e Amanda o obrigara a ligar toda vez que tocasse alguma música bonita para ela ouvir pelo telefone.

Também não saiu mais com as amigas. Achava que seria perda de tempo ficar horas no cabeleireiro ou passar o dia falando dos marotos, agora que eram todos amigos. Amanda sempre gostara deles da forma como eram, e não por serem ídolos da escola. A escola, isso sim, tinha sido todo o seu problema até agora.

Pelo menos, não faltava muito para o ano acabar. Ela estava feliz com isso, mas triste porque perderia Kevin para a universidade, o mesmo destino de Fred. A Scotty se separaria novamente! Que irônico.

– Mas Daniel vai voltar, e pode ficar no lugar do menino – Kevin dizia.

Ela até concordava, mas não tinha certeza da volta dele. Sempre perguntava para Bruno se havia notícias de Daniel, mas o amigo nunca sabia de nada.

Claro que mentia para Amanda. Bruno sabia que Daniel voltaria assim que o ano letivo começasse, mas não queria alimentar esperanças de que ele estaria com os mesmos sentimentos pela garota. Afinal de contas, ele nunca mais perguntou nada sobre ela, mas passava os dias no telefone com os amigos, falando de como as garotas canadenses eram bonitas. Bruno não queria machucar mais a amiga.

• • •

A semana das provas finais terminou, assim como o mês de outubro. Todos ansiavam por mais um baile para acalmar os ânimos depois de tanto estudo e esforço. Amanda não estava nem um pouco animada, mas dessa vez a festa seria temática, Halloween. Afinal, o Dia das Bruxas é sempre divertido, certo?

– Vamos os dois dessa vez – Kevin disse, penteando os cabelos de Amanda. – Vamos arrasar. Comprei uma máscara fantástica na butique do fim da rua e...

– Kev, você tem prova de vestibular amanhã, não tem?

– Amanhã de manhã. E no domingo. Qual o problema?

– Você não devia estar estudando?

– Já estudei e dá azar estudar na véspera. Hoje é sexta, e eu quero me divertir. Não aguento mais essa pressão toda! Vou acabar explodindo! É tão ridículo eu precisar escolher algo tão cedo na vida – ele reclamou, fazendo careta.

– Vamos dar uma volta? – Amanda levantou-se da cama, olhando os cabelos trançados no espelho.

Kevin deu de ombros, concordando.

– Vamos até o parque de diversões que abriu essa semana. Deve estar todo mundo lá.

– Nossa, isso muito me anima – ela sorriu, pegando sua bolsa.

– Não vou deixar você pular da montanha-russa, juro – ele disse, enquanto vestia um casaco.

A garota gargalhou, puxando um casaco também para si, e tentou convencer Kevin de que só pularia da montanha-russa se a trave de segurança estivesse frouxa. Ele, então, a fez prometer que só iriam andar de carrossel.

• • •

O lugar estava cheio. Todo fim de ano, traziam o parque móvel para a cidade. Era uma diversão e tanto, já que eles não tinham realmente muita coisa para fazer em Alta Granada, além de ir à praia e ao shopping. Pais, filhos, avós, professores e todo o pessoal mais chato do colégio se encontravam no mesmo lugar. Uma passarela para os fofoqueiros de plantão. Amanda e Kevin compravam algodão-doce quando a garota sentiu um toque de mão em seu ombro.

– Vamos naquelas xícaras mortais? – Bruno perguntou.

Amanda sorriu, um pouco assustada com a chegada repentina dele.

– Boa-tarde, Bruno... Caio, Rafael... – ela cumprimentou os três garotos, lindos e bem-arrumados.

– Hmmmmmm, algodão-doce! – Caio disse, entrando na fila.

– Boa-tarde, doce de coco número dois – Rafael respondeu animado. – Estão aqui há muito tempo?

– Não, acabamos de chegar – Kevin tentou esconder seu refrigerante para não compartilhá-lo.

Sem sucesso. Caio já o pegara sem avisar, dando um gole enorme. Bruno sorriu.

– Nós também. Vamos na xícara mortal? – perguntou de novo.

– O que é isso? – Amanda olhou para Rafael, que sorriu maldoso.

– Aquela xícara que gira, gira, gira e faz todo mundo vomitar no final! – tentou explicar, fazendo todos rirem.

– Parece ótimo – Kevin gargalhou –, só que não.

– Também fico de fora, obrigado – Caio disse, escolhendo um algodão-doce cor--de-rosa.

Amanda olhou para ele. O garoto estava tão bonito! Não que tivesse mudado muito, mas parecia mais contente e confiante. E tinha emagrecido bastante.

– Medroso – Bruno e Rafael começaram a sacanear o amigo, sem dó de julgá-lo.

– Da última vez, Daniel vomitou em cima de mim – Caio falou enojado. – Não preciso dizer por que não quero ir.

– Vai na mesma xícara que eu, então. Não sou o Daniel – Amanda riu – nem tenho costume de vomitar nos outros.

– Isso é verdade – Kevin concordou, provocando mais risos.

– Parece uma boa ideia... – Caio sorriu, sinceramente feliz.

– Bruno vai com o Rafael, e eu vou com aquele menino bonitinho ali – Kevin apontou, correndo em direção à fila.

Os três garotos olharam para Amanda em choque.

– Vocês não acharam realmente que eu namorava o Kevin como todos diziam, não é?

– Eu cogitei – Bruno disse, olhando para Kevin, que puxava papo com o garoto da fila. – Mas tô vendo que não...

Fred e Guiga chegaram depois e não tiveram coragem de encarar as xícaras mortais. Ficaram do lado de fora, assistindo aos amigos e gravando o que podiam com o celular. Esse tipo de vídeo sempre servia de chantagem em algum momento, inclusive se algum deles vomitasse de verdade. Mas qualquer gritinho também contava. Não que Fred realmente estivesse tão interessado em observar os amigos. Estava abraçado com Guiga, enquanto a menina terminava seu sorvete e cismava em dar beijos gelados nele.

– O que você vai fazer quando eu for pra faculdade? – perguntou, curioso.

Nunca sabia como começar a discutir sobre essas coisas. Ela sorriu.

– Vou arrumar outro namorado.

– Abusada... – ele fez cara feia, recebendo um beijo gelado no nariz.

– Sei lá... Vou esperar o ano passar e tentar a mesma faculdade, se você ainda não tiver arrumado uma loira peituda.

– Como se loiras peitudas me quisessem – Fred desatou a rir, mas Guiga franziu a testa. – Brincadeira, meu amor, estou brincaaando!

Ele a beijou de leve. Olhou para os brinquedos e soltou mais uma gargalhada.

– Qual motivo da piada? – Guiga perguntou.

Fred apontou para quatro pessoas dentro das famosas xícaras mortais que Bruno tanto amava, vendo Caio se encolhendo quanto podia.

– Não vai querer ir naquilo, vai?

Fred não respondeu, apenas mexeu a cabeça, preocupado em focar certinho a imagem na câmera do celular.

– Que bom que eles estão se dando bem de novo – Guiga comentou. – Eu me senti mal com tudo isso.

– Por quê? – Fred se virou para ela, quase perdendo a cena em que Rafael caía por cima de Bruno, enquanto Caio e Amanda começaram a rir na xícara mais adiante.

– Bom, ela não assumiu o Daniel por minha causa. Ela achava que eu gostava dele. Pelo menos em parte, o conflito ocorreu por minha causa.

– Ahn? – Fred perguntou, finalmente tirando os olhos dos amigos.

Para ele, isso era loucura.

– Você não sabia? Daniel não falou nada pra você?

– Não... – o garoto estava confuso. – Isso é sério?

– É... eu disse pra ela que gostava de um de vocês, e como, um tempo atrás, eu e ela já gostamos do Daniel, acho que ela presumiu...

– Caramba...

– Pois é. Quando ele foi embora, me senti muito mal porque, bom, eu nunca deixei claro que gostava de você e não dele. Acho que teria sido tudo diferente...

– A culpa não é sua, gatinha. Foi um mal-entendido!

– Eu sei – Guiga olhou para as xícaras. – Mas fico feliz que as coisas estejam começando a ficar bem.

• • •

No fim do dia, as coisas pareciam mais animadas do que ultimamente. Amanda queria ficar mais tempo com os amigos, mas o celular já havia tocado dezenas de vezes, e sua mãe até arriscara enviar mensagem de texto para saber onde ela estava. Isso era sinal de perigo. Em apenas dois momentos sua mãe tentava entender o funcionamento de uma mensagem de celular: quando precisava de algo do supermercado, o que, neste caso, seria melhor mesmo fingir que não tinha lido a mensagem, ou quando queria dar uma baita bronca. Ela presumia que fosse a segunda opção, ainda mais porque ela havia pegado o carro do pai sem avisá-lo. Ora bolas, ele não estava em casa nem atendia o celular. Não era sua culpa. Mas precisava voltar para casa.

– O dia foi legal. Obrigada – Amanda agradeceu.

– Não precisa agradecer – Rafael sorriu, sacudindo o cabelo –, sinceramente não foi esforço nenhum.

– Não quanto eu imaginei – Caio disse, rindo.

Bruno balançou a cabeça. Lembrou que Fred e Guiga já tinham ido embora.

– Você vai amanhã no baile? – Perguntou, meio grosseiro.

Amanda olhou para Kevin.

– Claro que ela vai – ele garantiu.

Bruno concordou, parecendo satisfeito.

– Se quiser aparecer pra jogar um Mortal Kombat, um Mario Kart ou, simplesmente, ver *Caçadores de fantasmas* de novo, estamos às ordens – Rafael deu um beijo na bochecha de Amanda.

Estranhamente, a garota sentiu como se fosse a primeira vez. Até arrepiada ficou! Caio e Bruno também lhe deram um beijo no rosto.

– Pode deixar... Foi bom ver vocês.

Ela se despediu, andando em direção ao estacionamento ao lado de Kevin, mas os dois pareciam deslocados.

– Obrigado, caras – Bruno colocou as mãos no bolso.

– Não foi esforço nenhum, como eu disse – Rafael falou, sincero – Sempre gostei dela, pô.

– Juro que, por minutos, achei que era o Daniel quem estava comigo dentro da xícara... – Caio riu, mas os amigos se entreolharam maldosos. – Ah, qual é...

– Isso foi meio *gay*, cara.

– Muita convivência com o Kevuxu? – Rafael perguntou, provocando risadas.

– Parem com isso... – Caio balançou a cabeça. – O negócio foi estranho. Eu podia jurar que sentia o Daniel, e não ela, sabe?

– Supergay! – Bruno zombou.

– Ultrablastergay – Rafael completou.

Os três riram alto.

– Não é isso, não, mas é realmente estranho Daniel e Amanda terem essa ligação cósmica...

– Caio, ela não é um alien – Rafael se virou para o amigo.

– E nem Daniel é um ser de outra dimensão – Bruno disse, pegando as chaves do carro, ao chegar ao estacionamento.

– Ah, calem a boca! – Caio balançou as mãos. – Só sei de uma coisa, foi estranho.

– Gaaaaaaaay! – Bruno começou a berrar ao destravar a porta.

Os outros dois, sem parar de rir, também entraram no carro.

• • •

Amanda se perdia em pensamentos, sentada à mesa da cozinha, enquanto sua mãe narrava seu dia no bazar beneficente da igreja. Parecia que tudo no mundo era muito mais importante do que estar em casa; ela raramente percebia se a filha estava ou não se sentindo bem. Não que Amanda realmente precisasse dessa atenção. Lidar com seus problemas sozinha já era bem difícil, e ela não queria dividi-los com seus pais nem ouvir sermões sobre responsabilidade e aquele blá-blá-blá de sempre, como a dura que levou ao chegar em casa por causa do carro do pai.

Seu pai ainda não voltara do trabalho, porque, em fim de mês, sempre ficava preso no escritório, fechando a contabilidade da empresa. Ele não sabia que ela pegara o carro escondido e, como sua mãe prometeu, nem ia saber. Judith era uma mãe extremamente carinhosa, mas preocupava-se muito com as aparências e a harmonia da família. Preferia ela mesma resolver as indisciplinas da filha, para evitar que o assunto rendesse por mais tempo. Depois de uma breve bronca sobre como soube por meio da vizinha que Amanda sairá de carro sem avisá-la, ela passou a falar de trivialidades. A questão não era só a segurança de Amanda, mas também o que os outros iriam pensar se ela não mantivesse o controle sobre a própria filha.

Amanda, já acostumada com o jeito da mãe, sabia que ela só queria o bem da família. Mas como não queria ouvir mais nada sobre as fofocas da vizinhança, subiu para o seu quarto, depois de fingir uma dor de barriga por ter comido besteiras no parque. Ficou pensando se tinha realmente sentido falta de Daniel enquanto esteve com os amigos. A garota não sabia se, de propósito, estava tentando ignorá-lo. Ele não ligou nem sequer perguntou por ela. Nada mesmo. Se ele se esqueceu dela, Amanda podia fazer o mesmo. Certo?

Todas as noites, parava em frente ao seu mural e observava as fotos e os bilhetes que ainda estavam pendurados. Dessa vez, decidiu que algo iria embora dali. Ficou um tempo olhando para a mensagem que Daniel lhe enviara quando era mais novo e resolveu que não queria mais ter de pensar naquilo. Em vez de jogar fora, porém, amassou o papel e escondeu na última gaveta da escrivaninha. O que os olhos não veem o coração não sente, não é? Que bando de mentira.

• • •

Quando chegou o sábado à noite, mal se lembrava do que havia feito durante o dia, depois de rolar na cama, assistindo a seriados e lendo um dos romances da Paula Pimenta. Isso sempre a lembrava de que precisava comprar mais livros. Seria tão mais fácil ser um personagem de livro, né? Sua vida seria resolvida com um belo final feliz. Mas Amanda estava animada, de uma forma bem estranha. Colocou uma saia preta comprida e uma blusa branca de alcinha, prendendo os cabelos da melhor forma possível – tem dia que eles não colaboravam! –, e calçou seu novo All Star de cano longo. Ao se olhar no espelho, sinceramente gostou do que viu. Ficou mexendo na saia até ouvir o celular tocar.

– Faaala, gato! – disse alegremente.

– Gosto de ouvir você gritando no meu ouvido depois de um dia estressante.

Era Kevin, visivelmente irritado. Amanda riu.

– Como foi a prova? Ruim?

– Nem tanto... Peguei nossas máscaras. Posso passar aí? Está pronta?

– Pode. Estou pronta. E espero que tenha ido bem, afinal, você estudou taaanto pra isso!

Ela rolou os olhos irônica e ele fez um barulho estranho com o nariz.

– Chego aí em dez minutos – ele disse e desligou.

A menina sorriu, encarando o celular, e correu para o banheiro, porque ainda precisava terminar a maquiagem. Por que mesmo tinha dito que estava pronta? Era normal ou acontecia só com ela?

• • •

– Cadê o Fred? – Rafael perguntou, olhando o relógio.

Bruno terminou de colocar o bumbo na van da mãe de Caio e fechou o porta-malas.

– Ele vai aparecer.

– Liga pra ele – Caio deu de ombros.

Anna saiu da casa de Bruno, usando um vestido preto de renda bem justo e uma máscara. A menina ajudava, carregando o *case* do baixo, que tinha deixado no jardim.

– Como se sentem hoje? – ela perguntou.

– Sem nosso guitarrista, com dor de barriga – Rafael disse, entrando em casa.

Caio se aproximou de Anna, ficando extremamente vermelho.

– Obrigado por nos ajudar...

– Não tinha nada melhor pra fazer, sr. Scotty – ela sorriu. – Além do mais, que garota nunca sonhou em ser *roadie* de uma banda?

– Acho que temos nossa primeira *groupie* oficial! – Bruno zombou, abrindo a porta do carro. – Entrem.

– Vai pra minha biografia... – Anna abriu os braços, indo até o carro.

Caio ficou parado, observando-a, quando Rafael bateu na sua nuca.

– Celular do Fred idiota Bourne desligado. Vamos tentando até lá.

Rafael andou até o carro, seguido por Caio.

• • •

Amanda e Kevin, com suas máscaras coloridas, entraram pelo salão rindo. Os enfeites nem eram tão visíveis, mas as pessoas pareciam ter realmente levado a sério a fantasia de Scotty. Inúmeras máscaras, de cores e tamanhos diferentes, enfeitavam o ginásio. Uau, um baile de máscaras? Viram André, Breno, Nick, Maya, Guiga e Carol mais à frente.

– Vai falar com eles? – Amanda perguntou.

Kevin negou, fazendo bico e franzindo a testa.

– Eles têm me ignorado...

– Por minha causa? – Amanda arqueou a sobrancelha.

– Não... Acredito que seja porque, bom, eu mudei, não foi? – Kevin sorriu. – Não tenho mais medo de esconder quem eu sou.

– Kev, me orgulho de você – ela disse, ao dar um abraço apertado no amigo.

– Mas você não vai falar com as meninas? – ele perguntou.

Amanda concordou, pegou na mão dele e andou em direção a elas, que se voltaram para os dois ao mesmo tempo. Também usavam máscaras, embora algumas estivessem servindo de tiara no momento.

– Olá! – Amanda beijou as amigas no rosto e apenas cumprimentou os rapazes, balançando a cabeça. – Garotos... Estão bem?

Todos concordaram, trocando elogios e comentários sobre as máscaras e fantasias. Carol perguntou se Amanda iria querer ficar ali com elas.

– Vamos ficar dando voltas – Amanda disse. – Estamos contando quantas pessoas vieram com as máscaras compradas na butique do fim da rua, iguais às nossas. Acho que não são poucas!

– Vemos vocês mais tarde, então! – Guiga acenou, sorrindo, vendo os dois saírem andando entre as pessoas.

– Gosto dela assim – Carol disse, rindo. – Alegre.

– O Kevin anda alegre demais – Breno resmungou, cruzando os braços.

– Largue de pegar no pé do garoto! – Maya começou uma lição de moral que fez Breno quase desejar que Kevin voltasse logo.

• • •

Em cima da hora, os meninos da Scotty começaram a montar os instrumentos atrás da cortina. Rafael corria de um lado ao outro com o celular nas mãos, ligando para Fred.

– É o fim! Estamos acabados – ele repetia sem parar.

– Calma, cara, ele não é louco... – Bruno dizia, rodando as baquetas. – Vou andar pela festa, quero comer algo.

– Quero encontrar as meninas, vou com você – Anna disse, seguindo ele.

Caio sentou-se num dos caixotes dos amplificadores e ficou admirando o chão. Rafael sentou-se perto dele.

– Essa expressão de cachorro esfomeado não é por causa do atraso do Fred.

– Ahn? – Caio olhou para ele confuso.

– Eu acho que ela gosta de você, cara – Rafael riu, mas irritou-se quando o celular fez um barulhinho. – Ah, ótimo, merda! Acabou a bateria. – E saiu pisando duro atrás de Bruno.

Caio respirou fundo e continuou sentado, achando que iria vomitar o jantar a qualquer momento.

• • •

Por incrível que pareça, Anna ficou assustada com o bando de meninas que queria falar com Bruno. Ela sorriu para ele e andou na direção de Carol, Guiga e Maya.

– Viram isso? – perguntou.

– Ridículo... – Carol fechou a cara.

– Que bom pra ele... – Maya sorriu. – Cadê os outros?

– Fred ainda não chegou – Anna deu de ombros.

– O quê? – Guiga se assustou. – Como assim, não chegou?

– Ele não veio ainda – Anna repetiu. – Rafael está ali atrás com o Bruno, e o Caio... bom, sei lá onde ele está.

– Humm – Carol olhou para a amiga, desconfiada. – Vou beber alguma coisa.

Ela saiu, tomando a direção contrária à de onde Bruno estava, com André em seu encalço.

– Viu a Amanda? – Anna olhou para os lados.

– Com o Kevin por aí. Desde quando ela desgruda dele? – Maya sorriu.

– Ele é um bom garoto – Guiga disse, enquanto ligava para Fred. – E acho que ela precisava de um tempo só para ela.

Maya concordou, percebendo o desespero de Guiga, que tentava falar com o namorado pelo telefone. Sem sucesso. Fred não atendia. Quando o diretor subiu ao palco para anunciar a banda, Bruno puxou Rafael pelo braço, correndo para o *backstage*. Ambos estavam desesperados e acharam Caio tonto que nem uma barata.

Enquanto o diretor falava da banda, eles se entreolhavam.

– Dizemos que desistimos? – Rafael perguntou.

– Seria o fim da Scotty! – Bruno balançou a cabeça.

– Err... será que alguém na plateia sabe tocar? A Anna não toca guitarra... – Caio sugeriu.

– Ew, não uma garota! – Rafael falou, coçando a cabeça.

– ... Scotty! – O diretor gritou e levantou os polegares.

Quando as cortinas se abriram, eles correram para o palco, colocando suas máscaras e declarando morte a Fred. Houve microfonia, porque Rafael tinha deixado seu pedestal cair. Caio mordeu uma palheta, e Bruno foi até o outro microfone, que seria usado por Fred.

– Err... boa-noite, cambada. Todo mundo bonito mascarado, hein! – ele suava frio de nervoso, ouvindo todos aplaudirem e gritarem. – Ah, ok, calem a boca, eu quero falar algo!

Rafael o empurrou para o lado.

– Como Bruno estava dizendo de forma simpática, estamos com um pequeno problema – explicou.

A plateia ficou calada. Amanda estava com uma lata de soda na mão, rindo ao lado de Kevin, quando olhou para o palco. Os meninos falaram que tinham um problema? Onde estava Fred?

– ... e bom, sem Fred, sem guitarrista, sem música... – Rafael continuava tentando explicar.

O público começou a sussurrar..

– Coitados... – Amanda olhou preocupada para Kevin.

– Se eu soubesse tocar, eu os ajudaria, saaaabe?

O garoto lançou um olhar irônico para ela. Amanda arregalou os olhos.

– ... é isso. Se ninguém souber tocar nenhuma música da Scotty, a gente não pode fazer o show hoje – Rafael terminou, parecendo infeliz, e colocou as mãos nos bolsos.

Ele estava nervoso, pensando em deixar qualquer um subir no palco. O burburinho da plateia aumentou, e alguns começaram a vaiar. Os meninos, prestes a desistir, já estavam para descer do palco quando viram alguém levantar a mão.

Kevin havia empurrado Amanda um pouco para a frente.

– Rafael? – ele berrou.

O garoto no palco e todos no salão imediatamente olharam para os dois. A garota, com o braço levantado à força por causa de Kevin, queria matá-lo por isso.

– Amanda? – o menino falou no microfone.

Bruno, de repente, sorriu.

– Ehrrr, sei tocar as músicas da Scotty. Eu ajudei a compor uma delas – Amanda disse, juntando toda a coragem que tinha.

Todos ficaram em silêncio. Ela evitava olhar para os lados, e sua respiração falhou, sentindo os dedos tremerem. Kevin sorria de orelha a orelha, e as amigas ficaram pasmas em vê-la naquela situação. Rafael ficou sem reação. Olhou para Caio e Bruno, esperando obter apoio, mas Caio parecia mais assustado que ele. Bruno apenas sorria.

– Err...

Amanda ficou calada. Pronto. Era isso. Se ele dissesse que não, ela nunca mais apareceria na escola. Por que agia que nem idiota às vezes? Por que dava ouvidos a Kevin?

– Sobe aí! – Rafael disse, sorrindo.

Amanda olhou para Kevin, que começou a bater palmas, rindo. Ela correu até a escada lateral e subiu no palco sob o silêncio do público, sem conseguir acreditar. Era óbvio que eles não tinham gostado nada daquilo, mas ela pouco se importava. Ocuparia o lugar que era de Daniel. E iria honrá-lo ao máximo.

– Tem certeza disso? – Bruno sussurrou para ela, enquanto os outros dois meninos ajeitavam seus instrumentos.

– Só quero ajudar – Amanda concordou.

Ele sorriu e, antes de ir para a bateria, entregou-lhe a guitarra com algumas palhetas.

– É do Daniel.

Amanda encarou o público, sorridente, aproximando-se do pedestal e ligou o instrumento. Caio foi à frente e começou a tocar assim que Bruno fez a contagem com as baquetas. A plateia ficou em silêncio.

– Essa se chama *Quero te abraçar* – Caio disse, olhando para Amanda, que sorriu. Se ela pudesse, iria até ele apertar suas bochechas em agradecimento. Em vez disso, ajustou o pedestal e encarou aquilo como um desafio. Mais um.

seis

Diário de bordo estelar. O colégio estava uma loucura!

Na segunda-feira, o único assunto era o último show da Scotty. Amanda já não se importava mais de ser alvo de fofocas. Tinha se acostumado.

– Eu queria estar no lugar dela...

Ela ouviu uma garota dizer e sorriu, apertando a pasta do colégio contra o peito. Kevin estava sentado no banco em frente ao corredor, esperando-a.

– De traidora passou a ídolo?

– Eles ainda me odeiam.

– Mas agora odeiam alguém que esteve onde eles sempre quiseram estar – o garoto se levantou e seguiu Amanda. – Como passou o fim de semana?

– Um saco... meus pais ontem resolveram brigar...

– Já entendi – ele riu.

Atravessaram uma multidão até chegar aos corredores.

– Já sabe alguma coisa do Fred? Digo, por que ele não foi tocar no sábado?

– Não, não vi nenhum dos marotos por aqui. Mas vi aquela sirigaita da Rebeca, dando mole adivinha pra quem?

Kevin perguntou, rindo, mas balançou a cabeça quando viu Albert se aproximar.

– Bom-dia – ele cumprimentou, parando na frente dos dois, acompanhado por Michel e João Pedro.

– Que bom que o dia está bom para você – Amanda tentou soar seca.

– E pelo visto pra você também... – ele respondeu.

– Naaah, nada de diferente.

– Vamos? – Kevin perguntou.

– Veja só – Albert olhou para ele –, se não é o *playboy* que até pouco tempo andava colado nas mariquinhas! – Albert zombou, fazendo JP e Michel gargalharem.

– Cale a boca – Kevin cerrou os dentes.

– Está sabendo muito sobre o universo colorido, hein Albert? – Amanda retrucou, rindo, e deixou o garoto vermelho de raiva. – Mas precisamos ir...

Ela saiu andando, com Kevin em seu encalço.

– Você ainda dá papo pra ele!

– Acredite, ele ficaria mais contente se eu brigasse, Kev.

Os dois pararam ao encontrar Caio e Rafael, conversando com algumas meninas e obstruindo a passagem no corredor.

– Errr... mando todos se ferrarem aos gritos? – Kevin perguntou.

– Sai empurrando – Amanda propôs e deu de cara com Rafael.

– Quer autógrafo também? – ele perguntou rindo.

Ela fez cara de cínica.

– Já tenho, obrigada.

Amanda piscou para o menino, que fez bico e deixou os dois passarem. Enquanto ambos voltavam a andar, ouviram um assobio. Amanda olhou para trás.

– Ei! Vai ter uma festa lá em casa na sexta-feira. Minha mãe viajou e acha que estou na casa do Fred. Espero que vocês possam ir! – Caio convidou.

Amanda sorriu e Kevin abriu a boca.

– Se tiver espaço na minha agenda – ela respondeu, acenando.

– Posso fechar a boca agora?

– Você estava com ela aberta? – Amanda riu, vendo a expressão de Kevin. – Ora, vamos, foi simpático da parte dele...

– Inesperado.

– Que bom.

Os dois se despediram na bifurcação dos corredores, e cada um foi para sua sala.

– Me liga quando sair?

– Vamos à praia?

– Fechado – Amanda acenou e entrou apressadamente em sua sala.

• • •

"Pq Fred não foi sábado?" – Amanda escreveu num bilhete, jogando-o na mesa de Guiga.

"Problemas com a mãe dele, acho q ele faltou na prova de sábado de manhã", a outra devolveu, acrescentando: "por sinal, vc esteve mto bem!".

"Eu sei! Foi o máximo, não foi?"

"Sempre quis subir num palco, mas meu sonho era dançar como em *Dirty Dancing*, com o Patrick Swayze."

"Ou com o *Fantasma da Ópera*."

"Patrick é + gostoso."

– Meninas?

O professor de Física perguntou alto, chegando perto da mesa delas.

Amanda jogou o pedaço de papel no decote da blusa e sorriu. Guiga e Anna seguraram o riso, e Maya atirou uma caneta nas costas dela quando o professor se virou para o quadro.

– Psiu.

Amanda olhou para trás.

– Festa no Caio, sabe né?

– Yep. Convite vip.

– Ótimo – Maya voltou a encarar as fórmulas complexas no livro.

Amanda virou-se para a frente, rabiscando estrelinhas na folha de exercícios, quando deu de cara com o professor, encarando-a.

– Ah, droga! – disse, baixinho.

– A senhorita anda muito animada para o meu gosto, senhorita Barcelos – o professor ralhou.

Amanda se ajeitou na cadeira.

– É o Sol, professor Meirelles – respondeu, fazendo a turma rir.

– Fez alguma coisa do trabalho? – ele tirou a folha rabiscada da mesa antes que ela pensasse em puxar. – Acho que você pode fazer lá na secretaria, o que acha?

– Meus pais não ficariam tão felizes.

Amanda ia levar uma bronca daquelas, mas, estranhamente, sentia-se contente. Nada poderia deixá-la triste de novo. Nem mesmo a visão da porta de madeira da sala do diretor.

• • •

– Você anda ganhando muitos títulos por aí – Kevin dizia, enquanto andava com Amanda, ambos descalços na areia, horas mais tarde.

– Traidora, imbecil, burra e agora – Amanda bufou – arruaceira.

– Acho que todos amam você. No fundo, no fundo.

– Claro! Eu não ligo. Não mais. Não tenho nada a perder.

– Se você me disser que já perdeu o que tinha, eu afundo você na areia.

Ele fitou Amanda, que olhou para os lados, e balançou a cabeça.

– Se, antes, você conseguir me pegar! – ela gritou e correu.

O garoto estralou os dedos da mão e o pescoço. Olhou para o relógio e disparou atrás dela. Em segundos, conseguiu derrubar a menina no chão.

– Você corre muito mal! Parece uma lagartixa com dor de barriga – ele disse, rindo, enquanto ela tirava areia do cabelo, e sentou-se ao seu lado.

– Estamos na areia. Ninguém corre bem na areia.

– Eu corro! – ele deu de ombros. – Não disfarce, você é desajeitada.

– Olha quem fala... – ela tomou fôlego: – Kevin...

– Lá vem bomba.

– Idiota. Sério... Você já gostou muito de alguém?

– Muito quanto?

– Muito assim... de achar que nunca vai gostar de mais ninguém?

– Sempre acabei gostando de outra pessoa de qualquer forma...

– Mas gostou de uma forma que fosse achar que não?

– Uma vez – ele disse, sorrindo.

Amanda adorou aquele sorriso.

– E ele gostava de você também?

– Ele? – Kevin disse, assustado.

– Ah – Amanda gargalhou –, corta essa...

– Falando sério? Tenho minhas dúvidas...

– Ele magoou você? – ela perguntou, mordendo os lábios.

Kevin negou, fazendo bico.

– Não, mas ele também não cantou *Ela foi embora pra mim*.

– Talvez, porque você não tenha deixado.

– E porque a música ficaria horrível com "Ele foi embora", parece sertanejo.

Os dois riram.

– Ele diz que gosta de mim, mas...

– Mas?

– Mas homens são homens.

Amanda abriu a boca para falar algo e Kevin riu.

– Sei bem do que falo.

– Nada parecido com meu caso?

– Nada tão bonito.

– Bonito, Kev? Olhe a que ponto chegamos? Daniel está no Canadá, provavelmente com alguma loira gostosa, e eu estou na praia, batendo papo sobre relacionamentos com meu amigo *gay*!

– Obrigado!

– Não é isso. Não tem nada de bonito na situação toda...

– Amiga linda e idiota, preste atenção – Kevin pegou na mão de Amanda. – Nunca tive ninguém que escrevesse cartas de amor pra mim ou... ou me levasse para passear na praia. Ou alguém que escrevesse meu nome na areia, de bobeira, como se pensasse nisso o tempo todo. Nunca conheci ninguém que cozinhasse brócolis para impressionar alguém, de verdade. E ninguém que tenha sido tão burro em deixar você...

– Ele não foi o burro...

– Não assuma a culpa sozinha, você sabe que ele podia ter se esforçado mais!

– Mas também não conheceu ninguém que tenha transado com você e ido embora no dia seguinte sem nem se despedir – ela completou, mexendo nervosamente os pés na areia.

– Não mesmo, mas conheço alguém que vai dar o troco nele, certo?

Amanda riu, deixando o amigo continuar.

– Massss... Não vamos falar de dores passadas. Hoje, a tarde está linda; pela primeira vez, faz sol depois de tantos dias, e acho que devemos tomar sorvete por minha conta!

Ele se levantou. Amanda fez o mesmo.

– Desde quando eu pago sorvete?

– Desde quando eu sou apenas um amigo *gay* na praia...

O garoto deu língua, e ela pulou no pescoço dele.

– Ahhhhhh, você sabe que eu te amo, Kev!

– Só por causa do sorvete.

– Claro... E então? Também tenho refrigerante grátis hoje?

– Vai amarrar meus sapatos?

– Não...

– Nada de refrigerante.

– Penteio seus cabelos.

– Ok... um copo.

– Miserável... – ela disse, enquanto andavam para o ponto de ônibus. – Dois?

– Vai amarrar meus sapatos? – ele perguntou de novo, e ela gargalhou.

– Você usa esses tênis esquisitos agora, seu besta! Não tem cadarço!

– Ok, dois copos.

•••

No dia seguinte, Amanda e Kevin encontraram-se com Bruno no caminho da escola. Aproveitaram e pegaram uma carona com ele. Os três chegaram ao pátio rindo, enquanto falavam sobre o campeonato mundial de críquete, esporte que Bruno parecia entender mais do que qualquer um. Mas pararam de conversar quando algumas meninas se aproximaram.

– Seu fã-clube – Amanda sussurrou.

Bruno bufou, ficando vermelho. Ela apenas identificou Rebeca no meio das garotas.

– Oi, Bru! – Rebeca disse de forma melosa, exagerando na intimidade. – Tudo bem?

Kevin pôs a língua para fora, e Amanda olhou de lado.

– Ótimo – Bruno respondeu sem graça.

Ele não gostava muito dela, mas a menina andava pegando no seu pé havia alguns dias.

– E então... Vai aceitar meu convite pra sair no sábado, ou terei que insistir mais? – perguntou.

– Bruno! – Amanda olhou para o amigo, fazendo cara irônica e chocada, e zombou: – Como pode! Ela era namorada do seu melhor amigo!

– Não se mete... – Rebeca disse, olhando Amanda com raiva.

– Isso é muita traição! Só porque o pobrezinho está com várias meninas no Canadá, não quer dizer...

Amanda voltou a falar, mas Rebeca colocou a mão em seu peito, empurrando-a para trás.

– Não-se-mete – ameaçou.

– Até onde sei – Amanda continuou, rindo –, era eu quem corria atrás dos meninos por eles serem da Scotty. E não você.

– Eu não estou correndo atrás de ninguém... – Rebeca disse, mordendo o lábio.

Kevin riu, batendo palmas.

– Bruno, está dispensado de sábado!

Bruno sorriu, mas Rebeca não gostou, e fuzilou o garoto com o olhar.

– Cale a boca, sua bichinha!

Está aí algo que não se deve fazer: mexer com os melhores amigos dos outros. Ainda mais usando uma palavra de baixo calão e preconceituosa como aquela. Amanda sentiu os olhos escurecerem de raiva, e a última coisa que Rebeca viu antes de cair no chão, com o nariz sangrando, foi o punho da garota em seu rosto. Amanda a socou sem pensar duas vezes. Não sabia de onde tirara tamanha força, mas sentia-se bem melhor vendo a garota choramingar no chão. Bruno prendeu o riso, e Kevin olhou impressionado para sua amiga.

– Aconselho você a ter um vocabulário melhor, Rebeca – ela disse, balançando a cabeça.

A garota se levantou, ainda chorando, e saiu correndo para a secretaria com as amigas.

E a última coisa que Amanda viu naquele dia foi a porta de madeira da sala do diretor. De novo.

•••

sete

Amanda não sabia por que, mas estava atraindo muita confusão nos últimos tempos. Resolveu ficar na sua para evitar problemas em casa, mas, na maioria das vezes, se dava mal. Da última vez que tentou não se meter em uma roubada, acabou em detenção com Rafael e Caio por dois dias, e ela mal sabia o motivo de estarem ali dentro. Tinha a ver com algum desenho do diretor feito na porta do banheiro das meninas.

"Bem-vinda à residência oficial dos marotos", ela leu em um pedaço de papel rasgado do caderno, enquanto estava sentada na sala da detenção, pensando em como sua mãe ficaria furiosa quando descobrisse que a filha perfeita agora era uma encrenqueira. Olhou para Rafael, e ele riu. Caio estava dormindo. Amanda apenas retribuiu o sorriso, sentindo um calor gostoso.

Era isso, definitivamente tinha se tornado alguém que ela queria ser havia tempos: ela mesma.

• • •

Na sexta-feira, todos saíram correndo do colégio. Muitos iriam à festa na casa do Caio, a qual Amanda não sabia se tinha um motivo especial para ser dada. Mas quem se importava? Era festa! Quem não gosta de uma festa na sexta à noite?

– Será que posso levar alguém? – Kevin perguntou, envergonhado.

Amanda sorriu, enquanto assistiam à televisão em sua casa.

– Me contaaaaaaaaaaaaa!

– O quê, moribunda?

– Quem é o felizardo?

– Ahn... – ele ficou vermelho. – Você vai ver. Mas preciso saber se posso levar...

– Um minuto.

Amanda se esticou e pegou o telefone do gancho. Discou o número de Caio, que sabia de cor desde criança, quando eram muito amigos.

– Alô? – uma voz feminina atendeu.

Amanda ficou calada. Era Anna.

– Errr... oi – ela disse, e foi a vez de Anna gelar. – Eu sempre soube, sua danada! – Amanda começou a rir.

– Não é isso...

– Vamos, chama o Caio pra mim. Prometo que não sacaneio...

– Amanda? – ele atendeu.

Ela começou a rir.

– Não cometam os mesmos erros que eu, assumam o namoro! – Ela aconselhou rapidamente.

Caio tossiu.

– Que... namoro? – Perguntou baixinho.

– Caio... Ah, esquece! Quero saber se eu e Kev podemos levar mais alguém na festa.

– Quem?

– Meu namorado – Amanda rolou os olhos, fazendo Caio tossir novamente.

– QUEM?

– O namorado dele, oras! – a menina olhou para Kevin, que fazia um gesto feio com as mãos.

– Ahh... ah, sim, claro. Pode sim, nem precisava perguntar. Deve vir o planeta todo mesmo, quem se importa?!

– Todos querem se divertir, Caio.

– Todos querem... Anna, tire a mão do meu violão! – ele berrou.

– A gente se vê mais tarde – Amanda desligou sem esperar resposta e sentou-se ao lado de Kevin. – Feito.

– Ótimo, mas ele não é meu namorado... AINDA.

E os dois desataram a rir, como duas meninas na pré-escola.

• • •

Algumas horas mais tarde, Amanda colocou calça jeans, bota de salto preta, blusa branca simples e cinto de estrelas. Prendeu o cabelo em um firme rabo de cavalo e passou uma maquiagem leve, apenas com um pouco de *blush* e *gloss* labial. Olhou-se no espelho. Nada mal.

O telefone tocou.

– Aloowww – ela disse rapidamente.

– Mandy?

– Guiga?

– Amiga, você vai à festa?

– Claro.

– Pode passar pra me pegar? Fred, imbecil, não atende o celular...

– Ahn, ok – Amanda riu. – E as meninas?

– Adivinha onde a Anna está? E a Maya?

– Mas e a Carol?

– Err... eu não consigo falar com ela.

– Certo... passo aí com Kev daqui meia hora.

– Fechado. Obrigada – Guiga agradeceu.

– Vai ficar me devendo – Amanda riu e desligou o telefone.

Voltou a encarar o espelho, quando ouviu uma buzina de carro, acompanhada por música em volume alto. Era uma batida eletrônica com algum coreano cantando. Típico do Kevin. Correu para janela, vendo o amigo andar até a porta da sua casa. Jesus, ele tinha chegado cedo!

Pegou um casaco no armário, apagou a luz do quarto e desceu para encontrá-lo. Kevin já estava dentro da sua casa, esperando-a e conversando com sua mãe. Ela repetia as mesmas recomendações de sempre: não beber nada alcoólico, não fumar e não aceitar nenhum copo de algum estranho, além de avisar se for voltar tarde para casa. O mesmo discurso. O mesmo blá-blá-blá. Seus pais nunca implicaram com as suas saídas, mas desde que Amanda se tornou frequentadora assídua da sala do diretor, as regras em casa ficaram mais rígidas. Sua mãe não queria deixá-la sair naquela noite, mas como Amanda iria com Kevin, acabou permitindo. Sua mãe era apaixonada por Kevin e vivia repetindo que ele era o genro que toda mãe sonhava ter. Mal sabia ela...

– *Baby*, você tá adiantado! – Amanda disse ao chegar ao *hall* de casa e abraçou Kevin, que cheirava muito bem.

– Ahh, vocês formam um casal tão bonito! – a mãe de Amanda suspirou.

– Ai, mãe, não começa!

– Formamos mesmo, dona Judith. Sua filha está linda.

– E você está um pecado, meu amigo! Vamos? Tchau, mãe.

– Divirtam-se, crianças, e juízo!

Amanda e Kevin saíram da casa e foram em direção ao carro.

– Então...Cadê?

– Cadê o quê? – Kevin franziu a testa.

– A pergunta é quem – A menina piscou.

Kevin ficou vermelho e apontou para o carro. Nesse momento, o primo de Breno, Lucas, saiu do carro e sorriu para Amanda. Era alto, tinha olhos azuis e um nariz bem fino. Estava elegante, com um colete por cima da roupa meio social, parecendo ter saído de um clipe de música.

– Está linda – o garoto disse.

Amanda corou e ficou calada por um tempo. Olhou de Kevin para Lucas, e de Lucas para Kevin. Depois, maldosa, encarou o amigo. Aulas particulares? Sei...

– Obrigada, err... – ela agradeceu.

Os três entraram no carro. Lucas abaixou o som da música em que Amanda jurava ter ouvido algo como "*soy um dorito*". Mas não fazia sentido, claro.

– O que quer ouvir?

– Não temos Scotty, desculpe – Kevin disse, olhando para trás e vendo Amanda dar língua.

– Sinta-se à vontade, Lucas. E, poxa, achei que Kevin vinha no carro dele... Prometi buscar a Guiga antes de ir à festa – Amanda falou, apoiando-se no banco entre os dois.

– Se me disser onde é, terei prazer em pegar sua amiga – Lucas sorriu.

Amanda viu que ele era incrivelmente bonito, e Kevin riu para ela, parecendo concordar com esse pensamento.

• • •

Os quatro chegaram à casa de Caio minutos depois, rindo e falando baboseiras sobre séries de televisão. Lucas se mostrou um mestre em *Friends* e *Modern family*, deixando Guiga e Amanda apaixonadas. Num bom sentido, claro, porque Kevin não tirava os olhos dele sequer por um minuto.

O som da festa estava alto. Vários carros estacionados na rua, e mais pessoas chegavam a todo instante. Tinha gente dançando e bebendo até nos jardins. Amanda não queria nem imaginar o que a mãe do Caio faria quando ficasse sabendo daquilo. Era uma cidade pequena, e ela iria descobrir, com certeza.

Guiga avistou Fred, subindo a rua e vindo na direção deles, ainda perto do carro. Usava uma roupa *steampunk*, o que o deixava superestiloso. Amanda logo se pôs entre Kevin e Lucas.

– Noite – ele deu dois beijos no rosto da menina, cumprimentou os outros com um aperto de mão, abraçando a namorada em seguida.

– Boa-noite, Fred – Amanda respondeu.

– Olha, não tive oportunidade de falar com você nesta semana. Foi tudo supercorrido lá em casa. Queria agradecer pela força no sábado – ele parecia sem graça.

– Sem problemas, juro que não foi esforço nenhum.

– Obrigado mesmo... – sorriu verdadeiramente para ela.

E ele não fazia isso desde muito tempo. Amanda gostou da sensação.

Quando entraram na casa, Amanda viu Caio e Bruno conversando com algumas garotas. Ela perdeu alguns minutos parada no *hall* admirando o ambiente. Fazia muito tempo que não entrava ali, e nada parecia ter mudado. A decoração era extremamente *clean* e em tons claros, a mãe de Caio era um pouco maníaca por limpeza e arrumação. Ela teria uma síncope se encontrasse tantos adolescentes desajeitados sentados em seus móveis e derramando bebidas no enorme tapete branco da sala. Caio seria enviado para um internato como castigo, com toda certeza.

Bruno reparou na presença de Amanda e sorriu. Chegou perto da amiga e lhe deu um abraço bem apertado.

– Pequena, como vai?

– Bem.

– Querem beber algo? Mandy, me ajuda a pegar umas bebidas?

Os dois foram caminhando para a cozinha, onde dezenas de salgadinhos e pães estavam expostos no balcão da pia. Bruno foi até uma tina cheia de gelo e pegou algumas latinhas de cerveja.

– Sempre soube que esse cara era...

– Bruno, não começa! – Amanda olhou feio para ele, abrindo uma lata e despejando a cerveja em um copo plástico.

– Esqueça – ele riu. – Ei! Rafa, chega mais!

– Que é? – o garoto se aproximou, fazendo sinal da paz.

– Já está bêbado? – ela perguntou.

Rafael negou.

– Cadê meu doce de coco?

– Ihhh... – Bruno deu de ombros e piscou para Amanda. – Acho que ela foi lá pro quarto do Caio.

– Certo – Rafael saiu andando em direção às escadas.
– Que foi? Por que piscou assim? – Amanda perguntou ao amigo.
– Faz cinco minutos que a Maya me perguntou onde Rafael estava.
– E o que você disse?
– Que ele estava no quarto do Caio, oras – Bruno sorriu maldoso.

• • •

Amanda estava sentada no sofá com Lucas e Kevin, discutindo qual dos integrantes da banda McFly era mais bonito. Lucas preferia o Tom, e Kevin só reforçava que, em quesito gostosura, o Harry ganhava disparado. A menina observava alguns garotos no meio sala, disputando quem bebia uma lata de cerveja mais rápido. Muita gente gritava, incentivando seus preferidos naquela aposta. A cena era bastante engraçada, embora Amanda tivesse certeza de que o resultado não seria tão divertido assim. Quanto tempo até alguém passar mal e vomitar, melecando todo o banheiro de mármore branco da dona Ângela? O que os pais de todos ali diriam? Sua mãe, certamente, não ficaria nada feliz. Mas eles também já foram jovens um dia, e só pensavam em se divertir, certo? Ela mesma já estava no quinto copo de cerveja, e começava a sentir as mãos formigando.

– Amiga, melhor parar de beber – Kevin opinou.

– Estou bem, me deixa.

Estava bem. Muito bem. Melhor impossível. Nada a faria se sentir melhor. Talvez mais uma cerveja... Ela se levantou e olhou para todo mundo à sua frente. A sala começou a girar, e as pessoas pareciam balas gelatinosas coloridas, dançando uma música que ela não reconhecia...

Don't you wish your girlfriend was hot like me?, tocava na caixa de som.

Bom, alguma coisa naquela música ela reconhecia, mas não conseguia distinguir o quê. Ouviu a voz de Kevin ao fundo, mas ele estava muito longe. Como isso era possível? Um segundo atrás, ele estava ao seu lado! Andou mais um pouco e parou, olhando para os lados. Começou a procurar algo. Estava assustada. Não sabia por quê. Ao tentar caminhar de novo, ela viu no meio do pessoal... Era Daniel. Sorrindo para ela! Mas... Como? A menina andou até ele, sentindo as pernas formigarem. Não deu bola. Tinha que alcançá-lo, não podia deixá-lo fugir de novo!

– Daniel... – sussurrou.

Quando olhou para os lados, ele tinha sumido. Começou a sentir o coração disparado. Onde ele estava? Quem o teria levado para longe dela? Andou em meio às pessoas até chegar à ponta da escada. Ouviu a voz de Kevin de novo. Por que, diabos, ele a chamava de tão longe?

Ela se virou para trás e sentiu a cabeça rodar. Viu Daniel de novo. E de novo. E de novo, até vê-lo em todos os lugares. Apoiou-se no corrimão da escada, apertando os olhos. Estava bêbada! Maldito estômago fraco para bebidas!

Subiu a escada com dificuldade, sentindo o corpo mole. A música, muito alta, reverberava em seus ouvidos. As luzes, piscando, só davam dor de cabeça. Ela conseguiu chegar ao outro patamar da casa e pensou que iria vomitar. Ah, não, a mãe do Caio também a mandaria para o internato se fizesse isso no chão tão limpinho, brilhante e próximo ao seu rosto... Opa! Ela tinha caído no chão! Virou-se para cima e ficou lá, admirando o teto.

Era isso. Dali ela não sairia mais.

Subitamente, começou a chorar. Por que estava vendo Daniel em todo lugar? Por que o fim do ano demorava tanto para chegar? Por quê?

• • •

– Pode deixar que ela fique aqui.

Amanda ouviu uma voz ao longe.

– Eu fico com vocês.

– Não precisa... Podem ir.

– Tem certeza?

– Uhum.

– Obrigado, cara. Eu tô superpreocupado.

– É só uma bebedeira, Kevin.

– Ela não é de beber.

– Eu sei disso. Sou amiga dela há mais tempo, vaza daqui.

– Sei que você sabe, Anna, desculpe-me.

– Daniel? – Amanda sussurrou.

Sem saber com quem estava falando, ela sentiu um toque de mão em sua testa. Abriu os olhos e deu de cara com Caio.

– Infelizmente, é o Caio, meu anjo – ele respondeu.

Amanda piscou repetidas vezes e olhou para o lado, observando Anna, Kevin, Lucas, Guiga e Fred parados perto da cama onde estava deitada.

– Ai, minha cabeça... – a menina voltou a fechar os olhos, virando-se de lado.

Mais do que bebedeira, estava sentindo vergonha.

– Caio...

– Pode ir, Kevin, ela vai ficar bem.

– Ok. Amanhã cedo passo aqui para pegá-la – Kevin sentou-se ao lado de Amanda e a beijou de leve nos lábios. – Boa-noite, moribunda bêbada.

– Boa-noite, mocreio – ela disse, baixinho, sorrindo.

Ouviu barulho de passos, porta batendo, música alta. Tampou os ouvidos. Só queria que aquilo tudo parasse. Começou a chorar de novo. De dor. De alguma dor que ela tentava esconder. E ouviu a porta bater forte.

– Que porra que houve aqui? – Bruno berrou, tirando Fred do caminho.

– Eita, Torres, ela tá viva – Guiga explicou.

– Amanda? – Bruno sentou-se na cama, fazendo-a virar-se para vê-lo.

– Eu... Bruno... eu... – ela balbuciou, ainda chorando.

– Fala, querida, pode falar... – ele segurou suas mãos.

Caio se levantou e ficou ao lado de Anna, na ponta da cama.

– Por que o Daniel não está aqui, Bruno? Por quê? – ela perguntou, soluçando mais forte.

Estava encolhida e sentia-se sozinha. Não pensava em mais nada, apenas no rosto do garoto sorrindo para ela e, depois, fugindo para longe.

– Mandy... – Bruno começou a dizer quando Amanda o interrompeu.

– O que eu fiz, Bruno? O que eu fiz?

Guiga abraçou Fred e começou a chorar baixinho também. Anna olhou para Caio.

– Bruno, eu o perdi pra sempre, não foi? Diz que foi... – ela tomou fôlego e se sentou, percebendo que estava descalça e suando. – Bruno, ele me odeia, não é? Mas era eu quem tinha que odiá-lo. Ele me deixou sozinha!

Bruno também tinha vontade de chorar, mas não podia fazer isso. Atrás dele, Caio passava a mão no cabelo de Anna, enquanto Guiga soluçava, encostada no peito de Fred.

– Ele não odeia você – Bruno disse, olhando fixo para Amanda.

– Ele me odeia... Ele só pode. Ele... ele disse que me amava, Bruno. E me levou pra casa dele... e, depois, ele... a gente... – ela chorou mais ainda.

Bruno ficou calado, prendendo a respiração.

– Ele me guiou até o quarto dele – Amanda continuou – e passou a mão nas minhas costas e em mim... E eu deixei, Bruno. Eu o amo, sabe? Mas ele... ele me usou! Eu não fui nada, eu fui nada pra ele. Ele foi embora e me deixou lá sozinha. Na cama dele! Ele me odeia...

Anna apertou os olhos e abraçou Caio.

– Não diz que ele fez isso... – Bruno olhou para ela assustado.

– Ele não fez nada de errado, fez Bruno? Porque eu estava feliz de estar ali, e ele parecia feliz também, mas, depois, ele me deixou.

– Não diz que ele fez isso... – Bruno repetiu, passando a mão no cabelo.

– Eu o amo, Bruno – Amanda chorou mais alto.

– Eu sei – o menino respirou fundo. – Mas agora você tem que se deitar; sua consciência está pregando peças em você mesma, pequena. Deite-se...

– Eu não quero deitar, Bruno... De novo, não.

Ela se balançava de forma nervosa, afundando a cabeça entre os joelhos. Bruno deixou que as lágrimas caíssem e a abraçou. Os dois ficaram abraçados até ela adormecer no colo dele. Então, Bruno se deitou ao seu lado e pediu que todos se retirassem. O que quer que tivesse acontecido entre ela e Daniel naquela noite, ela não tinha esquecido. E Bruno agora rezava para que Daniel também não se esquecesse de nada. Ou ele faria o amigo se lembrar de tudo pelo resto de sua vida.

oito

Amanda acordou com o barulho de porta batendo. Depois, ouviu uma risada. Sentada na cama, espreguiçou-se e, então, lembrou-se de onde estava. Olhou para os lados e se viu sozinha no quarto de Caio, com a roupa da noite passada e um gosto horrível na boca. Colocou os pés no chão, sentindo o corpo tremer de frio, e foi ao banheiro. Minutos depois, encostou-se na porta da cozinha, de onde vinha todo o barulho.

– Caraca, Caio! Isso está uma sujeira! – Anna berrou.

– Traz outro prato! – Bruno riu. – Mais uma panqueca!

– Prato chegando! – Guiga correu até Bruno com dois pratos na mão.

– Cara, cadê a Maya? – Rafael perguntou, entrando pela outra porta da cozinha, que dava para a área de serviço, e, ao ver Amanda, anunciou rindo: – Bela Adormecida de ressaca está na área!

Todos olharam para ela.

– Bom-dia – Amanda disse, envergonhada.

– Assume – Bruno sorriu jogando a panela nas mãos de Fred.

– Mas...

Guiga correu para ajudar Fred com as panquecas. Agora, elas não sairiam queimadas. Bruno tirou o avental e foi até a amiga.

– Como você está?

– Bem... com dor de cabeça e fome! – Amanda passou as mãos nos cabelos.

– Pelo menos, você não está mais verde – Rafael piscou para ela, sentando-se à mesa ao lado de Caio.

– Menos mal – Amanda riu.

– Sente-se, vamos fazer panquecas para você! – Bruno olhou para Fred, que derramou toda a massa no chão. – Ou, pelo menos, vamos tentar.

– Viu a Maya lá em cima? – Rafael perguntou no instante em que a menina ruiva apareceu na porta da cozinha, vestindo short e uma camiseta enorme.

– Caraca, me esquece! – ela gritou.

– Conseguiu dormir? – Anna perguntou amigável, virando-se para Amanda.

A garota confirmou com a cabeça.

– Dormi sozinha no seu quarto, Caio? Quero me desculpar por atrapalhar e...

– Nada. Bruno dormiu com você; pelo menos, deixaram o quarto de hóspedes pra mim.

– Pra nós! – Fred disse, rindo, e Guiga gargalhou.

– Quatro pessoas numa cama de casal não é muito legal. Minhas costas doem – Anna piscou para Amanda.

– Gente, vocês viram a Rebeca ontem? – Maya perguntou, servindo-se de suco de laranja.

– Não vi ninguém ontem – Amanda respondeu.

– Ela não saía de perto de mim, cacete! – Bruno fez cara feia. – Qual é o problema dela?

– Acho que ela quer seu corpo nu – Fred opinou, colocando um prato de ovos mexidos na mesa, o máximo que ele sabia fazer na cozinha.

– Nem brinca! Se eu fosse mulher, batia nela – Bruno riu.

– Eu posso fazer isso... de novo – Amanda fez todos rirem.

– Vocês deveriam ter filmado! Foi a briga do ano! – Maya opinou.

– Mandou bem, amiga! – Guiga fez sinal com as mãos, aprovando.

– Hmm... Cadê a Carol? – Amanda perguntou.

Bruno levantou-se, abriu a geladeira e, secamente, respondeu:

– Tava com um cara ontem.

Caio e Rafael se entreolharam. Então, Amanda entendeu a mudança repentina de humor do amigo.

– Ahn, sim...

– Vamos comer? Tô morta de fome! – Maya disse, batendo as mãos.

Em seguida, Rafael riu para ela, malicioso.

• • •

– Que vexame! – Amanda repetia.

Ela e Anna andavam pela rua gelada. Ambas se apertavam nos casacos. Apesar de ser final da primavera, o clima em Alta Granada era instável. Nunca dava para saber quando faria um sol de rachar ou choveria granizo. Antes de sair da casa de Caio, ela avisou Kevin que iria embora caminhando. Também ligou para sua mãe, dando sinal de vida, e disse que tinha dormido na casa de Anna; ela não se importou muito, pois estava ocupada fazendo as malas para passar o resto do fim de semana na fazenda do seu tio. Agora que Amanda já estava crescida, seus pais, às vezes, podiam aproveitar uns dias de folga!

– Ih, nem liga. Não é a primeira vez que eles veem alguém bêbado, né? – Anna sorriu. – Mas, me conte, o que provocou isso, amiga?

– Sei lá... acho que pirei. Ou estava precisando de um porre.

– Às vezes, é inevitável – Anna deu de ombros. – Alguma notícia do Daniel?

– Bruno se recusa a me falar dele sempre que pergunto.

– Ele quer protegê-la.

– Não rolou nada – Anna respondeu. – Ainda!

– Mas de quê? Não dá pra entender - Amanda se virou para a amiga. – Anna, você e o Caio...

Amanda gargalhou.

– Poxa, é difícil. Você passa tanto tempo ignorando alguém e, depois, descobre que sente falta dele, entende?

– Ôôô se entendo...

– Não é fácil. Quero dizer, a gente não tem esse amor todo e tudo mais, mas acho que a gente se gosta. Ele é irritante, mas quem precisa de alguém perfeito? – Anna riu.

– Fico feliz em ver todos juntos. Quem podia imaginar.

– Quem podia...

– Há males que vêm para bem, certo?

Amanda olhou para Anna, que concordou com a cabeça.

– Digo, se eu não tivesse problemas... ou acertos com Daniel, você não teria tido a chance de conhecer o Caio direito, e tudo isso poderia nem estar acontecendo agora.

– Só a Guiga e o Fred... – as duas sorriram.

– Aqueles dois não se desgrudam mais. Eca!

– E a Carol? E o Bruno? Digo, toda essa aproximação, que gerou todos os problemas, foi por causa deles – Anna falou para Amanda, que concordou.

– E, oras, tá na cara que eles se gostam! Qual é o problema dos dois?

– Acho que precisam da nossa ajuda... – Anna piscou.

– Ah é? E o que você pensa em fazer?

As duas voltaram a andar.

– Não sei, mas vamos pensar em algo! – Anna olhou para as casas em volta. – Onde fica a casa do Kevin?

– Ele não deve estar lá agora.

– Ele e o Lucas, hein? Quem diria!

– Né?! Eu nem sabia que o Lucas jogava no outro time! – Amanda riu.

– O que ele vai fazer na faculdade? – Anna olhou para Amanda, que parou de andar e franziu a testa.

– Ele? Na faculdade?

– É, ele termina o terceiro ano agora, não é? E fez as provas de vestibular com o Fred – Anna deu de ombros.

Amanda mordeu o lábio. Ótimo. Ela ainda não tinha parado para pensar em como seria seu terceiro ano sem ter Kevin por perto. Na verdade, não conseguia aceitar que teria de deixá-lo tão cedo.

– Amanda? – a amiga perguntou preocupada.

– Desculpe – ela saiu de um transe –, não tinha pensado nisso ainda...

– Ah... Podemos andar logo? Está esfriando mais.

• • •

O tempo estava mudando, e até para Alta Granada aquele clima era surpreendente. Em uma semana, fez tanto frio que todos usavam gorros e cachecol. O ano acabava aos poucos, passando lentamente, sem que ninguém percebesse. De uma hora para a outra, já era o último bimestre, e todos se apressavam em estudar para as provas finais. Ninguém queria mais o fim do ano do que Amanda. Pelo menos, até vir à tona a discussão sobre Kevin ir embora.

– Não vou deixar você, mocreia!

Kevin dizia, enquanto descia as escadas do colégio com Amanda, na hora do intervalo. Todos os alunos passavam apressados com seus casacos enormes, embora não estivesse fazendo menos de 15 graus.

– Você vai pra faculdade, seu tratante.

– Bom, as pessoas crescem! E você tem seus amigos de volta.

Ambos pararam no pátio. Uma mesa no fundo estava cheia, com os Scotty e suas amigas. Bruno olhou para os dois, chamando-os com um aceno de mão.

Amanda voltou-se para Kevin.

– Não foram eles que estavam comigo quando eu mais precisei, Kev.

– Mas eles amam você, por mais que sejam uns imbecis e levem você para o mau caminho, tipo a sala do diretor.

– Eu vou enfrentar uma barra, Kevin! Eles não vão me aguentar...

– Qual é? Espero que você chute aquele Daniel dos infernos e arrume outro amor!

– Somos dois. Mas, de qualquer forma, nem tudo na vida é sobre amor. Certo? – ela sorriu, chegando perto de Bruno.

Kevin piscou para Amanda quando os dois se sentaram à mesa com os outros. Na verdade, porém, ele discordava dela. Tudo na vida é sobre amor. Mas nem tudo é *aquele* tipo de amor.

• • •

– Bruno? Como é que ela tá?

– Bem.

– Mas...

– Ela tá bem.

– Ela me odeia, não odeia?

– Um pouco – Bruno bufou.

– Mas eu também tenho motivos para não gostar dela...

– Bom, Daniel, se uma atitude infantil que ela teve substitui a virgindade dela tirada por você... Então, você tem motivos.

– Pô, cara! Não fala assim, eu...

– Você foi um imbecil.

– Não, não fui.

– E ainda nega! Bastardo.

Bruno tinha Daniel como um irmão, ou até mais do que isso, mas essa amizade não poderia cegá-lo para as atitudes erradas do amigo. Só um homem sem caráter deixaria uma menina sozinha na cama. Bruno sabia que Daniel jamais tinha imaginado o que isso poderia causar na vida de alguém; ele poderia ser bem desatento quando o assunto era mulheres, mas precisava alertá-lo, para o bem de Amanda. Para o próprio bem de Daniel.

– A gente se amava, ok? Não a forcei a fazer nada.

– Coitada! Você estava usando aquela maquiagem medonha do show, fedendo a pó de arroz e...

– Bruno, para com isso, ok? – Daniel riu nervoso.

– Ela não é a mesma depois disso – Bruno franziu a testa, sentando-se no sofá de sua sala.

Daniel ficou calado. Bruno nunca falava de Amanda pelo telefone, por mais que ele pedisse. Resolveu não interromper antes que o amigo desconversasse.

– Ela... ela não parece a mesma – Bruno respirou fundo. – Porra, cara, não vai me perguntar por quê?

– Tenho medo de você desistir de falar...

– Ela anda com dois meninos que são... bem... namorados... – Bruno falou. – Na escola, a gente se vê na hora do lanche, e mesmo assim ela está sempre distante, cantando alguma coisa ou então sacaneando o Kevin.

– Sempre o Kevin – Daniel rolou os olhos, sem saber muito bem o que pensar dele, mas achava o cara bonitinho demais e esquisitinho demais.

– Ele é *gay* – Bruno disse, como se fosse óbvio.

Daniel não deu importância. Sua cabeça ainda voava com algumas lembranças. Ele estava sentado na beirada da janela do seu quarto, admirando a neve que caía do lado de fora.

– Tá, tá. E aí?

– Não contei pra você que ela tocou no seu lugar há algumas semanas, né? – Bruno fez careta.

– O quê? – Daniel engoliu em seco. – Bruno, seu desgraçado...

– Pois é, Fred não foi no show por causa da mãe dele, e aí ficamos sem guitarrista – Bruno continuou.

– Por que você tá me falando isso agora?

– Porque você vai voltar em breve, e tenho que atualizá-lo, cara!

– Você podia ter me contado antes e... Ah, esquece, continua – Daniel disse e balançou a cabeça, tentando imaginar a cena, mas era algo que nunca, sequer, poderia ter pensado.

– Ela tocou. Na frente daquele povo que tanto a odeia. Eu fiquei orgulhoso – Bruno falou rindo.

Ok, ele nunca tinha comentado aquilo com ninguém. Sempre mantivera as aparências, mas achou que Daniel precisava saber.

– Eles... odeiam ela na escola, é? – falou Daniel, quebrando o silêncio.

– Ela teve o pagamento pela burrice que fez, Danny, acredite.

– Eu acredito, a escola pode ser cruel.

– Pode... – Bruno apenas concordou. – E ela segurou bem. Teve suas recaídas, tomou porre em algumas festas...

– Normal – Daniel deu de ombros.

– Normal coisa nenhuma! – Bruno bufou. – Queria ver você ouvir sua amiga delirando, dizendo “oh Daniel, oh Daniel”, enquanto desmaia, chora e essas coisas de gente bêbada.

Daniel empalideceu e ficou em silêncio. Seu peito doeu por instantes, e ele não conseguia dizer nada. Apenas imaginava a cena de Amanda delirando daquele jeito. E era sua culpa.

– Eu...

– Ok, você nunca deveria saber disso! Sou um imbecil mesmo – Bruno disse, batendo na própria testa e murmurando sons incompreensíveis.

– Não! Não, cara, eu preciso saber dessas coisas...

– Não, não precisa. O que você tem de saber é que ela está bem. Muito bem. Acho até que ela pensa em arrumar outro namorado. Ela e Kevin ficaram armando isso outro dia...

– Hmmm – Daniel resmungou.

– Cara, nem começa. Você deve ter tido mil garotas por aí, como me contou.

– É – Daniel mentiu.

Não, ele não tinha conquistado mil garotas. A única que teve foi a maior frustração, e ele decidiu que garotas canadenses não eram a sua praia... A sua praia estava muito longe dali.

– Melhor desligar, vou começar a falar besteira – Bruno riu.

– Ah, calma aí, me conta do Caio e do Rafa!

– Ahhh, cara, você precisa ver esses dois...

Bruno colocou as pernas em cima da mesa de centro e começou a descrever todos os detalhes das tentativas de conquistas amorosas dos amigos. Daniel apenas ria, sem tirar a imagem de Amanda chorando da cabeça. A conta de telefone viria cara, mas quem se importava? Estava morrendo de saudade dos amigos, e não era sempre que Bruno se dispunha a conversar.

nove

O último dia de provas significava o fim de tanto estresse nos estudos, mas era o começo do nervosismo à espera do boletim final. Tudo culminava naquele momento, e as férias seriam ditadas por aquela semana.

– A gente não pode deixar esse colégio do jeito que está – Rafael disse, enquanto iam para a mesa no pátio.

– Como assim, deixar o colégio, Rafa? Estaremos aqui no ano que vem – Amanda riu.

Ela estava visivelmente mais confiante e tranquila. Ajeitou a calça jeans justa e a blusa do uniforme, atraindo olhares de alguns garotos do primeiro ano que passavam, e riu sem motivo, achando aquilo engraçado.

– Mas num patamar diferente – ele piscou.

– E o que pensa em fazer, cabeçudo? – Caio perguntou, com um pirulito na boca.

Maya olhava para Rafael, perdida em sorrisos. O Sol voltara a brilhar na cidade, e refletia em seus cabelos vermelhos, deixando-a ainda mais ruiva e bonita.

– Já planejei tudo! – Rafael animou-se.

Ele abriu sua mochila dos Power Rangers, entregando alguns ovos nas mãos de Caio, que sorriu malicioso. Anna, Maya, Guiga e Amanda se entreolharam.

– Que merda de prova! – Carol chegou perto da turma.

– Não é boa hora para falar de provas – Bruno respondeu sem olhar para ela.

– Falo do que eu quero, Torres – resmungou, olhando com curiosidade para Caio e Rafael.

– Como eu ia dizendo... – Rafael continuou. – Conhecem uma coisa chamada trote?

– Rafael... – Maya estendeu a mão, carinhosa, tocando em seu braço. – Meu doce de coco, nem pense nisso...

– Rafael, você preza a sua vida? – Amanda perguntou assustada, enquanto Caio olhou para o céu.

– Caio... Caio, você não faria isso, né? – Anna parecia receosa.

Carol não sabia o que estava acontecendo e achou tudo esquisito.

– No três vocês correm? – Bruno se levantou.

As meninas olharam para ele.

– Meninos, vamos com calma... – Guiga deu um passo para trás.

Muitos alunos estavam espalhados pelo pátio, comemorando e comentando o fim das provas, mas ninguém de fato reparava na expressão assustada das garotas ali, junto àquela mesa. Guiga pensou em gritar por socorro, mas como um *nerd* flautista poderia salvá-la?

– Um... – Bruno arriscou.

Caio desatou a rir, parecendo um hamster.

– Meninos... – Amanda pediu, já dando passos para trás.

– Dois...

– Bruno, para com isso! – Maya implorou.

– Três! – berrou.

Rafael e Caio levantaram os braços e jogaram os ovos nas garotas. Elas começaram a gritar imediatamente. Carol deu um passo para trás, sendo surpreendida por um ovo na cabeça.

– Você – Bruno riu – não é melhor do que elas, princesa.

Enfurecida, Carol soltou palavrões, enquanto tentava limpar o cabelo. Anna pegou dois ovos de cima da mesa e pulou em cima de Caio, fazendo-o gritar e rir ao mesmo tempo, enquanto Amanda e Maya se preocupavam com Rafael e Guiga corria em volta da mesa, fugindo do próximo ataque de Bruno.

Todos que passavam riam da cena, e eles pareciam estar se divertindo.

– Meu cabelo! Você sabe quanto custou meu novo tratamento de cabelo?! Não tem nada de divertido nisso! – Carol gritou.

– Você tem noção de que eu não vou poder lavar minha blusa, porque é branca e ficaria transparente, não tem? – Maya berrou para Rafael, que tentava tirar o ovo que escorria em seu rosto.

– Amanda? – Bruno chamou debaixo dos tapas de Guiga.

A menina olhou para ele e levou uma ovada nas costas. Quando se virou para Caio, Bruno ria.

– Isso dói, seu desgraçado! – ela berrou.

Anna tentava limpar o rosto inutilmente, porque agora Caio esfregava a bochecha suja nela. Guiga gargalhou e chegou perto de Amanda, e as duas se encararam e desataram a rir. Estavam imundas!

Então, ouviram um apito. Dois inspetores se aproximaram e observaram a cena. Muitos outros alunos estavam em volta, rindo, mas a dupla parecia não achar graça. E lá ia Amanda outra vez encarar a porta de madeira da sala do diretor.

• • •

– Sala do diretor? Você? – Fred perguntou para Guiga, rindo quase orgulhoso.

Ele, Kevin e Breno caçoavam dos outros, que estavam saindo do colégio sujos da cabeça aos pés.

– Quando me falaram, nem acreditei de primeira – Kevin disse, rindo. – Depois pensei, bom, envolve os marotos e seus seguidores...

Amanda estendeu a mão suja para tocá-lo, mas ele correu.

– Vocês precisam de um banho! – Breno ajudava a levar as bolsas das meninas.

– E vocês precisam se divertir mais – Bruno retrucou.

Maya concordou.

– E o Rafael precisa de uma lição!

– Uma ova, doce de coco! – o garoto berrou.

– Fazia muito tempo que eu não ria assim – Anna comentou, tentando inutilmente prender os cabelos enormes e embolados, enquanto Caio sorria ao seu lado.

– Somos duas – Amanda confirmou.

Ela olhou para Bruno. Fred também ficou imundo, pois Guiga havia se atirado em cima dele. Kevin continuava a fugir de Amanda, e Carol apenas olhava para o chão, sendo acompanhada por Breno. Todos pareciam bastante felizes. Se o ano seguinte fosse tão divertido como o fim deste, eles achavam que poderiam dar conta.

• • •

– Que dia você vai saber a resposta da faculdade? – Amanda perguntou a Kevin, enquanto penteava os cabelos recém-lavados.

Seu quarto estava uma bagunça e cheirava a ovo podre. Tinha certeza de que sua mãe ficaria muito brava com ela.

– Semana que vem, com os resultados do colégio.

– Que péssimo.

– Pode ser. Pronta?

– Quase...

– Caraca, só vamos à casa do Bruno, amiga – ele deitou-se na cama dela

– E eu estou apenas me vestindo! – encarou Kevin e deitou-se ao seu lado.

– Kev?

– Humm.

– Obrigada – ela falou com sinceridade.

– Pelo que, mocreia? – Kevin virou o rosto para Amanda. – Não fiz nada!

– Você me fez ter coragem de seguir em frente.

– Estamos quites – ele a beijou de leve nos lábios.

– Bora, bofe – A menina sorriu –, ou vou duvidar da sua sexualidade!

– Com você? Conta outra, não curto mocreias!

Os dois se levantaram juntos, mas foi ele quem abriu a porta do quarto. Desceram as escadas rindo e se empurrando. Amanda berrou um tchau para sua mãe, que estava na sala recebendo a visita de amigas, e sumiu porta afora antes que fosse proibida de sair àquela hora.

• • •

Mesmo com o sol que havia esquentado naquela tarde, a noite trouxe uma brusca queda na temperatura. Amanda e Kevin andavam com os casacos colados no corpo, mãos nos bolsos e gorros na cabeça, e a garoa fez Amanda praguejar por estarem a pé. Pelo menos, a casa de Bruno não era longe. Ao chegarem no jardim, ouviram barulhos vindos de dentro da casa. Risadas altas e uma pesada banda rock ecoavam. Os dois se entreolharam e tocaram a campainha.

Um Rafael apenas de cueca apareceu, abrindo a porta. Os cabelos castanhos estavam bagunçados, embora arrumados com um pouco de gel.

– Entrem.

– Qual é a da suruba? – a garota perguntou ao entrar, vendo Caio e Bruno também só de cuecas, e as meninas sentadas no sofá, rindo.

– Mandy, junte-se a nós! – Anna berrou.

Caio se encolheu por causa do frio. Fred apareceu na sala, somente com as roupas de baixo, parecendo mais magro que o normal.

– Gente, que isso... – Kevin gargalhou vendo a cena.

– Outro garoto! – Guiga berrou.

Fred, porém, olhou feio para ela. Amanda riu, tirando o gorro e juntando-se às meninas.

– Err... hein? – Kevin tirou o casaco e encarou Bruno.

– Elas vão querer que você tire a roupa também.

– Hmmm. Pelo visto vocês já estão alegrinhos demais, mas eu ainda estou sóbrio para ficar pelado na frente dos outros! – Kevin fez um barulho estranho, percebendo que Maya e Carol se aproximavam.

– No três?

– Naaah, ok, ok, eu tiro! – ele levantou as mãos rindo, cercado pelas meninas. – Eu SEI tirar minha roupa, ok?

– Kevin vai ter isso na memória pra sempre: duas garotas tentando despi-lo – Amanda zombou.

– Superengraçada, você – ele deu língua, tirando primeiro o tênis e as meias.

– Mas qual é da graça de vê-los de cueca e morrendo de frio? – Amanda cruzou as pernas.

– Ótimo ponto! – Rafael riu. – Qual é a graça?

– Rafael, meu doce de coco – Maya se aproximou dele.

Amanda logo viu que o garoto nem se preocupava mais em saber qual era a graça. Só prestava atenção em Maya.

– A gente está apenas fazendo um trote – Maya tripudiou.

– Hã-hã – Bruno resmungou irônico.

Carol riu, e o olhar dos dois se encontrou. Guiga cutucou Amanda, que estava do seu lado.

– Aposto 20 que eles se pegam.

– Aposto 100 que ela foge – Amanda sussurrou.

– Err... – Carol virou o rosto –, vou ao banheiro.

Ela correu para fora da sala. Guiga deu língua para Amanda, que estendeu a palma da mão, rindo. Kevin ficou de cueca boxer e se sentou no pufe ao lado do sofá.

– E agora?

– Ainda não pensamos no próximo passo – Anna respondeu.

– Vou trocar essa música – Rafael pegou o iPod de Bruno conectado às potentes caixas de som.

– Posso colocar a meia, pelo menos? – Fred perguntou.

– Qual é a graça com meia, Fred? – Guiga riu.

– A graça é que meu pé não congela... E eu tenho um pé bonito demais pra ficar aparecendo assim.

Um *rap* do Eminem começou a tocar, e todos riram ao ver Rafael entrar na sala dançando. Bruno e Kevin foram à cozinha e voltaram com latinhas de cerveja e barras de chocolate.

– Ótima fossa! – Amanda piscou para Kevin, que se jogou em cima dela no sofá.

Em meia hora, todos estavam rindo demais, dançando demais e, no caso de Guiga, Fred, Anna e Caio, agarrando-se demais.

– *If you wanna be my lover...* – Carol, Maya e Amanda cantavam em coro, dançando em cima de uma mesinha de madeira no centro da sala.

Era a segunda vez que o CD antigo das Spice Girls estava tocando. Bruno, Kevin e Rafael batiam palmas, sentados no chão, em meio a latinhas espalhadas.

– Vou pegar cobertores – Amanda disse, pulando da mesa e subindo as escadas, seguida por Bruno.

– Os casais vão precisar de um só pra eles – Bruno disse, rindo, enquanto a ajudava no armário.

– Pouca vergonha...

Os dois estavam alegres demais, quando ouviram um berro de Rafael do andar de baixo, e começaram a gargalhar.

– Opa! A pizza chegou, vamos lá antes que eles comam tudo e não deixem nada pra gente – Bruno bateu a porta do armário.

Desceram as escadas correndo, quase tropeçando, e Bruno começou a distribuir os cobertores. O telefone tocou, e Amanda correu para atender.

– Alô? – ela berrou.

O som estava muito alto, e as meninas gritavam cada vez mais.

Daniel parou de respirar no momento que ouviu a voz de Amanda. A música. Os gritos. As risadas.

– Alô? – ela perguntou de novo, achando estranho o silêncio. – Aí, cambada de imbecil, tô no telefone! – berrou.

Daniel soltou um riso baixo.

– Alô? Eu ouvi alguém rindo, sei que não tô falando sozinha, que nem idiota...

– Hmmm... oi... – ele disse.

Amanda gelou.

– Daniel? – sentiu o coração preso na garganta quando disse o nome dele. Em seguida, sentiu uma mão gelada nas suas costas e gritou: – PORRA, Bruno!

Enquanto isso, Daniel ria e repetia:

– Alô? Alô...

– Quem é? É pra mim? – Bruno perguntou, enrolando-se em um enorme cobertor vermelho felpudo com o escudo da Grifinória.

– Não, é pro Rafael. Dãã. Claro que é pra você...

Ela ia tirar o telefone do ouvido com um aperto no coração, sentindo as mãos tremerem, mas escutou o pedido.

– Não! Amanda, espere!

Ela voltou a apertar o aparelho no seu ouvido.

– Ahn? – Amanda resmungou.

Bruno deu de ombros e voltou para o meio da sala aos berros, quase rolando pelo chão.

– Que foi, Daniel? – insistiu.

– Eu... sei lá, oi.

– Oi – ela respondeu, sorrindo sem querer.

– O que vocês estão fazendo?

– Suruba!

Daniel engasgou.

– Que bom que estão se divertindo...

– É, estamos. Apenas dando um troco. Ter a casa cheia de homens de cueca não é tão ruim assim.

Ok, o álcool estava fazendo efeito. Amanda conversava com Daniel! E estava gostando de falar qualquer coisa, sem se importar com nada. Quem realmente ligava?

– Homens de cueca?

– Seus amigos... Eles têm belas bundas! – ela gargalhou. – Ai, desculpe, acho que não tô bem. Mas você não ligou pra falar comigo, claro, né? Vou chamar o Bruno.

Amanda sentia a cabeça girar; não sabia se era por estar ouvindo a voz dele depois de tanto tempo ou por causa da cerveja. Daniel sentiu-se mal com o último comentário dela. Queria ter ligado para falar com ela.

– Hmmm, ok.

– O que você disse? – ela perguntou, tampando um dos ouvidos por causa do barulho.

– Nada, chame o Bruno.

– Falou, tchau, Daniel.

Ela soltou o telefone na mesa, berrando o nome de Bruno. Daniel sentiu outra pontada no estômago. Por que ele sempre parecia agir que nem imbecil?

• • •

– Ok, sua vez de falar... – Carol disse, apontando para Kevin.

– Os melhores momentos deste ano... – ele pensou em voz alta.

Todos estavam sentados em volta da mesinha de centro da sala. Os meninos de cuecas, enrolados nos cobertores com as meninas; na mesinha, latas vazias de cerveja e de refrigerante, além de caixas de pizza espalhadas no chão.

– Acho que o melhor momento deste ano foi quando conheci minha mocreia predileta.

Kevin olhou para Amanda, que dividia o mesmo cobertor com Bruno, visto que Carol tinha se recusado a ficar com ele.

– Ohhh, seu lindo! – ela apertou a bochecha do amigo.

Caio e Rafael aplaudiram, fazendo caretas e assobiando.

– Ok, Bruno, sua vez – Kevin sugeriu.

– Melhor momento do ano... – Bruno mordeu o lábio – foi a Scotty pela primeira vez no palco.

Caio e Rafael aplaudiram de novo. As meninas riram.

– Boa escolha, seria um dos meus momentos também – Guiga afirmou.

– Acho que de todos nós – Anna falou, beijando a bochecha de Caio.

– Amanda, sua vez – Bruno informou.

– Hmmm... é complicado – ela pensou em vários momentos. – Mas, bom, falando a verdade? Um dos melhores momentos foi quando fui comer brócolis na casa do Daniel. Faz tempo já.

Amanda sentiu suas bochechas ficarem quentes, ouvindo mais aplausos de Caio e Rafael, que, por sua vez, levou um beliscão de Maya.

– Comeu brócolis, é? – Bruno riu. – Que merda. Preciso ensinar Daniel a cozinhar...

– Estava ótimo!

– E o melhor momento foi... comer brócolis? – Fred perguntou malicioso.

– Não, né? – ela riu e, quando todos assobiaram, ficou sem graça. – A gente meio que se declarou.

– Ahhhhh! – Kevin apertou a bochecha dela e, mais uma vez, Caio e Rafael aplaudiram, enquanto todos riram.

– Tá, tá... Guiga, e o seu momento? – Amanda disse, vermelha, tentando escapar dos holofotes.

– Quando eu descobri que não era imortal e que gostava de um maroto – contou.

Todos se entreolharam, e Caio e Rafael aplaudiram com mais vontade, batendo os pés nos chão.

– As pessoas amadurecem – Bruno desatou a rir.

– E mostram que têm coração – Caio completou, vendo Anna lhe mostrar a língua.

– Aprende-se com os erros, certo? – Amanda perguntou, e todos concordaram. – Se não fossem os erros, não estaríamos aqui hoje...

– Eu tô ficando sentimental com esse papo; que merda – Rafael resmungou.

– Eu não falo nada disso... – Carol opinou.

– Carol? – Kevin perguntou.

Ele nunca teve muito papo com ela. Mesmo estando no meio de amigos, sentia como se ela fosse uma estranha. A garota nunca realmente tinha dado bola para ele.

– Hmmm? – a menina se virou para Kevin, com quem divida o mesmo cobertor.

– Você tem namorado?

– Por quê? Quer namorar comigo?

As meninas todas riram, mas Bruno enrijeceu-se, e somente Amanda, ao lado dele, percebeu isso.

– Não, tonta! – Kevin disse, como se fosse óbvio. – Apenas curiosidade. Quero dizer, todas aqui dessa mesa já gostaram de um maroto.

Maya abriu a boca para dizer algo, mas foi cortada.

– Doce de coco – Kevin ironizou –, fica na sua!

Amanda gargalhou ao ver Maya e Rafael ficarem extremamente vermelhos.

– Bom, Kevin, as pessoas aprendem a gostar das coisas boas com o tempo – Bruno se meteu.

– Mas aprendem a desgostar com os problemas – Carol deu de ombros.

Bruno abaixou a cabeça.

– E são burras demais pra mudarem por causa deles – Amanda falou de forma grosseira, percebendo que todos olharam para ela. – Convenhamos, eu entendo de burrices. E você também...

– Por favor, não...

– Ok, mudemos de assunto! – Kevin riu nervoso. – Vamos começar a contar histórias de romance, porque estamos todos sentimentais hoje. E bêbados!

Todos se entreolharam e concordaram. Amanda se ajeitou no cobertor, encostando a cabeça no peito de Bruno.

– Quem começa? – Anna perguntou.

– Eu voto na Amanda – Guiga disse. – Acho que você teve os momentos mais bonitos e românticos de todos nós, e não custa nada compartilhar.

– É, e quem sabe botar alguma decência na cabeça desses garotos aqui – Anna zombou.

– Menos as partes sórdidas, não quero saber de detalhes sobre o corpo sarado do Daniel – Caio pediu.

– Em primeiro lugar, nem tão sarado assim – Amanda começou, e todo mundo gargalhou. – Mas cada um com seu gosto...

– Começa pelo começo! – Kevin ordenou.

Amanda respirou fundo e sorriu para a roda de amigos. Começou a contar toda a sua história com Daniel. Sentiu-se bem. Era gostoso, finalmente, poder compartilhar os momentos bons com as pessoas que tanto amava. Também era um alívio, na verdade. Como estava meio bêbada, ela acabou apimentando a história, fazendo todos ficarem de boca aberta por alguns momentos.

dez

Aquele sábado à noite seria a última festa dada pelo colégio. Seria também a última apresentação do ano da Scotty. A última sem Daniel Marques, e a última com Fred; pelo menos era o que Bruno esperava. Fred era um grande amigo, que muitas vezes os ajudava a compor uma música, mas não era Daniel. Não era a alma da banda e não se importava com isso, pois tinha outros planos para o futuro; e se fosse o caso de pretender ficar famoso com um grupo de rock, seria como empresário. Fred só tinha certeza de que queria Guiga em seu futuro, mas ainda não sabia como fazer isso; como os pais dela ainda não aprovavam o namoro deles, estava cada vez mais difícil cruzar a barreira dos Álvarez Barreto.

Guiga fazia parte de uma família tradicional e bastante católica. Seu pai era chamado de o "Rei do Queijo", apelido que envergonhava a menina, mas ele era bastante rico e dono de muitas fazendas na região. Fred não se enquadrava na figura perfeita para ser o par de Guiga. A mãe dela, quando o conheceu, só gritou um "Ave Maria, mãe de Jesus misericordioso!" e, depois, restringiu as saídas da filha. Claro que o estilo de Fred, de calças largas e toucas de tricô no cabelo loiro comprido, assustava muitas mães, mas Guiga estava completamente apaixonada. E ninguém a impediria de ficar com ele.

Então, a prioridade de Fred era provar para os pais da namorada que iria fazê-la feliz, nem que precisasse frequentar a missa aos domingos. E ele sentia falta de Daniel. Queria ver o amigo novamente em sua posição na banda.

O alvoroço no último baile era imenso, e o salão estava mais cheio do que em qualquer outro dia. Muitas garotas seguravam cartazes, como "Nós amamos os Scotty", e Amanda tinha visto um "Bruno, casa comigo?". Ela nunca achou que, um dia, os garotos encrenqueiros e excluídos se transformariam nos ídolos da cidade. Bruno, com certeza, estava odiando tudo aquilo, pois sempre foi muito reservado e quieto; não suportava ser o centro das atenções. Ele não tinha culpa de ser assim; a culpa era de seus pais, sempre ausentes, de modo que ele cresceu caladão, meio rabugento. Mas Amanda tinha orgulho de seu melhor amigo. Mesmo com todos os motivos, ele nunca se tornou um menino rebelde, drogado ou sem limites. Ele era apenas um adolescente normal, com problemas normais de adolescentes. E sabia se virar sozinho, bem melhor do que ela.

A menina ainda estava confusa sobre a ligação de Daniel na noite de sexta e, na verdade, mal conseguia se lembrar do que falara com ele. Mas estava feliz. Tinha ouvido a voz de Daniel depois de tanto tempo. Por pouco não tinha se esquecido de como era. Teria se arrependido se isso acontecesse.

Em um dos intervalos da banda, Caio, parecendo cansado e com a máscara pendurada no pescoço, apareceu entre as pessoas, correndo de mãos dadas com a Anna. Muitas meninas olhavam emocionadas, mas Albert ameaçou colocar o pé para ele cair, enquanto outras nem notavam que era o cara que ficava em cima do palco.

– Amanda! Por favor, entregue esse celular ao Bruno? Tem gente na linha!

– Por que você mesmo não entrega? – Amanda perguntou, pegando o telefone das mãos do menino.

Caio apontou com a cabeça para Anna, e ela entendeu que os dois queriam ficar um pouco sozinhos.

– Ok, ele tá no *backstage*, né? Vou lá... – ela saiu andando entre a multidão.

Todos dançavam, e Amanda, usando um vestido nude simples e sem nenhum brilho, apenas se sacudia e passava entre as pessoas, tomando cuidado para não mexer muito no celular e acabar desligando-o.

– Amanda?

Ouviu a voz de uma menina. Parou e respirou fundo. Deveria correr ou tacar o telefone nela?

– Oquiééé, Rebeca? Você não me esquece, né?

– Eu só queria dizer que agora falta pouco pro Daniel voltar – Rebeca disse, maliciosa.

Rebeca usava um vestido tão curto e justo, que Amanda se divertiu pensando que ela tinha sido embalada a vácuo. Ela tinha o quê? Quinze anos? Como a mãe dela deixou que saísse de casa assim?

– E daí? O que eu tenho a ver com isso?

– Bom, achei que você gostaria de saber...

– Obrigada por avisar, mas não sei a utilidade da informação.

– Jura que não sabe? – a menina riu, irônica.

Duas garotas ao lado dela também riram. De onde tinham vindo? Pareciam três Barbies exageradas de tanta maquiagem.

– Ai, garota, quer apanhar de novo? – Amanda começou a se irritar.

– Se você for para sala do diretor de novo vai acabar se juntando ao Daniel, lá no Canadá! Talvez, seja a única forma de ficar junto dele agora!

– Se eu quisesse mesmo ficar com ele, já tinha quebrado a sua cara, querida. Agora, posso ir?

– O ano pode passar, Daniel pode voltar e tudo mais, mas a gente sempre vai odiar você, e sabe por quê? – Rebeca provocou.

Amanda respirou fundo, segurando-se para não enfiar a mão nela.

– Eu não me importo, sério.

– Porque você simplesmente não é mais popular nem é mais a queridinha da escola – disse.

Amanda riu. Então, isso era não ser popular?

– Ok, acabou? Posso ir?

– Pode, só queria que você soubesse disso – ela sorriu.

Amanda viu André e Nick se aproximarem delas, e teve vontade de rir. Bando de moscas! Virou-se e continuou andando para trás do palco. Na verdade, porém, queria voltar e acabar com a raça daquela menina. Mas o que importava agora? Não queria se estressar mais. Precisava respirar fundo e continuar a vida normalmente.

– Bruno! – ela chamou ofegante, após receber alguns empurrões enquanto se aproximava da coxia. – Telefone pra você...

– Eita, obrigado. Passou por um furacão? – ele riu do cabelo despenteado dela e das suas bochechas meio rosadas.

– Não. Muito pior. Rebeca. Ela me ama, só pode! E faz questão de jogar na minha cara quanto todos me odeiam – Amanda mordeu os lábios. – Depois, aparece lá no meio do povão! Acho que o pessoal quer autógrafo...

– Pode deixar que vou manter distância! – Bruno sorriu, vendo a amiga descer pela lateral do palco, correndo. Sentou-se numa das caixas de som e colocou o telefone no ouvido: – Alô?

– Bruno? Quem é Rebeca? – Daniel perguntou do outro lado da linha.

E a única coisa que Bruno pôde fazer foi gargalhar.

• • •

I bet that you look good on the dancefloor

(Eu aposto como você fica bonito na pista de dança)

Kevin cantava, quando Amanda se aproximou. Ele usava um colete que parecia uma intervenção artística de um cara sueco.

– Noite boa?

– Boa...

– Cadê o Lucas? – a menina perguntou, bebendo um gole do refrigerante que Kevin lhe oferecera.

– Não me ligou hoje, aquela...

– Corre atrás, não deixa um bofe daqueles escorregar pelos dedos, não! – aconselhou.

Viram Fred e Guiga se aproximarem. O garoto loiro parecia ainda mais esquisito com o cabelo comprido solto e uma gravata borboleta colorida, mas Guiga parecia não se importar.

– Nervoso com os resultados, cara? – Fred perguntou.

– Não muito – Kevin deu de ombros.

– O que eu vou fazer sem meu namorado no ano que vem, alguém me diz? – Guiga fez bico.

Os outros três riram.

– Você tem algumas opções. Pode arrumar outro – Kevin brincou.

– Não pode ser maroto, todos estão comprometidos – Fred alertou.

– Não o Daniel – Amanda lembrou, e todos olharam para ela. – E o Rafael.

– Eu não me importo com eles nem com ninguém – Guiga fez charme.

Fred beijou a menina com vontade, ignorando a presença de Amanda e de Kevin ali do lado.

– Quer fugir comigo? – ele sussurrou.

– Claro! Aí nós morremos de fome juntos e vivemos felizes pra sempre!

– Você é sempre tão negativa – ele a abraçou por trás, sentindo um perfume doce, e suspirou.

– E você viaja na maionese, Bourne. Vamos bolar outro plano.

– Vocês podem sempre cavar um túnel de uma casa pra outra – Kevin se intrometeu.

– Ou do colégio até a universidade – Amanda sugeriu.

– Claro, se a universidade para a qual ele prestou vestibular não ficasse a quilômetros daqui!

– Foi a única que eu achei boa, lindinha! Para com isso...

– Desculpe, Amanda, mas, se eu tivesse gostado do Daniel, não teria esse problema – disse, emburrada.

– Não esquenta, você só teria outros... Comigo – Amanda brincou. – E com a Rebeca.

– Melhor ter problemas com meu reitor, gracinha – Fred beijou a bochecha de Guiga.

– Eu não tenho nada contra seu reitor. Você é que não vale nada!

– Quanto amor!

– Ok... quem quer cerveja? Breno trouxe algumas latinhas escondidas! – Kevin riu para quebrar o clima.

Ele, na verdade, não queria nem pensar em faculdade. Já bastava toda a pressão que sofria em casa.

• • •

O domingo amanheceu cinzento. Amanda abriu os olhos e, espreguiçando-se, viu pela janela que uma tempestade se aproximava. Já era quase meio-dia! Ligou o rádio-relógio que ficava em cima da sua mesa de cabeceira. Gostava de fazer isso de manhã.

Today I'm laughing the clouds away,
(Hoje eu estou rindo das nuvens distantes,)
I hear what the flowers say,
(eu escuto o que as flores dizem,)
drinking every drop of rain
(bebendo cada gota de chuva)

Era McFly! A banda preferida de Bruno, que ela aprendeu a gostar de tanto que o menino cantava. Precisava se lembrar de baixar as músicas novas para aprender a cantar também. Já pensou se um dia eles viessem tocar na sua cidade? Claro que isso nunca aconteceria, mas seus pais jamais a deixariam ir até uma cidade grande para assistir a um show deles. Talvez, quando já estivesse na faculdade, mas, agora, sem chance! Apesar do frio, levantou-se dançando. Adorava acordar assim, de bom humor.

Seu celular estava em cima da escrivaninha, do outro lado do quarto. Ele vibrou algumas vezes, mas Amanda não percebeu. Ela aumentou o volume do rádio, entrou no banheiro e bateu a porta, ainda dançando.

• • •

– Daniel! Venha tomar café conosco! – a mãe do garoto gritou no andar de baixo da casa.

Ele rolou os olhos e largou o celular na cama. Ótimo. Se ela não queria falar com ele, ÓTIMO. Não iria fazer questão.

• • •

If this is love then love is easy.
(Se isso é amor, então amor é fácil.)
It's the easiest thing to do
(É a coisa mais fácil de se fazer)

Amanda saiu do banheiro enrolada na toalha, cantarolando. Entrou no *closet* e vestiu seu moletom velho, que ela precisara implorar para a mãe não doar para a caridade. Sentou-se na cama para calçar meias de lã, quando percebeu seu celular desmontado, caído no chão.

– Droga! – resmungou.

Ela ainda tentou imaginar como foi que o parelho despencou do móvel, e pensou que, talvez, tivesse tocado ou algo assim. Colocou a bateria de volta, mas estava desregulado.

– Ótimo, tudo que eu precisava era de um celular estragado! – falou sozinha. – Pelo menos, o Natal está chegando; quem sabe, eu não ganho o novo iPhone?

Amanda riu para si mesma, desligando a música, e desceu para cozinha. Talvez fosse bom passar este dia com os pais, apenas um incentivo para verem como ela é uma boa filha e merece presentes bons.

• • •

Durante a tarde, Kevin e Bruno passaram na casa de Amanda. Por incrível que pareça, os dois se tornaram grandes amigos. O mundo, definitivamente, estava chegando ao fim!

– Ah, cara, eu disse que sou péssimo em basquete, não sei nem o nome da bola! – Kevin riu, enquanto Amanda abria a porta da casa ainda vestida com o moletom encardido.

– É bola, Kevin – Bruno bateu na própria testa.

– Err... oi? – ela disse, olhando de um para o outro.

Ambos estavam de jeans e camisas pretas de manga comprida. Kevin segurava uma enorme mochila, e Bruno girava as chaves do carro na mão.

– Pequena, bote uma calça jeans e uma blusa de manga comprida velha, e siga a gente – Bruno disse, beijando sua bochecha. – Bom-dia, tios! – ele berrou do *hall* de entrada.

– Bom-dia, querido – a mãe de Amanda apareceu, saindo da cozinha. – Bom-dia, Kevin. Onde os senhores pensam que vão?

– Pois, é. Posso saber aonde vamos? – Amanda perguntou.

– *Paintball*! Abriu um campo lá perto do shopping, dona Judith – Kevin anunciou.

– Mas isso não é muito perigoso? – a mãe de Amanda parecia alarmada.

– Não, eles têm equipamentos de segurança. E eu prometo ficar de olho na sua filha – Kevin deu o seu melhor sorriso.

Nenhuma mulher resiste ao seu sorriso angelical, muito menos dona Judith.

– Tudo bem, então, mas, por favor, tomem cuidado! Filha, qualquer coisa ligue para o seu pai que ele vai buscá-la.

Judith beijou a cabeça da menina e voltou à cozinha, dizendo algo sobre como os jovens estavam cada dia mais malucos. Amanda gargalhou. Nunca tinha jogado *paintball*. Deveria ter adivinhado que Bruno e Kevin seriam os primeiros a se animarem com a ideia. Kevin adorava uma novidade, e Bruno, bem... Quem recusaria a oportunidade de dar uns tiros e sujar os amigos de tinta?

Ela concordou e subiu correndo as escadas, deixando os dois na porta. Não fazia ideia de que roupa usar.

O celular de Bruno, então, tocou.

– Bom-dia, querido Daniel! Muito frio do outro lado do mundo?

– Frio? Tá congelando, cara. Tipo vinte e quatro horas por dia! – Daniel riu.

Queria conversar com o amigo. Com a aproximação do dia da sua volta, sentia que precisava se atualizar das coisas antes que fosse tarde demais e voltasse como um zé-ninguém.

– Tá em casa? – perguntou.

– Nop – Bruno mordeu os lábios, pensando que essa não era exatamente uma boa hora para Daniel ligar.

– Tá onde?

– Na porta da casa da Amanda com... o Kevin.

Bruno não quis rir. Tentou se conter, mas soltou uma risadinha inconfundível. Kevin apenas balançou a cabeça. Daniel fez um barulho como se assoasse o nariz.

– Que merda.

– Nada, vamos jogar *paintball*! – Bruno riu.

Sabia que Daniel adorava *paintball*. O amigo tinha ido uma vez, quando visitara São Paulo, e ficava sonhando quando iria levar a turma junto.

– Ah, cara, tá brincando? Tem isso agora nesse fim de mundo?

– Exato, e neste momento estamos...

Bruno estava falando quando Amanda apareceu na porta correndo. Ele e Kevin pararam só para observar como ela estava bonita. Simples. Cabelos soltos, blusa branca, calça jeans e um casaco preto jogado por cima da roupa. E óculos escuros.

– Gostaram, né? – ela brincou.

– Err... neste exato momento, eu estou vendo uma das garotas mais lindas do mundo! – Bruno respondeu.

– Deixe de galanteios! – ela gargalhou, fechando a porta, e ganhou um abraço de Kevin.

– Ah, Bruno, que droga... – Daniel suspirou, ainda do outro lado da linha.

– Quem é? – Amanda perguntou.

Kevin riu.

– Seu ex-namorado – disse alto.

Bruno franziu a testa:

– Daniel, me liga mais tarde?

– Mande o Kevin se ferrar? – Daniel pediu.

– Mando até para o quinto dos infernos – Bruno riu. – Cara, nos falamos depois – e desligou, encarando Kevin rindo: – você num é mole...

– Como ele está? – Amanda perguntou, enquanto seguiam para o carro.

– Ah, bem...

– Legal! – A menina deu um leve sorriso, pensando no garoto.

Estranho... já não se lembrava tanto das feições dele. O tempo tinha feito muitas lembranças desaparecerem.

• • •

Daniel encarou a televisão sem vontade de ver nada.

– Filho, por que você não sai com seus amigos?

– Eu odeio as pessoas daqui, mãe – Daniel respondeu grosseiro. – Quando vamos voltar pra casa?

– No fim da semana, provavelmente sábado à noite. Seu pai e eu ainda estamos vendo as passagens. Ele ainda precisa de cuidados extras, você sabe disso. – A mãe dele explicou e saiu da sala.

Daniel voltou a encarar a televisão. Nunca tinha esperado tanto por um sábado à noite.

onze

– O Bruno é péssimo em *paintball*! – Amanda conversava com as amigas na segunda-feira.

Como era a última semana, todos andavam feito zumbis no colégio. Parecia realmente um filme de terror, de tão vazio e devastador. Os professores quase não deram aula, e a maioria dos alunos faltou para passar o dia na praia. Afinal, desperdiçar uma manhã ensolarada como aquela, depois de um fim de semana chuvoso, não era uma boa opção.

– No que ele é bom? – Carol rolou os olhos.

– Quer mesmo saber? – Anna riu.

– Pouco me importa... – Carol deu de ombros.

– Cadê o Fred? – Guiga olhou para os lados.

Cinco garotos, aos risos, entraram no corredor e as meninas pararam de falar para encará-los. Estavam bonitos, com o mesmo uniforme de sempre, mas, de alguma forma, mais bonitos. E Kevin estava no meio!

– Por que estão com essa cara? – Caio perguntou, beijando a bochecha de Anna.

– Porque vocês somem e, do nada, fazem uma entrada triunfal, tipo de filme americano! – Anna brincou.

– Apenas ficamos pra trás – Rafael deu um peteleco no nariz dela antes de ir para perto de Maya.

– Certo, o que vamos fazer agora? – Carol olhou para todos.

– Que bom que perguntou – Bruno sorriu de forma marota. – Hoje não tem inspetores...

– Como você sabe? – Anna olhou desconfiada.

– Eu sei de tudo!

– Certo, e daí que não tem inspetores? – Carol perguntou.

– E daí? – Amanda riu. – Vamos ao cinema?

Os meninos logo concordaram.

– Vocês querem... matar aula? – Guiga espantou-se.

– Não vai ser a minha primeira vez – Fred riu.

– Vai ser a minha – Anna sorriu feliz.

– É divertido! – Kevin garantiu. – Nada melhor do que assistir à aula de física quântica na sala do cinema.

– Vamos logo então, antes que deem pela nossa falta – Bruno saiu andando.

– Ahhh, claro, os alunos mais amados e os mais odiados JUNTOS, e ninguém vai sentir nossa falta – Amanda bateu palmas.

Os outros riram e saíram livremente pelo portão do colégio.

• • •

A agonia de se livrar da escola era evidente no olhar de todos os alunos quando a sexta-feira começou. Todos entraram nas salas de aula para receber seus resultados.

Era fim de ano. Fim de mais um tempo.

E, para Amanda, fim de uma angústia enorme. Por isso, diferente do resto da turma, sentia-se aliviada quando recebeu seu boletim.

– Não fui a melhor aluna, mas fiz o que pude – ela disse, mostrando o "Aprovado" bem grande para Guiga, que fez o mesmo.

– Eu fui quase a melhor.

– Mas não melhor que eu! – Maya exibiu seu boletim, com 10 em todas as matérias, menos em Químina Orgânica, que ficou com 9,5. – Com isso vou conseguir convencer meus pais a me deixar entrar para a aula de *krav-magá* nessas férias!

Maya era grande fã de esportes, mas sua mãe tinha receio de que ela ficasse muito masculina se começasse a praticar lutas.

– Vejo então que por aqui é só felicidade – Carol comentou.

– Por aqui? – Amanda perguntou, enquanto saiam da sala de aula.

Anna apontou para um canto no corredor onde Rebeca consolava uma menina de pele morena e assustadoramente bem maquiada para aquela hora do dia. As duas estavam usando saias jeans justas e dobradas para parecerem ainda mais curtas.

– Uma das populares reprovou – Amanda ficou tentada à rir.

Mas quando seu olhar cruzou com o de Rebeca, ela apenas sorriu vitoriosa, enquanto a outra fez cara feia.

– Vamos encontrar os meninos – Amanda se virou para as amigas. – Hoje é dia de festa!

• • •

– FINALMENTE TÔ LIVRE DESSA! AH AH AH! – Rafael estava gritando, quando Bruno o agarrou por trás, tampando a boca dele.

– Ainda estamos na propriedade da escola, não se esqueça. Podemos ser expulsos em pleno dia de libertação!

– Vocês falam como se fosse o fim da escravidão – Caio deu de ombros.

Eles estavam sentados na mureta perto do portão do colégio, esperando pelas meninas. Fred veio correndo.

– Que merda, fiquei com nota baixa em Química! Se não fosse meu ótimo relacionamento com nossos queridos professores, teria ficado de recuperação – ele riu. – Mas ano que vem estarei beeem longe de vocês! Uhul!

– Às vezes, acho que Deus existe... – Rafael sacaneou, fazendo os amigos rirem.

Guiga chegou com as amigas e pulou no colo do namorado.

– Vejo que, pela cara de vocês, aqui também é só alegria – Carol sorriu, estava de bom humor hoje.

– Nós sempre nos damos bem no final – Bruno disse e olhou para ela.

Carol o encarou, sorrindo, enquanto Amanda interrompeu o clima suspeito e abraçou Bruno.

– Caraca, bem-vindos ao terceiro ano! – gritou.

– Espero que seja melhor do que este...

– Fiasco de ano – Anna riu.

– Obrigado – Caio fez bico.

– Gente, cadê o Kevin? – Maya perguntou.

Amanda soltou Bruno e encarou os amigos.

– Nem vi – Fred respondeu.

– Vou procurá-lo.

Amanda rodou pelo pátio e pela parte de trás do colégio. Nada de Kevin. Começou a ficar preocupada, será que tinha acontecido algo com ele? Levou um susto quando sentiu um toque de mão em seu ombro.

– Perdida? – perguntou Albert, que estava com JP e os amigos.

– Você não some?

– Vim me despedir. Vou pra Inglaterra esse mês.

– Caraca! Boa sorte...

– Obrigado – Albert sorriu verdadeiramente.

– ... pros ingleses – A menina riu alto.

Albert rolou os olhos.

– Procurando seu amigo afetado?

Amanda parou de sorrir e ficou séria.

– Tente nas árvores do pátio. Ele estava lendo um livro por lá.

– Obrigada – disse, e saiu correndo.

Mentalmente, porém, ela se xingou. Qual era essa de ser boazinha com Albert depois de tudo o que ele tinha feito?

Minutos depois encontrou Kevin sentado de pernas cruzadas, com um livro no colo. Pelo visto, o vício por *Jogos vorazes* ainda não tinha acabado.

– Kev? – chamou baixinho.

– Mocreia! – ele encarou a menina e sorriu. – Sente-se aqui.

– Por que está aqui, longe de todos?

– Pensando... – ele fechou o livro. – E você?

– Passeando é que não estou – Amanda riu. – Aconteceu alguma coisa?

– Notícia boa ou a ruim?

– Boa – ela escolheu.

– Você me terá ainda aqui ano que vem...

Ela abriu um sorriso largo.

– E qual a ruim?

– Eu reprovei.

Amanda mordeu o lábio inferior. Olhava para o menino sem saber o que dizer. Como consolar alguém nessas horas? Sinto muito? Espero que ano que vem seja melhor? Deveria ter estudado mais?

– Que é? Não é como se eu tivesse me esforçado realmente.

– E pra você tudo bem?

– É... tudo. Não estava preparado para encarar a faculdade agora, sabe? Eu não sinto que esteja pronto. Minha mãe vai ficar decepcionada, e meu pai só vai resmungar e me obrigar a trabalhar o verão inteiro na sorveteria; enfim, nada que eu não dê conta.

Amanda abraçou o amigo. Deu um beijo estalado nos lábios dele e sorriu.

– Eu não estou triste por você, me desculpe.

Ela se levantou. Kevin fez o mesmo e gargalhou.

– Imagino que não...

– Teremos um ano inteeeiro pela frente, meu fofucho!

Ela pulou no pescoço dele de novo. Era isso, que se dane. Estava muito feliz com a notícia. Era egoísmo de sua parte, sabia disso, mas pelo menos Kevin não estava arrasado. Ele mesmo parecia contente. Tinha muito medo de como conseguiria encarar um ano repleto de Daniel Marques sem Kevin ao seu lado. Agora, tudo ficaria mais fácil.

– Também amo você...

Os dois deram as mãos, sem falar mais nada, e andaram em direção aos amigos no portão. Estavam rindo e fazendo brincadeirinhas estúpidas.

– Até que enfim – Bruno reclamou, mostrando a hora no visor do celular, mas reparou na expressão de Kevin. – O que houve?

– Que houve com o quê?

– Você não parece bem – Rafael disse, colocando a mão na testa de Kevin.

– Eu estou – o garoto sorriu.

– Mas não devia... – Amanda brincou.

– Desculpe-me, se eu tô feliz em não ir pra faculdade – ele reclamou irônico e os outros se entreolharam.

– Você não passou em nenhuma? – Fred arregalou os olhos.

– Passei em duas! – Kevin balançou a cabeça. – Foi o colégio que me reprovou.

Todos se entreolharam sem saber o que dizer.

– Não achem que estou triste, porque não estou. Vamos parar com isso...

– Mas, Kevin, você pode recorrer na Justiça, já que passou no vestibular... – Anna explicava, quando ele estendeu a mão rindo.

– Todos na sorveteria agora. Por minha conta. Vamos comemorar o fim deste ano e o começo de um melhor!

Eles se entreolharam sem saber bem como agir. Caio apertou Anna contra o peito, e Fred fez o mesmo com Guiga. Amanda e Carol sorriram, e Rafael segurou a mão de Maya, que se soltou logo em seguida.

– Tá alucinando, Rafael? Me solte! – a menina ruiva bufou.

Bruno riu.

– Tô de carro, vocês se apertam todos lá atrás. Bora, cambada.

• • •

– Eu duvido você ir lá e cantar a menina – Caio desafiou, apontando a colher do sorvete para o amigo.

– Duvida? – Rafael se levantou.

– Aposto outro sorvete – Anna sorriu.

– Vai lá, garotão! – Maya zombou, dando um tapa de leve na bunda dele.

Rafael saiu andando em direção a uma mesa em que havia duas meninas. Elas deram risadinhas quando ele se aproximou, ajeitando o cabelo e o topete.

– O Rafael faz tudo o que mandamos, certo? – Amanda perguntou.

– Depende... – Bruno riu.

– ... do que você vai oferecer em troca – Caio completou.

– Esse sorvete tá delicioso – Carol falou, pegando outra colherada da taça de Kevin.

– Gente, como vocês imaginam a vida daqui a dez anos? – Maya perguntou de repente, bebendo um gole de refrigerante.

Todos ficaram pensativos.

– Eu quero ter uma casa enorme – Guiga sorriu.

– Com um estúdio, certo? – Fred olhou para ela.

– Claro, onde mais você vai passar as noites quando for expulso da minha cama?

Todos riram vendo o garoto fazer bico.

– Quero viajar pelo mundo – Caio disse, imitando tocar uma guitarra imaginária.

– Eu me vejo em alto-mar... – Anna ficou sonhadora. – Com muito champanhe e caviar...

– Sonho caro! – Bruno riu. – Eu estarei em turnê com a minha banda pelo mundo!

– Quero ter minha própria empresa de marketing esportivo! – Maya deu de ombros. – E um filho e um cachorro também.

– Eu só... – Amanda sorriu – quero estar feliz, sei lá.

– Isso não vale, todos querem – Fred disse.

– Ah, não sei. Não estar causando problemas já é um começo.

– Imagino você numa casa enorme com dez quartos – Bruno opinou.

– Dez? – Amanda franziu a testa.

– É... com várias crianças correndo, com o nariz escorrendo, escondendo-se em armários, vendo gente se agarrando – ele explicou.

Caio quase cuspiu o sorvete de tanto rir.

– Já ouviu falar que crianças têm que aprender isso cedo? – perguntou.

– Já... – Amanda apertou os olhos.

– Pois é, eu imagino você levando cerveja pro seu marido, enquanto ele e seus três amigos assistem às Tartarugas Ninjas na TV.

– Num sábado à noite? – ela perguntou rindo.

– Claro, se fosse outro momento, não teria a mesma graça – Bruno sorriu vitorioso, vendo-a balançar a cabeça.

Ninguém na mesa entendeu nada.

– Vou ter uma orquestra particular, então?

– Exatamente, genial, não é? Aposto como ninguém teve essa ideia antes! – ele piscou.

Amanda balançou a cabeça, ficando vermelha. Aquilo era tudo o que Daniel havia dito para ela que queria no futuro. Como Bruno sabia disso? Quer dizer, então, que meninos também conversam sobre outros assuntos que não sejam peitos grandes e videogame?

– Ninguém merece, Bruno!

– Espere aí! – Caio colocou a mão no queixo. – Não era o Daniel que dizia que queria ter uma orquestra e... Ahhhhhhhh!

Ele olhou para Amanda e Bruno, que gargalhavam. Rafael se aproximou da mesa sorrindo.

– Arrumou um encontro pra hoje à noite? – Maya perguntou, tentando disfarçar a curiosidade.

– Melhor ainda, doce de coco – ele se sentou ao lado dela. – Consegui um pro Bruno amanhã.

– Pra mim? – Bruno perguntou, virando-se para ele rapidamente.

Carol se engasgou com o *milk-shake*.

– É. A loirinha ali adorou você – Rafael sorriu triunfante, fazendo dança da vitória.

– Mas... mas... – Bruno olhou para menina e, depois, para Carol.

– Boa, Bruno! – Amanda riu. – Mandou bem, ela é bonita.

– Verdade. Acho que ela é do coral da igreja. – Anna comentou.

Carol continuava tossindo.

– O que você disse pra ela, Rafa? – Bruno apertou os olhos, mirando o amigo, que deu de ombros.

– Apenas disse que nosso amigo baterista não tinha parceira pra festa de formatura de amanhã, oras. Ela disse pra você ligar pra ela.

Ele entregou um pedaço de guardanapo com um número.

– Valeu, cara.

– Kevin? – Carol perguntou tossindo. – Onde é o banheiro mesmo?

– Eu vou com você – Guiga se levantou.

As duas saíram da mesa. Caio e Rafael bateram as mãos, e Amanda riu.

– Um a zero – ela disse.

Bruno gargalhou, piscando para a menina da mesa em frente.

•••

À noite, Amanda sentou-se na cama, encarando o teto. Sorriu sozinha. As palavras de Bruno na sorveteria trouxeram à tona uma lembrança gostosa. A praia, as conversas idiotas no ônibus, nomes na areia... e Daniel.

Ela deitou-se, admirando as próprias mãos. Não sabia que dia Daniel voltaria, mas gostaria muito que não demorasse. Por mais que soubesse que não estariam bem, ela queria apenas olhar nos seus olhos. Queria sentir seu perfume e o calor da pele do menino. Fechou os olhos e respirou fundo. Era muito bom imaginá-lo perto si, abraçando-a. Os cabelos dele caindo nos olhos, enquanto molhados, e seu sorriso contagiante quando a ouvia dizer seu nome. Sorriu e se levantou ao ouvir sua mãe a chamar para o jantar.

•••

Daniel encarou a janela do carro. A chuva caía, fazendo desenhos no vidro. Ouvia seus pais discutindo sobre a viagem no banco da frente, mas a única coisa em que ele pensava era em um outro dia chuvoso, uma lembrança bem antiga. Duas pessoas na rua da praia. O carro do Bruno.

Ele acabou rindo sozinho. O rosto da menina começava a se desfazer em sua mente. Não tinha levado fotos, nada! Estava com raiva no dia da mudança, mas se arrependia. Não queria esquecer-se das feições de Amanda, do sorriso dela e, inclusive, do jeito como ela ria quando dizia o seu nome.

Daniel mordeu o lábio, lembrando-se do seu último dia em casa. Lembrando-se dela, da pele e do beijo da menina. Tudo era perfeito para ele.

Fechou os olhos. Queria pensar que essa distância toda era apenas um sonho e que em menos de 24 horas poderia olhar no fundo dos olhos de Amanda. Mesmo sabendo que nada seria como antes.

doze

– Idiota, quer morrer? – Carol berrou para Caio, quando ele acertou uma bola de tinta rosa nas suas costas.

Bruno sorriu ao passar pela garota.

– O que tá olhando? – ela emendou.

– Se não queria se sujar não precisava ter vindo – ele falou.

– Ok! – ela largou a arma de *paintball* no chão e saiu andando.

Amanda, toda equipada e escondida, viu a amiga seguindo na direção do portão para sair da cerca e mirou com precisão. Sorriu para Kevin, que estava ao seu lado.

Bum.

Carol parou e olhou para trás.

– Ok, quem foi o desgraçado que atirou na minha bunda? – perguntou enfurecida.

Amanda e Kevin saíram correndo ao ver a amiga pegar a arma de volta e correr atrás deles.

Anna, ainda praticamente arrumada e intacta, aproximou-se de Caio.

– Quem é mesmo do meu time?

– Kevin, Amanda e Maya.

Ela concordou e voltou a mirar sua arma para o meio do campo, quando sentiu uma dor no pé... Olhou para o garoto, incrédula.

– Você atirou em mim?!

– Ué, eu sou do time oposto, desculpe-me! – Caio ajeitou a arma no ombro e deu no pé.

Anna correu atrás dele, gritando.

– Belo namorado!

Caio parou de correr e virou-se para ela. Anna ficou paralisada de vergonha. Amanda, Kevin e Carol, que estavam correndo por ali, pararam também. Bruno se aproximou, acompanhado por Rafael e Maya, que estava coberta de tinta no cabelo.

– Do que você me chamou, Anna? – Caio perguntou em voz baixa.

Anna tirou os óculos de proteção, sentindo-se ainda mais envergonhada. Olhou para ele, sem saber o que dizer.

– Desculpe, eu não quis dizer isso, eu... eu...

Ela começou a se enrolar, parecendo que iria chorar a qualquer momento. Caio se aproximou rapidamente dela, tirando o capacete, e segurou seu rosto com as duas mãos. Olhou bem dentro dos olhos dela e a beijou com toda a paixão que sentia. Todos ficaram estáticos, apenas observando.

– Caio... – ela tentou dizer algo depois que ele parou o beijo.

– Posso ser seu namorado, Anna? – ele a interrompeu.

Bruno e Rafael se entreolharam cheios de orgulho. Carol e Amanda deram pulinhos, e Kevin sorriu ao ver Maya tirar os óculos de proteção, emocionada. Anna sorriu verdadeiramente, o sorriso mais sincero e bonito que Amanda já tinha visto.

– Eu ia adorar! – Caio riu alto e a levantou no colo, rodando.

Todos em volta continuavam olhando o casal.

– No três? – Bruno perguntou.

Caio e Anna, então, perceberam a presença dos outros, mas, quando olharam para trás, começaram a ser bombardeados de tinta por todos os lados.

• • •

Eles se sentiram muito bem. Apesar de imundos e cobertos de tinta, a felicidade de Caio contaminou a todos imediatamente. Saíram do local do *paintball* ainda coloridos.

– São quase seis horas, e o baile de formatura começa às nove – Bruno disse, olhando o celular.

As meninas começaram a falar, todas juntas, que não daria tempo de se arrumar.

– Até parece que são vocês que vão se formar! – Rafael deu de ombros.

– Por acaso, não quer a companhia de meninas bonitas, docinho? – Maya sorriu, vendo-o concordar freneticamente.

– Certo, então... Mandy, pego você às oito e meia? – Kevin perguntou, entrando em seu carro.

Rafael sentou-se no lugar do carona.

– Doce de coco, passamos pra pegar você depois!

– Ok – as duas disseram ao mesmo tempo.

Amanda abriu a porta do carro, que seu pai, milagrosamente, havia liberado devido às suas notas boas, e Maya e Carol entraram.

– Então, lá pelas oito, nos vemos – Caio beijou Anna de leve, deixando que ela também entrasse no carro da amiga.

Ele seguiu para o veículo de Bruno, que apenas olhou Carol pelo vidro, mas os olhares dos dois se encontraram.

• • •

Fazia tempo que Amanda não se arrumava daquele jeito, conversando com uma das amigas ao telefone pelo viva-voz. Ela e Guiga discutiam os modelos de vestidos, o cabelo e a maquiagem enquanto tomavam banho, usavam o secador e tentavam, sem muito sucesso, pintar as unhas em cima da hora.

– Você fica feliz em pensar que o Daniel pode voltar nesta semana?

Amanda ouviu a pergunta da amiga através do telefone, enquanto passava corretivo no rosto.

– Não sei se é exatamente felicidade... Pode ser alívio.

– Como você acha que vai ser isso?

– Não faço ideia e tenho medo de saber como vai ser. Fico arrepiada só de falar nesse assunto, Guiga... – Amanda suspirou.

– Certo... bom, vou terminar de me arrumar. Meu pai já está gritando para eu descer. Vai ser o maior mico ele me levar até lá, mas, se não fosse assim, eu nem iria! Minha mãe tá implicando demais com o Fred. A gente se vê no baile!

Amanda se despediu e desligou o telefone, encarando o vestido estirado na cama. Era um modelo de seda, verde musgo, que combinava com o tom claro da sua pele. A mãe o havia comprado em sua última viagem a Paris, e ela nunca usou. Normalmente, não o escolheria para a ocasião, mas foi praticamente obrigada por Anna, que a intimou a vestir-se adequadamente. Fazia tempo que não se arrumava tanto. Desde que tudo tinha acontecido, ela deixou de tentar impressionar os outros. Mas hoje seria diferente. Ela sentia algo diferente. E sabia que tinha de sair bem bonita, o máximo que pudesse.

• • •

– Ah... quer dizer que você não chega hoje? – Bruno perguntou, levando um cutucão de Caio, que ajeitava a gravata cinza.

– Nada, Bruno... Nosso voo atrasou, e perdemos a conexão em São Paulo; então, meus pais resolveram ir praí de carro! Paramos agora nessa cidadezinha para jantar. Não sei se dará tempo de chegar hoje. Provavelmente, só amanhã cedo. Que inferno! – Daniel disse, desapontado.

– Bom, pelo menos você está perto – Caio pegou o telefone.

– Como você vai perder a formatura do Fred, seu idiota? – Bruno berrou.

– Culpe meus pais! – Daniel disse, passando a mão pelos cabelos.

Não queria esperar mais! Era a formatura de seu amigo!

– Caio, cadê meus sapatos? – Bruno perguntou, andando de calça social e meias listradas pela casa.

– Debaixo do sofá – Caio respondeu. – Olha, Danny, qualquer coisa dá uma ligada no celular que a gente arruma um jeito por aqui, ok?

– Falou, cara, vou pensar em algo. Boa festa!

– Valeu! – Caio desligou e virou-se para Bruno: – O que acha que vai acontecer?

– Com o quê? – Bruno perguntou, enquanto amarrava o sapato.

– Quando Daniel e a Amanda se virem?

– Ah... – Bruno olhou para o amigo, que já estava pronto. – Não sei. Tenho medo da reação deles...

– Somos dois – Caio mordeu os lábios. – Bom, são quase oito, vou pra casa da Anna – ele sorriu marotamente. – Os pais dela estão fora.

– Que propício, hein! – Bruno gargalhou, vendo o amigo sair de casa.

Olhou para os joelhos e passou as mãos pelos cabelos, antes de continuar a se arrumar. Podia esperar qualquer coisa dessa noite, mas estava desapontado porque Daniel não poderia estar com eles.

• • •

Quando Amanda ouviu a campainha tocar, se olhou no espelho pela última vez e desceu a escada correndo. Kevin e Rafael já estavam na sala, esperando por ela. Os dois, sentados em silêncio no sofá, enquanto seu pai os encarava da poltrona. Amanda suspirou. Como o pai quase nunca encontrava seus amigos, era sua mãe quem lidava com essa parte. Por isso, ele gostava de bancar o pai bravo e fazer cara feia, enquanto se divertia com a expressão aterrorizada dos meninos. Na verdade, ele era um doce e tinha coração mole; a pessoa difícil em casa sempre foi a sua mãe.

– Pai! Para de assustar os meninos! – Amanda reclamou.

– Nossa, filhota, você está estonteante! Agora é que vou mesmo olhar feio para os seus amigos – ele se levantou e deu um beijo na cabeça dela.

– Pai, meu cabelo! Argh. Cadê a mamãe?

– Está se arrumando, nós vamos ao cinema hoje. Pais também precisam se divertir, sabe? Se for dormir fora, nos avise antes, certo? Rapazes, eu sei onde vocês moram. Comportem-se.

– Pode deixar, senhor Barcelos. Manterei qualquer um longe da sua filha – Kevin afirmou.

O pai de Amanda balançou a cabeça e subiu a escada para apressar a esposa.

Amanda encarou os amigos.

– Que foi? Tô verde? – perguntou, apontando para o vestido, mas os meninos não responderam. – Ah, qual é, minha piada foi engraçada...

– Nunca vi você tão bonita assim! – Kevin exclamou.

– E eu... eu... nossa! – Rafael gaguejava, tentando dizer algo. – Quem é você mesmo?

– Ah, calem a boca! – Amanda sorriu, ajeitando o cabelo loiro-escuro, que estava solto.

Os dois não paravam de olhar para ela, e foi então que Amanda reparou como eles estavam engomados. Ambos de terno azul-marinho, cabelos bem arrumados, gravatas coloridas e enfeitadas.

– Vocês estão lindos!

– Obrigado – Rafael ficou vermelho, aproximando-se para beijá-la no rosto. – Céus, você está perfeita.

Ela agradeceu, sentindo as bochechas ficarem quentes.

– Obrigada, perdedor.

– Muito tarde pra eu mudar minha opção sexual, certo? – Kevin brincou. – Meu Deus, não é brincadeira!

– Não exagera, McDaid – ela falou pela primeira vez seu sobrenome. – Eu tô me esforçando pra ficar bonita.

– Algum motivo específico? – Rafael perguntou curioso.

– Pressentimento.

– Pressentimentos femininos me assustam! Vamos? – Kevin estendeu o braço para Amanda.

• • •

Minutos depois estavam na porta da casa de Maya, buzinando e enchendo a vizinhança com o barulho. No carro de Kevin, tocava Super Junior, *boyband* de *pop* coreano que ele adorava e que fazia os amigos rirem com os versos cantados no idioma complicado de entender. Mas o melhor estava por vir. A reação de Rafael ao avistar seu doce de coco vestido de amarelo-dourado, contrastando com seu cabelo vermelho-vivo era impagável. Praticamente chorou de felicidade ao ver a garota mais bonita que já tinha conhecido, ali, de braços dados com ele.

– Sabem... às vezes eu me pego pensando – Rafael disse, enquanto eles andavam lado a lado em direção ao ginásio da escola, com a rua cheia de gente, alunos e suas famílias, chegando para o grande evento – ... se não fôssemos marotos, vocês gostariam da gente da mesma forma?

– Eu era amiga do Caio e Bruno antes dessa babaquice de colegial – Amanda deu de ombros.

– Nunca fui maroto encrenqueiro... – Kevin riu.

Rafael olhou para Maya.

– Quem disse que eu gosto de você? – ela perguntou séria e, depois, riu da reação dele. – Ah, não sei. Vocês definitivamente arrumaram um jeito de chamar atenção...

– De uma forma boa?

– Definitivamente não. Mas essa é a graça!

– Ei, gente! – Bruno se aproximou de mãos dadas com a menina da sorveteria. – Caraaaca! – ele parou para admirar Maya e Amanda.

– Ok, a gente tá linda ou tem uma barata na minha cabeça? – Amanda perguntou.

– Espero que não se convençam muito disso, mas... Uau! – ele exclamou, beijando as duas na bochecha, e cumprimentou os amigos. – Pessoal, essa é Karen! O Rafa você já conhece, né? Esses são o Kevin, a Maya e a Amanda.

– Prazer em conhecer vocês – a menina respondeu envergonhada.

Ela era realmente bonita e estava usando um vestido longo preto bem justo ao corpo. Dava para entender o sorriso bobo no rosto do Bruno. Ele tinha se dado bem hoje!

– Cadê o resto? – Bruno perguntou.

– Nem ideia... Devem estar chegando – Kevin respondeu.

• • •

Caio e Anna estavam agarrados um ao outro, encostados na parte de dentro da porta da casa dela. Beijavam-se ofegantes; ele a segurava com força na cintura, e ela estava pendurada ao seu pescoço. Não queriam pensar em mais ninguém. Quando estavam juntos, o mundo todo poderia, simplesmente, deixar de existir.

Mas eles ainda tinham compromissos.

– Caio, a gente precisa ir...

– Eles podem esperar – sussurrou.

Anna sorriu, voltando a beijá-lo, e pensou que Amanda tinha razão quando disse que essa era a melhor sensação do mundo. Que ninguém tinha de se importar com o que ela fazia.

O telefone de Caio tocou, mas ele não ouviu e continuou beijando a namorada.

• • •

Fred desligou o celular e olhou para Guiga.

– Ele não atende.

– Vamos de qualquer forma. É seu dia, meu lindo, e não deles.

Ela segurou sua mão e o puxou em direção à porta do ginásio. Fred concordou, em silêncio. Ele queria ter ido buscar a namorada em casa, mas o pai dela não deixou. Por isso, a solução foi encontrá-la em frente ao colégio. Mas preferia assim, seria terrível se ela não pudesse ir à festa. Para chegar lá, Fred pegara carona com sua mãe e um dos seus irmãos; o mais velho morava na capital e dava plantões num hospital durante os fins de semana e, por isso, não pôde ir. Mas isso não o chateava, sabia quão duro sua família dava para se sustentar. Tinha enorme orgulho deles. O que também não o impediu de fugir da asa da mãe assim que chegou ao colégio. Era muito mico ficar sendo paparicado na noite da sua formatura! E ele queria gastar esse tempo agarrado com Guiga e dançando com os amigos.

– Eeei! Nosso querido formando! – Rafael disse, abraçando Fred, quando ele e Guiga entraram no salão, e todos fizeram o mesmo.

– Como vão? Verdade que se divertiram hoje de tarde?

– O que um *paintball* não faz com a gente? Tem um belo hematoma na minha perna! – Amanda resmungou.

– E você, Bruno? Por que não atende a droga do telefone? Liguei mais de mil vezes – Fred disse, e Guiga concordou.

– Ah... acho que deixei em casa – Bruno coçou a cabeça, vendo todos rirem.

Carol se aproximou com Breno.

– Boa-noite, gente.

Ela também se esforçou para estar linda naquela noite. Não que fosse admitir que era por causa de Bruno. Ela sempre foi vaidosa. Pelo menos, era o que responderia se alguém perguntasse. Usava vestido vinho brilhante até os joelhos, que, com certeza, era de alguma grife famosa. Seus cabelos pretos e curtos estavam como um penteado digno de revista, e os enormes brincos de rubi realçavam seu rosto pequeno e redondo. De repente, Bruno não sorria mais, e os dois não se olharam.

– Essa festa está linda – Maya opinou.

A enorme quadra estava toda enfeitada de branco, com balões dourados espalhados, como se fosse Ano-Novo ou algo assim. Claro que não era a primeira vez que o colégio dava festas de formatura, mas a decoração sempre parecia ser a mesma. Papéis prateados picados pareciam cair do teto de vez em quando, e havia várias barraquinhas com comidas e bebidas sem álcool, obviamente.

– Falta somente uma banda tocando – Amanda piscou para os meninos.

– Nem comece, hoje é nosso dia de folga, quero balançar o esqueleto! – Rafael falou, apontando para a pista de dança. – Nosso sábado à noite de festa!

Mas as pessoas ainda estavam chegando e quase ninguém dançava. O DJ contratado parecia ainda se aquecer. Amanda avistou Rebeca de longe, com seu grupo de amigas. O olhar delas se encontrou, e Amanda apenas sorriu, maldosa.

• • •

– Eita, meu telefone está tocando – Caio disse, soltando Anna de repente.

– Deixa pra lá... – a menina riu.

O menino concordou, voltando a beijá-la. Anna já estava com o batom borrado e o cabelo desarrumado, mas não se importava. Só queria ficar com Caio. Minutos depois, ele a soltou de novo.

– Tá me irritando.

– Atende, então – Anna afrouxou o abraço.

Caio tirou o celular do bolso da calça.

– Ok, estamos indo!

Ele pegou a namorada pela mão, sentindo-se muito mais feliz do que o normal.

– O que houve, Caio? – ela perguntou.

O menino abriu a porta da casa dela e a puxou em direção ao carro de sua mãe.

– Teremos uma bela noite – ele a beijou de leve, abrindo a porta do carro para ela entrar, e deu a volta.

– Quem era?

– Você vai ver...

Caio ligou o carro, e os dois partiram imediatamente.

treze

Amanda, Maya e Guiga dançavam um *remix* de Beatles com seus respectivos acompanhantes. *Twist and shout* era figurinha repetida em todas as festas, mas isso não impedia que fosse um dos momentos mais animados, em que todo mundo fingia que sabia dançar. Ainda mais porque emendava nos clássicos de Elvis, Bee Gees, Beach Boys e até Roupa Nova. Todos riam e se divertiam, distraídos uns com os outros.

– Estou preocupado – Bruno disse para Karen, batucando na mesa onde estavam sentados.

– O que houve? – a menina bebeu seu refrigerante.

– Um amigo com a namorada... Eles ainda não chegaram – Bruno deu um gole na cerveja, trazida escondida.

– Caio e a Anna? – perguntou.

– Como você sabe? – Bruno arqueou a sobrancelha.

– Quem não os conhece, Bruno, por favor. E eu conheço a Anna do coral da igreja – ela bebeu um gole da cerveja dele também, fazendo Bruno rir.

– Bom, estamos no meio da festa... já passa das dez da noite, e nada deles.

– Devem estar se divertindo, deixe os dois! – Karen falou, encostando sua mão na do menino.

Ele concordou, ainda preocupado. O que os dois tinham na cabeça para perder a formatura de Fred? Isso não era certo.

– Karen, me passa a bolsa da Amanda – ele falou.

A menina fez o que ele pediu. Bruno abriu a bolsa e pegou o celular da amiga. Estava com defeito no visor, mas ainda discava. Digitou o número de Caio.

– Alô? Caio, cacete, cadê você? – ele intimou, e Karen rolou os olhos.

– Ocupado, Bruno.

– E a formatura, cara? Acha que Fred vai ficar feliz se você não vier?

– Já estamos indo...

– É bom mesmo ou eu vou até aí buscar você! – Bruno desligou o telefone, sorriu para Karen e voltou a batucar na mesa.

• • •

– O que ele queria? – Anna perguntou, fechando a porta do quarto de Caio e vendo-o encostado na escada.

– Dizer que estamos mortos se demorarmos mais. Como ficou?

– Sei lá se vai caber! Vocês têm corpos diferentes.

Caio puxou a namorada para perto e beijou-a lentamente.

– Como você está? – perguntou carinhoso.

– Sei lá... isso é tudo tão estranho.

– Eu sei – ele sorriu. – Estou feliz pra caceeete! – disse, alto.

A menina riu, achando fofo que ele tivesse ficado corado, como se estivesse mais animado que o normal. E ela também estava feliz, mesmo sabendo que a animação de Caio não era totalmente por sua causa.

• • •

– Quer refrigerante? – Amanda perguntou para Kevin, que aceitou.

– Vou buscar também – Maya disse, vendo a amiga e Guiga andarem até a bancada.

Muitas pessoas se acotovelavam para chegar até a moça que fazia a entrega de bebidas, e era estranho não abrirem mais caminho para que elas passassem. Ser popular, nessas horas, tinha seu lado bom.

– Tem tanta gente bonita nessa festa – Maya comentou, olhando para os lados.

– Esses bonitos são os feios do dia a dia – Amanda riu. – Só que arrumados.

– Eu sei – Maya deu língua, batendo com o cotovelo em um garoto que a impedia de se aproximar da bancada.

Ele olhou, querendo xingar, mas se conteve quando viu quem era. Ficou confuso por alguns minutos e, então, deu passagem.

– Aaai, meu garoto vai se formar! – Guiga falou alto, com brilho nos olhos. – Dá pra acreditar?

Estava barulhento e não era fácil conversar ali no meio. Maya e Amanda olharam felizes para a amiga.

– O que não dá pra acreditar é você chamando Fred Bourne, o maroto-mor do terceiro ano, de meu garoto – Maya riu.

– Isso é um fato.

Amanda segurava duas latas de refrigerante, enquanto caminhava de volta para a mesa. Guiga comentou sobre outros alunos que foram reprovados e riu sem pensar de alguma besteira que Maya falou, olhando para as pessoas a sua volta, com o cuidado de não esbarrar em ninguém.

De repente, Amanda parou de andar e piscou. Seus olhos se encontraram com os de alguém, que a encarava. Não era possível.

– Mandy? – Guiga chamou rindo.

– Oi? – a menina virou-se para ela.

– Se demorar mais, a gente morre de sede! – brincou.

Maya voltou a andar, também segurando latas de bebidas. Amanda concordou, e a seguiu. Voltou a olhar assustada para o lugar onde o tinha visto. Nada. Ninguém. Ok, era mais uma pegadinha de sua mente. Mas ela não estava bêbada dessa vez.

– Amanda! – Maya gritou, vendo a garota deixar um dos refrigerantes cair. – Caraca, amiga, que houve?

– Eu... err... fiquei tonta... acho que vou ao banheiro.

Ela saiu apressada, largando a outra lata na mão de Guiga.

Talvez por ironia do destino, começou a tocar *All my loving*, dos Beatles, e ela sorriu, respirando fundo e olhando-se no espelho. Ok, tinha de parar com isso. Ficar vendo Daniel em todo lugar não era brincadeira! Fazia seu coração disparar, do jeito que estava agora, e a fazia sentir-se como se fosse desmaiar, como agora. Definitivamente, não era bom.

Ela sorriu de novo. Até que não era ruim, pensou. Viu seu riso no espelho e se sentiu idiota. Mas era melhor voltar para a festa antes que alguém pensasse que ela tinha ficado doida de vez.

• • •

I'll pretend that I'm kissing
(Eu vou fingir que estou beijando)
The lips I am missing
(Os lábios que eu sinto falta)
And hope that my dreams will come true
(E espero que meus sonhos se tornem realidade)
And then while I'm away
(E enquanto eu estou longe)
I'll write home every day
(Eu vou escrever para casa todos os dias)
And I'll send all my loving to you
(E mandarei todo meu amor para você)

Amanda saiu, tentando avistar os amigos. Todo mundo sorria, dançava e cantava. Aquela música era realmente linda, e fazia Amanda lembrar-se de bons momentos.

Ok, bons momentos que ela precisava ignorar antes que começasse a ver Daniel na multidão de novo.

Encontrou Carol e Breno conversando.

– Cadê os meninos, Carol?

– Não fiquei muito com eles hoje, mas vi o Caio e a Anna chegando ainda agora.

– Estava na hora. Ok, vou procurá-los.

Saiu de perto dos dois, pensando como Carol ainda conseguia ficar com aquele menino, sabendo que ele era um sugador de popularidade. E que, agora, era o mais novo amigo da Rebeca?

Close your eyes and I'll kiss you
(Feche os olhos e eu vou beijar você)
Tomorrow I'll miss you
(Amanhã eu vou sentir sua falta)
Remember I'll always be true
(Lembre-se que eu sempre serei verdadeiro)
And then while I'm away
(E enquanto eu estiver longe)
I'll write home every day

(Vou escrever pra casa todos os dias)
And I'll send all my loving to you.
(E mandarei todo meu amor pra você)

Todo mundo estava concentrado no meio do salão, e ela não conseguia passar direito. Esbarrava em várias pessoas, mas, de repente, sentiu algo estranho. Alguém passou por ela rapidamente, e ela teve certeza... Sabia que alguma coisa não estava certa. Não tinha bebido, portanto, não poderia estar tendo alucinações. Sentiu os joelhos cederem e uma pontada profunda no estômago. Chega! Ela precisava falar com alguém ou, então, iria embora.

Andou mais depressa, seguindo em direção à mesa onde achava que os amigos estariam.

– Amanda, você está bem? – Kevin se levantou de repente, vendo a menina se aproximar, pálida.

– Não... não sei... – respirou fundo.

– Quer sentar? – Fred perguntou, preocupado.

– Não... não, cadê o Bruno? – ela o procurou entre os amigos e não o encontrou, mas percebeu que Anna olhou para Caio.

– Ele está por aí – Anna respondeu rápido.

Amanda sentiu que todos estavam escondendo alguma coisa. Guiga nem olhava direito para ela.

– O que houve? Por que estão todos me olhando assim?

– Quer tomar um ar? – Kevin sugeriu.

– Não, não quero... – ela retrucou, pensando por que, diabos, estavam todos estranhos, e por que mal se mexiam. – O que houve, por que...

Foi quando ela viu Bruno se aproximar com outro garoto. Sentiu os joelhos cederem mais uma vez. Graças a Deus, Kevin estava perto dela.

Olhou para Daniel, seus olhares se encontraram, e eles se encararam em silêncio.

Então, não era miragem.

Ali estava ele. Lindo. Com aquele olhar que ela amava. Ele não estava sorrindo, parecia tão assustado quanto ela.

– Err... Amanda? – Bruno chamou.

A menina tirou os olhos de Daniel, respirando muito rápido. Seu coração tinha disparado, e ela estava sentindo tontura de novo.

– Kevin... pode me levar pra fora? – ela pediu.

O menino concordou, e os dois saíram, andando rapidamente em meio às pessoas. Daniel os acompanhou com o olhar, sem saber o que fazer.

Deus, como ela estava linda. Ele tinha agido que nem um imbecil de novo! Não conseguiu dizer nada para ela, só ficou encarando-a como um filhote assustado. Ela também parecia assustada.

Daniel olhou para Bruno.

– Senta aí, cara, esquece...

Daniel concordou e se sentou entre Bruno e Caio. Encostou o queixo na mão e ficou observando os amigos por um minuto. Depois, sorriu.

– Senti falta de vocês...

– Você tá maluco? – Rafael perguntou – A gente queria ir lá buscar você.

– Como foi a viagem, Daniel? – Maya perguntou, simpática.

– Nah... nada demais, sério – ele sorriu e balançou a cabeça. – Era frio, todos lá eram meio distantes. Eu só pensava em voltar pra casa.

– Mas seus pais... – Rafael olhou para Caio.

– Daniel pegou um ônibus, acredita? – Caio contou.

– Eu ia perder a formatura do Fred porque meus pais estavam cansados? Tá brincando!

– Como você está? – Bruno perguntou.

– Estou bem – Daniel deu de ombros. – Sem contar que o sapato do Caio não é exatamente confortável. Mas, sério, estou bem.

– Mas... – Bruno ia falar, quando ele continuou.

– Não tão bem assim, vocês sabem. Vocês entendem...

– Ah, claro – Bruno sorriu satisfeito.

• • •

Do lado de fora, apesar de ter muita gente circulando pelos gramados e estacionamento do colégio, parecia um mundo infinitamente vazio para Amanda. O vento soprava, fazendo sua saia dançar e os cabelos se embaraçarem. E ela sentia como se tudo estivesse parado. Como uma pausa no mundo, onde só ouvia seu próprio coração e, de vez em quando, a batida da música irritante ao fundo.

– O que ele tá fazendo aqui, Kev?

Amanda perguntou com a voz trêmula, quase brava. Estava com a mão no peito, sentindo que iria parar de respirar. Tinha esperado tanto por esse momento. Por que doía tanto então?

– Ele apareceu com o Caio e a Anna... Não faz muito tempo.

– Eu o vi algumas vezes hoje – ela olhou para o amigo –, mas achei que estava alucinando de novo!

– E como está agora?

– Não sei... em choque – ela riu, achando tudo esquisito, sem saber mesmo como estava se sentindo. – Mas vou ficar bem, certo? Vamos encarar os fatos.

– Claro...

– E daí que ele voltou, não é?

– Hum-hum – Kevin concordou, também sem ter certeza.

– Vamos beber alguma coisa e voltar praquela mesa. Por acaso eu sou o quê? Um homem ou um rato?

– Você é uma garota, Amanda! – Kevin riu.

Ela balançou as mãos, e os dois saíram andando rápido para dentro do salão.

• • •

– Essas férias VÃO ter que ser divertidas – Fred disse. – É uma intimação!

– Por mim – Daniel deu um enorme sorriso, que atraiu o olhar de algumas garotas que passavam –, estou louco pelo *paintball*, cara...

– Ahhh, terrível! – Maya disse, mostrando o braço com um ponto roxo. – Estou toda dolorida!

– Claro, você não corre direito, parece uma pata apressada! – Rafael zombou, levando um tapa forte de Maya no braço. – Ai, doce de coco!

– Como é que você fala isso? Você quase me chantageou e depois acertou a minha bunda, Rafael! – ela resmungou.

– Isso deve ter sido divertido – Daniel sorriu, observando Caio e Anna. – Cara... e vocês dois? Namorando? Só pode ser brincadeira! Em que realidade paralela eu parei? Fringe?

E os dois sorriram, se entreolhando.

– Não, sério... – o amigo continuou –, quando vi a Anna no carro com o Caio, lá na rodoviária, fiquei até assustado! Achei que era pegadinha das populares...

– As coisas mudaram, meu amigo – Caio disse.

– Pra melhor! – Anna comemorou, encostando a cabeça no ombro do namorado.

Fred e Rafael colocaram a língua para fora, fazendo caretas.

– Estou vendo. Nossa! Guiga e Fred, você e Caio... Rafael?

– Nada ainda, meu doce de coco me esnoba.

– Cale a boca, Rafael – Maya rosnou.

– Diz que é mentira, então!

E todos riram, falando ao mesmo tempo. Maya apenas deu de ombros, arrumando o cabelo.

– E você, Bruno? Você nunca me falou nada de ninguém – Daniel disse, olhando para o amigo.

Bruno estava sozinho no momento. Karen cansou de esperar Bruno convidá-la para dançar e decidiu se divertir sozinha, com algumas amigas na pista. Bruno respeita as garotas e sabe tratá-las como princesas, mas jamais espere que ele dance. Ele nunca dança, no máximo balança a cabeça no ritmo da música.

– Não disse – Bruno deu de ombros – porque não tinha necessidade de você saber, ué.

– Quem disse? E você? E a...

– Esqueça – Bruno abanou com a mão. – Isso é passado.

– Hmmm, sei. Passado... – Daniel pensou e sorriu. – O passado é assustador, cara.

Todos na mesa olharam para ele.

– O que disse? – Caio perguntou.

– Falei que tenho medo do passado... – Daniel repetiu, tomando um gole de refrigerante.

– Acho... melhor eu procurar a Amanda, certo? – Guiga se levantava quando Amanda se aproximou com Kevin, parecendo esbaforida.

– O que tem eu? – perguntou sorrindo.

Kevin, meio assustado, sentou-se ao lado de Maya, e Amanda acomodou-se ao lado dele na enorme mesa redonda, ficando quase de frente para Daniel, mas não olhou para ele.

– Eu ia atrás de você... – Guiga sorriu, preocupada.

Ela viu Daniel pasmo, encarando a garota, sem saber o que fazer ou falar. Amanda estava sorrindo e tomava um refrigerante batizado, que Kevin conseguira com Breno.

– A gente foi tomar alguma coisa – Amanda sorriu, olhando para Anna e Caio, ainda ignorando a presença de Daniel. – Por que vocês dois demoraram tanto?

– Primeiro, estávamos ocupados – Anna riu, e Caio ficou vermelho. – Depois, a gente foi buscar esse tropeço e arrumar uma roupa social pra ele, o que não é fácil...

– Ei! – Daniel reclamou. – Ninguém pediu pro Caio ter o corpo tão diferente do meu, oras.

Amanda fechou os olhos e mordeu os lábios ao ouvir a voz dele. Kevin lhe deu um cutucão por baixo da mesa, e ela sorriu olhando para Daniel, como se tivesse acabado de reparar na sua presença ali.

– Ah, claro... – respondeu, dando mais um gole na bebida.

Não sabia o que tinha naquele copo, mas precisava de uma ajudinha para ter coragem de enfrentar o reencontro com Daniel, de lidar com aquela situação. Ela não queria se fazer de vítima ou parecer infantil. Precisava passar por aquilo, por ele, para seguir em frente sem medo.

– Como foi a viagem? – Amanda perguntou. – Espero que tenha sido no mínimo espetacular, porque, bom, você estava tão louco pra ir e...

Ela falou ainda com a boca dentro do copo. Daniel sorriu, ficando vermelho.

– Foi legal – respondeu simplesmente.

Amanda balançou a cabeça e o encarou. Ele fez o mesmo. Os dois ficaram se olhando em silêncio. Os amigos perceberam que estava ficando um clima pesado. Então, Karen chegou à mesa por trás de Bruno.

– Que saco aquelas garotas, Bruno! – ela reclamou, sentando-se ao lado dele.

Isso cortou o clima, e fez todos olharem para Karen. Menos Daniel, que continuava sem tirar os olhos de Amanda. Ela estava muito mais bonita do que quando ele foi embora. Sentiu os pelos da nuca se arrepiarem ao ver a menina sorrir.

– O que houve? – Bruno deu um beijo na bochecha de Karen.

– Aquela Rebeca e as outras! – a garota respondeu.

Amanda tentou não rir, olhando discretamente para Daniel.

– Depois me mostre quem é essa menina! – Daniel pediu, e todos na mesa riram, menos Amanda.

– O que ela fez agora? – Bruno perguntou irritado.

– Ela ficou me fazendo perguntas sobre você. Se eu sabia mais sobre a banda, sobre seus pais e tudo mais. Muito sem noção! – Karen balançou a cabeça, e olhou para Daniel. – Ah... Muito prazer, eu sou Karen.

Ela estendeu a mão. O menino sorriu e apertou a mão da menina, segurando o copo de plástico com os dentes.

– Prrezzzeeu – respondeu com os dentes cerrados para não deixar o copo cair.

– Ouvi falar muito de você – Karen tentou se mostrar amigável, enquanto Daniel deixava o copo na mesa – e, claro, o pessoal dos bailes esperava muito que você voltasse. – Ela se virou para Fred e elogiou: – Não que você não tenha sido ótimo no lugar dele. Até você foi! – Karen falou olhando para Amanda, que ficou subitamente sem graça.

– Ah... obrigada.

– Foi muita coragem, sério. Eu sabia que você tinha de ser uma garota legal! – Karen disse, com sinceridade.

– Ela não é fofa? – Bruno riu, apertando as bochechas da menina.

– Como é que foi? – Daniel perguntou.

– Foi o quê, cara? – Caio riu.

Daniel olhou para Amanda, sentindo o coração disparar.

– Foi engraçado – Amanda deu de ombros.

Caio entendeu, fazendo um barulho esquisito com a boca.

– Foi estranho, convenhamos – Rafael opinou.

– Foi lindo e corajoso! – Maya deu um cutucão em Rafael, e Guiga concordou com ela.

– A gente achou que atirariam coisas nela – Guiga completou –, mas as pessoas até foram simpáticas...

– Perto do que estavam sendo, foi um milagre! – Kevin alfinetou.

Ele sentia raiva de ver Daniel ali, deixando sua melhor amiga nervosa e insegura. Achava que ele não tinha o direito de tê-la magoado daquele jeito e voltar como se nada tivesse acontecido. O que esse menino fazia ali mesmo?

– Como assim, estavam sendo? – Daniel perguntou e encarou Bruno. – O que você não me disse?

– Eu...

– Nada, Daniel. – Amanda falou de repente.

Sentiu uma pontada no peito ao dizer o nome dele em voz alta. Daniel fechou os olhos, sentindo seu estômago se revirar. Como era bom ouvi-la falando seu nome de novo.

– Como assim, nada? – perguntou incrédulo.

– Ele não tinha nada pra dizer, ué – Amanda respondeu.

– Mas, Mandy, não foi nad... – Kevin bufou.

– Kevin, por favor. Já não foi legal o suficiente passar por isso, não vamos ficar remoendo as coisas. Estou cansada desse assunto – ela rolou os olhos.

Daniel franziu a testa.

– Não, me diga o que houve...

– Eu não preciso dizer nada a você, Daniel. Com licença.

Aquilo já era demais. Ele não a tinha deixado sozinha? Ele não estava em dúvida sobre o que sentia e queria? Durante todo o tempo em que esteve fora, nunca se preocupou em dar um telefonema ou mandar um *e-mail* sequer para ela. Por que agora seria diferente? Por que agora ele queria saber? Amanda se levantou e saiu andando para o meio da pista de dança. Kevin ia se levantar, quando Bruno o impediu.

– Deixe ela um pouco.

– Ok – Kevin pareceu desconfortável e ficou procurando a amiga no meio da multidão.

– Alguém pode me explicar? Porque o Bruno, pelo visto, omitiu um monte de coisa – Daniel pediu, sem entender nada e com um aperto no coração. O que teria acontecido com a Amanda? Seria culpa dele?

– Você não tem que saber de nada, cara – Bruno irritou-se.

Bruno preferiu ficar calado, apesar de tantas perguntas na cabeça. Como o amigo podia ser tão tapado? Como poderia pensar que Amanda não sofreria com nada depois de tudo o que aconteceu? Sentia vontade de brigar com ele. Respirou fundo. Isso era um problema entre Amanda e Daniel.

– Por que não? Foi minha culpa, não foi? Algo relacionado a mim?

– Nada é sua culpa, Danny. Só não foi uma época legal pra ninguém, depois que você viajou – Caio respondeu.

– Inclusive para ela! – Kevin já não conseguia controlar a raiva.

– Ela ficou muito mal? – Daniel parecia perdido.

Bruno estava inquieto e batucava em cima da mesa. Todos se entreolharam sem saber o que dizer.

– Claro que ela ficou! – Kevin praticamente gritou. – Como alguém pode superar ser abandonada depois da noite mais importante da sua vida?

– Mas eu só fui porque...

– Porque ela fez merda, eu sei. Ela sabe. Todos nós sabemos – Kevin interrompeu, balançando as mãos exageradamente. – E nem tenho nada com isso, mas você pegou pesado.

– Não quero discutir isso, senão vou acabar brigando – Bruno se levantou de repente, quase derrubando a cadeira. – Karen, vamos dar uma volta.

– Tudo bem – a menina se levantou, meio sem graça. Olhou para Daniel e falou: – Eu não conhecia nenhum de vocês na época, nem sou desse colégio, mas escutei muitas fofocas, e essa garota sofreu um bocado enquanto tentava mostrar às pessoas que não era tão ruim quanto diziam que ela era.

– Não aguento mais ficar aqui também – Kevin se levantou.

Ele saiu andando pela festa, enquanto Bruno e Karen saíam pela porta principal do ginásio.

– Mas... – Daniel bateu com a testa na mesa. – Eu estou perdido.

– Acho que está... – Anna comentou. – Pelo visto, Bruno não gostou do que você fez, Daniel.

– Eu sei – ele respirou fundo. – Mas... não sei o que fazer agora.

– Fica na sua, ué – Rafael deu de ombros. – Deixe as coisas com o tempo.

– Pra você, tudo é assim, não é? – Maya estava visivelmente irritada.

– Doce de coco, você não entende... – Rafael retrucou.

Maya rolou os olhos, vendo Daniel beber a cerveja de Bruno, de uma só vez.

• • •

– Por favor, quero pedir a presença de todos os formandos em frente ao palco.

O diretor estava ao microfone em cima do palco quando deu meia-noite. Todo mundo começou a falar alto e a se locomover para o centro do salão. Na mesa, todos se levantaram, enquanto Fred apertava a mão de Guiga.

Daniel andou entre as pessoas sem saber o que fazer. Ele previa que as coisas com Amanda não seriam como antes, mas não queria que ficassem piores. Os dois erraram em algum momento, e por um bom tempo ela tinha levado a culpa sozinha. Ele não sabia disso! Bruno também não lhe contou que ela chegou a ser excluída até por ele mesmo!

Quando viu Amanda parada ao lado de Kevin e Maya, rindo com eles, Daniel preferiu ficar apenas observando. Estava receoso de encarar aquele reencontro, tinha medo de que tudo o que sentia por ela antes voltasse quando a visse, mas fora inevitável. Todo aquele sentimento guardado agora explodia em sua cabeça e em seu peito. Ele só queria chegar perto de Amanda, sentir seu cheiro e abraçá-la. Mas não podia. Tinha de ir com calma. Ambos estavam machucados, e nada daria certo tão rápido.

Aproximou-se dos três e ficou parado atrás de Amanda, que ainda sorria quando o viu se aproximar. Ela olhou para ele assim que o diretor anunciou que começaria a chamar os formandos. Daniel e ela sorriram e se viraram para o palco, aplaudindo o primeiro nome anunciado.

– Aaahh! – Guiga apareceu perto deles, rindo.

Daniel e Kevin brincaram com a garota, vendo-a tão feliz ao lado de Amanda e Maya. Os outros amigos começaram a se aproximar.

– Frederico Bourne! – o diretor chamou.

Eles começaram a aplaudir. Os marotos todos berravam e as meninas assobiavam. Foi definitivamente um momento feliz para eles. Fred subiu ao palco, pegou seu diploma, entregue por um professor, e pediu atenção de todos. O diretor deu licença do microfone, sorrindo. Sempre gostara de Fred.

Todo mundo parou de gritar para prestar atenção.

– Ei... Boa, cambada, gostei dos aplausos – ele disse, e todos riram. – Eu só quero dizer algumas coisas... Se o Jorge pôde, eu também posso! – falou, referindo-se ao garoto que agradeceu aos pais quase em prantos. O diretor concordou. – Seguinte, quero agradecer à minha mãe, por todo seu esforço para me dar a oportunidade de estar aqui, hoje, me formando! Ao meu pai, que se tornou meu anjo da guarda desde que se foi, e aos meus queridos irmãos mais velhos, que, se não fosse o *bullying* de vocês, hoje eu não seria esse rapaz forte e sensual.

Ele sorria com os olhos brilhando de lágrimas. Amanda o achou tão bonito e sincero; sim, ele era um garoto bem legal. Guiga tinha sorte.

– E, principalmente, queria agradecer aos meus amigos. Sério, não sei o que seria de mim sem eles – Fred olhou para os meninos que estavam juntos, no meio do povo. – Obrigado, caras, marotos, Scotty... Não adianta ficar vermelho, Daniel, você nem ficou tanto tempo longe, mas, se não fosse pela zona toda que você e a adorável menina aí provocaram, a Guiga nunca teria aceitado sair comigo!

Muitos começaram aplaudir, principalmente o grupo dos *nerds* flautistas.

– Eu não terminei! – Fred berrou por cima do barulho.

Daniel e Amanda se entreolharam, e a menina mordeu os lábios, sentindo um calor bom. Daniel estava extremamente vermelho.

– Guiga, obrigado, gatinha! E vocês, ô cambada de gente sem o que fazer nessa escola, espero que aprendam com os erros do jeito que sei que muitos fizeram neste ano. A maturidade é uma merda, mas é inevitável. Tá, tá, acabei, não precisa me chutar, diretor!

Fred desceu do palco sob aplausos. Daniel o abraçou assim que ele soltou a Guiga.

– Entendeu, cara? Faz as coisas certas agora! – Fred pegou o rosto de Daniel com as duas mãos e lhe deu um beijo babado na bochecha, morrendo de rir.

– Eu vou! Eu vou!

Daniel prometeu, sorrindo, e olhou para Amanda, que ria com a Maya, que vaiava enquanto Breno subia ao palco.

quatorze

No fim da noite, todos dançavam alegremente as músicas de saideira. Tocava *YMCA*, os meninos já não tinham gravatas, e as garotas estavam descalças e despenteadas. Amanda, Carol, Maya, Guiga, Kevin e Rafael balançavam o corpo animadamente. Rafael e Kevin revezavam as meninas para dançar coladinho sempre que podiam.

– Cuidado que ele abusa sexualmente! – Amanda brincou, quando Kevin pegou Carol pelas mãos.

– Ele não me assusta! – Carol berrou, rindo, enquanto dançava com Kevin.

Amanda e Guiga começaram a rir, vendo Fred e Caio se aproximarem rebolando ao som da música.

– Ah, não mereço isso! – Guiga tampou os olhos, enquanto os dois dançavam ao seu redor.

– Cadê os outros? Bruno! Daniel! – Fred berrou por cima das outras pessoas.

Anna e Karen, que conversavam com os outros dois, desataram a rir.

Bruno e Daniel pegaram suas bebidas e correram para perto dos amigos. Ambos, que estavam com a calça social e a camisa amarrotada, chegaram berrando.

– *Young man*! – os marotos cantavam no centro da roda. – *Young man*!

– Eles só sabem isso, né? – Maya perguntou para Amanda, que sorriu batendo palmas.

O DJ mudou a música para *I will survive*, e os meninos se aproximaram das garotas, assim como todos no salão. Muita gente junta, grudada, suada e dançando como nunca. Daniel estendeu a mão para Amanda, que apenas riu, aceitando. Ele segurava um copo de cerveja com a outra mão e puxou Amanda para perto, começando a dançar. Sem se encararem diretamente, os dois quase chegaram a esquecer tudo o que tinha acontecido. Apenas sentiam seus corpos, como se não tivessem donos.

– *I will surviiiiveeeee*... – Daniel berrou com a voz fininha, imitando a música.

Amanda começou a rir. Ele dançava com um dos joelhos entre as pernas dela, e a menina balançava os cabelos animadamente.

– Ooohhhh! – Daniel disse, levantando o copo e encostando suas costas nas de Caio.

Os dois ficaram dançando assim, com as meninas na frente deles. Amanda estava rindo quando alguém por trás dela lhe deu um empurrão, fazendo-a praticamente se agarrar em Daniel. Os dois se entreolharam, e ela sorriu.

– Você não merecia que eu estivesse dançando com você... – Amanda comentou.

Ela se virou de costas e passou a dançar encostada na barriga de Daniel, que respirou fundo ao ter a menina tão perto assim do seu corpo. Passou uma das mãos pela cintura dela, mantendo a outra, ainda com a cerveja, na altura do ombro da garota.

– Nem você me merecia aqui tão perto – ele sussurrou no ouvido de Amanda, que riu, concordando.

– Somos uns loucos, certo?

– Ahn-ahn – ele confirmou, enquanto tomava mais um gole de cerveja. – E estamos bêbados...

Amanda virou-se de frente para ele de novo, encarando seus olhos. Aproximou-se do rosto dele e sorriu. O menino mordeu o próprio lábio, sentindo arrepios na nuca. Ela encostou seu nariz no dele e viu Daniel rolar os olhos, respirando profundamente e sentindo-se mole. Ele a desejava, Amanda pensou. Sorriu e virou-se de novo.

– As coisas não são fáceis assim, Daniel – ela gritou.

Ele balançou a cabeça e entornou o copo de uma vez.

– Não teria graça se fossem... – ele falou bem próximo do rosto dela.

Amanda quase pôde sentir o gosto dos lábios dele, tão perto estavam dos seus. O coração dela estava acelerado. Daniel arqueou a sobrancelha e levantou o copo, avisando que iria apenas deixar na mesa e logo voltaria. Amanda sorriu.

O reencontro foi melhor do que ela planejara.

• • •

– Eu não posso ir, mas vejo vocês depois? – Karen perguntou.

Bruno lhe deu um beijo de leve nos lábios, despedindo-se.

Estavam todos na parte de fora do colégio após o fim da festa, decidindo o que iriam fazer. Ainda parecia cedo, embora já fosse quase duas da madrugada.

– Então, o resto vai lá pra casa? – Bruno perguntou, e todos se entreolharam, dando de ombros.

– Eu... não posso. – Kevin riu, ficando vermelho, e se aproximou de Amanda, sussurando-lhe: – Me deseje sorte.

– Sorte! Mas por quê?

– Lucas acabou de me ligar e está vindo me buscar – contou sem graça.

Amanda gargalhou. Bruno pareceu desconcertado e ficou abanando as mãos na frente dos amigos.

– Bom, ok. Metade no carro do Caio, nosso amigo sóbrio... – ele começou a fazer as contas.

– Pode ficar com o meu hoje, linda – Kevin entregou as chaves do seu carro para Amanda, que arregalou os olhos.

– Eu dirijo! – Daniel pegou as chaves da mão da menina.

– Não que me agrade ter você dirigindo meu carro – Kevin riu –, mas tinha me esquecido de que moças bêbadas não podem dirigir.

– Eu não tô bêbada! – Amanda disse mais alto do que esperava.

– Eu tô! – Fred berrou. – Uhul!

– Eu dirijo, só fiquei na água mesmo. Dieta de fim de ano, né? – Anna pegou as chaves do carro de Kevin.

Daniel relutou, mas acabou entregando-as para a menina.

– Vamos logo, está frio! – Maya disse, e Rafael se aproximou, tentando abraçá-la.

– Sai pra lá, garoto!

Assim, todos entraram nos carros, rindo descontroladamente.

• • •

A casa de Bruno era, normalmente, onde se encontravam quando não tinham para onde ir e não queriam se separar. Os pais do garoto não eram pessoas responsáveis, e era raro estarem em casa. Dessa vez, provavelmente, estavam viajando pelo Oriente Médio e enviando *e-mails* ocasionais, para garantir que Bruno pagasse as contas com os cheques que mandavam. Uma empregada, que fazia uma faxina semanal, também garantia que o menino não vivesse debaixo do lixo que produzia. E ele sempre podia contar com a ajuda de seu tio, que passava por lá de vez em quando para supervisionar tudo. A família de Bruno não era nada tradicional ou até mesmo comum; eles eram distantes e impessoais. Era difícil para muitos entenderem, mas não para Bruno. Fora criado assim e já estava acostumado. Tinha seus contras, claro, mas os prós também existiam. Ele já era dono do seu nariz aos 17 anos!

– Hoje à noite, aqui na selva, quem dorme é o leãaaao... – Rafael cantava com Daniel, sentados no sofá.

– Auíííííííí... – Daniel disse, alto, e todos riram.

– Alguém quer mais cerveja? – Bruno perguntou com duas garrafas na mão.

Daniel levantou o braço e Fred fez o mesmo.

– Cadê o Caio? – Amanda gritou, entrando na sala.

– Lá em cima, com a Anna. Ui ui ui – Rafael entregou, de forma infantil, recebendo um olhar reprovador de Maya.

– Ahhh, onde ele colocou aquele CD velho das Spice Girls?

– Tá no som, doida – Bruno falou, sentando-se na mesinha de centro da sala.

– Nem sabia que ainda existia CD no mundo, só vocês mesmo... – Carol riu e correu para o som antes de Amanda.

Caio e Anna desceram a escada, rindo.

– Quem tava gritando meu nome?

– Maya – Amanda apontou para amiga, que começou a rir.

– É, a gente quer que vocês dancem Spice Girls no meio da sala!

– Ahhhhhhh, adorei! – Fred se levantou, gritando.

– Posso ser a Posh? Posso? Posso? – Daniel perguntou, rindo, aproximando-se dele.

– Cara, ela é a melhor! – Bruno disse.

– Eu quero ser casado com o Beckham! – Daniel falou afetado.

– Eu sou a Ginger – Rafael desmunhecou. – Sempre curti uma ruiva – e mandou beijos para Maya, que fingiu vomitar.

– Tem mais alguma? – Fred perguntou rindo.

– Você é a Mel B. – Caio apontou. – Bruno é a Baby Spice.

– Por quê? Eu sempre era ela... – Bruno cruzou os braços.

As meninas, que apenas ouviam a discussão, se entreolhavam.

– Conheço vocês há anos, e nunca soube que brincavam de Spice Girls. Acho que nem o Kevin brincava disso... – Amanda zombou.

– Você nunca viu a gente bêbado nos acampamentos de férias – Bruno piscou.

Caio começou a desabotoar a blusa, assim que a música começou.

– Ahhhhhhhh! – Daniel gritou, e todos riram.

– *If you wanna be my lover...* – Fred cantou, vendo Guiga ficar toda vermelha.

– *If you want my future... forget my past*! – Daniel disse, fazendo careta.

Amanda sorriu, bebendo da garrafa que ele ofereceu.

– *I don't go wasting my precious time...* – Rafael deu língua, enquanto rebolava.

– *Ohhhh tell me want I want, what I really really want!* – Caio berrou e pulou no sofá, cantando como se fosse rap.

As meninas até se assustaram, mas não paravam de rir. Não achavam que poderiam se divertir tanto num dia tão estranho como aquele. Amanda olhava docemente para Daniel, imitando a Posh Spice, sem saber o que dizer daquilo. Algumas horas atrás, estava nervosa por causa do reencontro. E agora era como se ele nunca tivesse ficado longe. O menino olhou para ela, e os dois se encararam, sorrindo.

– *Make it last forever!* – ele cantou.

Bruno sentou-se no chão, rindo, pegando o celular para tirar fotos antes que eles parassem com o show.

– *Friendship never eeeeeeends...* – Caio e Rafael continuavam empolgados, até que, aos poucos, se cansaram e se jogaram nos sofás, rindo.

• • •

– Mãe, vou dormir no Bruno – Amanda disse pelo telefone. – Não, mãe, não tem mais nenhum garoto aqui.

Ela olhou para os meninos na sala. Rafael começou a rir e enfiou a cara nas costas de Daniel para se conter.

– É mãe, tô numa suruba organizada aqui... Claro que não. Tá, amanhã eu ligo se tiver tido coma alcoólico... Eita, desculpe, tava brincando – ela riu, desligando o telefone. – Por que mães não têm senso de humor?

– A minha tem – Bruno deu de ombros.

– Ela teve você, Bruno, impossível não ter senso de humor... – Carol disse, rindo, e ele fez careta.

– Foi a melhor apresentação das Spice que eu já vi – Guiga riu. – E, veja bem, eu já fui num show delas quando era mais nova...

– Daniel, você é péssimo – Maya olhou para ele.

– Obrigado – ele se levantou, puxando a calça caída para cima. – Ahhh, o que vamos fazer agora?

Caio estava beijando Anna. Fred e Guiga entraram em algum papo paralelo sobre ciúmes e as garotas com quem ele tinha dançado na festa. Rafael, Daniel e Bruno ficaram pensando.

– Pizza 24 horas? – Rafael perguntou.

– Vamos...

Daniel pegou a chave do carro de Kevin, que era maior. Amanda, Maya e Carol se entreolharam.

– Vamos! – ele repetiu, fazendo careta e olhando para os dois casais no sofá.

– Ahhhh, sempre quis comer pizza na Domino's depois da meia-noite! Mas não seria melhor irmos andando? Vocês beberam um pouquinho além da conta hoje... – Maya sugeriu.

– É – Rafael concordou –, uma caminhada nessa madrugada fria não vai fazer mal algum!

– Eu não quero ir, meus pés doem – Amanda reclamou.

Bruno deu de ombros e pegou a garota no colo, mas ela começou a gritar e espernear.

– Voltamos mais tarde – Rafael avisou.

Ele terminou de enfiar o sapato nos pés, já empurrando Carol para fora de casa. Os quatro que estavam no sofá apenas concordaram.

– Eu não tô com fome – Amanda ainda reclamava.

– Largue de ser empata-foda! – Bruno disse, enquanto a carregava, atravessando o jardim.

– Empata-o-quê? – Amanda começou a rir alto.

Bruno desceu a menina na calçada.

– Foda! – Rafael gritou no meio da rua.

Estavam todos com as roupas amassadas, despenteados e com cara de bêbados.

– Não! A Anna e o Caio? – Amanda arregalou os olhos.

– Não sabe o que é isso, não, benzinho? – Bruno perguntou, fazendo gestos para ela, e Daniel riu.

– Sei, né? Fazer o quê? – Amanda gargalhou com Maya.

Daniel se sentiu constrangido. Ele queria falar sobre aquela noite com ela, mas a sós. Também tinha sido a noite mais importante da sua vida, e ele se lembrava disso quase todos os dias. O olhar de Amanda, sua confiança em se entregar para ele. Fora mesmo um imbecil achando que ir embora no dia seguinte não a afetaria tanto. Ele só queria poder se explicar para ela. Mas como?

Uma luz se acendeu em uma janela.

– Ei, seus moleques! Isso é um bairro de respeito, parem de gritar na rua! – a voz de um senhor ecoou.

– Ah, vovô, vai dormir! – Bruno gritou de volta!

– Vou ligar pra polícia, seu fedelho! – o senhor respondeu.

Como se fosse combinado, os seis amigos gritaram e começaram a correr, rindo como se não houvesse amanhã.

quinze

– SOLTE A DROGA DO CONTROLE!

– DEVOLVA ISSO!

– DEIXE DE SER TEIMOSA!

Amanda abriu os olhos com a gritaria no andar de baixo. Por que, diabos, alguém tinha de gritar daquele jeito? Sentou-se na cama e olhou para o lado. Bruno estava com os pés virados para ela, dormindo feito pedra. Ela riu e se virou para sair da cama. Por pouco não pisou em Daniel, deitado no chão, em um colchão inflável. Ela disse um palavrão baixinho, pulando para o lado.

– Não me machucou não – o menino se mexeu.

– Ah, ok. Bom-dia – ela foi para o banheiro.

Usava uma camiseta do Bruno e uma samba-canção como short. Por que homens usam cuecas enormes mesmo?

Ao se olhar no espelho, viu que estava um caco! Tinha bebido algumas cervejas além da conta e sentia o estômago revirar. Lavou o rosto, tirou as meias e saiu do quarto sem fazer mais nenhum barulho. Encontrou Rafael, Maya, Caio e Fred no sofá.

– Rafael! – Maya disse alto e olhou para amiga. – Até que enfim uma garota pra me salvar! Faz eles pararem de ver esse programa sobre coelhinhas da *Playboy*?

– Vocês têm isso aqui? – Amanda perguntou, correndo para o sofá.

– Caio comprou o DVD há alguns meses – Fred riu, contando detalhes sobre Hugh Hefner e como ele escolhia as meninas da capa das revistas.

– Sério, eles estão vendo os peitos delas desde que eu acordei! – Maya reclamou de braços cruzados.

Ela vestia algo parecido com o traje de Amanda. A diferença é que, com seios maiores e mais encorpada, tudo ficava mais justo nela.

– Ok, alguém comeu aqui? – Amanda perguntou.

Os quatro se entreolharam e negaram, enquanto ela puxou a amiga para dentro da cozinha. Meia hora depois, estavam sentados no sofá, com pratos sujos e canecas jogadas de lado.

– Esses desenhos atuais são tão idiotas – Rafael reclamou. – O que será das futuras crianças sem *Os cavaleiros do zodíaco*?

– Meu irmão nem curte muito desenho, só quer ver filme no *tablet* do meu pai – Maya contou.

– Geração perdida...

– *Carmem Sandiego* era o meu desenho favorito – Fred se meteu na conversa.

– Será que existe uma dessas de verdade? – Caio perguntou.

Maya e Amanda se entreolharam.

– Uma dessas o quê? – Maya parecia confusa.

– Carmen Sandiego!

– Não acho que exista alguém tão esperto...

– Bin Laden foi esperto – Rafael deu de ombros.

– Agora tá comparando o Bin Laden com a Carmen Sandiego, doce de coco? – Maya perguntou, vendo-o sorrir.

Amanda achou esquisito a forma como Maya usara o apelido que Rafael colocara nela. Será que estava rolando alguma coisa entre eles?

– Hum, que fome... que cheiro é esse?

Eles se viraram ao ouvir a voz de Daniel. O garoto estava parado na escada, e Amanda ficou de boca aberta. Ele sorriu, sem camisa e com a calça jeans aberta, mostrando a cueca quadriculada. Estava descalço e com os cabelos bagunçados.

– Ah, bom-dia... – disse Daniel.

Desceu lentamente os últimos degraus, ainda com sono. Maya engoliu em seco. Desde quando Daniel Marques era tão bonito? Ela olhou para Amanda, que conseguiu fechar a boca, e as duas deram risinhos sem noção. Isso chamou a atenção de Rafael.

– Ah, droga, Daniel, coloca uma camisa! – ele gritou, fazendo cara feia para Maya.

– Ih, Rafael, deixe o menino... – ela riu.

– Tá calor, cara – Daniel respondeu, coçando a cabeça e despenteando mais os cabelos. – Tem mais *waffles* pra mim?

Ele olhou o prato de Fred, que negou e lhe entregou a porção que estava comendo.

– Calor? – Caio riu. – Deus, de onde você veio? Polo Norte?

– Canadá. Achei que você soubesse, péssimo amigo... – ele enfiou a comida na boca.

Amanda riu, balançando a cabeça.

– Acho que... vou acordar o Bruno – ela se levantou sem olhar diretamente para Daniel.

O menino a seguiu com os olhos até que desaparecesse no andar de cima.

– Você não tem visão de raio-x, pode olhar para o prato, cara – Caio disse, sorrindo malicioso.

Daniel o encarou de queixo caído.

– Hein?

– Esqueça – Caio voltou sua atenção para a TV. – Ah, não, *Power Rangers* de novo não!

– O Rafael quer ser a Rosa... – Maya disse, pegando o controle, quando Fred e Rafael pularam em cima dela para evitar que trocasse de canal.

• • •

Amanda encostou na porta do quarto de Bruno, ainda fechada, sentindo o coração na boca. Ok, definitivamente aquela cena não sairia da sua cabeça tão cedo! Como podia ter quase se esquecido de como ele era? De quão bonito era? Fechou os olhos, respirando fundo. Ok, pense bem... ele não pode reparar que você está desse jeito, dizia para si mesma. Encostou a testa na porta na hora em que Bruno a abriu. Os dois deram de cara, e ela quase caiu, rindo.

– Céus, está bem? – o garoto perguntou preocupado.

Ela negou, sentindo lágrimas nos olhos. Era isso, não conseguia evitar o choro quando pensava em Daniel. Naquela noite. Na manhã seguinte... Bruno a abraçou rapidamente e puxou a menina para dentro do quarto.

• • •

Amanda se sentia bem melhor. Fazia tempo que não conversava tanto com Bruno. Ele era tão importante para ela. Sentia que podia confiar sua vida a ele. Bruno poderia ser bem estressado às vezes, mas sabia ouvir. E sabia dar opiniões sinceras, sem meio de campo. Se você não quiser ouvir verdades na lata, é melhor nem conversar com ele. Mas ele havia mudado também. Toda essa história o tinha ajudado a amadurecer; agora, ele sabia que ser parcial é infantil. É preciso conhecer todos os lados de uma história antes de tomar partido, e nunca julgar. Julgamentos prendem as pessoas em uma só forma, mas todos são diferentes. Não existe ninguém melhor que ninguém. E é preciso saber perdoar o erro dos outros.

Os dois estavam deitados na cama de Bruno, olhando o teto em silêncio, quando ouviram alguém bater na porta.

– Hora da pizzaaaaa!

Era Caio, berrando. Bruno se levantou e abriu a porta. Deu de cara com todos os amigos no corredor.

– Se a tartaruga ninja não vai à pizza, a pizza vai à tartaruga ninja! – Fred exclamou, segurando três caixas enormes.

– Entre logo, Mestre Splinter! Tô faminto.

Todos entraram e se acomodaram pelo quarto. Estava quentinho ali dentro, e só Daniel reclamava do calor. Acostumado com o frio extremo do Canadá, enquanto todos se encolhiam, ele se abanava com a caixa da pizza.

– Daniel! – Fred disse, enfiando um pedaço enorme na boca. – Conta pra gente alguma coisa de onde você ficou esse tempo todo.

– Hmmm – Daniel estava sentado no chão, encostado no armário, ao lado de Caio. – O que querem saber?

– Tem mulher gostosa lá? – Rafael perguntou.

– Tinha que vir de você essa pergunta – Maya rolou os olhos.

– Se tinha mulher gostosa, não via muito – Daniel sorriu. – Todas usavam muitos casacos.

– Malandro... – Fred o cutucou.

Amanda prestava mais atenção na pizza do que na conversa.

– Na verdade, conheci uns garotos maneiros por lá... E a gente saía de vez em quando, indo para boates e bares.

– Você não tem idade! – Caio protestou.

– Ahhh, me arranjaram uma identidade falsa, cara.

– Sempre andando com maus elementos... – Anna zombou.

– É, é fácil enganar o povo por lá – Daniel deu de ombros. – Uma vez, eu e um dos garotos de lá conhecemos duas moças num bar e dissemos que tínhamos vinte e dois anos.

– Elas acreditaram? – Carol perguntou rindo.

– Acho que sim, até convidaram a gente para ir no hotel delas – Daniel falou, e todos riram.

– Aposto que elas não conversaram com vocês – Amanda comentou baixinho.

– Conversaram... – ele olhou para a menina – e, bom, elas sacaram que a gente era mais novo, mas acho que não ligaram muito...

– Caraca, e aí? Foram até o hotel delas? – Bruno quis saber.

– Tá maluco? Elas eram quase da idade da minha mãe, nada a ver... – Daniel falou.

Fred fez um 'ahhhh' bem alto e levou um tapão de Guiga.

– Eu me diverti por lá, mas contava as horas para voltar pra casa – Daniel continuou, enrolando a ponta dos cabelos nos dedos. – Não queria ter ido pra lá, sabe?

– Espero profundamente que não – Bruno respondeu com os dentes cerrados.

O amigo olhou de rabo de olho para Amanda, que ainda encarava sua pizza como se fosse capaz de enxergar através dela. Daniel concordou com Bruno sem dizer nada, sabendo que, desde a sua chegada, havia algum problema entre os dois, mas ambos ainda não tinham tocado nesse assunto. Ao ver o jeito com que ele olhava para Amanda, Daniel podia adivinhar o que era.

– Bom – Rafael bateu as mãos –, vamos contar piadas...

– Não! – Carol começou a rir, vendo Maya esconder o rosto no travesseiro atrás de Bruno.

– Era uma vez um garoto esquisito que comprou um CD do Bruce Springsteen...

Rafael começou a dizer, mas Amanda estendeu sua própria pizza na direção dele. Rafael enfiou tudo na boca, mordendo o dedo dela junto. Todos começaram a rir.

– A comida é sagrada – ela disse, lambendo o próprio dedo mordido, que estava doendo. – Cala até o Rafael.

– Como se fosse difícil... – Anna brincou.

Todos começaram a falar ao mesmo tempo, enquanto Rafael engatinhava na cama por cima de Amanda para chegar até Maya, já vermelha de tanto rir.

Passaram a tarde assim, rindo, conversando, cantando, comendo e vendo que Amanda e Daniel não se encaravam. Os amigos estavam certos de que teriam de se acostumar com isso. Sabiam que os dois não iriam ceder tão fácil. O que era bem idiota, considerando tudo o que tinham sofrido.

Às sete da noite, os pais começaram a ligar, querendo saber onde os filhos estavam e se iriam para casa. Afinal, era domingo, e os pais só ficavam entretidos com a televisão até o momento de preparar o jantar, quando, então, se lembravam de que tinham mais bocas para alimentar. No fim da noite, Bruno acabou ficando sozinho, com a casa revirada pelo avesso. Mas muito feliz. A semana seria mais divertida do que ele estava prevendo, e precisava dormir muito para poupar energia. Apagou a luz da cozinha e da sala, checou se as portas estavam trancadas e se acomodou no quarto, que ainda cheirava a pizza, ligando o computador para ver os últimos episódios lançados de *Dr. Who*.

dezesseis

Segunda-feira de manhã, início das férias. Caio estava parado na porta da casa de Daniel. Buzinava e gritava, com a cabeça do lado de fora, até que decidiu descer e bater na porta também.

– Boraaaaaaa! – berrou.

Pela janela da sala, viu Daniel descer a escada, terminando de colocar a camisa. Seus pais estavam dormindo, e a casa ainda estava bem vazia, com caixas de mudança.

– Calma, cara, qual a pressa?

– A pressa é que a minha namorada está no carro, esperando a gente. E é feio deixar mulher esperando.

– Ah, meu garoto apaixonado! – Daniel segurou Caio pelos ombros, dando-lhe um beijo na bochecha.

Os dois riram, caminhando até o carro estacionado na rua.

•••

Amanda quase desistiu de sair de casa quando reparou que Daniel estava dentro do carro de Caio, quando o menino, juntamente com Anna, passou para buscá-la. Os amigos combinaram de se encontrar na casa de Bruno novamente e fazer algo divertido no início das férias. Mas antes que pudesse inventar uma desculpa, Anna já gritava, mandando a amiga se apressar, e ela não teve como fugir.

Dentro do veículo, o clima estava constrangedor. Caio dirigia em silêncio, Anna, no banco do carona, digitava alguma mensagem no celular, enquanto Daniel e Amanda, no banco de trás, olhavam pelas janelas, cada um virado para o seu lado. Só se ouvia a música do iPod de Caio, conectado ao rádio. Tocava algo do Charlie Brown Jr.

– A gente vai comprar algumas coisas, esperem aqui.

Caio informou ao estacionar em frente ao supermercado. Ele e Anna desceram sem nem convidá-los ou esperar uma resposta.

Amanda mexia em sua bolsa sem nenhum propósito, sem saber o que fazer. A verdade é que estar ao lado de Daniel matava seu coração de dor. Mas, apesar de tudo o que tinha passado nos últimos tempos, ela só queria agarrá-lo de todas as formas possíveis. Inquieto, Daniel cruzou as pernas. Ele pensava o mesmo, mas estava com medo da reação dela. Era a primeira vez que ficavam sozinhos desde a sua volta.

– Amanda...

– Hmm? – ela murmurou e olhou para ele rapidamente.

O menino mordeu o lábio sem saber direito o que falar.

– A gente podia conversar...

– Sobre? – ela perguntou cínica.

– Não queria ficar desse jeito com você – Daniel disse, abaixando a cabeça.

– Desse jeito como, Daniel?

Falar o nome dele em voz alta trazia boas lembranças para Amanda, que sentiu um calor no peito. O menino sorriu com a menção ao seu nome.

– Eu não queria ver você brava comigo e vice-versa – ele levantou a cabeça e a encarou.

O ar pareceu sumir dos pulmões de Amanda. Aqueles olhos verde-escuros tocavam sua alma. Novamente. Como aconteceu meses atrás, durante aquela noite na casa dele. Ela sentiu o estômago remoer. Infelizmente, não eram só lembranças boas. Ele a deixou sozinha depois daquela noite, a melhor da sua vida! Isso era tão injusto! Mas não chegava aos pés do que ela tinha feito com ele no colégio. Amanda não tinha tido a intenção de prejudicá-lo, só queria proteger uma amiga. Mas ele... foi embora. Simplesmente se foi.

Amanda fitou o garoto, sentindo que poderia chorar e gritar ao mesmo tempo.

– Você foi um idiota! – ela falou.

Daniel mordeu os lábios.

– Nunca, nunca na sua vida – ela continuou –, faça isso com uma garota de novo, Daniel.

– Eu...

Daniel ficou em silêncio. Os dois ficaram quietos, até que Amanda olhou para ele de novo.

– Eu não sei se foi bom pra você, Daniel – ela confessou com lágrimas nos olhos.

Ele não sabia o que falar, estava sem reação.

– Porque eu pensei que tivesse sido... – ela disse. – Não sei por que você fez aquilo! Não sei por que cantou aquela música naquela noite.

Amanda encostou a cabeça no vidro da janela, sem olhar para ele, pensando na canção *Ela foi embora*.

– Cantei a música na minha cabeça aquela noite toda, Daniel. Toda... Por alguns minutos, eu me senti uma das pessoas mais felizes do mundo – ela suspirou. – Mas quando acordei, bom... Você sabe o que aconteceu.

– Eu estava magoado – ele disse, baixinho.

– Mas você não tinha o direito de transar comigo e achar que é simplesmente isso! – ela gritou chorando.

Amanda não conseguia conter as lágrimas. Daniel apenas concordou. Sabia que ela estava certa.

– Droga, Daniel! – a menina secou o rosto na manga do casaco. – Sei que eu nunca fui a melhor garota de todas, Daniel – ela gostava de repetir o nome dele, e sorriu, sem querer, com isso. – Mas você não podia ter feito isso comigo... Existe tanta garota no mundo pra você dormir e descartar no dia seguinte. Por que eu?

– Eu amava você.

Daniel usou o verbo no passado, e ela percebeu. Mas foi sem querer, pois ele ainda a amava.

– A gente só se ferra quando ama, né? – ela disse. – Eu e você... A gente estraga tudo.

– Mas, Amanda... – ele tentou se aproximar dela.

– Acho melhor a gente parar por aqui – a menina esticou a mão, impedindo-o. – Não quero estragar o dia do Caio e da Anna.

– Só quero que você saiba que... ir embora, naquele dia... – ele voltou a falar.

Amanda viu uma lágrima descer pelo rosto de Daniel.

– Foi a coisa mais difícil que fiz na vida. Ver você deitada, dormindo na minha cama, do jeito que eu sempre sonhei...

Ele sorriu sozinho, voltando para o seu lugar. Amanda encarava as mãos.

– Era a memória que eu guardava todo esse tempo lá no Canadá – ele olhou para ela, e os dois se encararam. – Era o que me fazia querer voltar.

Antes que Amanda pudesse falar qualquer coisa, Caio e Anna entraram no carro, jogando sacolas no banco de trás em cima deles. Daniel e Amanda logo trataram de enxugar as lágrimas.

– Caraca, achar as coisas que o Bruno pede é MUITO difícil – Anna disparou.

– Compramos os miojos – Caio disse, olhando para Daniel, que apertava o olho contra a manga do casaco. – O que houve?

– A lente tá ardendo... – ele disfarçou.

Caio viu que Amanda estava mexendo nas sacolas, tranquilamente. Deu de ombros e ligou o carro.

– Vamos, vamos... o pessoal quer ir no *paintball* depois do almoço.

– Não acredito que aceitei ir almoçar na casa do Bruno sem ter almoço pronto! – Amanda falou rindo.

Ela tirou dez pacotes de miojo de um saco. Daniel enfiou a mão em outro e tirou mais dez. Os dois se entreolharam e riram, sentindo-se bem melhor do que antes.

• • •

Horas depois, trocaram a casa de Bruno pelo campo de *paintball*. O dono do lugar já nem se importava mais em indicar locais, roupas ou avisos de segurança para eles. Já tinham se tornado clientes cativos. Só entregava a chave na mão de Caio, que ele julgava ter cara de mais responsável, e voltava depois do horário combinado.

– Ainda estou com fome – Rafael reclamou.

– Dane-se – Bruno disse e ajustou os óculos de proteção, vrificando a mira da arma de *paintball*.

– Quais serão os times? – Fred perguntou já arrumado. Quando Amanda e Guiga se aproximaram, elogiou: – As duas estão megassexys!

– Eu sei – Amanda mostrou a calça cargo larga, que estava usando, e os óculos de borracha, que cobriam metade do rosto. – Sou a exterminadora do futuro!

– Times? – Fred perguntou novamente.

– Meninas contra meninos! – Guiga sugeriu.

– Apoiada! – Maya chegou, rindo.

– Não vai ter graça – Caio falou.

– Não subestime a gente – Anna lançou um olhar desafiador –, querido.

– Não estou.

– Na verdade, é bom você correr agora mesmo se não quiser levar tinta nas suas... – Anna apontou a arma para o meio das pernas de Caio.

– Coitado do menino – Bruno disse, levantando o cano da arma dela, e riu ao ver Caio se encolher.

– Vamos ou não vamos? – Carol aproximou-se, coçando a barriga. – Essa coisa pinica.

– Essa coisa se chama “meu casaco” – Daniel disse, e todos começaram a rir, dispersando-se.

– No dez, ok? – Bruno berrou.

Amanda levantou o polegar do outro lado do campo. Todos se posicionaram em volta dos biombos e das barras de proteção.

– Ok, valendo! – Caio gritou, depois do sinal de Bruno, e correu para onde tinha visto Carol fugir.

– Nããããão! – Guiga berrou quando Daniel atirou nas suas costas. – Droga, Marques!

– Corra melhor da próxima vez, perdedora – ele gritou e correu quando a menina se virou.

– Caio está daquele lado – Amanda sussurrou para Anna, saindo de trás de enorme barril de madeira com a amiga.

Anna correu para acertar as contas com o namorado. Amanda continuou andando até que avistou Rafael.

– *Hasta la vista, baby!* – ela disse, baixinho e mirou o peito do garoto.

– CACEEEEETE!

Todos ouviram Rafael berrar.

– Quem foi... – ele se virou para Amanda, que começou a rir.

Em seguida, ela saiu correndo. Rafael mirou a arma para acertá-la bem na hora em que Daniel se aproximou, tentando entender o que estava havendo.

– Rafael! Não é em mim que você tem de atirar! – Daniel gritou, apontando a enorme mancha rosa na sua calça.

– Saia da frente, Danny, ele não tem mira! – Maya apareceu de lado.

Daniel iria agradecer, quando levou outro tiro, agora no braço.

– Desculpe, sou do outro time! – Maya gritou e correu quando viu a cara que o menino fez.

– Isso não tem graça! – Carol apareceu atrás de uma barra de proteção.

Fred e Bruno, sorrindo, bateram as mãos em cumprimento. Amanda e Maya pararam para ver a amiga coberta de tinta, e os dois com as armas descarregadas nas mãos.

– Vocês gastaram toda a munição em mim! – Carol tentava tirar a tinta dos óculos de proteção.

– Mais bolinhas! – Fred saiu do campo e foi até o balcão. – Ah, ok, não temos direito a bolas extra – voltou dizendo.

– No três – Carol sorriu maliciosa e apontou sua arma. – Um...

Fred e Bruno desataram a correr.

– Ahn-ahn – Amanda olhou para Maya.

Quando ouviram um barulho, as duas se viraram para trás e ficaram sob a mira das armas de Daniel e Rafael.

– Ah, não... – Amanda jogou sua arma no chão e levantou as mãos. – Eu me rendo.

Maya fez o mesmo e, fechando os olhos.

– Num lugar que não doa, doce de coco.

Rafael riu, e Daniel mandou que as duas virassem de costas.

– Como assim? – Amanda resmungou.

– Virem...

As duas obedeceram.

– Agora se ajoelhem.

– Ah, nem vem, Daniel... – Amanda ia ficar de frente quando ele fez bico.

– Não, não... vire!

Daniel apontou a arma para a cabeça de Amanda, que olhou para Maya. Quando as duas se ajoelharam, Rafael soltou uma risada e deu parabéns ao amigo.

– Gostei disso, cara.

– Isso foi proibido na Alemanha décadas atrás – Maya gritou.

– Se falar de novo vai ficar toda rosa, docinho – Rafael falou.

– Anda logo com isso... – Amanda reclamou.

Quando os dois meninos apontaram as armas, Caio, Anna, Carol e Guiga, acompanhados pelos outros dois desarmados, apareceram correndo e disparando tiros para todo lado. As primeiras bolas atingiram Maya e Amanda, que deram gritinhos histéricos. As outras acertaram Rafael e Daniel. As meninas se levantaram, mas cambalearam com a força das bolas que, de novo, acertaram nelas. Caio estava jogado no chão, rindo, enquanto Anna, Carol e Guiga continuavam atirando sem mira.

Daniel foi atingido no peito e caiu, puxando Rafael para o chão. Amanda e Maya não viram os dois caídos.

– Ai, que droga! – Amanda reclamou.

Ela tropeçou nas pernas de Daniel e caiu em cima dele. Maya gritou quando se sentiu agarrada pelos braços de Rafael.

– Peguei – ele disse, alto, rindo.

Amanda se virou de lado, para tentar levantar, quando Caio a atingiu no meio da barriga. A menina gritou e se encolheu perto de Daniel, que começou a rir e levou mais um tiro nas pernas.

Graças aos céus, estavam usando proteção no corpo! Aquilo parecia doer de verdade.

– Isso é marmelada! – Maya berrou o mais alto que pôde.

Cobertos de tinta rosa e azul, os quatro eram alvos dos tiros de Guiga, Carol, Anna e Caio, que se divertiam vendo os amigos, deitados no chão de grama, se contorcerem cada vez que eram atingidos por mais bolas.

Alguém ficaria roxo no dia seguinte!

• • •

– Só temos três chuveiros – o dono do *paintball* explicou ao ver os dez amigos se aproximarem cobertos de tinta. – E a água, como é pouca, pode acabar a qualquer momento.

– Tem gosma rosa no meu ouvido! – Caio berrou, ajoelhando-se no chão, e todos riram.

– Podem usar de três em três...

– Ah, ok... obrigado – Fred disse, pegando sua mochila. – Cambada, decidindo as duplas...

– Duplas? – Maya perguntou sem entender. – Não tá pensando em...

– Trios! – Daniel riu. – Eu não vou tomar banho com o Bruno.

– Nem eu com o Caio – Rafael deu língua.

– Ai, meu Deus! – Amanda rolou os olhos. Pegou sua bolsa e andou em direção ao vestiário. – Ninguém vai tirar a roupa, se toquem. Quem vem?

Todos começaram a rir, examinando-se.

– Eu vou – Daniel disse, tirando os óculos protetores.

– Eu também, não tô aguentando isso... – Maya tentou desgrudar os cabelos da testa, sem sucesso.

– Opa, quatro num chuveiro! Número ímpar dá azar! – Rafael disse, correndo atrás deles.

Os outros se entreolharam e deram de ombros, seguindo para os chuveiros. Rafael nunca fez sentido mesmo.

• • •

– Ah, ok, isso é apertado – Amanda disse, observando a cabine de madeira construída em volta do cano de água.

– Se a água acabar, quem volta para casa a pé é você – Rafael disse.

– Ou entramos todos ou ficamos os quatro aqui fora – Amanda falou.

– Tô entrando – Maya tirou os tênis.

Daniel e Rafael tiraram o casaco, ficando de camiseta. Amanda e Maya fizeram o mesmo.

Em questão de segundos, os quatro abarrotavam o pequeno cubículo de madeira.

– Err... virem de costas – Amanda disse, sentindo que Rafael a encochava.

Maya tentava desgrudar sua blusa da de Daniel. A água caiu com força em cima deles, enquanto Daniel e Rafael sacudiam os cabelos, batendo nas meninas.

– Pare, doce de coco! – Maya reclamou.

– Não se mexa muito, Maya, você não está entendendo a nossa situação... – Daniel comentou, fazendo Amanda rir.

– Será que dá pra virar de costas? – Amanda repetiu.

– Se eu me virar – Daniel explicou –, a Maya vai junto.

– Ew, não! – a menina começou a rir vendo Rafael soprar água em sua direção.

– Rafa – Amanda gritou –, pare quieto, isso é desconfortável! Sabe o que você está encostando em mim?

Daniel e Maya viram Rafael abraçar Amanda com força, fazendo-a gritar mais ainda.

– Ew, sério! – ela reclamou, puxando Maya para perto.

– Oowww! – Daniel começou a gritar, enquanto tentava ficar de pé.

Ele e Rafael estavam com os ombros grudados, e a água caia mais neles do que nelas.

– Mandy, você não está ajudando! – Maya ficou presa entre ela e Rafael.

– Tanto faz – Amanda riu.

Maya a empurrou, fazendo as duas trocarem de lugar. Amanda cambaleou, e Daniel a segurou pela cintura.

– Ah, ótimo! – Amanda balançou a cabeça, espirrando água em todos.

Maya gritou, mas Rafael não parou de cuspir água colorida nela.

– Fique quieto, cara – Daniel arfou. – Fofa, dá pra desgrudar um pouco?

Amanda sentiu o coração disparar quando ele a chamou do mesmo jeito meigo como fazia antigamente. Ficou em silêncio e imóvel. Ele percebeu o que tinha feito. De repente, só queria abraçá-la e ignorar o resto do mundo.

Ela, lentamente, se espremeu contra a parede. Daniel sorriu, abaixando a calça.

– Daniel, suba as calças! – Maya berrou.

– Daniel! – Amanda olhou para trás.

Ele passou as mãos pelas pernas, grudadas de tinta.

– Calma, um minuto... – o garoto ficou rindo da cara que Rafael fez.

Amanda continuava apertada na parede, mas sentia os braços dele em suas costas.

– Daniel, mais um pouco e eu dou um soco em você por tocar em partes íntimas – ela disse, quando ele abaixou as mãos, parando a centímetros da sua bunda, e riu.

– Desculpe – Daniel puxou os braços para trás, subindo as calças. Pegou a menina pelos ombros e a puxou de volta para perto de si. – Já acabei por aqui.

Amanda ficou arrepiada por estar encostada no corpo de Daniel. Ele sorriu, encostando o queixo no ombro dela, de leve, fazendo a água cair mais na menina.

– Ahhh, obrigada – ela sacudiu o rosto. Seu cabelo bateu no rosto dele.

– Rafael, nem invente de baixar as calças também! – Maya exigiu.

O menino se virou de costas para ela, e os dois pareciam enrolados. Amanda e Daniel olharam para eles.

– Precisam de ajuda? – Daniel perguntou.

Em seguida, ele levantou o braço fazendo a água cair em Maya. A menina levantou o dedão em agradecimento.

– Você é um anjo – ela disse, esfregando o rosto e pescoço.

Rafael se virou, fazendo Daniel e Amanda cambalearem, e Maya bater contra a parede. Os quarto voltaram a rir. Logo depois, Amanda reparou que Daniel estava com uma das mãos na sua cintura enquanto ajudava Maya com a água. Ela sorriu e não fez nada. A verdade era que não queria que ele tirasse a mão do seu corpo.

Rafael começou a dar pulinhos, fazendo os quatro se desequilibrarem e caírem sentados. Se o lugar fosse mais espaçoso, eles teriam se esborrachado ao chão. Como não era, Rafael ficou em cima de Maya, e Amanda caiu exatamente no colo de Daniel. Os quatro desataram a rir, e Amanda levantou as pernas para molhar os pés.

– Isso mesmo, esfregue os pés na minha cara! – Maya gritou, tirando cabelo molhado do rosto.

Rafael cuspia água nelas, enquanto Daniel fazia de tudo para tentar se levantar, sem sucesso.

dezessete

Amanda acabou dormindo pouco. Ficou batendo papo com Kevin pelo telefone durante a noite inteira, depois de voltar para casa, ainda confusa em relação a Daniel e sobre tudo o que estava acontecendo. Embora não aguentasse mais o drama e a enrolação, ela não sabia o que fazer. E a decisão não dependia só dela.

No dia seguinte, sua mãe abriu a porta do seu quarto e as cortinas antes que ela pudesse dizer qualquer coisa. Berrava que era dia de faxina e que a garota teria que ajudar de qualquer forma, ou ela mesma arrumaria seu armário e tiraria boa parte das roupas da filha para a doação. Provavelmente, estava entediada, Amanda pensou, enquanto se levantava.

Com medo de perder algumas de suas roupas preferidas, a garota saiu rápido do quarto, deixando a mãe lá gritando ordens para a faxineira. Coitada da Lurdinha, sua mãe parecia a encarnação de um general do exército quando queria. Ainda de pijama, pegou seu *laptop* e sentou-se no sofá. Viu uma mensagem de Guiga avisando que iria para a fazenda com a família, mas voltaria no dia seguinte. Maya e Anna ainda deveriam estar dormindo, já que os pais delas eram bem mais tranquilos com horários. Que inveja. Sua mãe tinha ligado o rádio no andar de baixo, e uma música repetitiva e sertaneja tocava a todo volume. Ótimo. Será que o dia poderia ficar pior?

• • •

Na quinta-feira, Caio encontrou-se com os amigos no campo de *paintball*, de novo. Colocou o celular no silencioso, deixando-o dentro do carro com sua mochila. Eram dez horas da manhã. O roxo enorme em seu braço mal tinha ido embora, e os amigos já estavam querendo se machucar de novo. Dessa vez, decidiram sair sem as meninas. Precisavam de um tempo sozinhos para conversar ou simplesmente ser tão agressivos quanto queriam. Graças a Deus, sua mãe não tinha visto seu braço, como fez a mãe de Rafael no começo da semana. Senão, ele teria tomado um esporro ainda maior. Já bastava o castigo que levou por causa da festa em sua casa. Dois meses sem internet! O pior é que já estava atrasado em todas as séries que costuma baixar.

– Então, como vai ser daqui pra frente? – Caio perguntou, mirando sua arma de *paintball* na árvore adiante.

Os outros estavam colocando suas roupas de proteção.

– Nem ideia – Daniel deu de ombros –, ela não me quer nem pintado de palhaço...

– Ninguém iria querer, convenhamos – Rafael falou, passando no meio dos dois.

Ele usava uma roupa "extraprotetora", e bandagens marcavam os lugares onde se machucara no começo da semana. Sua mãe só o deixou sair todo enfaixado, depois de passar algum remédio de cicatrização.

– Como você sabe disso? – Caio riu. – Perguntou pra ela?

– A gente meio que conversou... Foi feio, cara. Sei que eu fiz merda – Daniel passou as mãos pelos cabelos, percebendo que Bruno ficou parado ouvindo. – Mas eu estava tão confiante de que ela simplesmente iria me esquecer quando eu fosse embora...

– Ah, cale a boca! – Bruno rosnou. – Você não pode ser tão burro.

– Não sou, Bruno – Daniel se virou para ele. – Não fiquei com raiva da Amanda depois do que ela fez comigo na escola, sabe? Não fiquei... Fiquei mal, chateado, claro! Poxa, sua namorada nega você na frente de todo mundo?

– Eu teria sentado e chorado – Caio disse.

– Mariquinha... – Fred falou, calçando o tênis, e fez Rafael rir.

– Danny, meu amigo, eu sei que você estava mal, mas a gente não sabia o que você faria com ela depois de toda aquela encenação! – Bruno explicou.

– Que, por sinal, parabéns! – Rafael disse, apertando a mão do amigo. – Vou ver se isso um dia funciona com meu doce de coco.

– Só queria mostrar que ela não precisava me esconder – Daniel deu de ombros.

– Foi ela quem tirou sua máscara, cara! Ela já estava arrependida – Bruno disse.

– Não sei... A única coisa que eu queria era ficar com ela – Daniel abaixou a cabeça. – Porque eu sabia que teria de ir embora, independentemente de qualquer coisa.

– Eu entendo você, cara – Caio se mostrou solidário.

– Não, claro que você não entende! Caio, você iria dormir com a Anna e sumir no outro dia, deixando NADA além da chave de casa? – Bruno olhou para os amigos, notando que Daniel mordia os lábios, enquanto Caio negava fervorosamente. – Então, pronto.

– Deixei uma mensagem no celular dela! – Daniel protestou.

– Não interessa. Nem eu que não suporto a Carol, no fundo das minhas entranhas, faria isso – Bruno concluiu, colocando os óculos de proteção.

– Ela não aceitaria mesmo ir pra cama com você – Rafael falou, mas, quando viu a mira de Bruno, levantou as mãos, rindo: – Desculpe...

– O caso é... – Daniel sacudiu os cabelos e também colocou os óculos – eu não sei o que fazer.

– Dê tempo ao tempo – Fred colocou a mão em seu ombro. – Faça ela gostar de você de novo, Daniel. Se ela quiser que você goste dela, ela vai fazer o mesmo. Amanda aprendeu muito esse tempo todo, eu garanto.

– Quem disse pra ela andar com aquele garoto, hein? – Daniel perguntou, enquanto eles andavam para o campo.

– Kevin? – Rafael perguntou e imitou entonação de mãe: – Um bom garoto. Simpático, maduro, de boa família...

– Ele foi o único que esteve do lado da Amanda o tempo todo – Bruno parecia triste. – Nem eu falei muito com ela durante esse tempo. Kevin é bem legal, apesar de meio fresco.

– Ele demorou horas pra tirar a roupa aquele dia – Caio riu.

– Tirar a roupa? – Daniel franziu a testa.

– Surubas particulares, meu amigo...– Fred disse, batendo nas suas costas. – Você perdeu muita coisa!

Daniel balançou a cabeça, e os cinco foram em direção ao enorme campo de batalha.

• • •

Algumas horas depois, Bruno recebeu uma ligação de Amanda, pedindo-lhe que a buscasse na sorveteria quando saísse do campo. Ela estava com Maya e Kevin; o garoto cumpria sua punição por ter repetido de ano trabalhando todos os dias na lanchonete de seu pai. Bruno achou uma ótima ideia, porque elas poderiam entrar no shopping e comprar comida chinesa para todo mundo. O cardápio, às vezes, precisava mudar, e eles não podiam andar na rua tão imundos de tinta como estavam.

• • •

Sentada no sofá da casa do amigo, Amanda balançava o pé e mexia no celular, esperando pelos meninos. Ouviu uma gargalhada alta, e Caio desceu a escada correndo, com Maya atrás. Ele estava de calça, sem camisa, e secava os cabelos com uma toalha rosa.

– O que houve? – Amanda perguntou.

Maya sentou-se ao lado da amiga, e Caio fez o mesmo, molhando as duas, que começaram a rir.

– Caio teve a magnífica ideia de entrar no banheiro enquanto Rafael tomava banho... com o Daniel! – Maya contou entre risadas.

– Eu não sabia que eles estavam juntos lá dentro! – Caio disse, com a voz esganiçada.

Rafael e Daniel desceram a escada apenas de toalha amarrada na cintura. Os cabelos dos dois estavam escorridos no rosto, e eles pareciam furiosos.

– Ok, quem desligou a água quente? – Daniel perguntou.

Amanda mordeu os lábios ao ver o menino daquele jeito. Olhou para Caio para tentar escapar dele.

– Juro que a gente não tem nada com isso! – Maya cruzou os dedos, ficando vermelha também ao ver Rafael daquele jeito.

– Ah, não... Bruno! – Daniel berrou, subindo a escada com Rafael atrás.

– Ah, ok, isso foi constrangedor – Amanda disse encabulada.

– Aposto que eles nem ligaram – Caio sorriu.

– Eles são uns exibidos! – Maya falou.

– Eles têm motivos, não têm? – Caio riu. – Vocês estão aqui...

– Ah, nem começa, Caio – Amanda disse, levantando a mão. – Daniel não precisa se exibir pra ninguém.

– Você é quem tá falando...

Caio sacudiu os cabelos molhados, e os três ouviram Bruno xingar alto quando a água do banheiro em que estava ficou fria de repente.

Meia hora depois, Amanda, novamente sozinha na sala, ficou impaciente porque estava realmente com fome. A comida já havia esfriado, mas ninguém parecia se importar com isso. Subiu a escada, procurando por algum dos meninos. Queria reclamar da demora.

Bateu na porta de Bruno, mas estava trancada. Ela bufou e foi para o quarto seguinte.

– Alguém abre isso? – ela gritou.

Daniel abriu e convidou:

– Pode entrar, estou terminando aqui.

Ele deixou a porta aberta e voltou ao que estava fazendo, seguindo para o banheiro da suíte. Amanda sentiu as bochechas vermelhas, mas entrou no quarto e se sentou na cama.

– Vocês são piores do que a gente pra se arrumar – comentou, querendo quebrar o silêncio entre eles.

– Acabei de ter o banheiro liberado, fofa – Daniel riu em frente ao espelho. – Não me culpe.

– Daniel... – ela disse, franzindo a testa.

– Hmm – ele murmurou ao ouvir seu nome.

Daniel reapareceu no quarto, colocando uma camiseta branca. Olhou para menina e, notando que a calça ainda estava aberta, fechou a braguilha. Amanda sorriu.

– Você acha que a gente pode ser amigo? – perguntou.

Ele mordeu a própria boca e sentou-se ao lado da menina na cama de casal de hóspedes. Amanda sentiu o cheiro de banho tomado e viu o cabelo pingando no nariz do garoto.

– Por que não? Quero dizer, nós dois fomos bem idiotas.

– Eu sei – concordou.

Daniel pegou na mão dela, e a garota sentiu um frio na espinha. Ele sentiu o mesmo, e ambos ficaram trançando os dedos.

– Acho que depois de tudo isso a gente merece, no mínimo, ser amigos.

– Também acho – Amanda balançou a cabeça.

Não que quisesse ser somente sua amiga, realmente. Mas seria bom começar tudo de novo.

– Não que isso seja um sim para eu ser novamente um perdedor – ele piscou para ela.

– Você sempre vai ser um perdedor, Daniel. Pelo menos pra mim.

– Ah, isso não teve graça – ele disse, penteando os cabelos sem jeito.

Ela estendeu a mão e Daniel, sorrindo como nunca, entregou-lhe o pente.

– Juro que não vou puxar seu cabelo.

Ele concordou, sentando-se na frente dela e deixando que ela o penteasse. Daniel fechou os olhos, sentindo o toque dela.

– Seu cabelo é bom de pentear... Não é igual ao do Bruno, por exemplo.

– O que tem meu cabelo? – Bruno perguntou, entrando no quarto. Olhou para os dois e fez um barulho com o nariz. – Tá dizendo que esse ninho de rato aí é melhor que o meu cabelo?

– Não – Amanda continuou penteando o cabelo de Daniel –, só disse que é melhor pentear o dele, porque você é um fresco.

– Ai, mona! – Daniel disse.

– Nem vem, meu cabelo é lindo – Bruno riu diante do espelho na parede do quarto –, e só eu cuido dele, ué.

– Fresco! – Amanda zombou. – Não mexe o cabeção, Daniel, vai ficar com um topete involuntário.

– Não tenho cabeção!

– Andem logo vocês dois, a gente não tem o dia todo, e eu tô com fome! – Bruno saiu do quarto.

– Ele demora anos pra se arrumar e vem encher o saco depois! – Amanda bufou.

Daniel se levantou, deu uma olhada no espelho e, sorrindo, estendeu-lhe a mão.

– Vamos logo, fofa, ele vai acabar malhando a gente pros outros.

A menina olhou para a mão dele e para seu rosto sem se mexer.

– Ah, qual é, não vou fazer nada... Só quero sua mão – ele pediu. – Como amigos?

Amanda viu a cara de cãozinho sem dono que o menino fez e balançou a cabeça, levantando-se da cama e dando a mão a Daniel, que correu com ela escada abaixo.

dezoito

Amanda acordou com o som do celular. Cobriu a cabeça com o travesseiro, mas o aparelho não parou de tocar. Era sábado de manhã. O que as pessoas queriam com ela?

– Ahn? – atendeu ainda dormindo.

– Caraca, você dorme muito! – Kevin berrou do outro lado. – Bote um biquíni e venha pra casa do Bruno. – A ordem fez Amanda abrir os olhos.

– O que você está fazendo na casa do Bruno?

– Ele me convidou, oras – Kevin disse, como se fosse comum. – De início, não íamos chamar meninas, mas acho que eles ficaram entediados com papo de homem e de ver somente short e tal na piscina...

– Kevin! – Amanda riu. – São... onze da manhã. De um sábado. Ontem, eu fiquei até tarde vendo *Gossip girl*!

– E daí? Vem pra cá. E liga pra Carol; a gente não consegue falar com ela.

Quando ele falou isso, Amanda ouviu gritos ao fundo: "CALA A BOCAAAAAA".

– Kevin, ande logo que eu tenho que falar com a Guiga de novo – Fred reclamou.

– Pega outro celular, querido! – Kevin respondeu.

– Eu não, a gente não combinou de gastar o do Daniel?

– Ah, certo – Kevin sorriu. – Mandy, preciso desligar.

– Ok, ok... já vou praí, até mais!

Amanda olhou para o pijama e para a cama. Os dois a chamavam para mais uma cochilada, mas, então, ela realizou a cena. Os seis garotos em volta da piscina. Sorriu sozinha. Isso seria bom de se ver.

De repente, a cama não lhe dizia mais nada.

• • •

Pouco mais de uma hora depois, Carol estava com Amanda na porta da casa de Bruno. A primeira praticamente xingava o ar que respirava, insatisfeita com o programa do dia. As duas estavam de short jeans e camiseta simples, com biquíni por baixo. Nos últimos dias, o Sol resolvera aparecer por ali, e elas precisavam aproveitar.

– Que ideia de pegar uma piscina na casa do Bruno quando a gente podia ir à praia!

– Não teria a mesma graça – Amanda riu, abrindo a porta destrancada.

A sala estava vazia, mas elas ouviram cantoria vinda da parte de trás, além de gritos e algumas risadas. O cheiro de churrasco era enorme.

– Ahh, tô com fome! – Amanda levantou os braços, andando até a cozinha, que tinha uma porta para a área dos fundos.

– Novidade.

Pararam antes de sair para o quintal, de onde vinha uma música muito alta e desafinada. O ritmo era de *Tudo sobre você*, uma das canções mais bonitas que a Scotty fez. Mas a letra não era nada parecida.

– *Eu quero te tocar e dormir com você, eu quero tocar em você, queridaaaaaaaaa...*

Amanda olhou para Carol, e as duas deram risadinhas. As outras meninas não deviam ter chegado ainda, porque não ouviam a voz de nenhuma garota. Os gritos finos, que tinham ouvido antes, provavelmente eram do Rafael ou do Fred. Amanda percebeu que a voz principal da música era de Daniel, mas Caio fazia acompanhamento. Eles pareciam improvisar, porque um sempre caía na risada enquanto o outro cantava mais alto.

– *Ontem eu te disse algo que achei que você soubesse, querida. Te disse que você é gostosaaa...*

– *Te disse que eu quero tocar você!*

– *E você me jogou o sapato do baile e disse que eu era nojento, sussurrando no meu ouvido que não queria me tocar de jeito nenhum...*

– *Se toca, baby!* – Rafael berrou.

De repente, ouviram o barulho de algo caindo na água da piscina.

Amanda e Carol desataram a rir e abriram a porta dos fundos devagar, para não atrapalhar a cantoria. Podiam ouvir a voz de Bruno berrando coisas indecifráveis, enquanto pegava o violão. Caio e Daniel cantavam, batendo nas pernas. Fred e Kevin estavam dentro da piscina, agora com Rafael.

– *Se eu tivesse apenas um desejo, eu desejaria ver você com uma roupa de enfermeira safada!* – Bruno disse com a boca entreaberta, fazendo voz de *cowboy*.

Caio riu tanto que se deitou no gramado. Daniel se ajoelhou, pedindo para cantar a próxima parte.

– *Embora a música esteja falando sobre mim, ela é toda sobre vocêeeeeee...* – ele parou quando as meninas chegaram perto.

Bruno segurou as cordas do violão e riu da cara que os amigos fizeram ao ver as duas.

– Oi! – disse, animado.

– Bela música – Amanda aplaudiu. – A original não chega nem aos pés.

– Cadê as outras? – Bruno perguntou.

– Kevin pediu que eu falasse com a Carol, só – Amanda deu de ombros. – Sei lá onde estão as outras!

– Gostou da nossa música, né? – Caio perguntou, sentando-se de novo. – Daniel fez pra você.

– Cale a boca! – Daniel bateu nele e se levantou. – Querem comer alguma coisa?

– Hmm, não – Carol respondeu, percebendo que Amanda ficou tão envergonhada que se calou.

– Eu quero! – ela se recuperou do choque. – Estou morta de fome!

– Mergulhe na piscina, mocreia! – Kevin berrou.

– Quer parar de me chamar de mocreia – Amanda riu –, assim, na frente dos outros?

Ele saiu da piscina, indo para perto da amiga. Os dois se abraçaram, com Amanda dando gritinhos por conta da água.

– Por quê? Você se importa com o que vão dizer sobre o nosso amor? – Kevin perguntou, rindo.

Ela negou, e Daniel tirou os olhos da churrasqueira. A menina continuava virada para Kevin.

– Não, amoreco, você sabe muito bem que eu quero que todos se ferrem com opiniões alheias. É só que você fica espalhando nossos apelidos carinhosos.

– Err... Amanda, pode pegar a droga da sua carne! – Bruno berrou, indo para o lado de Daniel.

Carol sentou-se na cadeira onde ele estava, e Amanda andou até os amigos, rindo.

– Quem fez isso? – ela ficou no meio deles.

Quando Bruno apontou para Daniel, ela fez careta.

– Ei, por que essa cara? Eu sou um ÓTIMO churrasqueiro! – Daniel começou a rir. – Ah, nem vem...

– Tô fazendo cara nenhuma – Amanda pegou o prato da mão dele.

A porta da cozinha foi aberta dando passagem para Anna, Maya e Guiga, que chegaram conversando alto. Anna estava com uma cadeira de praia, enquanto Maya vinha com uma mochila.

– Oi, docinho, se mudou pra cá? – Rafael perguntou.

– Não sou cara de pau que nem você – ela disse, dando um abraço no garoto, todo molhado. – São nossas roupas de banho.

– Achei que roupas de banho significassem pouca roupa, e não uma mala – Caio abraçou Anna com força.

–Deixe de ser tarado – ela bateu no peito dele, rindo.

– Vamos nadar logo – Carol se levantou.

Amanda lambeu o dedo sujo de carne e se levantou, acompanhando a amiga. Daniel e Bruno, ao verem as duas cadeiras vagas, logo se sentaram, sorrindo.

Daniel colocou os óculos escuros e ficou observando Amanda tirar a roupa. Era tudo o que ele queria. Poder tocar nela. Argh! Aquilo o estava matando por dentro.

Cruzou as pernas ao vê-la descer o short jeans, lentamente. Amanda parou nos joelhos e olhou para os meninos.

– Ah, qual é, nunca viram a gente de biquíni? – perguntou.

Carol tirou a camiseta rapidamente, correndo para dentro da água, pulando em cima de Fred. Amanda riu e acabou de tirar o short. Bruno, Rafael e Daniel olhavam para ela sem se mover. Anna e Maya começaram a rir, vendo Guiga sentar-se na beirada e colocar os pés dentro d'água.

– Garotos... – Maya falou, tirando a camiseta.

Rafael se levantou imediatamente.

– Quer ajuda? – perguntou malicioso, e ela concordou.

– Por que você não vai procurar meu biquíni dentro da piscina, docinho?

– Se você for comigo – ele abriu um imenso sorriso, e ela gargalhou.

Tirou o resto da roupa e pulou na água, puxando Rafael junto.

– Não vai nadar, não? – Caio perguntou para Amanda.

– Vou esperar vocês – ela se sentou na cadeira de Rafael, ao lado dele e de Daniel.

– Eu não vou nadar agora – Daniel disse, sem olhar para Amanda.

A menina encarou o garoto. Ele estava esticado na cadeira de plástico, de short preto e com uma tatuagem feita com canetinha à mostra. Aquilo era um dragão? A menina segurou o riso; com certeza, foi Rafael quem fez o desenho no amigo. Amanda encarou o corpo de Daniel novamente e deitou-se na cadeira.

– Por que você não vai nadar... Daniel?

– Não quero – ele sorriu, olhando para ela.

– Ah, vamos – pediu, fazendo bico de repente.

– Não... – Daniel arqueou a sobrancelha.

– Bruno, vamos?

Bruno se levantou e gargalhou, pulando na piscina e jogando água em todos.

Anna começou a gritar e sentou-se entre as pernas de Caio.

– Não quer nadar não, meu anjo? – ele perguntou, e ela negou.

– Quero ficar um pouco com você – respondeu dengosa.

Daniel e Amanda olhavam para o casal, que estava na cadeira perto deles. Caio beijou Anna de leve, sem ligar para a presença dos dois. Os outros, dentro da piscina, estavam gritando e fazendo zona. Kevin, sentado do lado de Guiga na beirada, falava alto sobre algum clipe de KPop que tinha visto.

Amanda olhou para Daniel.

– Ahhh, Daniel – reclamou com a voz arrastada.

Ele riu. Não sabia como suportou ficar tanto tempo sem ouvir o seu nome daquele jeito.

– Que é?

– Vamos pra piscina.

– Por que você depende de mim pra ir lá?

Amanda apontou para Caio e Anna.

– Vai me dizer que quer ficar aqui segurando vela? Tô fazendo um favor pra você.

– Ah, não, fofa, eu não ligo pra eles.

Os dois olharam para Caio e Anna, que estavam abraçados, apertando-se fervorosamente. Amanda mordeu os lábios e olhou para Daniel.

– Err... – ele sorriu – talvez, nadar seja uma ÓTIMA ideia...

– Ahhh, eu sabia! – Amanda se levantou.

Daniel fez o mesmo. Tirou os óculos, fechou um pouco os olhos por causa da claridade.

– Ande, você primeiro.

– Se você for, eu entro...

– Amanda!

– Daniel!

– A gente tá parecendo criança.

– Como sempre.

– Ah, céus, tá bom... Chata pra caramba! – disse, brincando, e chegou perto da borda.

A menina aproximou-se e encostou a mão nas costas de Daniel, que adorou sentir aquele toque na sua pele de novo. Ele fechou os olhos, imaginando poder abraçá-la e sentir a menina perto de si outra vez. Mas, antes mesmo de concluir seus pensamentos, Amanda lhe deu um empurrão forte, e o garoto caiu na água estatelado. Todos começaram a rir.

Amanda gargalhava vendo a cara de Daniel no momento em que levantou a cabeça da água. Os cabelos estavam esticados no rosto, de uma forma engraçada que a fazia lembrar de um cachorro.

Ele começou a tossir e encarou a menina, rindo.

– Diz que você não fez isso – balançou a cabeça.

– Por quê? – ela perguntou, passando as mãos no cabelo.

– Pro seu bem... – Daniel encostou na borda.

– Nem pense nisso, Daniel, eu sei entrar na piscina – Amanda protestou.

O menino saiu da água, com uma expressão maliciosa, e parou na sua frente.

– Sabe é? – ele a olhou bem nos olhos.

– Daniel... – ela mordeu os lábios.

– Você tem três segundos pra pular.

– Daniel! – ela berrou, rindo.

– Um...

– Eu não sei fazer as coisas por pressão! Pare com isso!

– Dois...

– Eu pulo, pare de contar...

Ele arqueou a sobrancelha e riu.

– Três. Corre! – disse, indo para cima dela.

A menina berrou e saiu correndo pelo gramado. As pessoas na piscina já nem davam bola para os dois, correndo igual crianças pela grama. Caio pegou o violão e tocou *Too close for confort* do McFly para Anna, enquanto Kevin tentava convencer Guiga a colocar o biquíni.

– Daniel! – Amanda gritou.

Mas ele não fez menção de parar de correr. Ela deu outro grito quando ele alcançou seu braço e a puxou para baixo, fazendo os dois caírem.

– Eu avisei! – ele disse, vendo a menina sentada na grama, morrendo de rir.

Ele engatinhou para perto dela, passando por cima de suas pernas e ficando com o corpo em cima do corpo dela, sustentado pelos seus braços. Amanda estava apoiada nos cotovelos e respirava fundo ao ver Daniel tão próximo. O que ele estava pensando?

– Quer sair de cima de mim?

– Não – ele falou rindo.

A menina cedeu o cotovelo e deitou-se com a cabeça na grama. Daniel se apoiou, com seus próprios cotovelos, e ficou com o rosto a centímetros da bochecha de Amanda.

– Tudo isso pra me jogar na água? – ela perguntou desconfortável.

Sentia a respiração dele no seu rosto. A barriga nua e molhada de Daniel encostava na sua. Os dois respiravam rapidamente. Amanda começou a se sentir mole quando Daniel trançou as pernas dele com as suas, encostando apenas metade do corpo no seu.

– Foi você quem pediu por isso.

– Daniel!

Ele se apoiou em um dos braços e coçou a cabeça com a mão livre. Depois, fez menção de acariciar o rosto de Amanda, mas ficou temeroso. Ela percebeu o nervosismo dele e sorriu. Daniel ficou com a mão no meio do caminho, não sabia se a tocava ou não. Olhou para o corpo da menina, colado no seu. Lentamente, encostou nos cabelos de Amanda, fazendo-a respirar fundo. O coração quase saía pela boca.

– Eu não mordo – ela disse, sorrindo.

– Senti sua falta – Daniel sussurrou, acariciando seu rosto lentamente.

– Eu tentei esquecer de tudo, mas era impossível com todo mundo me acusando o tempo inteiro – confessou.

– Desculpe-me.

– Sou eu quem peço desculpas, fui tão infantil, Daniel...

– Ficava pensando se eu ainda teria minha casa com dez quartos e orquestra familiar – ele sorriu.

Amanda reparou que os olhos de Daniel estavam mais verdes sob a luz do Sol.

– Você pode ter se quiser, ninguém nunca impediu você disso.

Daniel passou as mãos pelo pescoço da menina e desceu pelo ombro, lentamente. Olhava para o caminho que seus dedos faziam na pele macia de Amanda. Desceu a mão pelo braço, até a cintura. Ainda admirava o local que tocava, e Amanda sentiu um frio no estômago, encolhendo a barriga de nervoso. Ele sorriu quando percebeu isso.

– Você promete que a gente vai ficar bem um dia? – ele perguntou com a mão na cintura dela.

A menina estava entorpecida pelo toque dele e olhou para a mão do menino.

– Ahn? – ela não prestou atenção ao que ele dizia. Estava nervosa demais, sentia sua cabeça rodar.

Daniel olhou nos olhos dela.

– Promete que um dia a gente vai ficar bem? Porque a gente parece que sempre fica mal com tudo... tudo relacionado a nós dois.

– Acho que eu prometo... – ela falou baixinho.

– Você não pode achar.

– Você não quer que eu tenha certeza de algo que nunca foi certo.

Ele mordeu os lábios, passando a mão no queixo da menina. Ela ainda sentia sua respiração muito perto e dobrou uma das pernas. Daniel olhou para perna e depois para o rosto dela novamente.

– Pra mim, sempre foi certo – ela levantou a mão, que não estava presa sob o corpo de Daniel, e colocou o cabelo dele para trás da orelha.

– Eu sei, pra mim também.

– Que bom – ele sorriu e fechou os olhos quando ela tocou seu rosto.

A menina estava com vontade de chorar. O que a impedia de beijá-lo naquele momento? Por que ela sentia que não podia fazer isso?

– Daniel?

– Hum – ele abriu os olhos devagar.

Amanda lambeu os lábios e olhou para a boca dele. Levantou a cabeça devagar e deu-lhe um leve beijo nos lábios. O menino fechou os olhos e respirou fundo, como se respirasse o beijo de Amanda. Ela abriu os olhos voltando a encostar a cabeça no chão.

– Saia de cima de mim porque você não é nem um pouco leve... – ela disse da forma mais sexy que conseguiu fazer.

– Aaaaahhhhhh! – ele começou a rir.

O garoto se jogou para o lado, caindo deitado na grama. Amanda ficou sentada, rindo, e olhou para Kevin que estava de pé perto da churrasqueira. O menino sorria glorioso, e ela olhou para Daniel.

– Vamos, seu leso. Nada é tão fácil assim... – ela se levantou e estendeu a mão para Daniel, que negou.

– Não posso levantar agora – ele disse sem graça, encolhendo as pernas.

Amanda olhou para o short dele e ficou vermelha de vergonha.

– Ah, eu não mereço! – ela saiu andando na direção de Kevin.

Daniel ficou olhando a menina pular de alegria ao receber um pedaço de carne do amigo. Sorriu. Nada podia ser tão bom nessa vida, e nada parecia tão certo quanto tê-la tão perto daquele jeito.

dezenove

– *E quando te perguntei eu sabia que estava certo o tempo todo...* – Daniel cantou, mas Caio parou o ensaio.

– Cara, você pode parecer que não está prestes a chorar, sabia?

– Não enche o saco, Caio! Vamos logo! Deixe que eu canto essa parte – Rafael falou rindo.

– No três... Um, dois... – Bruno começou a contar alto.

• • •

– Eles vão passar a tarde lá atrás? – Carol perguntou.

Fred concordou, enfiando um salgadinho na boca, meio emburrado. Amanda mudou de canal atrás de algo bom na TV. Os meninos estavam trancados no quarto dos fundos da casa de Bruno, onde guardavam os instrumentos e ensaiavam. Era o primeiro ensaio com Daniel desde sua volta.

– Por que eu tenho a impressão de que eles estão se divertindo mais do que a gente? – Maya perguntou, bebendo um gole de Coca-Cola.

– Porque não tem droga nenhuma na TV – Fred deu de ombros –, e eu estou com três garotas reclamonas e sem a minha namorada.

– Chato! – Carol deu um tapa nele.

– Tá, vocês são legais... Mas por que a Guiga e a Anna tiveram que ir ao cabeleireiro hoje?

– Porque elas são garotas – Maya se levantou, indo para a cozinha. – E elas têm namorados.

– É, as encalhadas ficam em casa com algum amigo tarado, vendo televisão – Amanda deu de ombros.

– Eu não sou tarado! – Fred jogou biscoito nela.

– E nem eu sou encalhada – Carol começou a rir. – Eu bem fiquei com o Breno no baile.

– Beijá-lo e beijar ninguém dá na mesma – Amanda zombou.

– Caraca – Maya entrou na sala de novo –, acabou tudo da dispensa!

– Bruno se esqueceu de fazer compras – Fred riu.

– Claro, vocês comem como se a casa fosse de vocês! – Carol falou.

– Com pena do Bruneco? – Amanda olhou para ela e riu de uma forma engraçada.

– Nunca – Carol balançou a cabeça –, a última coisa que eu teria na vida é pena dele...

– Hmm, sei – Fred brincou.

– Nem comece, Bourne, nem comece...

– Hmm... Só eu que tenho vontade de atrapalhar o ensaio deles? – Amanda perguntou.

– Não – Maya riu.

– Só você... – Fred deu de ombros.

– Vamos! – Carol se levantou e seguiu para os fundos da casa.

Amanda e Maya foram correndo atrás, dando risadinhas.

– Meninas... err... meninas! – Fred resmungou. – Ai, eles vão me matar.

Seu único trabalho era manter as meninas ocupadas. Bom, o que há de se fazer? Ele passou as mãos no cabelo, jogando-se no sofá.

• • •

– Ba ba ba ba ba da... – Caio cantou.

Daniel começou a rir.

– Isso ficou meio engraçado, cara.

– Daniel! Vou arrumar outro guitarrista! – Rafael berrou rindo.

Bruno bateu com força no bumbo, impaciente.

– Vocês não cansam de interromper o ensaio não? Qual foi a dessa vez?

– Daniel riu do meu babababa – Caio reclamou.

– Ah, cara, a gente canta: "Ela então entra no baile e meu coração explode" e você manda um babababababa! – Daniel zombou.

– Qual a graça, cara? – Rafael perguntou, batendo no ombro dele. – Não enche, vamos de novo...

– Ok, ok... Um, dois... – Daniel ia dizendo, mas Bruno tacou a baqueta nele.

– Alô, quem é o baterista aqui?

Foi quando ouviram uma batida na porta.

– Ah, não! Que é Fred? – Caio perguntou alto.

Carol abriu a porta devagar e jogou Amanda para dentro. Maya começou a rir, do lado de fora.

– Caraca, eu disse que não ia ter graça fazer isso comigo! – Amanda ficou revoltada com as mãos na cintura.

Daniel deu uma risadinha e sentiu o coração pulsar mais forte. Ai, droga, precisava parar com isso.

– Boa-tarde, Scotty – Maya entrou. – Será que a gente pode assistir ao ensaio?

– Por quê? – Bruno perguntou, fazendo bico.

– Porque sim, ué. – Carol disse, e ele rolou os olhos.

– Porque estamos entediadas – Amanda fez cara de coitada.

– O Fred não está divertindo vocês? – Caio riu.

– Nop, ele está comendo e vendo TV... – Maya falou.

– E ainda nos chamou de reclamonas! – Amanda fingiu indignação.

Daniel e Rafael começaram a rir.

– Bom, num ponto nosso amigo tem razão...

– Docinho! – Maya berrou alto, e ele fez bico.

– A gente jura que não atrapalha! – Carol disse, juntando as mãos.

– É, eu juro. – Amanda riu, olhando para Maya.

– Juramos.

– Por mim... – Daniel deu de ombros. Ficou mexendo os dedos rapidamente na guitarra, nervoso. Não sabia por que ainda sentia aquele frio na barriga quando via Amanda sorrindo.

Amanda olhou para ele.

– Viu, o Daniel deixou.

– Ele não tem opinião aqui. Não enquanto estiver atrapalhando nosso ensaio! – Bruno resmungou.

– Ah, Bruno, vamos... – Maya lançou um olhar de pidona.

Bruno olhou para Carol, que lhe virou a cara.

– Tá, o que for... mas se falarem algo, não se esqueçam de que eu sou o mais bem armado aqui!

Ele mostrou as baquetas, e elas sorriram, sentando-se no chão com as costas apoiadas na parede.

• • •

O telefone de casa tocou, mas Fred ficou com preguiça de atender, mantendo as pernas jogadas para cima do sofá.

– Caras? – ele berrou.

Ninguém ouvia. Claro! Estavam com uma bateria, trancados em um quarto. Ele se levantou molemente.

– Alô?

– O Daniel está?

– Quem gostaria?

– A mãe dele. Ele não atende o celular.

– Ah, oi, tia. Aqui é o Fred. Ele está ensaiando com os meninos lá trás. Quer que chame ele agora?

– Oi, querido! Tudo bem, só avise para ele me ligar assim que puder? Não sei se tenho boas notícias...

– Mas está tudo bem com o tio Beto, né? – Fred perguntou preocupado.

Alguns meses atrás, o pai de Daniel sofrera um grave acidente de carro no Canadá. Passou por cirurgias e fez tratamento para recuperar os movimentos das pernas. Como Daniel era muito sensível para falar sobre esse assunto, vivia dizendo que estava tudo bem.

– Ah, sim! A recuperação está quase cem por cento! Foi um grande susto, mas agora já passou. Obrigada por se preocupar, meu bem. Só peça que ele me ligue, certo?

– Pode deixar, tia – Fred desligou o telefone e franziu a testa.

Se não era boa notícia, podia esperar até o fim do ensaio.

• • •

– Ela tem um rosto bonito, que parece com o nome dela...

– Quem escreveu essa música? – Maya perguntou em voz alta.

Bruno franziu a testa, e ela começou a rir.

– Deve ter sido o Caio – Amanda opinou.

– Tem a cara do Rafael – Carol balançou a cabeça.

– Nem comece, está na cara que foi o Daniel! – Maya disse, rindo.

As três gargalharam, recebendo um olhar terrível de Bruno.

– A música pode ser pra mim – Amanda riu. – Meu nome é lindo!

– Mas você não tem uma carinha fofa, querida – Carol brincou e levou um tapa no ombro.

– Não fale isso de mim...

– Olhe como o Daniel ainda olha para você, amiga – Maya apontou.

Amanda observou o garoto, que cantava e evitava olhar para ela, ficando completamente vermelho sempre que Rafael ria dele.

– Agora preciso que o mundo saiba que ela é a garota certa pra mim! – ele cantou e riu, deixando o microfone para Caio.

– Ah, gente... – Amanda deu uma risadinha. – E daí?

– E daí que isso é altamente fofo! – Carol suspirou.

– E daí que, se eu fosse você, esquecia todos esses trecos do passado – Maya deu de ombros. – O cara voltou há uma semana, e a única vez que eu sei que vocês se encostaram, fora aquele banho lambido, foi hoje no churrasco.

– Maya! – Amanda ficou vermelha.

– A gente não é idiota, o Daniel demorou horas pra levantar do gramado! – Carol riu.

– O negócio foi bom – Maya concordou.

– Ai, meninas, nada disso... – Amanda empurrou as duas. – Não aconteceu nada!

– Então, ele é um fresco mesmo! – Maya riu da cara que a amiga fez. – Qual é, você viu o estado que ele ficou? Parecia que nunca tinha visto uma garota de biquíni na vida!

– Depois de tanto tempo em um lugar só com garotas de casacos, coitado! – Carol completou.

– Vocês duas estão muito espertinhas pro meu gosto! Não aconteceu nada e nem vai acontecer porque o Daniel me sacaneou, eu sacaneei ele, e a gente merece ficar longe um do outro. Com os dois juntos, só há dor e sofrimento.

– Não conheço ninguém que mereça sofrer, fora o Bruno – Carol opinou.

– Nem sei como sou amiga de vocês... – Maya bufou. – São tão vingativas até com vocês mesmas.

Daniel se agachou em frente às meninas, ainda tocando sua guitarra, enquanto Caio e Rafael cantavam.

– Olha, não querendo ser chato ou algo assim... mas o Bruno já machucou o Fred seriamente; por isso, ele evita a presença de outras pessoas nos ensaios, sabe? Não sei se quero ver vocês traumatizadas.

– Eu conheço o Bruno há alguns bons anos – Amanda disse. – Sou traumatizada o bastante com ele.

Daniel apenas riu.

– Vocês bem que podiam ser mais legais com a gente, pra variar – Maya ficou emburrada.

– Mais do que deixar vocês verem os deuses da música ensaiando e compondo? – Daniel gargalhou, observando a expressão das três. – Ah... ninguém é simpático quando está concentrado!

– Você não está concentrado, Daniel – Amanda cruzou os braços.

– Ainda mais hoje! – Maya disse, e começou a rir com Carol, vendo os dois ficarem vermelhos.

– Err... é porque algo deve estar tirando a minha concentração – ele piscou para Amanda, que sentiu a barriga doer de nervoso.

– Ou alguém? – Carol perguntou.

– Ah, já chega vocês duas! – Amanda empurrou Carol para cima de Maya, que bateu em Daniel, fazendo-o cair e derrubar Caio.

Amanda exclamou um palavrão quando viu a baqueta de Bruno voar na sua direção.

• • •

A chuva caía forte no começo da noite. Quem diria que um dia tão ensolarado acabaria assim? Estavam todos jogando Uno na mesa da cozinha da casa de Bruno, ouvindo música e falando alto. O barulho dos trovões fazia as janelas tremerem e assustava Maya. Ela tinha pavor de tempestades. Rafael passava a mão nas costas da menina, tentando acalmá-la, e ela, embora nunca fosse admitir, se sentia mais segura com a presença dele ali. Amanda, ao contrário, estava agoniada com a ausência de Daniel. Logo após o ensaio, Fred avisara que sua mãe tinha ligado, e ele foi para casa conversar com ela. O que será que aconteceu?

– Eu estou preocupada com o Daniel – Amanda disse, enrolando a barra da camiseta.

Estava sentada ao lado de Bruno, que segurava quase todas as cartas do jogo nas mãos.

– Por quê? – ele perguntou.

– Porque ele saiu aquela hora, tão preocupado, e até agora não deu notícia.

– Ele não precisa dar notícia, oras. Não agora. Se tiver algo realmente errado, ele vai ligar.

– Hmm – Amanda encolheu as pernas e encostou o queixo nos joelhos. – Eu quero ele pra mim, Bruno – sussurrou só para ele escutar.

– Hmm? – Bruno olhou para ela.

– Sei lá, eu sou maluca! Às vezes, eu quero que o Daniel se exploda e tudo mais... mas eu sinto falta dele... e me preocupo com ele.

– Bom, você sempre pode chegar e falar pra ele o que sente – Bruno deu de ombros.

– Não sei...

– Mesmo que eu ache que ele não mereça viver depois do que fez com você.

– Bruno! – ela riu, ficando nervosa de repente. – Não foi nada demais...

– NÃO? – Bruno quase berrou, derrubando algumas cartas no chão. – Ah, cale a boca, você merece morrer com ele!

– Acho que vou ligar pra ele...
– Não faça isso.
– Bruno...
– Ei, vocês aí! Parem de confabular. Jogue logo, é sua vez, Bruno! – Fred ordenou.
– Quê? – Bruno olhou suas cartas. – Mas não tenho nenhuma verde.
– Então, vai comprar mais uma! Você é péssimo nesse jogo – Caio zombou.
– Argh, eu nem queria jogar! – Bruno comprou mais uma carta e passou a vez.

Amanda não estava jogando e apenas encarava a janela, com o olhar perdido. Bruno tirou uma chave do bolso e lhe entregou.

– O que é isso?
– Chave.
– Beleza, mas pra quê?
– Pra você ir até a casa dele. Está chovendo, não quero você resfriada.
– Bruno...
– Vai lá. Nem que seja pra pedir pra ele vir dormir aqui – o menino deu de ombros.

Amanda sorriu feliz e pegou a chave, abraçando o amigo com força.

– Eu te amo, cara.
– É, eu sei. Foi mal pela baquetada de mais cedo... Eu te amo também – ele ficou vermelho.

Amanda deu um beijo estalado na boca dele.

– Eu me acostumei com as suas porradas, baterista. A gente costumava jogar futebol na oitava série! – ela soltou o menino e colocou o casaco.
– Nem vem, você era mó perna de pau... – Bruno protestou.

Ela se levantou, gritou um tchau para os amigos e, quando ia saindo pela porta da cozinha, falou:

– Se eu não voltar, é porque resolvi fugir com o Daniel.
– Se você não voltar, eu quebro a cara dele, simples assim – Bruno resmungou.

Amanda correu para fora, sorrindo.

vinte

Virou a esquina sentindo um frio no estômago. Por que estava fazendo aquilo? Ela não tinha razão para ir à casa de Daniel sem mais nem menos!

Mesmo assim, estacionou em frente à casa dele, mas do outro lado da rua. A luz da sala estava acesa, e ela viu movimentos pela cortina. Alguém andava de um lado para o outro. Também viu a sombra de Daniel passando, porque era visivelmente menor que a outra.

Desligou o carro e ficou batendo os dedos no volante. Não sabia se falava algo, se ia lá bater ou se simplesmente iria até a Domino's comprar uma pizza para Bruno desculpá-la por ter sido covarde. Não. Ela não ia desistir, não era mais uma pessoa com medo de enfrentar seus problemas. E, além do mais, não estava com fome mesmo. Ameaçou sair do carro algumas vezes, mas sempre desistia ao ver a sombra de Daniel passar. Algo não estava certo.

Alguns longos minutos depois, ela viu a porta da frente se abrir e alguém totalmente coberto por um enorme casaco preto sair com uma mochila. Amanda abriu a porta do carro.

– Daniel! – chamou e saiu do carro.

O garoto parou e olhou para ela. A chuva caía em sua cabeça, mas Amanda não se importava. Por que tinha parado o carro do outro lado da rua mesmo?

– Amanda? – ele andou rápido até a garota. – O que está fazendo aqui?

– Eu... não sei – ela riu sem graça, cobrindo-se com o casaco, inutilmente. – Acho que vim ver como você estava.

– Podia ter ligado – ele sorriu.

Amanda reparou no rosto do menino e, apesar da pouca luz na rua, percebeu que os seus olhos estavam vermelhos.

– Você estava chorando? – perguntou preocupada.

Daniel abaixou a cabeça. A chuva molhava o capuz do casaco, e seu cabelo estava grudado na testa.

– Nah, nada de importante...

– Como não? Você estava chorando! E aparentemente está saindo de casa com uma mochila... Daniel, o que houve? – ela tocou no braço dele, sentindo o casaco completamente molhado. – Ai, céus, vamos entrar no carro!

– Não, pode deixar, eu...

– Daniel, não vai me convencer a deixar você sozinho aqui na chuva! Você me salvou da chuva uma vez... Não me negue isso.

Ele concordou lentamente e seguiu a menina até o carro de Bruno. Lá dentro, estava mais quente. Daniel sentou-se no banco do carona, encarando o painel.

– Bom – Amanda bateu a porta –, você...

– Deixe isso quieto, tá? Pelo menos por agora? – pediu, jogando a mochila debaixo do seu banco.

– Tem certeza? – ela mordeu o lábio.

Ele tirou o casaco molhado e deixou em cima da mochila. Estava usando uma camisa do filme *De volta para o futuro*. Deu um sorriso e pulou para o banco traseiro. Amanda balançou a cabeça e, após largar seu casaco molhado em cima do dele, olhou para trás.

– Daniel... O Bruno quer que você durma por lá hoje – contou.

Ele concordou com a cabeça.

Amanda sentiu o estômago revirar ao vê-lo deitado no banco de trás, aparentemente com frio.

– Ah, ok, então... – a menina virou-se para a frente e, quando ia ligar o carro, sentiu um chute atrás do seu banco.

– Venha aqui... – ele pediu.

A menina ficou paralisada, sentindo o coração bater cada vez mais rápido.

– Daniel...

– É sério, nada demais... Eu não estou legal. Só preciso de um pouco de carinho.

– O que houve? – Amanda se virou aos poucos até encará-lo.

Céus, como ele era lindo!

– Ande logo, cacete! – ele a puxou pelo braço.

Amanda riu e pulou para o banco de trás ainda sentindo o coração na garganta.

– Daniel...

– Cara, juro que não vou fazer nada. Só estou pedindo companhia.

Ela concordou e foi se deitar no banco.

Daniel se virou de lado, para que Amanda pudesse encaixar o corpo na sua frente, e puxou o cabelo dela para trás, colocando sua cabeça na direção do pescoço da menina. Passou uma das mãos por baixo do corpo dela e, com a outra, a apertou com um abraço. Seu estômago contraiu de nervoso, e Amanda pôde perceber de tão perto que estava. Daniel respirava fundo em seu pescoço, o que a fez fechar os olhos. Os dois estavam encolhidos, de lado, com os corpos encaixados e relaxados.

O menino passou sua mão direita por baixo da barra da camisa de Amanda e encostou na sua barriga. Ela tremeu com o toque. Não disseram nada. Ele abriu a mão, ainda encostando na barriga nua por baixo da roupa, e mexeu o dedão, fazendo carinho. A menina sorriu sozinha, sem ele ver. Daniel estava de olhos fechados, apenas sentindo o corpo colado dela ao seu. Era tudo que ele precisava. Ter Amanda ali, junto de si.

Os dois ficaram juntos assim por alguns minutos. Apenas sentindo a respiração e o toque um do outro. Sem maldade nenhuma. A chuva caía forte do lado de fora, batendo na lataria do carro e fazendo um eco ensurdecedor.

– Daniel? – ela falou baixinho. – Não vai dormir, vai?

– Nem que eu quisesse – ele resmungou.

– Pode me contar o que houve? – ela perguntou.

Amanda levantou a cabeça para ver seu rosto. Foi envolvida pelo abraço do menino. Ficaram cara a cara, o nariz de um quase encostando no do outro. Daniel abriu um pouco as pernas, e a garota encaixou o joelho no meio delas, lentamente. O menino mordeu o lábio, olhando fundo nos olhos de Amanda.

– Meus pais, como sempre.

– Algum problema com seu pai?

– Não, não exatamente – Daniel respirou fundo. Fechou os olhos e fungou alto. Fitou de novo os olhos da garota e sorriu: – Eles vão se mudar pro Canadá definitivamente.

Amanda ficou estática. Sentiu os braços começarem a tremer.

Não! Eles não podiam tirar o Daniel assim dela! Não tão rápido.

Ela olhou nervosa para ele e mordeu os lábios, sem saber o que falar.

Daniel sentiu que ela se contraiu toda.

– Calma, fofa...

– Daniel... você vai embora? De novo?

Ela sentiu lágrimas nos olhos. Apertou a boca para evitar o choro.

Daniel viu sua feição triste. Por dentro, tinha gostado disso. Sabia que Amanda não queria que ele fosse.

– Ei – ele a pegou pelo queixo, apertando com força e fazendo-a encarar seu rosto. – Eu disse que eles vão se mudar pro Canadá...

Ele abriu um sorriso sincero. O sorriso que sempre dava para ela. O sorriso somente de Amanda.

– Não eu.

– Mas...

– Vou me virar, fofa. Eu disse pra eles que daqui não saio mais. Não posso passar mais tempo longe de todos vocês... Longe disso! – ele olhou para os corpos dos dois entrelaçados.

A menina acompanhou o olhar dele e sentiu a mão de Daniel em seu pescoço.

– Eu não vou embora – ele continuou.

– Ah, Daniel! – ela falou aliviada, abraçando o menino com força.

Não sabia por que, diabos, estava fazendo isso, mas era o que queria fazer. Apertou Daniel contra o seu corpo, sentindo o calor que ele emanava. Percebeu quando ele tremeu. O rosto de Amanda estava no seu pescoço, e ela respirou fundo, querendo sentir o cheiro de Daniel mais que tudo. O menino fez o mesmo, e os dois passaram alguns minutos apenas abraçados.

– O que vai ser de você agora, lindo?

– Não sei... Vou me agregar no Bruno, e me virar – ele sentiu que a menina se soltou do abraço para olhá-lo de novo. – Não faço ideia de como vou fazer isso; minha mãe não quer aceitar e ameaçou não me dar mais dinheiro. Mas sei o que eu quero, e ir embora não é uma opção.

– Que bom – ela sorriu feliz.

Estava quente por dentro. O calor do seu corpo era maior agora que ele também sorria. Os dois ficaram apenas se encarando.

– Fofa? – ele chamou quase sussurrando. – Você ainda me ama, não ama?

– Tenho quase certeza absoluta – ela respondeu no mesmo tom.

– Nós somos muito burros!

– Na verdade, o burro aqui é você – a menina falou rindo e tirando o cabelo molhado dele do rosto.

– Convenhamos que, de burradas, eu entendo mesmo... – ele ficou vermelho e, como se tivesse algo doendo, reclamou baixinho.

Amanda arqueou a sobrancelha.

– Estou machucando você? – perguntou preocupada, mexendo-se.

Ele impediu que ela saísse de perto. O menino estava com os olhos apertados.

– Eu quero tanto você, tanto, taaaaaaanto! – ele gritou de repente.

A menina sentiu o corpo todo arrepiado e sorriu. Ah, ok. Que se dane tudo. Aquele não era um momento de se pensar muito. Ele ainda estava com uma expressão de dor quando abriu os olhos para encará-la. Amanda passou a mão por debaixo da camisa de Daniel, sentindo-o contrair a barriga.

– Fofa, fica comigo? Por favor, pelo menos hoje, agora. Depois a gente volta a fingir que se odeia.

– Ok – concordou.

– Ahn? – ele arregalou os olhos. – Você... você...

– Daniel, cale um pouco a boca! – pediu encostando levemente os lábios nos dele.

Daniel sentiu a respiração falhar quando sentiu a língua dela encostar na sua. Era a sensação mais gostosa do mundo. Amanda lambeu de leve os lábios dele, sentindo-o tremer. Sua mão ainda estava dentro da blusa do garoto, e ele a envolvia com os dois braços. As pernas ainda estavam entrelaçadas.

Daniel mordeu de leve o lábio inferior da menina, que gemeu baixinho, e puxou o corpo dela para mais perto. Ela esperou que a língua dele fosse atrás da sua e grudou sua boca na dele repentinamente, tirando o fôlego do menino ao começar a beijá-lo com força. Daniel apertou as unhas nas suas costas, puxando-a para tão perto que Amanda perdeu o ar e gemeu alto. Ele sorriu. Voltou a beijá-la com intensidade, quase machucando os lábios da menina, mas sentindo que ela o queria tanto quanto ele a queria.

Daniel desceu um pouco as mãos, puxando-a pelo cós da calça. Amanda acariciou seus cabelos e, com a outra mão, o agarrou pelo cós do jeans da mesma forma como ele fazia. Ela apertou os cabelos dele com força, fazendo-o morder sua boca, e soltou uma risadinha. Estavam completamente perdidos. Um no outro. Perdidos no tempo. Só existiam eles no mundo naquele momento.

Eles e um celular.

Amanda sentiu o bolso de trás da calça vibrar. Ela se desequilibrou e caiu no piso do carro, fazendo Daniel gargalhar e se esticar no banco, levantando um pouco a blusa e tocando na própria pele da barriga. Amanda se sentou, ainda no chão do carro, e atendeu o celular. Sua voz, porém, saiu falha, enquanto ela respirava pausadamente.

– Ahn? – perguntou, e Daniel continuava a rir.

– Amanda? Por que está demorando tanto? – Bruno berrou do outro lado.

Daniel parou de rir ao ver Amanda colocar a língua para fora.

– Ah, Bruno... me... deixa.

– Nããããão! Volte pra cá com ele, eu sei que ele está aí! – Bruno bufou, e Amanda ouviu algumas risadas ao fundo. – O que vocês estão fazendo?

– Ah, Bruno... Você me ama mesmo, né?

– Estou em dúvida, mocinha – ele disse com voz de pai e depois começou a rir. – Sério, ele tá bem, né?

Amanda olhou para Daniel, que mirava o teto do carro, com o rosto vermelho e os cabelos bagunçados. A boca do menino pulsava. Ele estava com a mão na barriga, uma das pernas esticadas e a outra dobrada.

– Não sei se ele está bem, não – ela começou a rir porque Daniel gargalhou. – Mas eu levo o Daniel são e salvo daqui a uns minutos.

– Ok, sério. Vamos pedir pizza – Bruno disse.

– Tá. Cinco minutos.

– Vou contar, senão ligo de novo! E traga meu carro inteiro! – ele desligou sem esperar resposta.

Amanda mordeu os lábios e encarou Daniel, que ainda ria.

– Estou bem – ele disse, sentando-se com dificuldade. – Ai, céus, eu tô bem!

Ela fez força para se levantar e se sentou ao seu lado. Os dois encararam os joelhos.

– Então, pizza na casa do Bruno? – perguntou para o garoto.

– Tô morto de fome... – Daniel sorriu. – Vai dormir lá hoje?

– Daniel... – a menina olhou nos seus olhos e riu.

– Foi uma pergunta inocente! Juro! Caramba, a gente é amigo, esqueceu?

– Não, não esqueci – ela se ajoelhou no banco e o segurou nos ombros.

– Então, por que me censura o tempo todo? Você ficou chata pra caramba – ele brincou, dando língua.

– Aprendi com a vida, lindo – ela gargalhou e o beijou de leve na testa.

– A gente tem o quê? – Daniel bufou. – Três minutos?

– Dois.

Daniel a chamou com o dedo. Amanda começou a rir e tentou se desvencilhar.

– Nem comece.

– Ah, um minuto!

– Daniel!

– Anda...

– Solte a minha calça! – a garota berrou rindo.

Daniel a pegou com força pelo queixo e a fez encará-lo.

– Eu não vou desistir de você.

– Que bom. Porque eu também não vou desistir de você – ela beijou o nariz dele, voltando para o banco da frente.

– Vai, chofer... – Daniel voltou a se deitar. – Eu tô com fome!

– Se reclamar, vai ficar na chuva! – ela ligou o carro. De repente, perguntou: – Daniel? Desde quando você ficou tão bom nisso?

– Aaaaaaaahn? – ele se sentou, vendo-a rir. – Quê? E... e desde quando você tem como comparar?

– Eu não disse que tenho, idiota – falou.

Daniel bufou.

– Eu sempre fui bom, você é que nunca percebeu.

– Sei...

Ela saiu com o carro pela rua, vendo o menino fazer caretas pelo retrovisor.

vinte e um

– Caraca, achei que os dois tinham morrido nessa chuva! – Rafael disse, abrindo a porta.

Daniel entrou com a mochila e o casaco nas mãos, e Amanda veio logo atrás. Os dois chegaram meio sorridentes e ainda um pouco molhados. Os cabelos de Amanda estavam amarrados e embaraçados. Embora só ela notasse isso.

– Já viu ela dirigindo? Eu estou morto – Daniel zombou e levou um soco da garota.

– Cadê a pizza? – Amanda foi em direção à cozinha, deixando os dois sozinhos no *hall*.

Daniel abriu a boca, rindo baixinho.

– Mas já? – Rafael arregalou os olhos.

– Bom, é um começo, né?

– MENINOS! – Maya berrou da cozinha.

– Você precisa ver o jogo de baralho que eu inventei! É genial! É uma mistura de mau-mau com Oppa Gangnam Style, sabe como é? – Rafael ia explicando, enquanto os dois andavam para perto dos amigos.

– Posso comer mais um pedaço?

– Pode, Caio – Anna respondeu, servindo refrigerante para os amigos.

Ela tinha voltado para lá depois do salão, mas Guiga precisou ir para casa cuidar do irmão, enquanto seus pais davam uma saída. Fred aproveitou e foi fazer uma visitinha escondida para a namorada.

– Carol, passa o refrigerante? – Amanda se levantou e pegou a Coca-Cola da mão de Carol.

– Gente, é a melhor pizza que como em dias! – Daniel disse de boca cheia.

Carol e Maya olharam com nojo, sem entender por que garotos faziam aquilo como se fosse normal.

– Cara... – Bruno largou o seu pedaço no prato e enumerou com os dedos sujos de molho – para ser a melhor, só podem existir dois motivos: um, se você nunca comeu pizza, ou dois... se você está de larica.

– Larica pode servir pra estado de excitação? – Maya perguntou.

Daniel se engasgou e começou a tossir. Rafael bateu nas suas costas enquanto Amanda ficava extremamente vermelha.

– Maya, você me envergonha... – a menina riu para a amiga.

– Eu só quero que o Daniel largue de ser otário! – Maya disse normalmente, e todos riram, falando ao mesmo tempo.

– Eu? – Daniel disse, vermelho, com a voz fraca.

– O que vocês dois estavam fazendo? – Bruno arregalou os olhos.

– Deixe de ser inocente, Bruno! – Carol bufou.

– Não falei com você!

– Não interessa o que eles estavam fazendo.

– Obrigada – Amanda sorriu.

– Só quero saber por que a braguilha da calça do Daniel tá aberta... – Carol apontou. Todos começaram a rir. Caio tossiu aos montes por ter se engasgado. Daniel apenas olhou para a calça e deu de ombros, voltando a comer.

– O que vamos fazer depois que...

Rafael parou de falar quando todos ouviram um estampido, e a luz da casa inteira se apagou. Maya e Carol deram gritinhos, enquanto Amanda xingou alto.

– Desculpe, derrubei meu copo sem querer!

– Estou toda melecada de Coca-Cola! – Carol berrou rindo.

– Caio, desencoste, essa perna é minha! – Daniel disse, alto.

– Sou eu, desculpe – Amanda começou a rir, abaixando-se e tentando achar o copo caído sob a mesa.

– Então, pode ficar!

– Rafael, não levante o pé...

– Ahn? – Rafael perguntou, olhando para o escuro. – Quem disse isso?

– Gato mia! – Carol falou.

– Miau! – Amanda respondeu voltando para cima da mesa. – Ai, gente, odeio escuridão.

A casa inteira estava no escuro. Lá fora, a chuva parecia aumentar, e os trovões não ajudavam em nada, iluminando o céu e dando um ar de filme de terror. Bruno se levantou da pequena mesa e foi tateando a parede até a sala.

– A rua está toda assim. – confirmou ao olhar pela janela. – Venham pra cá. Vou procurar a lanterna.

– Ah, claro... Caio, levante-se! – Anna se apoiou na cadeira da mesa, quase derrubando o garoto.

– Daniel, esse é meu pé!

– Desculpe, Maya.

– Rafael, venha por aqui!

– Quem é? Amanda?

– Mais em cima, Rafa.

– Bruno? – Carol perguntou ao chegar primeiro na sala.

O menino estendeu a mão e tentou alcançar o braço de Carol. Pelos relâmpagos, conseguia ver de leve o rosto da menina, com os cabelos curtos e bagunçados. Ele respirou fundo ao sentir que ela se aproximava. Quando encostou nos seus dedos, percebeu que a menina tremeu levemente. Então, a soltou quando viu que estava segura no sofá. Estava frio, por que diabos começou a suar?

Amanda, Daniel, Maya, Rafael, Caio e Anna vieram grudados logo depois, e todos acabaram tropeçando, caindo no tapete.

– Saia, Caio! – Maya berrou.

– Não sou eu!

– Ei! Sou eu! – Daniel se sacudiu mais em cima de Maya.

– Daniel! – Ela gritou, debatendo-se e atingindo todo mundo com os braços.

Amanda se levantou e engatinhou até a mesinha de TV da sala. Tateou as gavetas e abriu a primeira, pegando uma lanterna, lá dentro, e acendeu.

– Lumus!

– E que se faça a luz! – Rafael brincou, abrindo os braços.

– Ah, sabia que essa lanterna estava em algum lugar! Ok, e agora? – Bruno perguntou.

– Tem tequila? – Caio sugeriu.

– Senhor Andrade! – Amanda jogou uma almofada nele.

– Sei lá... O que se faz no escuro? – o menino perguntou.

– Sexo! – Rafael gritou.

– Ok, vamos pensar em algo mais produtivo. Sentem-se mais perto porque senão a gente não consegue se iluminar – Amanda ordenou.

Daniel se aproximou dela, engatinhando, e se sentou ao seu lado. Todos fizeram o mesmo e acabaram formando uma roda.

– Tá... verdade ou consequência?

– Isso é coisa pra criança, Maya – Rafael resmungou.

– Eu topo! – Daniel concordou.

– Você topa tudo, Daniel – Carol riu.

– Dá pra decidir? – Anna bateu palmas, alertando Caio, que parecia prestes a dormir.

Bruno pegou o celular do bolso e pôs no centro.

– Quem gira?

– Eeeu! – Maya levantou o braço.

– Doce de coco – Rafael bufou –, tá parecendo o Daniel, querendo chamar atenção...

– Obrigado, também sou um doce! – o garoto disse, rindo.

Lentamente, chegou um pouquinho para o lado, ficando com os ombros e as pernas grudados com os de Amanda. A menina olhou discretamente para ele e sorriu.

– Ok, Anna! – Maya girou o celular. – Verdade ou consequência?

– Posso escolher nenhum?

– Não! – todos gritaram juntos, reclamando que ninguém levava a sério a brincadeira.

– Ah, ok, verdade.

– Você teria namorado o Caio se a Amanda não tivesse pegado o perdedor do Daniel antes?

– Ei, que termo chulo! – Daniel berrou, e todos riram.

– Provavelmente não – Anna cutucou Caio. – Eu não sei se teria tido coragem.

– Obrigado, Daniel, por ser tão idiota – Caio disse, beijando Anna.

Maya riu, colocando a língua para fora, e estendeu o celular para a amiga, atrapalhando o romance.

Anna girou o aparelho no centro da roda.

– Uhhhhh, Daniel... – Anna olhou para ele.

– Manda verdade – o garoto bagunçou os cabelos.

– Medroso! – Bruno zombou.

– O que vocês dois estavam fazendo antes de vir pra cá?

Daniel arregalou os olhos, e Amanda desatou a rir.

– Não tem uma regra que impede alguém de falar de outro participante sem ele concordar? – ela perguntou, e todos berraram "Nãããão" ao mesmo tempo.

– Ah, cara... sei lá... – Daniel coçou a cabeça. – A gente estava conversando.

– Ah, sei! – Caio riu.

– Por que vocês querem tanto saber? – Daniel mordeu os lábios.

– Porque os dois estão agindo que nem idiotas – Carol deu de ombros.

– Tá, tipo, não aconteceu nada demais, ok? A gente ficou um pouco, mas não voltamos de forma alguma.

Ele contou, e a menina concordou, sentindo um frio na espinha. Ela queria voltar para Daniel.

– É – o menino continuou –, nada mais que isso.

– Eeeeeei! Vocês se pegaram no meu carro?! – Bruno berrou.

– Pela segunda vez, né? – Anna disse, e Amanda desatou a rir.

Só Anna sabia dessas coisas do passado.

– SEGUNDA? – Bruno estava em choque. – Ah, Daniel, você me paga...

– Depois, depois! – ele girou o celular rapidamente. – Agora é você quem paga... Escolhe.

– Ah, droga! Odeio esses jogos... Consequência.

– Uhhh – Daniel olhou para Rafael maldoso, e Caio começou a rir.

– Se mandar eu tirar a roupa, vai se arrepender e... – Bruno ameaçou.

– Quero que você cante, cara. Só isso.

– CANTAR? – Bruno berrou. – Não, não e não, eu tiro a roupa e...

– Você canta? – Carol olhou para ele, espantada.

– Não!

– Bruno! – Maya riu.

– Posso tirar a roupa?

– Não! Cante! – Amanda bateu palmas.

– Não... – Bruno ficou sem graça.

– Jogo é jogo, baterista – Rafael falou. – Cante.

– Ahhh, merda! – Bruno se ajoelhou. – O que querem que eu cante?

– Enrique Iglesias – Caio disse, e todos riram.

– Pode ser Macarena? Funk! Funk é fácil, é só falar qualquer coisa e...

– Não, tem que ser Enrique Iglesias. A gente faz a percussão – Daniel disse.

No mesmo instante, os três meninos começaram a soprar as mãos e bater no chão. Bruno respirou fundo.

– *Would you dance... if I ask you to dance...* – ele começou bem baixinho e incerto, e todos pararam para ouvir. – *Would you run and never look back? Would you cry If you saw me crying, would you save my soul tonight?*

As meninas ficaram extasiadas ao ver Bruno cantando pela primeira vez na frente delas. Ele era baterista, e nunca tinham imaginado! Não era perfeito, claro, mas o garoto tinha uma voz linda, um pouco grave e totalmente fora do ritmo.

– *I can be your hero, baby!* – ele gritou empolgado, estendendo as mãos, e todos riram, enquanto Amanda encostou a cabeça de leve no ombro de Daniel. – *I can kiss away the pain. I will stand by you forever. You can take my breath away...*

– Ahhhhh, que amor! – Anna bateu palmas.

– Isso foi *gay* – Caio reclamou.

– Você é um invejoso – Maya disse, rindo. – Vai, Bruno, menino lindo, é sua vez de girar!

Bruno sorriu vitorioso, enquanto os outros três faziam caretas.

– Lindo? Docinho... – Rafael fechou a cara, fazendo todos sacanearem ao mesmo tempo.

– Você também é bonitinho... – Maya afirmou.

– Rafa, sua vez – Bruno apontou.

– Quero consequência...

– Gato mia. Se você errar de quem é o miado vai ter que beijar a pessoa.

– Ahn? – Amanda olhou para Rafael. – Ah, Bruno...

– É tão difícil me beijar, sua chata? – ele pôs a língua para fora.

– Vai, apague a lanterna e, Rafa, sente-se no meio – Caio explicou. – Meninos, mantenham a voz grossa!

– Miaaau! – Daniel fez uma voz bem feminina, e Rafael tentou acertá-lo no escuro.

– Daniel! Eu sei que é você...

– Ah droga, não é hoje que você me beija...

– Miau – Carol fez e Rafael ficou calado. – Miaaaaaaaaaaaaau! – ela repetiu, e ele riu.

– Carol, sua voz é inconfundível.

– Mi-au – Caio falou.

– Repete – Rafael riu.

– Mi-au.

– Repete.

– Miiiiiii-aaaaau.

– Tá bom, Caio!

– Por que você me fez repetir, idiota? – Caio perguntou rindo.

– Porque estava engraçado! Próximo! Eu sou bom nisso, cacete! Sou músico, idiotas...

– Miau – Amanda falou baixinho.

– Ah droga... – Rafael parou. – De novo.

– Miau – ela repetiu, aproximando-se de Anna.

As duas riram, e Rafael parecia desconcertado.

– Tá, tenho duas opções...
– Chuta uma! – Daniel mandou.
– Hmmm... Amanda?
– Ahhh, achei que você quisesse me beijar! – ela disse, rindo.
– Abusada... – Rafael fez um barulho com a boca.
– Rafael, dá uma giradinha... – Bruno pediu.
Rafael ficou no escuro, sentado, girando no meio da roda.
– Pode parar.
– Miau – Maya fez uma voz mais grossa.
Rafael ficou em silêncio.
– Acho que estou passando mal. Rodei demais.
– Miau – ela repetiu.
– Vale a mesma pessoa fazer duas vezes?
– Miau – a menina falou.
– Alguém me ajuda? – Rafael parecia nervoso. – É homem? – perguntou, e todo mundo gargalhou. – Hmm, não faço ideia.
– Rafael... – Bruno alertou em tom irônico.
– Juro!
– Você está roubando! – Caio berrou.
Amanda acendeu a lanterna. Maya estava de braços cruzados.
– Você confundiu minha voz com a de um homem? – estava furiosa.
– Era você? – Rafael disfarçou.
– Rafa! – Carol riu. – Agora beije ele, Maya.
– E se eu não quiser?
– Eu beijo a força! – Rafael deu de ombros – Jogo é jogo, doce de coco.
A menina olhou fulminante para Rafael, que lambeu os lábios antes de se aproximar e colar sua boca na dela. Maya deu um risinho na hora em que ele a soltou.
– Que foi? Por que está rindo?
– Não foi tão ruim quanto eu esperava.
– Você esperava que fosse ruim? – ele perguntou incrédulo.
Todos riram, voltando a girar o telefone, alheios às reclamações do garoto.

• • •

A luz ainda não tinha voltado, e a mãe da Amanda ligou pedindo que ela dormisse na casa de Bruno, pois poderia ser perigoso voltar na chuva e no escuro. Parece que todos os pais concordavam com isso, e todos resolveram ficar. Caio e Anna já tinham subido para dormir; pelo menos, era o que tinham dito que iriam fazer.

– Podemos contar histórias de terror – Maya sugeriu.
– É, e ver vocês todos medrosos... – Amanda disse, rindo.
– Não tenho medo mesmo – Daniel deu de ombros. – Assisto a todos aqueles filmes japoneses de terror, e nunca tive problemas pra dormir depois.
– Eu tenho! – Rafael deu uma risadinha. – Nunca vejo os japoneses!
– Já perceberam que aqui há três casais que vivem brigando? – Amanda perguntou.

Maya se recostou nas pernas de Rafael, enquanto ele encostava no sofá. Todos se entreolharam.

– A gente não briga assim – Daniel a olhou, confuso.

– Mas a gente também não vive bem, não é? E Carol e o Bruno se ignoram desde sempre...

– Não tenho nada com isso! – Bruno interrompeu.

– Quem foi traído não foi você mesmo... – Carol bufou.

– Ah, nem comece... – o menino falou. – Quem preferiu acreditar em fofocas, em vez de no PRÓPRIO NAMORADO, foi você!

– Porque MEU PRÓPRIO NAMORADO nunca me dizia NADA! – ela berrou de volta.

Os dois fizeram caretas e olharam para lados diferentes.

– Ah, ok – Amanda se ajoelhou. – Meu comentário não foi dos melhores...

– Eu não brigo com o Rafael esquisito – Maya disse.

– Ela só me ama e não admite – Rafael deu de ombros.

– É, a gente não briga.

– Você me ama. Por que não admite?

– Ah, cale a boca...

– Sério...

– Rafael, não enche! – Maya cruzou os braços, e os dois ficaram calados.

– Não vai brigar comigo agora, não é? – Amanda perguntou para Daniel.

– Não – ele achou graça dos outros dois casais olhando para lados diferentes, sem se encararem.

– Ah, ok. O que querem fazer?

– Voto em dormir já que a noite ACABOU pra mim! – Bruno se levantou.

Carol fez o mesmo.

– Você sempre tem que dar piti; não muda nunca!

Bruno a ignorou.

– Boa-noite, gente – ele subiu a escada.

Carol ficou de pé no meio da sala e perguntou para os outros:

– Onde eu vou dormir aqui?

– Essa casa tem três cômodos, procure algo lá em cima – Daniel deu de ombros.

A menina subiu a escada, cautelosa, para não cair por causa do escuro, apoiando o pé com força em cada degrau.

– É... parece que ficamos sós... – Maya disse, sentando-se direito.

– Vamos nos acomodar... – Amanda falou. – Tenho uma história pra contar.

Rafael se levantou e foi para o sofá. Maya se deitou ao seu lado. Os dois ficaram virados para Amanda e Daniel, que se deitaram no chão. Amanda acomodou-se ao lado de Daniel, mas sem encostar nele. O menino ficou com os braços debaixo da cabeça, e ela apontou a lanterna para o teto. A chuva ainda caía forte lá fora quando Amanda começou a contar uma história de terror.

– Quem contou essa mentira pra você? – Rafael perguntou rindo.

– Fred.

– Fred é um mentiroso... Desde quando barulhos significam alguma coisa e... – Daniel ia falando quando todos ouviram um estrondo alto no andar de cima.

Por reflexo, Amanda desligou a lanterna. Maya deu um grito, afundando o rosto no peito de Rafael. A chuva ficou mais forte, e eles ouviram um trovão. Amanda se virou de barriga para baixo e se apoiou nos cotovelos, ligando a lanterna em cima de Daniel, que estava ao seu lado, de barriga para cima.

– Daniel – chamou baixinho.

O som de outro trovão apavorou Maya enquanto Rafael sussurrava algo para acalmá-la.

– Oi? – Daniel olhou para Amanda e se apoiou no braço, ficando de lado para a menina, que ainda mantinha a lanterna em seu rosto. – Abaixe isso, fofa.

– Adoro chuva, mas essa está me assustando – a menina confessou quando a água começou a bater forte no vidro da janela da sala.

– É chuva de verão, fofa... Nada demais.

– Mas... e se inundar tudo?

– Não vai... – ele esticou a mão e colocou o cabelo dela para trás da orelha. – Confie em mim.

– Não sei se dá... Naquela noite, antes de você ir embora... – respirou fundo. – Você lembra? – ele concordou com a cabeça. – Eu disse que não iria mais ser burra e que não queria desistir, embora, bom... eu vi que você estava nervoso.

– Eu tava mesmo – ele respondeu baixinho.

Ouviram Rafael cantando uma música do McFly para Maya:

– Coz i'm not alone, no no no...

Amanda e Daniel miraram os dois e depois se entreolharam.

– Então... Eu nunca deixei ninguém fazer nada comigo. Nem parecido com aquilo. E... "deixe as chaves com o Bruno quando sair" não foi exatamente o que eu queria ouvir no dia seguinte – a menina suspirou, tomando coragem para continuar aquela conversa e não sair correndo dali.

O menino se aproximou mais um pouco, ainda de lado, e ela de barriga para baixo.

– Você tinha todo direito de estar com raiva de mim, mas não consigo entender por que você fez isso. Por que simplesmente não me disse que era um Scotty e foi embora? Teria facilitado tanto as coisas pra mim – ela abaixou a cabeça, chorando baixinho.

Daniel não sabia o que dizer. Ele sentiu que lágrimas desciam pelo seu rosto também, mas não se importou. Pegou a lanterna da mão de Amanda, fazendo-a encará-lo, e puxou a menina para perto de seu peito. Ela não relutou e respirou fundo seu perfume.

– Você vivia me dizendo que queria casar com o guitarrista daquela banda – ele disse.

Ela sorriu e sentiu a mão de Daniel apertar sua cintura.

– Parece idiota ouvindo você falar assim.

– Não, não é idiota. Mas ficava pensando que, se você soubesse que era eu, não iria falar isso com tanta certeza, sabe?

A menina levantou o rosto e olhou para ele. Ficaram cara a cara, observando-se.

– Eu tenho medo de incertezas. Muito. E, quando você se negava a dizer pros outros que estava comigo, eu sabia que era incerto...

– Não era... – ela balançou a cabeça, mas ele ignorou.

– E eu tive medo. Não queria que você alimentasse a certeza de gostar do tal guitarrista mais do que de mim... Mesmo ironicamente a gente sendo a mesma pessoa.

– Daniel... – Amanda sussurrou, subindo um pouco até ficar diante do rosto do garoto, que estava com a cabeça encostada no chão e olhava para seu rosto. – Eu já disse isso, mas, desde que eu vi você pela primeira vez, eu...

– Você não precisa repetir isso. Isso não faz tanta diferença agora, faz?

– Não sei... – a menina mordeu os lábios visivelmente triste. – O que eu sei e tenho certeza é de que eu continuo sentindo a mesma porcaria, a mesma dor no estômago e a mesma sensação quando 0vejo você. Da mesma forma como daquela primeira vez. Como foi no começo do ano e como senti toda vez que me lembrava de você e... – ela fungou. – Naquela noite e...

– Fofa? – ele chamou sorrindo.

Ela parou de falar e olhou para Daniel. Ele tirou a mão do queixo e colocou na nuca da menina, puxando-a devagar. Os lábios dos dois encostaram-se lentamente. Amanda estremeceu. Ele parou de beijá-la e lhe deu um abraço muito forte, mantendo o rosto em seu pescoço.

– Me perdoe, por favor.

– Daniel...

– Me desculpe, tá? – ele pediu triste.

Amanda percebeu que ele estava chorando.

– Fui um idiota, eu estava machucado, estava mal por causa dos meus pais. Eu... eu sei que nada disso explica, mas nunca esqueci aquele dia, aquele momento, a sua pele e o seu beijo – ele respirou fundo o aroma dos cabelos dela. – Por favor, me desculpe.

– Oh, lindo... – a menina disse, baixinho, agora apertando o menino contra si.

Era tudo o que ela queria. Desde muito tempo.

– Amanda, sou completa e loucamente apaixonado por você! – ele disse, e acariciou o rosto da menina, deixando as próprias lágrimas escorrerem pelas suas bochechas. Daniel tentava sussurrar, mas sua voz saía falha, e ela sorria por causa disso.

– Tudo bem – ela respondeu.

Pela primeira vez, sentiu um enorme alívio desde a primeira aula de Artes que tiveram juntos naquele ano. Desde o primeiro beijo. A dor sentida todo esse tempo parecia ter ido embora com aquelas palavras. – A gente só precisa aprender a não se machucar de novo, não é?

– A gente vai... com o tempo. Aos poucos. É um recomeço, não é? A gente vai se esforçar. Eu vou...

– Eu também – ele concordou.

Ficaram um longo tempo deitados no chão da sala e abraçados. Ouviram um ronco baixo e perceberam que Rafael e Maya tinham dormido. A chuva ainda estava forte lá fora.

Amanda se sentou de repente.

– Quero ir ao banheiro – avisou, limpando as lágrimas.

– Vai, ué... – Daniel riu.

– Quer vir comigo?

Daniel abriu os olhos, sem entender no primeiro momento. Amanda apenas riu e se levantou, seguindo até o banheiro do andar de baixo. Daniel olhou para ela, pegou a lanterna e saiu correndo atrás, silenciosamente.

Ele deixou a lanterna no chão do banheiro e olhou para os lados. Amanda fechou a porta e riu.

– Se a nossa condição de ficar por hoje ainda não acabou...

– Teoricamente, ainda é o mesmo dia porque não dormimos... – ele sorriu maroto.

Amanda entrelaçou os braços em seu pescoço.

– Que bom – ela sussurrou e beijou a boca do menino. Ele colocou as mãos na cintura dela.

– Hmmm você tem o melhor beijo do mundo.

– Pra quem experimentou beijos canadenses, obrigada. – Amanda falou rindo, entre os beijinhos que dava nele, empurrando o menino contra a parede.

– Nah – Daniel riu –, nem foram tantos assim.

Ele bateu com as costas na parede e desceu as mãos para o cós da calça de Amanda. Os dois se beijaram apaixonadamente. Amanda bagunçava os cabelos na nuca de Daniel. De repente, ele a virou contra a parede, tomando o lugar que ela estava, fazendo a menina soltar um gemido alto, e beijou seu pescoço. Ela lhe agarrou pelos cabelos e voltou a beijá-lo na boca. Daniel levantou a blusa de Amanda, tocando delicadamente na sua pele, e apertou sua cintura contra a dela com força.

Ouviram alguém bater na porta, e os dois se entreolharam sem acreditar. Daniel respirou fundo e sentou-se na tampa do vaso, colocando as mãos nos joelhos. Amanda desceu a blusa e arrumou o cabelo.

– Quem é? – perguntou.

– Eu preciso ir no banheiro, Amanda... ande logo. Demorei pra achar no escuro! – Rafael bateu de novo.

Amanda olhou para Daniel com cara de quem não sabia o que fazer. Ele riu.

– Vamos dormir, amanhã temos um longo dia – ele disse, beijando-a de leve.

A menina concordou e ajeitou o cabelo de Daniel.

– A gente é muito cara de pau! – ela sussurrou, enquanto abria a porta lentamente, e entregou a lanterna para Rafael.

O menino olhou para os dois saindo do banheiro, de boca aberta.

– Mas...

– Você vai precisar da lanterna mais do que a gente – Daniel concluiu.

Amanda voltou a deitar-se no tapete da sala, e ele foi atrás.

Rafael ficou parado olhando para os dois e depois entrou no banheiro. Murmurou algo inaudível, como se achasse que ainda estava sonhando, e fechou a porta atrás de si.

vinte e dois

– Um, dois, três... – Bruno contou.

– Quando eu vi você do palco reparei que olhava pra miiim...

– Ei, pare aqui – Rafael disse, alto.

– Ah, ok, o que foi agora? – Daniel coçou a cabeça e viu Caio bater com a testa no microfone.

Os quatro garotos estavam ensaiando desde cedo. As meninas apenas observavam, sentadas em uma mesinha redonda em frente ao pequeno palco. Eles tocariam mais à noite em um barzinho recém-inaugurado ao lado do pequeno centro comercial da cidade. Fred tinha uns contatos e conseguiu colocar a Scotty para abrir a noite no bar.

– Aqui dentro faz muito calor, acho que vou dar uma saída – Carol se levantou, pegando sua bolsa.

Anna balançou a cabeça vendo Rafael e Caio discutindo.

– Eu não entendo o que está acontecendo com eles...

– Puberdade – Amanda disse, bebendo um gole de refrigerante.

– Eles não admitem erro – Maya deu uma risadinha.

– Eles não completam uma música sem parar pra discutir alguma coisa!

– O Bruno tá com cara de quem vai atirar baquetas – Amanda reparou. – E quero estar bem longe quando isso acontecer.

As três riram. Guiga chegou ao bar de mãos dadas com Fred. Ele cumprimentou os dois garçons que estavam limpando o local.

– Ei, meninas! – Guiga disse, sorridente. – Estão aqui desde que horas?

– Desde ontem... – Amanda zombou.

– Não faço ideia – Maya olhou o relógio.

– Acho que já tomamos todo o estoque de refrigerante do bar – Anna riu – Chegamos bem cedo... Tudo bem com vocês?

– Ah, ótimo – Guiga sentou-se.

Fred pediu um minuto e foi ajudar Daniel a separar Caio e Rafael, que estavam prestes a partir para a agressão física.

– Eles estão assim desde cedo – Amanda apontou, vendo a cara de Guiga. – A gente tem dúvidas sobre a puberdade.

– Eles devem estar nervosos... É o primeiro show desde que Daniel voltou, não é? – Guiga perguntou.

As outras três se entreolharam. Amanda balançou a cabeça. Guiga tinha razão. E nenhuma delas tinha notado isso. Sentiu um peso no peito.

– Pois é, um minuto – Amanda se levantou, e as meninas deram de ombros, vendo a amiga ir até o palco.

– Faz o Daniel cantar essa parte, porque tá estranho! – Rafael gritou.

Caio ia dar um chute no ar, mas acabou acertando Fred.

– Podem parar – Fred riu. – Isso é um palco, e não um ringue!

Os dois pararam de discutir e olharam pra Daniel.

– Acho que sou eu, não sou?

– Claro que não, cara... – Caio balançou a cabeça. – Toda banda tem seus problemas.

– Mesmo que na nossa, às vezes, se chame Caio – Rafael disse.

– Rafael tem razão – Caio riu –, eu estou criando muita expectativa em cima dessa música... Mas vocês sabem, poxa...

– Mas não é nada com você, cara – Rafael encostou no ombro de Daniel. – É muito bom ter você de novo, a gente sentiu muita falta de alguém realmente entendido do assunto.

– Verdade, Danny – Fred falou alto. – Agora... rapazes, as garotas estão aqui desde cedo e, poxa... vocês só dão vexame!

Amanda chegou perto do palco. Viu Daniel meio cabisbaixo e Bruno falando no celular, entretido.

– Estou atrapalhando?

– Nop, algum problema? – Fred respondeu.

– Posso falar com o Daniel? Juro que é um minuto.

Os outros deram de ombros, e Fred continuou tentando convencer Rafael e Caio a pararem de babaquice. Daniel soltou a guitarra e seguiu a menina até uma das mesas perto dos banheiros, longe de todos.

– Algum problema, fofa?

– Acho que você está com algum problema, não está? – perguntou carinhosa, e ele negou. – Daniel, não minta...

– Não tenho nada, juro.

– Bom, tudo bem... Só queria que você soubesse que essa banda não é Scotty sem você e que os garotos realmente sentiram muito a sua falta – a menina sorriu.

– Eles me disseram, mas... – ele coçou a cabeça, bagunçando a parte de trás do cabelo. – Não sei... eu me sinto deslocado.

– Não tem motivos pra isso.

– Acho que não...

– O tempo e a distância podem acabar com muita coisa. Mas com talento e amizade, acho difícil.

O menino sorriu para ela. Era bom ter a sua garota de volta, mesmo como amigos. Os dois haviam decidido que iriam levar aquilo devagar, não cometeriam os mesmos erros passados.

– Obrigado – ele sorriu e abriu os braços, espreguiçando-se. – Você dormiu bem?

– Daniel... – disse em tom de alerta, e o menino gargalhou.

– Quê? Não perguntei nada demais! Porque, bom, a gente dormiu num tapete...

– Estava ótimo – ela riu e deu língua.

– Exato – ele concordou. – Mas lembre-me de arrumar um tapete daqueles quando eu for morar com a minha avó. Já disse pra você, né? Vou pra casa da velha – Daniel coçou a cabeça de novo.

Amanda sorriu fracamente. Havia se esquecido do problema de Daniel.

– A sua avó? Aquela que mora perto do mercado? Achei que não gostasse muito dela...

– É o que tenho no momento! Ela está meio maluca, nem vai reparar que não fico muito em casa! E o bom é que minha mãe não vai pegar no meu pé, porque, bem, estou com um adulto teoricamente responsável. E é da família!

Daniel sorriu e bateu de leve na cabeça de Amanda, desfazendo um pouco seu penteado. A menina sacudiu os cabelos.

– Então, não existem motivos pra você ficar igual a um tonto em cima do palco. Vá lá e coloca moral nessa banda!

– Ahh, sei lá... eu gosto que mandem em mim – ele sorriu malicioso, e ela rolou os olhos.

– Vamos lá, eu quero ver o guitarrista mais casável do mundo de novo, poxa! Senti falta dele...

– Odeio esse cara! – Daniel deu língua, e Amanda riu.

O garoto subiu correndo no palco e falou algo com os três meninos que ela não pôde ouvir. Fred estava na mesa com as amigas quando ela se sentou com eles. Todos ouviram Bruno contando, e a música começou de novo.

– O que você deu pra ele? – Anna olhou para o palco.

Daniel estava batendo o pé animado e se mexendo o tempo todo, como não fazia antes.

– Eu não dei nada! – A menina levantou os braços, e eles riram.

– Daniel está meio inseguro, só ficou parado por um tempo – Fred concluiu.

– Nossa, pra quem ficou parado esse tempo todo esse menino manda bem! – Guiga riu.

– Né? – Amanda olhou orgulhosa para o palco.

Daniel olhou para ela e sorriu.

– E como vocês estão? – Maya perguntou, e Amanda a olhou sem entender. – Ah, você sabe... eu estava na sala com vocês.

– O que aconteceu na sala que eu perdi? – Anna perguntou rindo.

– Nada – Amanda negou. – Essa garota tá maluca!

– Estava entretida com a cantoria do doce de coco, mas eu não sou cega, Mandy! Mesmo no escuro!

– Ahhhhh, agora quero ouvir esse babado! – Guiga disse.

– Não tem nada pra ouvir. Ontem, eu e ele ficamos. Nada demais. Hoje já somos amigos de novo e mais nada – Amanda falou confiante.

– Odeio isso de ficar, ficar... – Fred bufou. – É ridículo, ainda mais quando se sabe que vocês se gostam e se grudam que nem imãs.

– Não é fácil assim, Fred – Amanda bebeu um gole de refrigerante e, de rabo de olho, viu Daniel, que cantava no mesmo microfone de Caio. – A gente não quer se machucar de novo.

– Entendo perfeitamente e dou meu apoio pra que levem tudo da forma mais passiva possível – Anna sorriu. – Mas me conta o que houve ontem? Quero detalhes!

– Não houve naaaaadaaaaaa! – Amanda disse, rindo e batendo em Maya. – Ela e o doce de coco é que estavam juntinhos no sofá.

E todos olharam para Maya, que ficou vermelha de repente.

• • •

Quando o ensaio acabou, a tarde já estava no fim. Decidiram que não adiantava mais continuar, porque as coisas não ficariam melhor em uma tarde. Apesar do cansaço, estavam sorridentes e animados. Então, resolveram ir até a sorveteria chamar Kevin para ver o show.

– É perto, vamos andando – Fred sugeriu.

Todos concordaram e pararam diante da porta do bar. Carol veio na direção deles.

– Vou com vocês... – ela guardou o celular no bolso.

Amanda riu. Como alguém aguentava ficar tanto tempo no celular?

– Encontro vocês lá, vou passar na casa da Karen e buscá-la, ok? – Bruno perguntou, rodando as chaves do carro.

Os meninos fizeram "Hmmm" bem alto, e o garoto ficou vermelho, fazendo um sinal obsceno com os dedos e saindo de perto.

– E essa garota, hein? Qual é a dela? – Daniel perguntou.

– Conhecemos na sorveteria – Maya riu.

– Eu conheci! – Rafael sorriu satisfeito.

Carol ignorava os comentários, e Amanda percebeu isso.

– Mais uma fã da Scotty, tenho que informar – Caio disse.

Todos começaram a conversar ao mesmo tempo, comentando sobre as meninas do colégio e as fãs da banda.

– Do jeito que vocês são bonitinhos, logo a cidade inteira vai gostar de vocês... – Amanda disse, fazendo um grande movimento com os braços.

De repente, Rafael a agarrou por trás, enquanto todos andavam em direção à sorveteria. A menina deu um grito, e ele a sacudiu no ar.

– Quer dizer que sou bonitinho?

– Não você, Rafael! – ela berrou.

Rafael a apertou ainda mais. Daniel olhou para Amanda, apreciando o jeito como ela ria. Aquilo o aquecia por dentro.

– Ela e o Bruno ainda estão se conhecendo, já que o Bruno tá solteiro mesmo... – Guiga alfinetou Carol, que rolou os olhos.

Daniel olhou para ela e depois para Fred.

– Mas ele não gostav... – ele parou de falar quando Fred bateu em suas costas. – Ah tá!

O dia estava tranquilo, nublado, mas com a temperatura amena. Eles usavam casacos leves. Quando chegaram perto da sorveteria, Amanda e Anna saíram andando mais rápido para falar com Kevin. Diante da porta de entrada, deram de cara com Albert.

– Novidade vê-los por aqui – ele sorriu.

– Saia da frente! – Amanda disse, em tom irônico.

Ele deu espaço para que os amigos passassem, e JP ficou encarando Carol, que desviou o olhar dele.

– Vejo que o Scotty ausente finalmente está de volta... – ele disse.

– Não é? – Amanda sorriu. – O que você fez não adiantou nada...

– O que ele fez? – Daniel perguntou, franzindo a testa.

Albert fez cara de cínico.

– Não sei do que sua namoradinha está falando.

– Albert, vaza, cara... – Caio pediu tranquilamente.

– Pelo que sei, estou falando com o outro perdedor e não com você... – ele respondeu seco, virando-se para Amanda. – Tudo bem você mudar de lado e ser uma perdedora que nem eles, mas, poxa, ao menos ensine educação aos seus amigos.

– Albert, cai fora! – ela deu um passo, tentando entrar na sorveteria, mas o menino colocou-se na sua frente. – Você não vai conseguir estragar a minha vida por mais que tente.

– Não era exatamente a sua vida que eu queria estragar – ele apontou com a cabeça para Daniel, irônico.

O menino sentiu o coração pulsar e cerrou os pulsos. Estava com raiva.

– Mas você – Albert olhou para Amanda – deve entender que ser trocado por um maricas não é nada bom. Ainda mais quando ninguém sabe, somente você...

– Sempre soube que você sabia e tentava estragar a nossa vida, Albert – ela riu sem querer acreditar. – E agora só confirmou que você teve algo a ver com as provas que disseram que o Daniel roubou. Você foi muito infeliz, cara. Muito.

Amanda disse, andando em frente e tentando ignorá-lo. Albert colocou a mão, evitando que ela passasse. Daniel mordeu os lábios, sentindo o rosto ficar vermelho.

– Você não entende o motivo de eu ter feito isso e nunca vai entender. Quero ver o dia em que ele trocar você por alguém inferior, e não vai demorar muito... Não é tão difícil querer trocá-la, sabe?

Era isso. Ponto final para Daniel. O garoto avançou para cima de Albert e o segurou pela gola da camisa. O rapaz não esperava isso e olhou totalmente desnorteado para Daniel. Assim como todo mundo.

– Olhe aqui, seu imbecil... Querer ferrar comigo, tudo bem. Estou acostumado a ser sacaneado por panacas como você. Mas, agora, querer ferrar com ela, cara... Você mexeu com as pessoas erradas! – ele soltou Albert com um empurrão.

O rapaz ficou sem reação, e todos olharam meio assustados para Daniel.

– Você vai ver, perdedor... Nada dura pra sempre e, bom, não sei se você sabe a dor de um coração partido... – Albert fez como se fosse gozação.

Daniel mordeu os lábios, e, antes que Amanda pudesse tentar segurá-lo, meteu um soco na cara de Albert, fazendo-o cair para trás, em cima de JP.

– Eu sei a dor de um coração partido – Daniel segurou o próprio pulso –, mas também sei a felicidade que é gostar de alguém e ser amado da mesma forma, panaca. Você provavelmente não sabe e nunca vai saber!

Ele saiu andando e entrou na sorveteria, pisando com força. Rafael e Fred deram risadinhas e foram logo atrás, empurrando as meninas para dentro. JP e Michel ficaram de boca aberta, porque nunca esperavam uma reação daquelas de um perdedor como um dos Scotty. Ou marotos. Ou seja lá como eram chamados agora. Amanda ficou parada, olhando para ele, e riu. Depois disso, entrou rapidamente na sorveteria, procurando por Daniel.

• • •

– Ah, cara, foi lindo! – Rafael dizia animado.

Daniel colocou o punho dentro de uma taça com gelo que Kevin providenciou rapidamente. Estavam sentados em uma mesa longe da entrada da sorveteria. Amanda se aproximou e ficou entre Daniel e Carol. Kevin também se sentou com eles.

A sorveteria não estava lotada, mas muita gente tinha prestado atenção à briga do lado de fora.

– Ai, Daniel... tá doendo? – Amanda perguntou com pena.

Kevin anotava o que os outros queriam para comer.

– Ah, nada demais, esqueça. Eu detesto esse cara e não é de hoje.

– Me desculpe – Amanda colocou as mãos no rosto.

– Ei, não é você quem tem que pedir desculpas, fofa.

– É, você não fez nada – Caio disse, e Anna concordou.

– Como não? Se foi por minha causa que o JP uma vez bateu em você e por minha causa o Albert inventou toda aquela... Ai, não quero nem lembrar! – Amanda bateu com a testa na mesa. – Se não fosse por ele, nada disso teria acontecido, Daniel.

– Bom, da primeira vez que eu apanhei do JP foi mais culpa da Carol do que sua – Daniel deu de ombros.

– Ai, mal aí, Danizinho – Carol falou.

– Depois... Veja pelo lado bom, se não fosse por causa do Albert, você não estaria aqui conosco. Anna e Caio não estariam tão juntos...

– Você não teria tido um tempo de aprendizado no Canadá – Rafael completou rindo, e todos olharam para ele. – Ah, qual é! Você nunca bateu tão bem, cara...

– É, eu sei... Tive como treinar por lá – Daniel gargalhou vendo os amigos rirem.

Kevin se levantou, beijando a testa de Amanda.

– O que querem?

– Qualquer coisa – Amanda disse, cabisbaixa. Não estava tão feliz.

– Sorria, mocreia, neste exato momento você não tem motivos pra ficar assim – Kevin piscou. – Nenhum de nós tem. Podemos comemorar.

– É, eu sei – Amanda sorriu de leve.

Carol bufou quando viu Bruno entrar de mãos dadas com Karen. Amanda olhou para amiga. Na verdade, nem todos tinham o que comemorar.

• • •

– É pra chegar lá às oito, Kevin – Amanda o abraçou. – Obrigada pelo sorvete!

– Ah, que isso! – Kevin riu, apertando a mão de Daniel e depois a de Rafael. – Obrigado por bater no Albert, cara.

– O prazer foi meu – Daniel piscou.

Ele saiu andando marotamente, seguido por Caio, que quase pulou em cima dele. Carol abraçou Kevin e colocou a língua para fora.

– Divirta-se – o menino apenas riu.

– Vou sim – ela disse, irônica.

Bruno e Karen foram falar com o garoto, e ela saiu de perto quanto antes.

Amanda andava um pouco mais atrás que os meninos. Daniel, Rafael, Caio e Fred estavam na frente das garotas, cantando alguma coisa sem noção e zoando geral vez ou outra. Elas conversavam sobre algo totalmente fora da imaginação de Amanda, que só olhava para os pés enquanto caminhava. Não se sentia bem.

– Ei, pequena, o que houve? – Bruno deu uma encostada nela, e Karen sorriu.

– Ah, nada.

– Bom, se você diz... – Bruno saiu de perto sorrindo.

Amanda colocou as mãos nos bolsos. O vento frio, que começava a aumentar, parecia cortar a pele do seu rosto. Daniel olhou para ela, ainda cantando, e viu que estava cabisbaixa. Afastou-se dos meninos e esperou que ela chegasse perto.

– Se você andar devagar desse jeito, não vai chegar a tempo do show – disse, com as mãos na cintura.

– Não enche, Daniel – a menina riu.

– E ainda me trata mal... – ele reforçou o tom de ironia. – Bela amiga...

A menina apenas sorriu e continuou andando.

– Posso saber por que está tão tristonha? – ele a seguiu.

– Ah, Daniel... Isso com o Albert estragou meu dia.

– Mas por quê? Ahhh, convenhamos! O dia está ótimo. Um baita friozinho gostoso...

– Daniel...

– Ok, preste atenção – ele a pegou pelas mãos, virando-se de frente para a garota. – Eu odeio o Albert. Poderia envenená-lo, porque sou sagaz o suficiente para isso. E estou, sim, muito puto com ele por ter sido o responsável pelo caso das tais provas.

– Mas?

– Mas o quê? Não tem problema. Fofa, eu tô pouco me lixando. Voltei, estou na minha banda, e nós vamos tocar profissionalmente hoje pela primeira vez, e você está aqui comigo.

Ela ficou vermelha, segurando as duas mãos dele. O pessoal percebeu que os dois tinham parado, mas ignoraram totalmente, porque queriam que se resolvessem logo.

– Mas Daniel...

– Tudo bem que não é da forma como a gente queria – ele sorriu, e ela balançou a cabeça –, mas a gente está se esforçando...

– Eles poderiam ter batido em você. Ele estava com aqueles trogloditas e...

– Po-de-ri-am – Daniel falou devagar –, mas não bateram. Não sei se sou um cara sortudo ou se ganhei sorte do nada.

– Daniel, isso é sério.

– Nah, esquece, Amanda – ele colocou a mão na bochecha da garota. – Se ele tivesse me batido, paciência. Mais um roxo para a minha coleção.

Ela ia falar algo, quando ele meteu o dedo nos seus lábios.

– Shhh... Deixe quieta, vamos esquecer isso. Não tire a minha felicidade de ter dado um soco nele. Ignore esse fato, e vamos pro show que vai ser liiiiiiindo!

– Mmmnpffmm...

– Hmm? – ele arqueou a sobrancelha. – Ah... – e soltou a boca da menina, que riu.

– Esse lindo foi muito *gay*! – ela saiu andando.

Daniel franziu a testa e colocou as mãos no bolso.

– É a convivência com seu melhor amigo, querida! – ele fez jeito de menina.

– Não fala assim do Kev... – Amanda riu.

– Sabe do que mais? – ele perguntou, andando ao seu lado. – Ainda tenho ciúmes dele. Sério, tenho inveja também. Ainda mais agora. Cara, gays podem ver tantas garotas peladas e...

Amanda lhe deu um tapa no braço.

– É sério, quantas vezes você já se trocou na frente dele?

– Daniel...

– Eu podia ser *gay* por um dia.

– Daniel!

– É, acho que vou pensar seriamente nisso... – ele riu maroto. – Ô, Rafael! – berrou, e o menino, que estava lá na frente, olhou para trás. – Bora ser *gay*, cara?

Todos na rua olhavam para eles, e Amanda queria matar Daniel por isso. Achou que Rafael fosse ignorar, mas o garoto levantou as mãos fazendo sinal positivo, todo animado, enquanto os amigos riam.

– Acho que arrumei um parceiro...

– Daniel, cale a boca! – ela disse, empurrando-o de leve para o lado.

O menino apenas riu e a empurrou de volta. Sem perceber, tinham chegado ao bar.

vinte e três

O som do ambiente vinha de uma velha aparelhagem, e a música parecia mais velha ainda. Combinava bem com o ambiente rústico do bar, mas as pessoas não se importavam muito. Adolescentes, jovens e alguns adultos riam juntos, andando pelo lugar, conversando alto e se divertindo.

– Ahhh, caraca, tá lotado! – Caio dizia entre pulinhos.

Anna acomodou-se numa das mesas, com uma lata de Fanta Uva na mão, balançando a cabeça.

– Menino, se acalme,...

– Como? Tá maluca? – Rafael gritou.

Bruno girava as baquetas impaciente, e Daniel conversava alegremente com Fred.

O pequeno bar estava cheio. Todos que não tinham mais o que fazer ou estavam de férias tinham ido para lá. Assim é a vida de pequena cidade. Era o acontecimento do ano! Até os pais de Amanda disseram que iriam dar uma passadinha para ver o movimento. A menina só esperava que eles não resolvessem se sentar com a turma na mesma mesa. Muito mico para uma adolescente só.

– Caramba, todo mundo lá da sala tá aqui – Amanda falou rindo e cutucando Maya, que bebia seu suco pelo canudinho, fazendo barulho.

– Só paga-pau! – Maya disse, e todos riram.

– Eu... eu vou ao banheiro – Rafael levantou-se, afastando-se da mesinha e esfregando as mãos.

– Vou com você – Caio segurou no braço dele.

– Depois, as mulheres é que são estranhas... – Carol deu de ombros.

– Meninas, vocês viram a Karen por aí? – Bruno perguntou, abaixando-se perto delas.

Todas negaram, menos Carol que virou o rosto.

– Espero que tenha morrido – disse baixinho, fazendo Amanda cuspir seu refrigerante quando começou a rir.

Um senhor chegou perto de Fred e Daniel, parecendo muito feliz. Ficou conversando com os dois, mas por causa do barulho eles não conseguiam ouvir. Parecia ser algo bem interessante pela expressão dos meninos. Se bem que, para os dois, qualquer assunto poderia render a noite inteira.

– Ahn, ok, cadê os outros dois? – Daniel perguntou, depois de um tempo, aproximando-se.

Maya se levantou para ajeitar a gola da camisa dele.

– Não faça feio, Danny.

– Não vou! – ele riu. – Mas cadê os dois?

– Banheiro – Carol respondeu.

– Necessidades físicas – Amanda falou.

– Yep, dois maricas! – Anna respirou fundo, e elas todas riram.

Fred se sentou à mesa.

– Mandaram eles subirem no palco.

Bruno estava ao celular e o entregou para Amanda.

– Se a Karen atender, diz pra ela que estou muito puto – e saiu andando.

A garota viu Carol dar uma risadinha. Daniel seguiu Bruno para o palco. Muita gente parou de conversar quando viu os dois ajeitando os equipamentos.

– É... primeira noite profissional da Scotty! – Fred batia os dedos na mesinha, visivelmente nervoso.

– Eles vão arrasar! – Maya o tranquilizou. – Sem Rafael e Caio, porque os dois se afundaram na privada.

– Certo, vou lá procurá-los! – Amanda se levantou.

Anna fez o mesmo. As duas olharam para Maya.

– Eu não vou, eles que se afoguem... Eu hein...

As duas amigas riram e se deram as mãos, perfurando a quantidade de gente que tinha se agrupado na frente do palco.

– Err... Olá – Daniel bateu no microfone.

A microfonia zumbiu na casa. O som ambiente ainda estava alto, e ele viu o dono do bar tentando desligá-lo.

– Em poucos minutos, começaremos nosso show –, o guitarrista sorriu amarelo.

Várias pessoas voltaram a conversar. Uma menina no lado direito do palco segurava um *banner* com o nome do grupo. Daniel cutucou Bruno para mostrar o cartaz ao amigo.

Amanda e Anna passavam esbarrando em todo mundo, correndo em direção ao banheiro. Na porta, deram de cara com Caio e Rafael cercados por algumas garotinhas.

– Meninos, alô! O show vai começar! – Amanda gritou, empurrando as meninas para o lado.

Anna ficou de braços cruzados. Caio passou as mãos nos cabelos, deu um beijo rápido nela e correu. Rafael apertou as bochechas de Amanda antes de correr para o palco atrás de Caio. As duas ficaram paradas ao lado das outras meninas.

– Vocês são amigas deles, não são? – uma perguntou.

Amanda olhou para ela e disse, apontando para Anna:

– Namorada.

– Ah... – a menininha, que parecia tão novinha, sorriu. – Sorte de vocês, eles são lindos.

– Qual deles? – Anna perguntou desconfiada.

As meninas começaram uma discussão sobre qual Scotty era mais bonito, enquanto Amanda e Anna riam. Eram da oitava série do colégio.

– Eu achava o Daniel mais bonito até ele roubar provas – uma delas contou.

Amanda abriu a boca para falar algo, mas desistiu quando ouviu as notas de *Ela é incrível* na caixa de som.

– Ei... Essa música é a primeira que tocamos fora dos bailes de sábado à noite do colégio e é bem importante pra nós. E é uma homenagem à minha namorada e às nossas garotas que fazem nossos dias mais felizes – Caio disse alto, com certa microfonia, e se enrolando com os cabos.

Anna ficou toda sorridente. Amanda deu uns pulinhos quando eles começaram a cantar. Muita gente aplaudiu.

– O Caio é o mais fofo – uma menina gritou ao lado de Anna.

– Eu sei! – ela gritou de volta, rindo.

– Prefiro o Daniel – outra menina disse.

– Por quê? – Amanda olhou para a garotinha.

– A Rebeca disse que ele beija bem! – ela deu risinhos, e todas riram junto.

Amanda estreitou os olhos. Havia até se esquecido de que Rebeca existia.

– Vamos voltar pra mesa – pegou na mão de Anna, que já tinha decorado o refrão e agora cantava junto.

Ela é incrível!
Ela é incrivelmente o melhor que já me aconteceu!
Quero fugir daqui com ela... e vamos nos casar!

Todos estavam pulando ou dançando enquanto as duas atravessavam a multidão até o outro lado do bar. Amanda ficou enfurecida de novo. Não era justo Rebeca sair falando essas coisas, ainda mais porque sabia que a garota mal tinha ficado com Daniel. Não o suficiente para fazê-lo lembrar-se de quem ela era. Mas, também, não sabia por que se importava tanto.

Quando chegaram à mesa, viram as amigas de pé, aplaudindo e cantando junto. Juntaram-se à bagunça. Fred subiu em uma das cadeiras, assobiando alto.

Ela não depende de ninguém,
Eu sem ela não fico bem.
Ela é tão esperta
E mesmo assim essa garota gosta de mim!
Me beija de um jeito,
Que me deixa alucinado.
Sempre tão bonita
E sempre ao meu lado!

– Por que eu aaaamo a letra dessa música? – Amanda perguntou.

– Porque definitivamente não foi o doce de coco que escreveu! – Maya berrou, e as duas riram.

– Aaaain, meu namorado é tudo de bom – Anna disse, abraçando as duas amigas.

– Quem te viu e quem te vê, estou emocionada – Amanda bateu no ombro de Anna. Elas riram mais ainda.

– Você devia estar emocionada mesmo, aposto como o Daniel escreveu ou, pelo menos, ajudou nesses pedaços melancólicos – Maya afirmou.

– Não é muito a cara dele – Amanda mentiu, pensando que, na verdade, bem sabia o que era para si e o que não era.

– Não? Amiga, conheça mais seu bofe – Maya falou, levantando os braços com um copo de suco, e derramou em Fred. – Ops, foi mal...

Ele fez sinal de que tudo bem.

Os nossos mundos são diferentes,
Porque ela é muito mais bonita.
E nos seus olhos, eu nunca existi.
Será que um dia isso modifica?

Daniel soltou o instrumento e gritou no microfone.

– Só vocês agora, por favor... Rafael já está sem voz!

E todos riram cantando o refrão, que era bem fácil de gravar.

– *Ela é incrível! Ela é incrivelmente o melhor que já me aconteceeeeeeeeeu!* – as meninas na mesa gritavam alegres.

Era impressionante como eles eram bonitinhos no palco daquela forma. Sem máscaras, eles mesmos. Claro que, como os misteriosos de sábado à noite, havia toda uma graça à parte; mas ver os meninos daquele jeito, sorrindo e batendo palmas, fazia todas elas sentirem orgulho de terem se tornado amigas dos tais marotos.

• • •

No fim da música, eles receberam muitos aplausos. O bar inteiro comemorava o primeiro show da Scotty naquele sábado. As meninas se sentaram, mas Maya, ao ver Rafael chamá-la com o dedo, pegou uma garrafa de água, correndo para o palco com Anna.

– O Rafael não vive sem ela – Fred apontou, vendo a menina entregar a água para ele.

Deram uma parada para o pessoal beber alguma coisa e, principalmente, para eles mesmos se refrescarem, porque ali dentro estava muito quente. Amanda sorriu ao ver Caio descer discretamente do lado do palco e abraçar Anna, que pulava como uma doida, mas seu sorriso murchou ao olhar para o outro lado do palco, no fundo. Daniel, segurando seu instrumento, falava com uma garota. E estava rindo.

E o pior: a garota era Rebeca.

– Mandy, você tá bem? – Carol perguntou, tocando no braço da amiga.

– Ahn? – Amanda virou-se para ela. – Ah, claro...

Deu um sorriso sem graça. Disfarçou e voltou a olhar para o palco. As pessoas passavam na frente, dificultando sua visão, mas claramente ela pôde notar que Rebeca não saíra de perto de Daniel. E muito menos ele fazia menção de querer se afastar.

– Ah, gente que show! – Karen disse, chegando à mesa acompanhada de duas meninas.

Amanda se virou para ela mostrando o celular de Bruno.

– Ele mandou dizer que tá puto – informou.

Karen olhou para o palco, onde Bruno conversava com dois rapazes enquanto girava as baquetas, e sorriu.

– Vou tentar reverter o quadro. Um minuto – ela largou as amigas perto da mesa, correndo até o menino.

Carol deu língua e se levantou.

– Vou ao banheiro – ela rapidamente saiu de perto.

Amanda tentava enxergar Rebeca e Daniel, mas as pessoas no caminho não ajudavam. Viu Bruno rindo com Karen e Caio voltando para o palco. Daniel também voltou, e estava sorrindo. Muito.

Era isso. O dia tinha sido para tirar Amanda do sério. Ela batia os dedos furiosamente na mesa enquanto Maya, Karen e Anna chegavam perto.

– Ei! Valeu pelos aplausos! – Rafael agradeceu cheio de si. – Agora vamos cantar um *cover* pra animar os avôs e tiozões do público... Desculpe, seu Manuel, eu não estava falando diretamente do senhor.

Ele apontou para o dono do bar, que começou a rir com todo mundo.

– Quem souber cantar *Lola* do The Kinks, cante conosco. Quem não souber, pergunte ao seu pai quando voltar para casa! – Rafael se virou de costas, enquanto Daniel e Caio davam gargalhadas.

– Ai, eu gosto dessa música! – Fred abraçou Guiga, animado.

– Lola é um homem? – Karen perguntou.

Carol chegou perto, vendo todos darem de ombros.

– O que houve?

– Queria saber se Lola é um homem.

– Claro que não, que idiota! Aff... – Carol resmungou e se virou de costas, sentando-se ao lado de Maya.

Karen não soube o que dizer, mas Amanda piscou para ela.

– Liga não, deve ser um traveco!

As duas riram discretamente.

Muita gente sabia a letra da música e acompanhou a banda. Mas Amanda procurava Rebeca sem sucesso pelo meio da multidão. Ela não podia deixar barato.

• • •

No meio da música, Kevin chegou perto deles, acompanhado de Lucas.

– Essa música é um clássico! – Lucas dizia.

Kevin fazia cara de quem estava ignorando o comentário.

– Olá – ele cumprimentou Amanda, que se virou para ele e o abraçou.

– Pouco atrasado! – Maya berrou.

– Ehr... foi o trânsito – respondeu irônico.

As meninas riram, observando Lucas ficar vermelho.

– Vou buscar algo pra beber, você quer?

Kevin deu de ombros, vendo o menino sair de perto.

– Por que essa cara estranha, mocreia? Não gosta da música tanto quanto eu?

– Eu gosto – disse, simplesmente.

Mas ela não parava de procurar alguém pela plateia.

– Hm... vamos dar uma volta – Kevin convidou.

Ele sentiu que havia algo de estranho. Amanda deu de ombros e seguiu o menino até um pouco mais longe dos amigos.

– Vamos, me conte.

– Que é?

– Qual foi dessa vez? Hoje de tarde, você estava com aquela cara de bola murcha na sorveteria e agora parece que viu um fantasma.

– Quem dera fosse um – Amanda suspirou. – Mas ela precisaria estar morta pra isso...

Amanda deu uma risadinha infantil. Kevin começou a pensar em drogas. Bebidas. Alguma coisa estava atormentando a amiga.

Ah, claro. Daniel Marques.

– Amiga, você está bem?

Amanda olhou para ele e negou. Não adiantava mentir para Kevin, ele sempre percebia as coisas.

– Hoje está sendo difícil... – ela começou a contar.

De repente, ouviu alguém chamando seu nome. Suou frio quando percebeu quem era. Kevin colocou a língua para fora ao ver a roupa vulgar que Rebeca usava.

– Belo show! – Ela disse para Amanda, que tentou ignorá-la. – Você viu como o Danny está gatinho hoje?

– Hoje? – Kevin riu. – Poupe-me, baranga.

– Amanda! – Rebeca disse, alto, olhando feio para Kevin. – Eu estava falando com...

– Se eu vi o Daniel hoje? Vi sim, pelo visto ele finalmente viu você também – a garota respondeu irritada.

– Não é que viu? – Rebeca sorriu triunfante, ajeitando os cabelos loiros oxigenados.

A música acabou, e todo mundo começou a aplaudir. Amanda não conseguiu ouvir o que Rebeca disse a seguir quando a menina saiu andando para perto do palco. Amanda olhou para Kevin.

– Ela? E o Daniel? – Kevin arregalou os olhos.

– Ele não seria burro... – Amanda falou com toda certeza.

Ela se virou para o palco e não viu os meninos mais lá em cima. Somente Rafael estava enrolado em alguns cabos depois de tanto saltitar. Seu coração disparou. E se Daniel estivesse com Rebeca? E se ele tivesse caído na armadilha dela?

Sentiu algo estranho no estômago e uma dor forte no peito. Saiu andando até a mesa dos amigos. Ouviu Kevin gritar seu nome, mas não deu bola. Sentiu a mão tremer. Ela não queria perder seu Daniel para outra! Não agora; afinal, eles nem tinham se resolvido ainda.

Andou mais depressa, esbarrando em todo mundo.

– Amanda? – Carol se levantou assim que viu a amiga se aproximar.

Ela estava branca. Por que aquele sentimento a fazia passar mal?

– Cadê o Daniel? – perguntou fracamente.

Pensava coisas como "vaca maldita" e "porfavor, porfavor, diz que ele está com o Caio", e os pensamentos se misturavam conforme as amigas deram de ombros.

– Sei lá, ele ficou no palco com o Bruno – Maya disse, vendo Rafael se aproximar.

– Quem? Eu? – perguntou rindo.

Amanda negou mordendo o lábio.

– Daniel? Ah, sei lá... – Rafael continuou. – Tava conversando com uma garota, mas não sei onde ele está agora.

Amanda rolou os olhos. Era isso. Ela iria acabar pirando por ser tão idiota. Balançou a cabeça e olhou para os lados. Era certo Daniel querer ficar com outras garotas, não era? Eles não estavam namorando nem nada. Eram apenas amigos! Ela abaixou a cabeça e se virou de costas para todos, dando de cara com Kevin.

– Vou ao banheiro – disse quase roboticamente e saiu andando pela multidão sem esperar resposta.

Ela tinha que se acalmar.

Enquanto andava, pensava milhões de coisas. Tudo fervilhava ao mesmo tempo. Não percebeu alguém parar à sua frente e esbarrou no peito de Daniel.

– Fofa? – ele chamou, segurando nos seus ombros.

Amanda olhou para Daniel e sentiu vontade de chorar. O que ele fazia ali? Não devia estar com a Rebeca? A casa com dez quartos não seria dela? E quem poderia pegar nele, na bunda dele, ou qualquer coisa, não seria a Rebeca?

Manteve a pose, enquanto sentiu uma lágrima cair. Que patética. Olhou para Daniel e mordeu o lábio, soltando-se das mãos dele e correndo para o banheiro.

O menino ficou atordoado. O que estaria acontecendo? Andou até a mesa dos amigos preocupado.

Se alguém tivesse feito mal à Amanda teria de se ver com ele.

– Amanda tava atrás de você, Danny – Maya informou.

– De mim? – Daniel franziu a testa e balançou a cabeça. – Trombei com ela, e ela correu de mim, isso sim.

Kevin bateu na testa.

– O que foi – Daniel olhou para ele.

– Diga pra mim que você não estava com a Rebeca!

– Eu não! – Daniel falou assustado. – Já disse mil vezes que nem sei quem é essa garota...

Kevin suspirou aliviado.

– Por quê? — Daniel estranhou. – Ela acha que... por que ela acha que... o que tem isso a ver?

O menino estava confuso.

– Fale com ela – Kevin balançou a cabeça. – Eu não vou resolver muita coisa.

Daniel concordou ainda sem entender nada e olhou para os amigos. Todos estavam conversando.

Olhou para o relógio. Em dez minutos voltariam para o palco. Dava tempo de ter uma conversa decente. Saiu andando firme até a porta do banheiro. No caminho, foi parado por Rebeca.

– Oiê! – ela cumprimentou com voz afetada.

Ele sorriu. A menina vestia um pedaço de pano que normalmente não o agradaria. Mas ele era homem. Fazer o quê?

– Posso falar com você depois? Preciso resolver um problema – ele apontou para a direção dos banheiros.

Rebeca sorriu e olhou para as calças dele, deixando-o constrangido.

– Não é isso, não. É que...

– Tudo bem. Falo com você depois então – ela sorriu. – Até mais, Daniel!

– Até mais, Juliana – ele riu.

Era uma garota legal para um cara que quisesse passar o tempo. Já a vira na escola algumas vezes e tinha até a impressão de já ter saído com essa menina. Mas provavelmente estava bêbado demais para se lembrar. Ou apaixonado por outra. Ele riu.

Voltou a andar em direção ao banheiro. Ainda precisava conversar com Amanda. Que história era essa de Rebeca? Ele nem sabia quem era essa garota! O nome não era estranho, mas ouvira Bruno um dia comentando sobre ela. Uma piriguete! Ele começou a rir. Viu a porta do banheiro feminino e respirou fundo.

Olhou para os lados, entrou e fechou a porta atrás de si.

vinte e quatro

Duas garotas que estavam perto do espelho saíram quando viram Daniel se aproximar. Ele se sentou no mármore da pia.

– Amanda? – chamou alto.

– Daniel, o que você está fazendo aqui? – Amanda abriu uma das cabines assustada. Não esperava que ele fosse entrar no banheiro feminino. – Se pegam você aqui...

– E daí, é só um banheiro.

– Daniel! – a menina esfregou o nariz e se aproximou dele. – O que foi?

– O que está havendo, fofa? – ele perguntou, e Amanda negou com a cabeça. – Não minta, eu não sou idiota.

– Ahn... Ah, não sei...

– Vamos... Eu volto para o palco em menos de dez minutos – Daniel lhe estendeu a mão.

Ela segurou na mão dele, observando, no espelho, seu próprio reflexo e as costas de Daniel.

– Seguinte, a gente não está junto, certo? – perguntou.

– Não – Ele mordeu o lábio.

– Ok... – ela sentiu uma dor no peito. – Então, isso quer dizer que não temos compromissos, certo?

– Acho que sim – ele não entendeu e ficou pensando onde ela queria chegar.

– Hmm... – a garota mordeu os lábios, evitando fitar os olhos dele. – Só pra saber...

– Ah, claro!

Era isso, Daniel pensou. Ela estava interessada em outro cara. Sorriu tristemente, e ela fez o mesmo.

– A gente faz o que quer, né? – Daniel acrescentou.

– É... – Amanda concordou rapidamente. – Mas posso pedir uma coisa pra você? Uma só, eu juro...

– Peça, fofa, sou todo ouvidos e mais o que você quiser – ele sorriu maroto.

A menina, apertou a mão dele na sua.

– Se você ficar com a Rebeca, não faça isso perto de mim.

Daniel se espantou com aquilo. Ele não queria Rebeca nenhuma.

– Não sei de onde você tirou isso... Eu nunca vou ficar com essa garota, ok?

– Ok... Senão, além de bater nela, eu também serei obrigada a bater em você, por ser burro e...

– Eu não sou burro. Não sempre.

Ele deu de ombros, rindo e balançando os pés no ar. Puxou Amanda lentamente, fazendo-a ficar entre suas pernas, e a prendeu pela cintura. A menina riu.

– Quer fazer alguma coisa? – perguntou maroto.

Amanda pegou no queixo dele, sentindo as pernas do menino envolvendo sua cintura.

– Você não tem nem dez minutos, Daniel...

– Quem se importa? – ele sussurrou perto do ouvido.

A menina sentiu um arrepio e fechou os olhos, mas mordeu os lábios, preocupada, quando ouviu vozes perto da porta.

– É isso, está ferrado se pegarem você aqui dentro.

Puxou Daniel com força, fazendo-o descer da pia rapidamente, e foi andando de costas até a cabine onde estava, levando-o junto. Quando fechou a porta atrás de si, ouviu duas meninas entrarem no banheiro conversando. Daniel abafou um riso, e Amanda olhou para ele indignada.

Dentro do cubículo não era nada confortável. Daniel quase se sentou na tampa do vaso, mas resolveu levantar-se e ficar encostado nas costas da menina, que, de frente para porta da cabine, esperava que as duas pessoas saíssem logo do banheiro.

Amanda sentiu o corpo de Daniel apoiado no seu. Ele fez isso lentamente, encostando perna por perna, a cintura e depois o peito nas costas da menina. Colocou o queixo no ombro dela e, com os dedos polegares, segurou seu cós da calça. Ficaram em silêncio, ouvindo as meninas conversarem. Daniel se balançou lentamente para os lados, como se tivesse dançando, inebriado. Amanda fechou os olhos e sentiu os pelos da nuca se arrepiarem. Essa proximidade não era confortável. Ou talvez fosse até demais.

Daniel encostou a boca na sua bochecha e lhe deu um beijo suave. A menina riu baixinho e fez sinal para que ficasse quieto. Daniel sorriu marotamente e soltou o cós da calça dela, puxando as duas mãos de Amanda para suas costas e descendo até a sua bunda. Amanda arregalou os olhos quando ele fez isso. O menino continuou segurando a mão dela na sua bunda enquanto se mexia lentamente de um lado pro outro, fazendo um barulhinho com a boca. Amanda virou o rosto de lado e deu um sorriso tímido. Daniel a beijou na bochecha de novo. Amanda voltou a olhar para a frente e, quando ele soltou suas mãos, ela não as tirou da bunda dele. O menino riu e a agarrou pela cintura, ainda prensando seu corpo contra o dela com força. Amanda fechou os olhos e respirou fundo, sentindo suas pernas amolecerem. Ela estava querendo ser discreta, e Daniel não estava ajudando!

O menino percebeu o nervosismo de Amanda e colocou o rosto em seu pescoço, respirando fundo o perfume da menina. Ela sentiu o corpo todo no ar. Ele a tirava do sério, não tinha como negar.

De repente, Daniel a empurrou para o lado, fazendo-a encostar na parede de mármore que separava as cabines. Agora, de frente, Daniel prensou o corpo de Amanda novamente, ficando com o nariz a centímetros do dela, respirando fundo. Os dois se olhavam nos olhos e ele segurou o rosto dela nas mãos.

Amanda fez cara de súplica. Não queria ficar com ele depois de ter cantado a Rebeca, ou seja lá o que ele fez. Mas como poderia resistir? Mais pessoas entraram no banheiro, e o coração da menina disparou. Eles não sairiam dali de dentro tão cedo.

Daniel encostou sua bochecha na dela bem de leve, como se fizesse carinho, e a menina fechou os olhos. Ele fez o mesmo. Sentia um choque dentro do seu corpo quando fazia a menina amolecer diante si. Ele ficou todo arrepiado por estar tão próximo dela, e era incrível como isso acontecia mesmo depois de tanto tempo separados e mesmo tendo ficado na noite anterior.

Ele sabia que tinha sido um idiota no passado. Mas não queria ser novamente.

– Não vou fazer nada que você não queira – ele disse.

Ela concordou sem pensar. Daniel voltou a roçar seu rosto na bochecha de Amanda e, lentamente, encostou nos lábios. A eletricidade que passava entre os dois era imensa. Com a ponta da língua, ele lambeu a boca da menina, que estava fechada. Ela segurou no cós da calça dele enquanto as próprias pernas tremiam. Ele a mordeu no lábio inferior, bem devagar, fazendo com que ela abrisse a boca e deixasse ser beijada.

Daniel a segurou pelo rosto, intensificando o beijo. Os dois tentavam não respirar alto para não perceberem que estavam ali dentro, pois o banheiro parecia encher cada vez mais. Daniel desceu uma das mãos até a cintura da garota e deixou a outra em seu rosto. Puxando-a pelo cós da calça, ele apertou corpo contra a cintura dela, fazendo Amanda quase gemer. Mas evitou que ela o fizesse, mordendo sua boca rapidamente e voltando a beijá-la. Amanda não sabia o que fazer. Não entendia como podia estar sendo levada por ele daquele jeito. Era gostoso, era sexy, e ela não queria deixá-lo ir embora. Nunca mais.

Daniel pressionava a cintura dela com movimentos contínuos, até que respirou fundo e fitou os olhos de Amanda, deixando de beijá-la. Seu relógio apitou nesse momento, e ele apertou os olhos com força, fazendo-a sorrir. Algumas pessoas pararam de conversar e foram embora do banheiro. Daniel encostou as duas mãos na parede atrás de Amanda, uma de cada lado do seu rosto, e disse com dificuldade:

– Até mais tarde, fofa.

Ela apenas concordou. Ele abriu a porta da cabine e saiu do banheiro, meio mole no andar. Amanda fechou a portinha de novo e se sentou no vaso com a tampa fechada. Passou as mãos pelos cabelos e colocou os cotovelos nos joelhos.

O que ela estava fazendo? Por que os dois se torturavam tanto?

vinte e cinco

Amanda acordou na segunda-feira com batidas na porta do seu quarto. Resmungou alto e meteu a cara no travesseiro. Bruno entrou sorrateiro e sentou-se na sua cama.

– Acordaaaa! – ele sacudiu a menina pelo pé.

Estava com os cabelos recém-lavados e usava óculos escuros enormes.

– Bruno, me deixe – ela resmungou com a voz abafada no travesseiro. – É cedo.

– Vamos jogar *paintball*? – ele perguntou.

– Ahn... não! – ela tirou o travesseiro do rosto e se espreguiçou.

Bruno fez careta.

– O que você fez ontem de noite?

– Estava na casa do Kevin fofocando. E estou com sono.

– Ah, ninguém merece! – Bruno se levantou. – Estou indo pro campo, qualquer coisa me ligue no celular.

– Vá logo! – ela falou, jogando o travesseiro nele.

Bruno saiu do quarto, gritando algo para a mãe da garota, que respondeu no mesmo tom.

Amanda voltou a se deitar. Não aguentou muito tempo e dormiu de novo.

• • •

Daniel, Rafael e Bruno bebiam água perto da saída do campo. Os três estavam rindo animadamente, enquanto escoravam as armas de *paintball* nas pernas, com os capacetes pendurados no pescoço ou na cabeça e os cabelos superbagunçados.

Quatro garotas bem bonitas se aproximaram e puxaram papo. Os três se entreolharam contentes, porque elas sabiam seus nomes e diziam adorar a Scotty. A vida podia ser boa.

• • •

Amanda andava pela casa que nem zumbi. Não conseguira dormir direito desde que Bruno a acordara mais cedo. Pegou uma tigela de cereal na cozinha e, ainda de pijama, foi para a sala procurar algo na TV.

• • •

– Que felicidade toda é essa? – Caio perguntou.

Os três amigos chegaram perto dele e de Fred.

– Garotas, cara... Elas nos amam! – Bruno riu, falando do papo que rolou. – Disseram que estavam no último sábado lá no Cabeça de Bode. E elas amaram!

– Elas me amam! – Daniel riu.

Caio e Fred se entreolharam.

– Então, depois dessa grande descoberta, o que vão fazer? – Fred perguntou.

– Ir pra casa chorar – Daniel deu de ombros – pelas garotas que não nos querem?

– Ou melhor. Ligar para aquela que quer você – Bruno riu –, mas você nem está tão interessado assim!

– Nah, minha doce de coco tá fazendo drama, mas ela me quer. No fundo. Algum dia... – Rafael concluiu.

– Vocês são patéticos! – Caio começou a rir.

– Altamente patéticos – Fred completou.

– Nem tanto assim – Bruno piscou e saiu andando, com os amigos seguindo atrás.

– Por que não? – Fred perguntou rindo.

– A gente meio que aceitou sair com elas – Rafael disse, ficando vermelho.

– Pra passar o tempo – Daniel deu de ombros e sorriu, maroto.

Caio arqueou a sobrancelha.

– Bom saber que a sua volta trouxe um Daniel cafajeste! – disse, e todos gargalharam.

– Não é isso! A gente só quer se divertir, ué – Daniel se defendeu. – A Amanda me disse no sábado que não tínhamos compromisso!

– Disse? – Bruno olhou para ele, pegando a chave do carro.

– Disse. Falou daquela Rebeca e tudo mais, mas afirmou que a gente não estava junto. Eu acho que ela está interessada em alguém.

– Em mim! – Rafael zombou, levando um tapa de Fred.

– É? – Bruno achou estranho. – Sei não, Danny... Ela não me parece interessada por alguém há meses!

– Ela não teria vindo falar dessas coisas se não estivesse – Daniel franziu a testa. – Até me deixou mal, por sinal... Mas, cara, já sofri tanto por ela, e ela por mim, que eu realmente acho que é melhor a gente dar um tempo...

– Mais? – Fred perguntou irônico.

Daniel mordeu os lábios.

– Parece que sim... – disse, baixinho.

– Eu sempre disse pra ela seguir em frente – Bruno afirmou –, mas a pequena é o ser mais teimoso que conheço.

– Depois da Carol – Rafael opinou.

– Depois dela – Bruno concordou, grunhindo com os dentes cerrados, e abrindo a porta do carro.

– Aquela professora de Biologia também é bastante teimosa! – Rafael falou e esfregou o suor na roupa de Caio, que deu um berro.

– Minha mãe é a pior de todas! – Caio disse, empurrando Rafael para o outro lado. – Vamos logo, vamos tomar um banho pra vocês saírem!

– Vou ligar pra Guiga – Fred riu, entrando no carro.

• • •

Amanda bateu na porta da casa de Bruno. Estava entediada. Ele não atendia o telefone. Será que ainda estava no *paintball*?

Depois de mais uma tentativa, torceu a maçaneta e abriu a porta. Ok, é bom lembrar de avisar o Bruno que, embora ele more numa cidade pequena, não está livre de assaltos. Entrou na casa do amigo e viu que estava vazia. Eles ainda estavam fora. Fechou a porta e foi até a cozinha beber alguma coisa. Sentiu seu celular tocando. Era Carol.

• • •

– *Eu te amo.*

– *Eu também te amo.*

– Ahhhhhhhh – Amanda, Carol, Maya e Anna fizeram ao mesmo tempo.

Em seguida, Maya enfiou a mão de pipoca na boca.

– Por que não existem homens assim?

– Porque o Brad Pitt não é um homem de verdade – Carol rolou os olhos.

Anna e Amanda se entreolharam, rindo.

– A gente pode ser tão garota às vezes – Amanda disse.

– Eu acho melhor trocar de filme – Maya se levantou. – Chega de romance.

– Tem que existir romance em algum lugar na vida, Maya! – Carol disse, alto.

– Deixe aí, eu quero ver o final – Anna riu.

– Eu já sei o fim, eles dois... – Amanda parou de falar e ficou quieta ao ver a cara das amigas. – Caramba! Vocês juram que nunca viram esse filme? Pior que o Caio, que nunca viu *A mão assassina* e...

A porta da sala foi escancarada, e as quatro saltaram do sofá, dando gritinhos. Bruno olhou espantado.

– Se a gente estivesse vendo filme de terror, eu teria enfartado – Amanda desatou a rir.

– Err... Boa-tarde, né? – Bruno perguntou.

Daniel e Rafael entraram, estapeando-se e rindo, sem perceber as meninas ali.

– Ei, Bruno... Estávamos entediadas, e você deixou sua porta aberta – Maya explicou.

Ele riu, deixando Caio e Fred passar. Caio sorriu ao ver Anna, que abriu os braços para recebê-lo. Daniel e Rafael finalmente perceberam a presença das garotas e se entreolharam, marotos.

– O que estão fazendo aqui? – Fred riu. – Acabei de falar com a Guiga.

– Por isso, ela não atendia a gente! – Carol riu.

– Err... boa-tarde pra vocês – Daniel disse, coçando a cabeça.

Rafael acenou para elas e subiu as escadas correndo.

– Caras, temos de ir logo! – berrou.

Daniel olhou para o relógio, sorriu sem graça para as garotas e seguiu Rafael. Caio se sentou entre Anna e Maya, enquanto Fred foi direto para a cozinha, berrando sobre ter alguma comida, senão ele iria para casa.

– Por que eles estão apressados assim? – Amanda perguntou, estranhando o olhar de Daniel.

– Temos um encontro – Bruno falou galante.

Amanda arqueou uma sobrancelha.

– Encontro tipo encontro? – perguntou.

O menino trancou a porta da casa.

– Claro, que tipo mais seria?

– Sei lá, encontro com a morte talvez... – a menina deu de ombros, franzindo a testa e sussurrando.

Carol aumentou o volume da TV.

– Com quem? – Maya perguntou alto.

– Com algumas fãs da Scotty que foram ao *paintball* – Caio riu, e Anna o beijou de leve.

– Ahn, sim... – Amanda deu um sorriso amarelo. – Vocês três.

– Yep! E os dois estão na frente tomando banho... Já vi que vou interromper mais um momento romântico entre Daniel e Rafael – Bruno subiu a escada.

Amanda ficou encarando o nada por um tempo. Fred chegou à sala e percebeu que tanto ela quanto Carol pareciam chateadas. Maya olhava apaixonada para a TV, e Caio e Anna nem ligavam para o resto. Ele se sentou no chão, na frente de Amanda, que lhe deu um sorrisinho.

– Você e o Daniel não estão namorando, estão?

Ela negou balançando a cabeça. Sabia que Daniel queria sair com outras garotas e sabia que era um direito dele. Mas também era um direito seu ficar chateada.

– Certo, ele disse que vocês não têm compromisso e, por isso, a gente não ligou quando aquelas meninas...

– Tudo bem – Amanda mentiu, acreditando que uma hora teria de se acostumar com isso. – Tudo bem, a gente é amigo além de tudo!

– Que bom saber disso – Fred sorriu docemente.

Amanda fez o mesmo e respirou fundo. Ela e Daniel tinham que dar um tempo e saber realmente o que fazer antes que se machucassem outra vez. Mas doeu vê-lo descer a escada todo arrumado e aprumado, sorrindo, ao lado de Rafael e Bruno. Os três não disseram a hora que voltariam, e elas também não perguntaram. Apenas elogiaram quão bonito estavam.

– Vamos ao cinema? – Maya perguntou de repente, percebendo a melancolia dominar o ambiente.

Elas se entreolharam e concordaram, obrigando Fred a acompanhá-las.

Carol passou por Amanda e se ajoelhou.

– Não vamos ficar assim – ela sorriu. – A gente merece alguns gatinhos por fora.

Amanda desatou a rir com a cara que a amiga fez.

– Vamos logo, minhas queridas! – Maya puxou as duas pelo braço e Fred foi atrás. – Não é hora de lamentar o Scotty perdido. Eles voltam. Eles sempre voltam. Ninguém vai aturar o doce de coco e seus amigos por muito tempo. A gente sabe disso!

Ela riu indo para a porta. Caio berrou que tinha que trocar de roupa ainda. Amanda e Carol se entreolharam. Era impressionante como Maya conseguia levar tudo numa boa. Talvez, se elas tentassem, não iria doer tanto.

vinte e seis

O shopping da cidade não era muito grande. Poucas lojas de grife e marcas famosas haviam se instalado ali. A maior parte era dos próprios moradores ou de suas esposas, atacando de estilistas, e a maioria das roupas tinha um estilo meio *hippie* ou totalmente fora das tendências que rodavam o mundo. As meninas andavam diante das vitrines comentando como os casacos eram feios e as rasteirinhas fora de temporada. Caio e Fred, alheios a isso, discutiam maneiras de burlar sistemas de TV e de segurança caso fossem bandidos.

– Chama CCTV.

– Acho que você está vendo seriado demais – Caio riu.

As meninas seguiram em direção à praça de alimentação. Caio reparou que Anna parecia animada, e isso o deixou mais feliz. Não sabia explicar como, mas, de repente, Anna tinha se tornado tão essencial para ele como o ar, por mais brega que isso pudesse parecer. Ele só pensava como Anna era linda!

– ... colar chiclete nas câmeras ou fazer tipo *O assalto ao Banco Central* e... – Fred continuava falando.

Mas Caio teve uma ideia. Queria fazer as meninas sentirem inveja, por ele ser um namorado tão legal. Garotas gostavam disso, certo?

Quando todos se sentaram ao redor de uma mesa do restaurante de frutos do mar, Amanda deu chilique e Fred se recusou a cheirar qualquer prato dali. Caio, por sua vez, pediu licença para ir ao banheiro. Deu a volta em alguns corredores e entrou em uma das lojas que tinham passado mais cedo. Não era um lugar barato, mas a propaganda dizia que vendiam coisas banhadas a ouro de verdade, e ele queria algo que fosse durar muito tempo.

• • •

Na hora em que os meninos voltaram, a casa estava vazia. Bruno jogou as chaves do carro em cima da mesa e viu Daniel e Rafael tirando os casacos. Já passava das dez da noite.

– Será que ainda tem alguém aqui? – Rafael perguntou.

– Duvido – Bruno riu. – Vocês acham que elas iriam ficar esperando para ver a gente contar sobre outras meninas?

– Vou dormir aqui – Rafael informou, pegando o celular para avisar sua mãe.

Bruno deu de ombros. Estava acostumado com isso.

Daniel mordeu o lábio.

– Falando nisso, Bruno, vou ficar na casa da minha avó. Tudo certo. Quer dizer... Eu vou fingir que estou lá, sabe como é.

Bruno se aproximou e segurou o amigo pelos ombros.

– Você fica quanto quiser – disse, sorrindo, e Daniel sorriu também. – Você sabe que eu gosto de ter vocês por perto! E não tem como meus pais se importarem...

– Ahhhhhh, eu também te amo! – Rafael berrou, abraçando Bruno por trás.

– E você, senhor Rafael, que menina bonita! – disse, batendo nas costas do amigo, que desamarrava os cadarços.

– Não é? A mais bonita das três!

– Não que sejam parecidas com alguém que já fiquei na vida... – Daniel contou, tirando o cinto.

Bruno se espreguiçou.

– Às vezes, se divertir não faz mal. O que vamos fazer agora? Não estou com sono.

– Nem eu – Rafael disse, e Daniel concordou.

– Tequila? – Bruno sugeriu, e os outros dois se entreolharam, rindo.

– Sem essa de ver *O poderoso chefão* de novo! – Daniel pulou pelo sofá até a mesa de bebidas, atrás de um minibar, pegando a garrafa de tequila.

Bruno puxou um cigarro do maço e sentou-se no sofá.

– Vou pegar alguma coisa pra gente comer, senão o tiro sai pela culatra... – Rafael disse, andando até a cozinha.

• • •

Anna exibia um dos anéis mais bonitos que as meninas já haviam visto. Ele tinha um enorme coração de pedra em cima e era todo banhado a ouro. Carol reclamava sozinha por não ter essa sorte, enquanto Maya elogiava Caio o tempo todo. O garoto acertou em cheio.

– Eu não vou pra casa hoje – Amanda disse. – Caio, me deixe lá no Bruno, por favor.

– Problemas em casa? – Carol perguntou.

– Minha mãe está um saco! – Amanda riu. – Nada de anormal. E, como os meninos ainda não devem ter voltado, eu durmo na sala e amanhã cedo volto pra casa. Vamos comigo, Carol? – olhou pidona.

– Por que eu iria? – a garota colocou a língua para fora. – Tenho coisa melhor pra fazer.

– Não tem não! – Maya empurrou a amiga de leve, fazendo Carol quase cair em cima de Fred no banco de trás do carro. – Largue de ser chata. Eu vou com você, Mandy.

Maya pegou a bolsa, assim que o carro parou na porta da casa de Bruno. Carol deu de ombros, seguiu as duas amigas e bufou, avisando que elas teriam de convencer sua mãe de que ela ainda morava em casa.

– Vocês têm certeza disso? – Anna abriu a janela do carro. – Eles vão ficar falando das garotas e tal...

– Não esquente, Anna. Somos amigos, não somos? – Maya comentou.

– Eu não estou tão certa de que quero ficar aqui – Carol disse.

Amanda foi até a porta e girou a maçaneta.

– Aberta.

– Qual é, Carol, vamos tentar nos divertir. A gente pode colocar comida na cama do Bruno ou trocar os DVDs de capas! – Maya deu ideias.

Amanda concordou e abriu a porta, dando de cara com Daniel, de meias e cueca boxer xadrez, com uma garrafa de vodca na mão. Amanda riu e encarou o menino na hora em que Bruno passou por ele, entregando-lhe um cigarro. Amanda tossiu. Bruno estava nos mesmos trajes que Daniel e sorria maroto.

– Entrem, meninas! – gritou.

Ouviram um barulho, e viram que Rafael tinha caído do sofá.

– Meninas? – ele berrou.

Maya e Carol entraram, tirando os casacos, e riram da animação deles.

– Muito bonito da parte de vocês! Festa particular e nem nos chamam! Na parte chata, de ficar ensaiando, todo mundo quer companhia – Maya disse.

Ela pegou o cigarro da mão de Daniel, jogando no chão e pisando nele. O menino arqueou a sobrancelha, e ela sorriu, indo para o sofá. Amanda fechou a porta atrás de si, recebendo um abraço de Bruno.

– Ok, você está bêbado... E está me sufocando.

– Sabe que eu saí com uma menina linda, linda, linda, mas só conseguia pensar em vocês? – Bruno perguntou, segurando Amanda pelo ombro.

Daniel riu, seguindo até o sofá, onde os outros três já estavam sentados. Carol examinava a garrafa de vodca.

– Pode beber – Daniel disse, rindo, sentando-se ao lado dela.

Carol apenas sorriu, sem saber o que fazer com o cheiro de álcool do garoto.

– Ah é, Bruno? E por que pensava na gente? – Amanda perguntou.

Ela foi puxada por Bruno para sentar em seu colo, na poltrona. E começou a rir, porque, bem, ele era seu amigo e estava apenas de cueca!

– Porque eu ficava ouvindo o papo delas... E é por isso que a gente não é amigo de gente como elas.

– Fúteis demais – Daniel disse, dando um gole da garrafa em suas mãos.

Carol também bebeu um gole de vodca.

Daniel olhou para Amanda e passou a mão pela testa, afastando os cabelos.

– Não que vocês não sejam fúteis... – continuou.

– Não somos! – Maya berrou.

– Não são agora! – Rafael rebateu.

– Mas antes não éramos amigos – Amanda falou.

– Sempre gostei de você – Bruno a abraçou –, mesmo você sendo fútil, porque eu sabiiiiiia que era uma carcaça!

– Ah, obrigada, Bruno. Você está fedendo – Amanda comentou.

– Não vale a pena ser fútil quando se tem amigos como nós – Rafael disse, e Maya gargalhou.

– Claro, as fúteis ficam com a melhor parte, que é levar vocês pra cama, certo? – Amanda perguntou rindo.

Bruno concordou.

– Depende do ponto de vista.

Ele deu um sorriso maroto. Irônica, Amanda olhou para Daniel, que tentava fazer Carol beber mais um pouco, mas ela estava morrendo de rir e acabou derramando vodca na roupa.

Amanda encarou Bruno.

– Agora não sei mais se quero dormir aqui – ela disse, recebendo uma garrafa de cerveja de Rafael. – Medo de três garotos alcoolizados.

– Desde quando? – Bruno arqueou a sobrancelha. – Qual é, somos seis pessoas de dezessete anos fazendo merda e achando a vida engraçada. O que há de errado nisso?

– Nada. E eu ainda tenho dezesseis – Amanda sorriu, bebendo um gole de cerveja.

Daniel se levantou para ir até o som. Ela se virou, mudando de posição no colo de Bruno, ficando de frente para ele, com as pernas nos dois lados do seu corpo. A poltrona não era muito grande, mas eles estavam confortáveis.

– Voltaram a que horas?

– Uma hora atrás, acho – respondeu, sentindo o peso da garota em seu colo.

Sempre tinha pensado em Amanda como sua melhor amiga. Era estranho vê-la como uma adolescente da sua idade. Ele não estava acostumado com isso.

– Foram tão bem assim quanto estão se gabando? – Maya perguntou, tirando os sapatos.

Estava de saia e cruzou as pernas no sofá, recebendo um olhar tarado de Rafael. Ela o empurrou, e o menino desatou a rir.

– Fomos bem, docinho. As meninas eram fáceis.

– Até demais – Daniel deu *play* na música.

The Who. *I can't Explain* começou a tocar.

– Ah é? Contem pra gente – Amanda disse, fazendo um esforço para olhar para trás, quando Daniel voltou a se sentar ao lado de Carol.

Daniel pegou a garrafa da mão de Carol e bebeu mais um gole. Bruno começou a batucar a música nas pernas de Amanda e agradeceu por ela estar de calça jeans. Daniel olhou para a menina. Riu com o sorriso dela. Ambos eram amigos, nada poderia afetar isso. Sabiam que se gostavam, não interessava com quem fossem sair. Por isso, desatou a contar como tinha sido o encontro.

– E vocês foram? – Carol perguntou, quando ele disse que os três foram convidados para ir à casa de uma delas.

– Fomos – Rafael riu alto.

Maya balançou a cabeça.

– Ai, meu Deus, sou pura demais pra ouvir isso! – ela tampou os ouvidos, e todos riram.

– Não entremos em detalhes, por favor – Bruno pediu. – Vou na cozinha, não vai sair de cima de mim, não? – perguntou.

Amanda negou. Sentiu uma leve tontura ao perceber que Bruno se levantou, segurando suas costas e a mantendo no colo. A garota começou a rir e deixou a garrafa de cerveja com Maya, antes de ser levada para a cozinha aos berros.

Daniel sorriu e se virou para Carol.

– Bruno está me saindo um belo cafajeste; ele não estava com aquela Karen? – Carol perguntou.

Daniel deu de ombros.

– Ele só se divertiu hoje, nada demais.

– E você também – Maya alfinetou.

– Eu não estou saindo com ninguém – ele sorriu –, teoricamente.

– Oba! A Amanda está livre? – Rafael perguntou e riu da cara que Daniel fez. – Eu tô brincando! Você sabe que estou brincando...

– Não, não sei... – Daniel bebeu mais um gole de vodca, parecendo sério.

– Ele está brincando – Maya olhou para Rafael, que engoliu em seco. – Certo?

– Ah, odeio vocês dois... – disse.

Todos começaram a rir e a falar ao mesmo tempo.

• • •

Meia hora depois, estavam sentados no chão, com várias garrafas de bebidas em volta.

– Ok, sua vez... vai ter que beijar o Daniel – Rafael gritou rindo.

Daniel e Maya se entreolharam, e ela pôs a língua para fora. Carol prendeu os cabelos no alto, que estavam bagunçados, e Amanda sacudiu a camiseta. Estava quente ali dentro, mas eles não se importavam. O CD do The Who tocava pela quarta vez seguida.

– Se você colocar a língua, eu arranco ela fora! – Maya ameaçou, secando a boca.

Daniel concordou, colocando o cabelo para o lado. Como estavam bem perto um do outro, Maya apenas se inclinou de lado e beijou de leve a boca do menino. Amanda sorriu. Percebeu como Daniel ficava bonito enquanto beijava. E ele estava com vergonha, porque suas bochechas ficaram incrivelmente rosadas.

Rafael parou o beijo.

– Chega! – balançou as mãos exageradamente. – Chega, chega!

– Hmm... Ok – Daniel olhou para Amanda com uma expressão sexy, que fez a menina rir. – Amanda, fofa, você vai ter de beijar algum de nós. Um dos três, pode escolher.

Amanda sorriu marota para ele. Quando o menino lambeu os lábios, ela pensou que seria engraçado beijar algum dos outros dois e ver o que ele faria. Tirou os olhos de Daniel e passou a encarar Rafael e Bruno. Ambos começaram a rir com a cara que ele fez, mas ela não quis nem saber.

– Desculpe, Rafa, mas é caso de infância – ela falou, segurando Bruno pelo queixo e lhe dando um beijo estalado na boca.

Bruno sorriu quando ela fez isso. Eles eram amigos, e isso não significava nada, certo? Mas a expressão de Daniel e de Carol era impagável.

– Err, ok, Amanda, sua vez... – Daniel interrompeu.

Ela parou de beijar Bruno, fazendo cara de insatisfeita. Bruno riu da situação.

– Mais tarde a gente termina, *baby* – Bruno zombou.

Amanda concordou, e Maya desatou a rir dos olhos arregalados de Daniel. Carol bebeu um enorme gole de vodca antes de começar a tossir.

– Eu quero... não, eu exijo que os doces de coco fiquem no banheiro trancados por cinco minutos – Amanda disse.

– Cinco? Dá tempo de muita coisa! – Rafael olhou para Maya, que riu alto, esperneando.

– Eu não vou ficar trancada com ele; esse menino é tarado!

– Olha só quem fala! – Rafael gritou e se levantou. – Venha!

– Mandy... – Maya olhou para a amiga, que deu de ombros.

Ela se levantou, deixando que fosse arrastada para o banheiro. Daniel olhou o relógio.

– Ótimo, se a gente ouvir alguns gritos, vamos salvar o Rafael – Carol disse, e todos os quatro riram.

Bruno olhou para ela, quando sentiu que a menina também o encarava, mas, na mesma hora, ambos viraram o rosto, cada qual para um lado. Amanda achou aquilo palhaçada. Estava mais do que na hora de eles pararem com tamanha idiotice. Os idiotas da vez, porém, eram ela e Daniel, que, por sinal, estava incrivelmente sexy só de cueca. Amanda começou a rir ao vê-lo se sentar desajeitado, com a garrafa de vodca quase vazia entre as pernas. Ele olhou para ela e sorriu.

Um barulho dentro do banheiro fez os quatro se virarem assustados. Maya abriu a porta puxando Rafael para fora. Ambos estavam vermelhos, e a blusa de Maya estava amassada. Amanda e Carol se entreolharam.

– Eu me recuso a ficar muito tempo com ele ali dentro!

– Quatro minutos e meio. Que feio, Rafa! – Daniel sacaneou.

– Ela não me deixou trabalhar.

– Trabalhar? – Maya bateu no braço dele. – Ele queria pegar em tudo, menos na maçaneta da porta pra ser mais exata...

Rafael se sentou no chão, sorrindo envergonhado. Ele sabia que ela também gostava dele, mas, dessa forma, era mais divertido.

• • •

Chegou a vez de Bruno escolher. A brincadeira já não tinha regras, e eles estavam alterados demais por causa da bebida. Nem seguiam mais uma ordem de escolha. O garoto estudou as feições de todos. Viu que Amanda não tirava os olhos de Daniel e que Maya ficava tentando puxar Rafael para si. Olhou então para Carol. Ela bebia mais um gole de vodca.

– Ei! – chamou a menina, que o encarou, assim como todos, e disse gentilmente: – Venha aqui.

Carol arregalou os olhos e mexeu a cabeça para os dois lados. Era com ela mesma. Amanda saiu do lado de Bruno, encostando-se nas pernas de Daniel, que a abraçou pelos ombros. Carol engatinhou timidamente até Bruno e ficou de joelhos, sem entender muita coisa, visivelmente bêbada. O garoto a puxou e a beijou de uma forma muito simplória, mas não foi só um estalinho demorado como estavam brincando antes. A menina tentou recuar de início, mas se entregou ao beijo ao sentir a mão de Bruno em suas costas. Maya arregalou os olhos e viu que Amanda estava petrificada. Nunca fora tão fácil! Será que desde o começo era só dar vodca para eles?

– Por que o Bruno foi quem se deu melhor hoje? – Rafael cruzou os braços, vendo Bruno e Carol pararem de se beijar e se olharem estranhamente.

– Porque eu posso! – Bruno respondeu.

Carol riu, irônica, e voltou a se sentar.

– Vamos ver um filme? De terror. Depois de beijar três quartos da Scotty, eu só quero gritar um pouco! – Maya sugeriu.

Todos concordaram. Bruno subiu para pegar cobertores, e Amanda correu atrás dele, enquanto os outros se ajeitavam no sofá.

– Como foi com a Carol? – quis saber.

– Ela ficou meio estranha, não se soltou muito... Mas estamos meio alterados. Amanhã ela vai me odiar de novo!

– Não que você não goste disso...

– Eu não gosto! Depois, eu conto pra você da menina que peguei hoje...

– Não quero saber – Amanda riu e saiu do quarto, com alguns cobertores nas mãos.

– Eu sei que quer.

– Não quero...

Ela desceu a escada correndo de Bruno, que gargalhava atrás.

• • •

Rafael e Maya, sentados lado a lado no sofá, dividiam um cobertor. Bruno e Carol estavam no chão, cada um com seu cobertor. Amanda estava no meio da sala.

– Sente-se logo, quero dar *play* – Maya falou.

Daniel, perto da TV, abriu seu cobertor, e Amanda viu que havia um enorme espaço ao seu lado. Sorriu e correu para se aninhar junto dele, sob o cobertor. Daniel, ainda só de cueca, sentiu um calor por dentro quando a menina encostou no seu corpo. Ele beijou a cabeça dela, rindo.

– Calem a boca vocês dois! – Carol bufou.

Daniel e Amanda morderam os lábios e se cobriram até o pescoço.

Amanda sentiu a mão de Daniel na sua barriga. A mão dele estava gelada, mas ela não se importava. Ele levantou a camisa, tocando sua pele nua. A menina, ao ter calafrios, chegou um pouco para trás, sentindo seu corpo encostar na barriga de Daniel, e fez as pernas dele ficarem em volta de si. Daniel fechou os olhos, mordendo os lábios. Que se dane o filme. Ele tinha coisa melhor para fazer.

Mordeu de leve o pescoço da menina, que fechou os olhos e deixou a cabeça pender para trás, escorada no ombro dele. Com uma das mãos, Daniel segurou com força a coxa de Amanda. A outra deslizava por debaixo da blusa dela, fazendo a garota respirar fundo. Sentiu as mãos dela em suas pernas nuas e a beijou perto da orelha, vendo a menina tremer em seus braços. Ele sorriu e continuou beijando-a de leve.

Amanda sentiu Daniel descer a mão de sua barriga, passando do cós, por cima da calça. Ela fechou os olhos e mordeu os lábios, ainda com a boca dele em seu pescoço. Era bom demais para ser verdade.

Por um minuto, ela chegou a estranhar aquele momento. Um ano atrás, não estaria fazendo aquilo. Não deixaria o menino passar a mão em seu corpo para o próprio agrado dele. As coisas mudaram. Eles tinham crescido. Às vezes, achava que isso estragaria todos eles, mas pelo visto não. Abriu os olhos momentaneamente e encarou os amigos. Bruno e Carol se beijavam calorosamente, enquanto Rafael e Maya falavam baixinho, um no ouvido do outro, rindo e apontando para o filme. Como sempre, nesses momentos, só de estarem juntos já valia a pena.

Amanda olhou para Daniel, que tirou a mão de sua calça e a tocou no pescoço.

– Quer subir? – perguntou.

Ela negou.

– Aguenta mais um pouco, lindo. Pelo menos comigo.

– Pode ficar tranquila, fofa. Por mais que aconteçam coisas como hoje cedo, nunca vai ter ninguém além de você.

– Eu sei – ela sussurrou, beijando-o de leve na boca, mas, na verdade, não tinha tanta certeza assim. "Quer dizer, então, que Daniel jamais levaria outra menina para a cama?". Esse pensamento revirou seu estômago. Aconchegou-se mais, pressionando-o para trás, sentindo o menino gemer baixinho.

– Mas você paaara de me provocar! – ele disse, rangendo os dentes.

– Que graça teria? Você está bêbado, Daniel.

– Você também.

– Ok, vamos subir! – ela começou a rir e se levantou, surpreendendo o menino. – Não quer dizer nada, venha!

Estendeu a mão para Daniel, que se levantou com certa dificuldade. Amanda correu escada acima. Os amigos não disseram nada. Estavam entretidos demais com seus parceiros.

• • •

Amanda deitou-se na cama do quarto de hóspedes, enfiando-se por baixo dos cobertores, e Daniel fez o mesmo. Os dois se olharam e riram.

– O filme estava um saco! – ele brincou.

– Eu amo *A mão assassina*, não ouse falar assim! – ela reclamou, aproximando-se dele, e passando a mão lentamente sobre o peito do menino, que respirou fundo.

– Eu estava pensando como a gente mudou – Daniel disse.

Ela concordou, beijando de leve o pescoço dele. Daniel a abraçou pela cintura.

– Essas coisas não eram frequentes...

– Eu prefiro assim – ele confessou.

A menina deu um tapa de leve em seu braço, soltando-se para o lado.

– Ahhh, venha cá... – Daniel puxou-a para perto. – Eu sei que você também prefere...

– Mas, Daniel! Você já cozinhou brócolis pra mim! – a menina riu.

Ele se deitou por cima de Amanda e, lentamente, foi abrindo os botões da camisa dela.

– Eu sou um cara romântico.

– Ah, claro que é! – ela riu da cara dele.

O menino ficou olhando a barriga, agora nua, de Amanda, sentado em cima do corpo dela, com as pernas para os lados.

– Você foi pra cama com aquela menina hoje? – perguntou, ficando corada de repente.

Ele a encarou.

– Não! Não teve nem clima. A gente só ficou no sofá. Bom, ela meio que se esfregou...

– Não quero saber! – Amanda riu alto, gritando. – Ahhhhh, cale a boca!

– Você que perguntou!

– Mas não quero saber detalhes! – falou, puxando-o para perto.

O menino sorriu e a beijou de leve nos lábios.

– Você sabe que não significa nada...

– Eu sei – ela beijou o menino, segurando-o pelos cabelos. – Não vou mais me importar com isso. Admito que fiquei meio chateada hoje...

– Eu também.

– Mas... – ela sorriu, descendo as mãos pelas costas dele, sentindo as mãos de Daniel em suas pernas. – Dane-se. A gente é amigo, certo?

– Certo! – ele falou e a beijou com volúpia, fazendo a menina suspirar e amolecer o corpo.

Ficaram se beijando por alguns minutos, mas decidiram dormir. O álcool podia fazer com que se arrependessem de algo no dia seguinte.

• • •

Amanda acordou com uma batida de surdo a toda altura. Sentiu a cabeça rodar e levantou o rosto. Estava num quarto escuro, mas a luz do dia brilhava na fresta da janela. Olhou para o lado e não viu ninguém, só o travesseiro amassado e os cobertores desarrumados. Ela se largou deitada e riu sozinha, até ouvir um solo de guitarra tão alto que acabou com seus tímpanos. Levantou-se e foi ao banheiro. Tudo parecia girar. Sua boca estava seca, e a cabeça latejava. Talvez ser uma adolescente curtindo a vida não fosse tão legal assim.

• • •

– Não! Maya, não é assim... – Fred tentava ensinar de novo.

Ela desistiu, largando a guitarra com ele.

– Palhaçada... Bruno, me deixe tentar a bateria.

– Não! – ele berrou com os olhos arregalados.

– Maya, agora chega, deixe que eles ensaiem – Carol pediu.

– Qual é a graça?

– Depois eu ensino você a tocar alguma coisa, doce de coco – Rafael disse, maldoso.

– Não dá, ele não fica um minuto sem falar de sacanagem... – Maya rolou os olhos, e todos riram.

Depois de algumas tentativas de ensaiar uma música nova, Daniel pediu para beber água. Queria ver se Amanda já tinha acordado.

• • •

Ela saiu do banheiro vestindo uma das cuecas samba-canção de Bruno e uma camiseta xadrez que achou no armário. Sorriu sozinha, arrumando os cabelos, quando Daniel bateu de leve na porta e entrou. Ele riu ao ver a roupa que ela estava usando. A menina deu um pulinho e o abraçou.

– Fala que eu estou sexy.

– Nas roupas do Bruno? Nem morto! – Daniel sorriu, abraçando-a mais forte.

Ele usava ainda a mesma cueca e uma camiseta branca apertada.

– Você está sexy!

– Eu sempre estou. Quer ver nosso ensaio?

– Se ouvir outro solo de guitarra, eu me mato! Tô com dor de cabeça. Acho que vou pra casa.

– Isso que dá beber e não comer nada...

– Ah, disse o mestre, né?

– Eu tô com dor de cabeça? Não! – disse, saindo do quarto e descendo a escada, acompanhado por ela.

– Daniel...

– Eu sou mestre em tudo, nem comece...

– Daniel!

Ele puxou Amanda para a cozinha pela mão.

– Não vou ser alimentada por você...

– Qual problema? – ele fez com que ela se sentasse na mesinha. – Quer o que pra comer?

– Nada.

– Amanda, estou tentando ser romântico – o menino reclamou, pegando uma frigideira e óleo.

– Tarde demais – ela sorriu.

– Vou fazer qualquer coisa.

– Tudo bem, eu gosto de ser bem tratada. Isso me faz lembrar meus tempos de popular, quando lambiam meus cadarços.

– Não vou lamber seus cadarços! – ele quebrou dois ovos.

– Não agora...

– Então... – ele respirou fundo. – Como dormiu?

Ele passara horas olhando para ela enquanto dormia. Ainda parecia não acreditar que, depois de tanto tempo longe, os dois estavam se tratando daquela forma. Ele gostava, porque sabia que, acima de tudo, precisavam ser amigos para qualquer coisa funcionar. E tinham dezessete anos! Ninguém fica para sempre com uma única pessoa em plena sanidade, no século XXI, com essa idade.

– Bem confortável.

– Que bom – Daniel sorriu.

Bruno entrou na cozinha esbaforido.

– Cacete! Água mudou de nome? – Ao perceber a presença de Amanda, completou: – Cafajeste!

Ele deu um beijo na testa da menina.

– Você está sexy nas minhas roupas.

– Ahá, viu, Daniel? – Ela mostrou a língua para ele e perguntou baixinho para Bruno: – Como está?

– Na mesma – ele sorriu e virou-se para Daniel. – Só perdoo você porque está cozinhando pra ela! Agora, não demore ou a Maya vai deixar todo mundo surdo!

Bruno saiu da cozinha. Amanda e Daniel ficaram rindo.

vinte e sete

Amanda estava sentada na cama de Kevin, ouvindo alguma história absurda sobre Lucas. O início de dezembro passara rápido e, com ele, as festas de fim de ano estavam se aproximando. Kevin ficava a maior parte do tempo trabalhando na sorveteria e cumprindo seu castigo por ter repetido de ano. Os dois mal se viam, mas nunca deixavam de colocar as fofocas em dia. Amanda percebia como o amigo estava mais alegre desde que tinha começado a sair com Lucas

– Ele gosta mais daquele cara da *boyband* do que de mim! – Kevin terminou de contar, sentando-se de um jeito teatral.

Amanda riu.

– Vamos falar sério, o cara é um gato! – ela rolou na cama e se levantou. – Kevin, deixe de ser ridículo! O Lucas não vai trocar você por um famoso que nem mora perto daqui, né?

– Eu sei... – ele respirou fundo. – Enfim... vamos sair? Estou de saco cheio de ficar em casa. É quase Natal, minha mãe está começando a enfeitar tudo e, provavelmente, vai pedir minha ajuda.

– Ok, posso só ligar pra Guiga antes? Ela pediu que ligasse, mas como não estou em casa desde ontem, porque me agreguei aqui... – ela sorriu.

Kevin concordou e foi até o banheiro. Amanda correu para o telefone.

– Alô? – Guiga atendeu.

– Boa-noite, amiga! O que houve? Pediu que eu ligasse pra você e tudo mais...

– É o Fred que fica tendo ideias absurdas aqui. Não é nada...

– Ele... está na sua casa?

– Está. Meus pais não estão, por sinal.

– Ah, claro...

– Vai fazer algo hoje?

– Vou sair pra andar com o Kev. A gente deve ir no bar novo, a Anna parece que está lá com Caio e um pessoal do colégio.

– Fred disse que os meninos foram pra lá... Com algumas garotas – Guiga confessou com a voz baixa.

– É, eu sei – Amanda respirou fundo. – Normal.

– É, né? Estranho isso... – Guiga não sabia o que dizer. – Tipo, do nada, todo mundo gosta deles.

– Eles têm que aproveitar a fama, certo? Os caras têm dezessete anos e várias meninas dão em cima deles. Nada mais normal – Amanda disse, tentando, sem sucesso, acreditar em suas próprias palavras.

Não conseguia pensar na possibilidade de ver Daniel ficando com outra, mesmo sabendo que isso estava acontecendo com certa frequência. Já fazia uma semana que os dois não ficavam, mas ele tinha saído quase todos os dias com Bruno e Rafael. Caio e Anna também saíam com eles, e a amiga lhe garantia quea Rebeca nem passava perto, o que deixava Amanda um pouco mais aliviada.

– Bom, vai lá, e depois me liga pra contar as fofocas... Vou aproveitar meu momento a sós com meu namorado antes que papai volte pra casa – ela riu.

Amanda se despediu, desligando o telefone. Sorriu ao ver Kevin voltar para o quarto com um suéter vermelho, verde e branco, totalmente natalino.

– Vamos mocreia? Vai de All Star mesmo? Bote um sapato decente...

– Nem comece! – Amanda saiu do quarto, arrastando a calça jeans debaixo do tênis.

– Porca... – ele mordeu a boca.

– Kevin! – ela riu alto enquanto desciam a escada.

• • •

Os dois caminharam até o Cabeça de Bode, que estava cheio. Em cidades do interior, as novas atrações são sempre concorridas, mas não duram muito. Logo, o pessoal encontra outra novidade e muda o ponto de encontro. Eles se desviaram das pessoas em frente ao bar e entraram. Amanda procurou pelos amigos e achou a cabeça de Caio em uma mesa no fundo. Andou entre a multidão até chegar perto deles.

– Noite! – ela cumprimentou alto.

Kevin chegou ao seu lado na hora em que todos olharam para ela.

Daniel, que parecia ter levado um choque, tinha uma garota sentada em seu colo. Amanda apenas sorriu. Por incrível que pareça, achou a cena engraçada, já que a menina era falsa demais para ser verdade. Bruno conversava com uma fã em pé, enquanto Rafael e outro garoto estavam entretidos com duas meninas na outra mesa. Anna e Caio riram.

– Sentem-se – o casal convidou.

Amanda e Kevin puxaram duas cadeiras, ouvindo o som de Bob Marley ao fundo.

– Devia ser proibido menores de idade em bares assim – Kevin disse.

– Não teria a mesma graça – Caio sorriu.

Daniel respirava fundo e parecia prestes a vomitar. Amanda olhou para ele.

– Oi, meu nome é Liz – a menina sentada em seu colo estendeu a mão pela mesa.

Amanda arqueou a sobrancelha, mas não apertou a mão dela. Apenas balançou a cabeça.

– Amanda.

– Sei quem você é. Estudo na mesma escola que vocês desde pequena – ela tentou ser simpática. – Quem não conhece o caso do baile de sábado à noite? – ela riu alto.

Anna revirou os olhos, vendo Amanda abrir a boca e não dizer nada. Ela só olhou para Kevin, e os dois começaram a rir.

– Claro, quem não conhece...

Amanda achou engraçado o fato de uma menina, sentada no colo de Daniel, puxar papo sabendo do tal caso de sábado à noite. Por que esse nome, afinal de contas?

– Err... bom. A que devemos a honra de ver os dois aparecerem por aqui? – Caio desconversou.

– O namorado dele gosta do cara do One Direction – Amanda contou, e levando um tapinha de Kevin, o que fez os amigos rirem.

– Não é só isso – Kevin falou. – Tédio.

– Passar dois dias com alguém não hétero pode ser entediante – Amanda zombou.

– Bom, passar o dia com vários héteros pode ser entediante também, amiga, não esquente – Anna concluiu, e as duas ficaram rindo vendo a cara de Caio.

– Amanda! – Bruno gritou quando a viu sentada à mesa. – Caraca, não vejo você há três dias, achei que tivesse me esquecido.

– Pois é, minha mãe vetou minha saída por esses dias. Parece que moças de família não podem dormir tantos dias fora de casa... – ela se levantou, abraçou o amigo e sussurrou. – Bruno, e a Karen?

– Me pegou outro dia beijando uma menina aí, armou maior barraco, blá-blá, e não estamos mais juntos – ele falou baixinho. – Então... vejo vocês mais tarde!

– Foi cedo hoje – Caio disse, quando Bruno se afastou de mãos dadas com uma morena bonitinha.

– Ai, céus, onde vim parar? – Kevin perguntou rindo.

– Bom, cambada... – Daniel se levantou depois que a tal Liz fez o mesmo. – Preciso ir.

– Me ligue, ok? – Liz disse, beijando-o de leve nos lábios.

Daniel concordou, com as bochechas vermelhas, pegou o casaco e saiu correndo do bar. Liz deu um breve adeus e saiu de perto.

Amanda arqueou a sobrancelha e olhou para Caio, com cara de interrogação.

– Err... ok, não entendi essa. Não era pra ele sair com ela? – Kevin perguntou.

– Faz alguns dias que ele faz assim – Anna contou.

– Parece que tem uma menina que ele vê de vez em quando, mas ele não diz quem é – Caio riu. – Esse Daniel, ninguém merece... Você devia ter segurado o cara, Amanda. O garoto nunca foi assim.

– Quem sou eu pra segurá-lo – ela deu de ombros, mas sentia seu coração gelar.

– Achei que vocês se gostassem, amiga – Anna sorriu. – O que houve?

– Não sei – Amanda balançava as pernas, impaciente. – Não faço ideia...

– Eles não ficam há uma semana – Kevin entregou, levantando-se visivelmente irritado. – Vou pegar algo para beber.

– O Daniel faz o que quer. As coisas mudaram desde que ele foi embora, não mudaram? – Amanda se explicou.

– Mas vocês ficaram depois que ele voltou – Anna disse.

– Algumas vezes – concordou –, mas é sempre tão casual que parece coisa de amigo.

– Ele gosta de você... – Caio disse. – Acho...

– Talvez goste – Amanda se levantou da cadeira, sentindo-se mal. – Acho que vou embora, ok? Avisem ao Kevin.

– Tem certeza? Quer que eu vá com você? – Anna se levantou para acompanhá-la.

– Não... pode deixar – Amanda dispensou. – Vou pra casa, não passei lá hoje e minha mãe já me mandou mensagem de texto, ou seja, perigo – concluiu, dando um riso falso.

A amiga percebeu, mas não podia fazer nada. Apenas concordou e voltou a sentar-se. Amanda beijou a testa de Caio e foi embora de cabeça baixa. Sentiu o mundo cair e abrir um buraco aos seus pés.

Kevin voltou para a mesa com duas latas de Coca-Cola.

– Cadê ela?

– Foi embora. Não estava bem...

– Ai, não... – Kevin balançou a cabeça. – Bom, vou atrás dela...

– Kevin, não... – Anna ia falar mais alguma coisa, mas parou quando ele a olhou irritado.

– Se vocês não a conhecem bem, eu conheço. E, escutem aqui, ainda vou fazer o Daniel pagar por tudo isso!

Ele saiu bufando, empurrando todo mundo que viu pela frente, a fim de alcançar Amanda antes que ela acabasse fazendo alguma besteira.

•••

Amanda andava pela rua, ouvindo ao longe o burburinho do pessoal em frente ao bar. Com as mãos dentro dos bolsos da calça, ela chutava pedrinhas. Sentou-se em um banco da praça, logo adiante, e encarou os pés. A uma hora dessas, ela pensou, Daniel ficava com uma menina por quem ele dispensava as outras. E não era ela!

De repente, ouviu o barulho de passos.

– Besta! – Kevin riu, sentando-se ao seu lado.

– Kev... – Amanda encarou o amigo e confessou – não posso ficar na fossa. Sei que eu e o Daniel ainda vamos ficar juntos algum dia, porque nos gostamos e somos amigos.

– Entendo... mas, como disse, nada de fossa.

– Nada de fossa.

– Então, o que faz aqui fora? Por que saiu desse jeito?

– Ahh, me senti sufocada. Fiquei mal com a ideia de Daniel estar com outra.

– O bom é que ele vai treinando...

– Kevin! – Amanda riu alto. – Ele faz o que quiser da vida, só que eu não me senti bem.

– Certo... sabe o que vamos fazer? Podemos voltar pro bar e dançar um jive.

– Kevin, largue de ser *gay*!

– Bem que meu pai queria... – o menino sorriu, pegando na mão dela. – Vamos lá, a gente dá uma volta, paquera algum cara bonito, e você volta lá pra casa, ok?

– Meus pais vão me expulsar de casa desse jeito... – ela se levantou.

– Eu ligo pra eles, sua mãe me ama!

– Eu também aaaaaaamo você! – ela disse com voz de criança, e Kevin rolou os olhos.

– Olha o mico, mocreia – ele disse, baixinho, e ela voltou a rir, empurrando-o de leve com o quadril.

vinte e oito

– É sua mãe...

– Caraca, vamos logo...

– Olha meu pé!

– Venha cá, chega mais...

– Kevin! Kevin, veja só!

– Cadê o Caio?

Vários risos e o falatório ecoaram na cabeça de Amanda.

Ela abriu os olhos com dificuldade. Estavam pesados. Sentiu o corpo meio mole e respirou fundo. Cheiro de vodca. Que droga, tinha feito alguma besteira.

Levantou a cabeça e espiou os lados. Era o quarto de Kevin, mas estava sozinha. De repente, ouviu mais risadas, e a porta se abriu.

– Até que enfim, já ia buscar acetona pra enfiar no seu nariz! – Kevin disse, sentando-se na ponta da cama.

Em seguida, Daniel, Bruno, Caio e Anna também entraram no quarto. Amanda olhou para todos e puxou um travesseiro, escondendo o rosto.

– Ei, amiga, tá melhor? – Anna perguntou, deitando-se ao lado dela.

Amanda apenas mexeu a cabeça, sem tirar o travesseiro do rosto.

– Sabe, se esconder não muda o fato de que você está com uma camiseta rosa do Kevin e de calcinha – Bruno brincou.

A menina juntou as pernas rapidamente e tateou a cama atrás do cobertor. Eles riram.

– Ah, Kev... – ela disse, soltando o travesseiro e puxando o cobertor que estava nas mãos dele.

Daniel, Bruno e Caio estavam em pé, na frente da cama, comendo pedaços de pizza.

– Bom-dia! – Caio sorriu.

Amanda olhou para Daniel e depois para Bruno.

– O que vocês fazem aqui? O que eu faço aqui? Por que estou cheirando a vodca? E quem é Gustavo? AHH! – ela deu um berro e cobriu o rosto de novo. – Kevin, o que eu fiz?

Todos riram, mas Daniel disfarçou, enfiando o resto da pizza na boca.

– Não fez nada porque eu não deixei – Kevin falou.

– E eu! – Caio completou.

– Caio foi um bom guarda-costas – Anna sorriu, tirando fotos da amiga com o celular, para mostrar às amigas o estado lamentável da menina.

– Ei, pare com isso! – Amanda olhou para Anna. – Ai, paguei muito mico?

– Nada que também não fiz; afinal, eu estava com você – Anna disse. – Mas eu tinha comido, por isso a ressaca não está aguda.

– Kevin, que é mão de vaca, não deixou a gente comer antes de sair – Amanda falou.

– Quer comida na cama, mocreia? – Kevin riu.

– Hmmm, eu ia adorar.

Ela se sentou com as costas apoiadas na parede, vendo Kevin dar a língua e sair do quarto.

– Que foi? Vocês não vão ficar me olhando o dia todo, vão? Ninguém fica bonita quando acorda.

– Você tá bonita – Bruno se sentou na cama. – E eu queria ter visto o mico de ontem.

– Ainda bem que não viu! – Amanda exclamou. – E você, Daniel?

– Eu o quê?

– Por que está olhando com essa cara? Eu estou de calcinha sim, mas não é nada que você já não tenha visto.

Ela queria brincar com ele, mas seu tom foi um pouco seco.

– Larga mão de ser palerma; vim com o Bruno chamar vocês pra ir ao parque, mas, pelo visto, acho que ninguém quer roda-gigante hoje.

– Nem fale esse nome – Caio cobriu os ouvidos com as mãos. – Fico tonto só de pensar.

– Imagine eu – Amanda sorriu.

– Vamos ter de chamar outras pessoas então! – Bruno falou alto.

– É só botar a cabeça pra fora e se oferecer que aparecem mil garotas querendo beijar um Scotty – Anna sugeriu.

– Quer dizer que é só se oferecer? – Caio perguntou.

– Nem sempre, querido – Anna começou a rir.

• • •

Eles acabaram desistindo de ir ao parque. Primeiro, porque começou a chover, e também porque a mãe de Kevin ficou feliz de ver a casa cheia e preparou quitutes para todo mundo. Como boa cozinheira, ela fez massa de pão de queijo na hora, ensinando--os qual era o ponto certo. Bruno se aventurou e ficou todo sujo de polvilho. Anna fazia um vídeo, e eles fingiam estar em algum programa de culinária. Rafael chegou mais tarde, com alguns filmes, e passaram a tarde toda sentados na sala, conversando e comendo. Nada mais proveitoso para uma sexta-feira.

No início da noite, o celular de Daniel tocou.

– Ih, já é fã de novo? – Amanda perguntou olhando para ele.

Daniel riu, irônico, e atendeu. Era sua mãe. Ele ficou calado, apenas concordando.

Rafael parou o filme, enquanto todos encaravam o garoto. Com uma expressão triste, ele desligou o telefone.

– Vou pra casa, a coisa tá feia – ele se levantou.

Amanda segurou na mão do menino, com carinho.

– Alguma coisa que a gente possa fazer?

Daniel sorriu de verdade para ela. Ele queria colo. Queria poder sentar e abraçá--la, mas não podia. Não agora. Seu pai não estava bem. Sua mãe estava dando ataque. Para piorar, os dois jogavam na cara dele que ele era o motivo de ainda não terem ido embora para o Canadá.

– Obrigado, fofa. Preciso resolver isso sozinho.

– Qualquer coisa liga, cara. – Caio falou.

Bruno pegou a chave do carro.

– Eu levo você.

Daniel concordou. Pegou sua mochila e saiu. Minutos depois, os amigos estavam em silêncio na sala, encarando a televisão.

• • •

Quando Amanda foi pra casa, era quase meia-noite. Ela estava preocupada com Daniel. Será que tinha acontecido algo tão ruim assim?

Entrou em seu quarto e ficou algum tempo dedilhando o violão. Lembrou-se de músicas que gostava muito. Hanson. Começou a rir.

– *And I love you more than anything... than anything, I do...* – ela cantou devagar.

Sorriu ao olhar a chuva fina pela janela. Largou o violão de lado e se deitou na cama, encarando o teto. Ainda estava preocupada. Tinha certeza de que Daniel não estava feliz, e não gostava desse sentimento.

• • •

Amanda acordou com o barulho do celular. Abriu os olhos devagar e olhou pela janela. A chuva ainda caía, e o violão estava ao seu lado.

Levantou correndo para atender. Viu o número de Daniel no visor.

– Alô?

– Fofa? Acordei você? – ele perguntou choroso.

Amanda sentiu uma dor no peito.

– Não! Quer dizer, acordou, mas não tem problema. Que houve?

Ela olhou para o relógio na mesa de cabeceira, eram duas da madrugada.

– Ah, sei lá... Eu não tô bem. Desculpe-me por ligar a essa hora, assim do nada...

– Daniel, sem problemas! – Ela fez uma pausa. – Eu... estou... preocupada.

– Não fique, eu vou ficar bem.

– Sou toda ouvidos.

A menina se deitou na cama de novo. Ele chorou um pouco e parou, fungando alto.

– Meus pais vão se mudar mesmo pro Canadá, mas não quero ir, você sabe, e minha mãe tá de merda porque quer que eu vá. Eu tenho 17 anos, não é? Minha avó é meio maluca, e eles acham que não vai cuidar de mim direito. É pura implicância, só porque ela é mãe do meu pai e nunca foi com a cara da minha mãe. Então, meu pai teve um ataque ontem, quando minha mãe disse que eu queria ficar. Os dois estão brigando e... – Daniel começou a falar rápido.

Amanda escutava tudo atentamente. Ele parou após contar o que estava acontecendo. Ficou em silêncio e, depois, voltou a chorar. Amanda ouvia, mas não conseguia falar nada. Não sabia o que dizer.

– Sou uma pessoa egoísta, Daniel, não peça meu conselho – a menina disse, baixinho.

– Seja, por favor.

– Eu não quero que você vá – falou, sentindo uma lágrima descer pela bochecha.

– Eu sei, fofa... – Daniel riu.

– Mas não vou dizer pra você ficar contra seus pais, ainda mais se isso deixar você triste.

– O que me deixa triste é a reação deles! Será que não entendem que, apesar de ter dezessete anos, eu sou gente? Tenho minha vida, meus amigos. Eu tenho você aqui, a minha banda. Mas minha mãe diz que sou jovem e posso recomeçar tudo lá. Cara, que merda! Não posso simplesmente ir embora e largar tudo.

– Não pode – Amanda sentiu seu coração dar pulos quando ele tinha falado dela, e isso a deixou contente.

– Vou no banheiro, aguenta aí – avisou.

Amanda riu, concordando, e tirou os sapatos. Colocou o violão no *case*, ainda com o telefone preso no ombro, e trocou de roupa.

– Tá aí?

– Um minuto que estou botando o pijama.

Daniel ouviu o barulho de algo caindo e a risada da menina. Ele usava apenas uma calça de moletom e preparou a cama. Apagou a luz e deitou por baixo dos cobertores.

– Amanda?

– Aqui! Aqui! – ela respondeu rápido, equilibrando o celular enquanto vestia o short do pijama, desequilibrando-se e quase caindo. – Ai! Um minuto...

– Ok – ele riu ao perceber que ela tentava fazer várias coisas ao mesmo tempo.

A menina se enfiou correndo debaixo das cobertas e viu que a luz estava acesa. Mandou um palavrão, levantando-se, apagou a luz e voltou a se deitar.

– Pronto, sou toda ouvidos de novo.

– Certo, então... O que está fazendo?

– Deitada debaixo do cobertor, está um friozinho gostoso.

– Verdade...

– Onde paramos? Ah, eu sendo egoísta.

– Não sei se quero falar mais disso. Estou me sentindo mal o suficiente pra deixar todo mundo a minha volta de mau humor.

– Não vou ficar de mau humor, prometo.

– Sabe quando você acha que a sua vida vai afundar de tanto que você quer se esconder? – perguntou de repente.

– Sei – ela se virou de bruços.

– É, acho que você sabe...

– Deixe disso, Daniel, a dor passa. – Assim que disse isso, ela parou e pensou. Não era fácil assim; então, corrigiu: – Tá, não passa totalmente, mas... Sei lá...

– Eu queria a minha infância de volta... Isso soou ridículo, né?

– Não! Eu também queria, acho que todos queriam.

Os dois ficaram em silêncio. Amanda bocejou. Daniel sorriu.

– Quer dormir? Estou atrapalhando?

– Não esquenta não, Danny... Tô bem, não tenho aula amanhã, estou de férias. É quase Natal!

– Amanhã é sábado, você não teria aula mesmo, Amanda.

– É, eu estou com sono – deu uma risadinha.

– Posso pedir uma coisa? – Daniel fungou mais uma vez.

– Pode.

Ela já estava de olhos fechados. Amava a voz dele, o jeito doce como ele falava.

– Dorme com o telefone? – Daniel pediu, e ela soltou uma risada, sem entender. – Eita, isso soou estranho... Mas estou me sentindo sozinho.

– Você não está sozinho, não. Estou a alguns quarteirões da sua casa e do outro lado da linha telefônica.

Ele ficou em silêncio.

– Tudo bem, mas se você roncar eu desligo o telefone! – ela avisou.

– Eu não ronco! – disse, indignado.

Amanda fez um barulho estranho com a boca.

– Daniel?

– Hmm.

– Canta pra mim, que nem Rafael fez com a Maya pra confortá-la... eu sei que eu é quem devia confortar você, mas eu não canto tão bem assim...

Daniel riu e depois ficou em silêncio.

– Estive pensando nessa música hoje. Ensaiamos essa semana, mas ela não está pronta, apenas um pedaço. Pode não estar muito boa, mas não consigo tirá-la da cabeça.

– Canta... – Amanda pediu baixinho.

Ele respirou fundo.

– Tenho tido dúvidas, por uma semana ou duas, ela não o ama mais como costumava fazer. Ele teve sua chance, mas tudo acabou e ele a quer de volta, com ele essa noite.

Depois de respirar fundo de novo, Daniel continuou cantando baixo e grave. A menina fechou os olhos e tentou dormir, imaginando o rosto dele. Aos poucos sentiu o corpo pesado, mas manteve a mão no telefone, perto do ouvido, ouvindo a voz que tanto amava.

vinte e nove

– Larga-de-ser-burra! – Kevin falou, exagerando nos gestos, e ganhou apoio de Carol, que concordava com ele.

– Ah, gente... – Amanda coçou a cabeça.

– Ah, gente, o caramba! – Kevin falou alto.

Anna e Maya liam revistas de moda, distraídas. Estavam na casa da Carol, no quarto dela, fazendo nada, sábado à tarde. Amanda contara que Daniel tinha ligado para ela durante a madrugada, sem entrar em detalhes, mas Kevin ficou muito irritado.

– Não grite – Amanda falou, cruzando as pernas, sentada no chão.

– Amanda, se ele estava com várias garotas nesta semana, o que faz você pensar que está tudo bem? – Carol perguntou.

– Daniel não sossegou mesmo – Anna completou.

Amanda mordeu o lábio.

– Buuuuuurrrraaaaaaaa! – Kevin falou.

– Seguinte, ok? Eu sei que sou burra às vezes, mas ontem foi sério. Ele precisava de mim.

– Antes de ontem ele precisava da Liz – Maya alfinetou.

– E no dia anterior da Sofia, ou sei lá o nome que ele disse... – Anna franziu a testa.

– Filho de uma égua corna, ele vai... – Kevin queria socar Daniel.

– Kev... – Amanda abraçou o amigo, sentado ao seu lado.

– Por favor, me promete que vai dar um gelo nele? Quem ele pensa que é?

– Nós não estamos namorando. Então, vamos parar de discutir isso. Eu, hein, já cansou. Daqui alguns dias é Natal, e acho que a Guiga vai pra fazenda passar com a família. Vocês vão ficar aqui?

– Minha tia vem com a família de São Paulo – Maya deu de ombros.

– Acho que só eu dou azar, a minha família inteira mora aqui na cidade, né? – Carol colocou a língua para fora, fechando a revista.

Amanda concordou.

– Minha mãe fez uma árvore enorme em casa, mas acho que vamos passar só nós. Meu pai deve chegar tarde por causa do trabalho, como sempre.

A garota sentou-se na penteadeira de Carol. Kevin aproximou-se por trás dela e começou a pentear seus cabelos.

– Adoro Natal – ele disse. – Tudo parece tão mais bonito. A família do meu pai vem da Inglaterra; coitado do meu avô, vai derreter neste verão tropical!

– Queria viver na neve... – Maya se abanou.

– Pensando em frio... vamos fazer alguma coisa? Tipo tomar sorvete? – Amanda olhou para trás, e o garoto concordou.

– Quem chegar por último paga a conta! – Kevin correu para fora do quarto.

Carol, sem pensar duas vezes, pegou sua bolsa e o sapato, que estava perto da porta, e correu atrás dele. Amanda fez o mesmo, enquanto Maya e Anna andavam lentamente. As duas riram quando, no andar de baixo, viram os três amigos caídos no chão, em cima do tapete escorregadio.

• • •

– Por que não me avisou que o tapete escorregava? – Amanda perguntou emburrada, entrando na sorveteria.

Maya e Anna estavam morrendo de rir, e Kevin mancava.

– Lesmas! – ele resmungou. – Matheus, mande alguns *sundaes* pra gente aqui? – berrou.

O balconista fez sinal de positivo, e os cinco ocuparam uma das mesas.

– Gente, vi na internet... – Anna começou – que vai acontecer um festival aqui perto. Vocês sabem disso?

– Não – Maya respondeu. Mas corrigiu, depois que Anna olhou feio: – Ah! Tá, tá, eu li isso com você!

– Que tipo de festival? – Kevin perguntou.

– Bandas – Anna sorriu.

– E daí? – Carol riu também. – Eu gosto de ouvir bandas, mas muitas delas juntas me irritam.

– Síndrome de namorada de baterista – Amanda zombou, e Carol mandou o dedo para ela. – Ohhhhh, que absurdo!

– Certo, qual sua ideia, Einstein? – Kevin olhou para Anna.

– Ah, galera, vocês não são burras... burros. – Ela olhou para Kevin, que fez sinal de "tanto faz". – Temos uma banda na nossa garagem e nos sábados à noite, chamada Scotty!

– Ahhhhh, eles! – Amanda riu alto.

– Eles mesmos – Maya concordou. – A gente pensou que podia inscrever os meninos!

– Onde é o festival? – Carol franziu a testa.

Matheus chegou com uma bandeja de *sundaes*.

– Perto de Cachoeira, onde tem aquela Cidade da Música com um nome estranho de mulher – Anna explicou.

– Pertinho – Amanda meteu uma colher de sorvete na boca.

– Pertinho? Daqui até lá, são três horas de carro, com o Bruno dirigindo, porque, se for com o Daniel, dá umas cinco horas! – Carol disse, e elas riram.

– Bom, também sou um bom motorista e o único com carteira de verdade – Kevin deu de ombros.

Eles ficaram calados, saboreando o sorvete.

– Quero que o festival tenha várias bandas com caras muito gatos! – Maya disse e todos na mesa a encararam. – Quê?

– Doce de coco que se cuide... – Amanda brincou.

– Acorde, amiga! Não sou eu que tenho curtido a vida adoidado. Além do mais, nunca tive nada com o Rafael, só um amasso malsucedido no banheiro.

– Dessa parte eu não sabia! – Kevin arregalou os olhos.

– Você não sabe de cada coisa, mocreio! – Amanda falou.

Em seguida, ela começou a contar o que tinha acontecido em uma certa "noite da tequila".

• • •

– Eu quero que ela se exploda.

– Não minta, Bruno – Daniel retrucou.

Estavam no carro de Bruno, indo para a praia dar um mergulho antes de se enfiarem em mais um ensaio.

– E, cara, obrigado por me tirar de casa. Não estava aguentando mais. Minha avó agora está lá no meio, tentando ajudar, mas...

– Não esquente, Danny, você sabe que, por mim, já tinha se agregado lá em casa mesmo.

– Eu sei, valeu, cara.

Daniel sorriu. Seus cabelos voavam com o vento por causa da capota aberta do carro conversível. O menino se desesperou por um momento, olhando-se no espelho retrovisor, tentando ajeitar as madeixas. Bruno riu com a cena.

– Mas, hein, como termina a parte do exploda que eu não entendi...

– Entendeu sim. Quero que a Carol se exploda! EX-PLO-DA.

– Que ódio no coração.

– Ódio? – Bruno resmungou. – Vingança. Ela acha o quê?

– Foi você quem a beijou naquela noite, cafajeste.

– Mas ela aceitou!

– Mas ela estava bêbada!

– Pare de defender a garota! – Bruno acelerou o carro, vendo Daniel levantar as mãos. – E você é tão cafajeste quanto eu.

– Ninguém tá em depressão por minha causa.

– Precisa estar pra você se tocar que é idiota, né?

– Bruno, foi ela quem me disse que estamos descomprometidos. Ela fica comigo um dia, depois nem olha pra mim. Fica comigo de novo, depois some por quase uma semana. Aí, eu fico com outras...

– Muitas outras.

– Cara, essa situação é deprimente.

– Mas eu nem quero saber sobre o que vocês conversaram. Patético. Amanda precisa aprender a lhe dar uns foras melhores...

– Qual é! – Daniel riu e aumentou o som. – Você ouviu as músicas novas do McFly? Maya me mostrou outro dia. São iradas...

– Eu vi! Baixei algumas até o CD sair, pegue aí no porta-luvas o *pendrive*...

– Quero ser igual ao McFly quando eu crescer – Daniel sonhava, cantando a toda altura junto com a música.

• • •

– *Vamos a la playa, O-o-o-o-o!* – Maya cantava no carro de Kevin enquanto Amanda batia palmas rindo.

– Como já disse – Anna olhou para Kevin no banco da frente –, eu vou falar diretamente com Fred, porque ele é mais cabeça que os quatro. E, bem ou mal, é só em janeiro, o que dá tempo de convencer nossos pais!

– É melhor mesmo, eu não confio no Daniel.

– Pare de implicar com o Danny, biba! – Amanda berrou no banco de trás.

– Não me bate – Carol gritou –, a biba tá na frente.

– Biba é sua avó! – Kevin virou a mão para trás, acertando Maya e fazendo todos rirem.

– Mas sério, Einstein, dá um jeito nisso. Se deixar na mão dos Scotty, eles vão estragar tudo.

– Eu vou, pode deixar comigo – Anna parecia satisfeita.

Chegando ao posto da praia que costumavam frequentar, viram o carro de Bruno estacionado.

– Perseguição da minha vida, vamos voltar pra casa! – Carol cruzou os braços.

– Nem a pau, vamos encarar a realidade.

– Fácil pra você, Kev – Carol desceu do carro a contragosto.

Maya e Amanda continuavam cantando, passando para outra música ridícula que veio à cabeça. Anna tirou os chinelos, assim como Kevin e Carol, e desceram pela areia até um montinho de roupas.

– Pfff, camisa do Daniel... – Maya mexeu. – Calça do Bruno... Caraca, cueca do Bruno?

Carol fez um barulho estranho, mas não falou nada.

– Ops, apenas a touca do Daniel! – Maya continuou, e todos riram ao ver a cara que Carol fez.

– Ihh, garotos desnudos a noroeste – Kevin avisou, e elas viraram a cabeça para a direita. Ele revirou os olhos e corrigiu: – Pro outro lado, gente que não estuda.

– Boa-tarde – Bruno falou, chegando com Daniel.

Ambos estavam molhados e apenas de cuecas samba-canção. Ainda sentada na areia, Maya se afastouda roupa deles. Carol estava um pouco mais longe. Anna acenou para os dois.

– O que fazem aqui? – Amanda sorriu. – Não deviam estar ensaiando?

– A gente tem vida! – Daniel riu olhando para ela.

Ainda tinha o sorriso mais perfeito do mundo, a menina pensou quando o encarou, mas ouviu o eco da voz de Kevin em sua cabeça. Virou o rosto e andou na direção de Anna e Carol. Daniel arqueou a sobrancelha e não disse nada.

O vento soprava forte, e os dois vestiram as camisetas, que ficaram grudadas no corpo. Kevin estava sentado ao lado de Maya, enquanto as outras três meninas molhavam os pés na água, com as calças arregaçadas. Como decidiram ir à praia depois da sorveteria, ninguém estava de biquíni ou roupas de banho.

Bruno e Daniel se sentaram ao lado dos dois na areia.

– Entediados? – Bruno perguntou.

– Nem um pouco, e vocês?

– É a vida – Daniel bagunçou o cabelo.

Kevin fez cara feia. Queria socar Daniel. Afogá-lo no mar.

– Que foi? – Daniel perguntou, reparando que Kevin o encarava.

O garoto não disse nada, apenas se levantou e foi andando até as três meninas, que agora corriam de uma pequena onda.

– Ele me odeia – Daniel suspirou.

– Que novidade... – Maya disse.

Os três ficaram em silêncio. Os outros faziam bagunça na água, até que Amanda e Anna conseguiram derrubar Carol no mar, fazendo-a berrar e se debater enquanto Kevin ria. O trio riu junto.

– Como vocês estão, meninos? – Maya perguntou.

Bruno e Daniel olharam-na ao mesmo tempo.

– Como assim? – Bruno perguntou.

– Sei lá – ela deu de ombros –, só quis saber como estão...

– Eu tô... mais ou menos – Daniel franziu a testa.

Ficou reparando no jeito de Amanda correr. Ela foi agarrada por Kevin, que a levantou no ar, enquanto a menina gritava. Ele sorriu sem querer.

Maya acompanhou seu olhar.

– Err... você é idiota! – ela disse, fazendo Bruno dar risada.

– Ahn?

– Vou pegar o violão – Maya se levantou, jogando areia nos dois, e fugiu para longe dos xingamentos.

– Acho que ela quis dizer que você é idiota – Bruno repetiu.

Daniel suspirou.

Amanda e Anna correram gritando na direção deles, porque uma Carol e um Kevin altamente molhados vinham furiosos logo atrás.

Elas caíram ajoelhadas na frente dos meninos. Anna se deitou na areia, arfando. Carol pulou em cima dela, e as duas riram. Kevin se sentou ao lado de Amanda, e os dois se entreolharam mandando beijos. Daniel virou a cara. Por que aquilo o incomodava? Era só o Kevin.

Maya veio correndo com o violão, e Amanda estendeu a mão. Daniel franziu a testa.

– Ah, não, tortura não! – Bruno pôs as mãos na orelha.

– Ninguém perguntou nada pra você – Carol disse, aborrecida.

– Desculpe-me, se a incomodo.

Todos ficaram em silêncio. Maya se sentou e, mais uma vez, jogou areia na turma, que protestou contra seu jeito de chamar atenção.

Amanda pegou o violão.

– Err, o que vai ser? – dedilhou as cordas.

Daniel encostou a cabeça nos braços, apoiados nos joelhos.

– Sol fraco, praia de tarde, vento... – Anna pensou. – Toque Scotty!

Amanda fez pose, imitando Daniel, e todos riram. Daniel sorriu com o canto da boca, sem tirar os olhos dela. Amanda mordeu os lábios e não o encarou de forma nenhuma. Não queria dar motivos para alguém sacaneá-la.

Começou com as notas de *Quero te abraçar* e Kevin começou a rir, já imaginando o que a menina iria fazer.

– *Diga que você me quer, querida, diga que é verdade.*

Até aí, todos bateram palmas juntos, acompanhando. Amanda sorriu marota.

– *Diga que me quer muito mais do que eu te quero!* – Cantou de repente, no mesmo ritmo da música original.

Todo mundo parou de cantar. Kevin gargalhou.

– *Me diga que está bem, querido. Me diga que está ótimo! Diga que, sem eu por perto, você não consegue me esquecer*! – ela inventou.

Bruno quase cuspiu na areia.

Quando ela emendou o refrão, Daniel estava olhando para os lados meio impaciente. Kevin gargalhava.

Bruno, que tinha gostado da letra, gritou:

– Amanda!

– Caraca – a menina parou de tocar –, tinha que atrapalhar minha criação.

– Isso ficou bom... – Bruno sorriu.

– Eu disse! – Kevin falou animado. – E vem a calhar. É tipo aqueles vídeos do YouTube que você grava resposta pra música dos outros...

– Cale a boca! Não terminei a música. Ainda... – Amanda riu, entregou o violão a Daniel e pediu: – Toque.

Ele arqueou a sobrancelha e ficou olhando para o instrumento até Maya começar a tossir. O menino então ficou em posição e dedilhou alguma coisa. Limpou a garganta.

– *Ever since I was a young boy I've played the silver ball. From Soho down to Brighton I must have played them all!*

Tiveram um resto de tarde divertido, sentados na areia, ouvindo Daniel e Bruno cantando e tocando músicas do The Who. Amanda não olhava para Daniel de jeito nenhum, e ele se sentia bem incomodado. O que teria feito de errado agora?

trinta

Amanda olhou para o espelho do seu banheiro. Estava decidida. Daria uma chance a Daniel. Queria saber o que estava acontecendo, e disposta a tentar novamente. Não aguentava ficar perto de Daniel sem poder olhar nos olhos dele. Era doloroso. Iria conversar e sugerir que voltassem a ficar juntos. É isso, custe o que custar.

Ouviu a buzina de Kevin e pegou a bolsa. Estariam todos no Cabeça de Bode para mais um show da Scotty, e seria uma boa oportunidade para falar com Daniel.

• • •

– Falta muito pro show? – Caio perguntou. – Ah, droga.

Daniel olhou para o relógio e negou.

Caio se virou para Anna e a abraçou, começando a beijá-la.

– Ah, caramba, vão prum canto! – Maya reclamou.

Rafael chegou à mesa sorridente e cumprimentou a todos.

– Oi, doce de coco.

Amanda ficava olhando Bruno e Daniel, que combinavam algo do show, tentando arrumar um modo de chamar Daniel para conversar sem ser muito cara de pau.

– Quer ajuda? – Carol a cutucou.

– Nop!

Amanda sorriu, quando percebeu que a amiga tinha entendido que ela estava confusa.

– Não vou fazer nada agora...

Carol se virou para um menino que chegou à mesa. Ela se levantou, e todos olharam para os dois.

– Err... gente, esse é o Pedro. Pedro, Scotty, Fred, Kevin e as garotas... – Carol apresentou.

Pedro era um garoto loiro, grande, que usava roupas indie, com o cabelo repartido de lado. Era bonito, na opinião de Amanda. Ela olhou para Bruno e viu que ele fazia cara de horrorizado quando Carol deu um beijo na boca do menino.

– Show... agora! – Bruno se levantou.

Saiu andando e puxou um Daniel desajeitado com ele. Rafael deu de ombros e seguiu os dois, interrompendo o beijo de Caio na namorada e levando um tapa depois disso.

Carol olhou para as amigas sem entender nada, e Pedro muito menos.

– Sente aí, cara – Fred convidou, simpático.

Pedro concordou, acomodando-se entre Carol e Anna.

– Então, são namorados? – Kevin perguntou.

Carol abriu a boca horrorizada.

– Não... não, a gente está ficando, Kev!

– A gente se conhece há pouco tempo – Pedro falou.

Amanda gostou dele. Como Carol conseguia? A única vez que tentara arranjar alguém para esquecer Daniel só conseguira uma bela ressaca no dia seguinte. Pedro contava sobre seu trabalho com computadores na biblioteca quando ouviram o pigarrear de Caio ao microfone.

– Vamos tocar um pouco de The Who pra vocês, antes do nosso repertório.

– Vou quebrar esse CD quando for na casa de Bruno – Amanda disse. – The Who pra cá, The Who pra lá...

– Mas eles são os caras! – Fred riu.

– Concordo, mas prefiro os Beatles – Guiga opinou.

– Não gosto deles – Carol deu de ombros.

– Pedro, você não toca bateria, né? – Amanda perguntou.

O menino negou, e Carol deu língua para a amiga.

– Que bom, senão você ia sofrer na mão da fã de micareta!

Todos riram. Em seguida, ficaram em silêncio para prestar atenção no show. A banda tocava *My generation*. Amanda viu que, no palco, Daniel não tirava os olhos de certo ponto na plateia. E não era a sua mesa. Sentiu raiva, mas fingiu que nada estava acontecendo.

• • •

Depois de tocar músicas como *Tudo sobre você*, *O outro cara* e *Jantar a dois*, a Scotty deu uma parada para beber água. Amanda achou a oportunidade perfeita para falar com Daniel. Enquanto os amigos estavam entretidos com a conversa de Pedro, ela se levantou discretamente. Kevin apenas rolou os olhos. Rafael voltou para mesa suado, rindo e tentando abraçar Maya.

Amanda andou entre o pessoal para chegar até onde Daniel estava. Como seu coração estava acelerado, ela parecia ter medo do que ia fazer. Mas iria apenas falar com o Daniel, não devia ficar assim. Era uma coisa simples. Daniel queria ficar com ela ou não? Era só o que precisava saber.

Passou por algumas pessoas até dar de cara com ele, sentado no palco. Uma menina loira estava ao seu lado, e os dois conversavam. Amanda ficou parada, imóvel. As pessoas passavam na sua frente, mas ela não ligava. A reação de Daniel, rindo para a menina, era algo que ela não esperava. Podia ser somente uma fã também, claro. Sempre tinha a possibilidade de ele não estar ligando para ela e tudo mais.

A menina falou algo no ouvido dele, e o menino riu, concordando com a cabeça. Amanda mordeu os lábios. Não conseguia acreditar no que estava acontecendo. Como as coisas mudam tão rápido? Sentiu raiva. Raiva de ver que agora, quando Daniel toca com a banda, várias garotas olham para ele de forma diferente, só porque está em um palco. Raiva de ele ser garoto e dar bola para essas outras garotas. Raiva por não poder fazer nada.

– Quer alguma ajuda?

Amanda ouviu uma voz. Olhou para trás num impulso. Um garoto magro, do seu tamanho, com os cabelos pretos curtos, mas com uma franja enorme, sorriu. Ele usava suéter rosa por cima do que parecia ser uma camiseta social. Amanda sorriu. Ele fez o mesmo.

– Desculpe, o que disse?

– Se precisa de ajuda. Você parece perdida... de qualquer forma, prazer. Meu nome é Marcos – apresentou-se e estendeu a mão.

A menina apertou a mão do garoto sem saber o que fazer ou falar. Estava meio aturdida. Colocou os cabelos para trás da orelha e olhou para o chão.

– Amanda. E não estou perdida, só... sei lá! – Voltou a olhar para o palco e, ao ver que Daniel ainda conversava com a menina, perguntou: – Você?

– Perdido. Totalmente – ele sorriu para ela, pensando em como a garota era linda. – Quer dizer, meu amigo está com uma garota aqui, mas não sou dessa cidade.

– Sabia!

– Me trouxeram aqui, porque disseram que eu ia gostar da banda. Nova moda na cidade, certo? Scotty... Achei legal o show.

Marcos começou a falar das músicas, e Amanda reparava muito no *piercing* que ele tinha no lábio inferior.

• • •

Daniel sorriu com algo que a menina loira lhe disse e olhou para o público. Viu Amanda perto do palco, conversando com outro garoto. Não queria acreditar, mas... ele estava flertando com ela?

– Depois podemos ir lá pra casa...

– Ahn – ele resmungou.

Sem tirar os olhos de Amanda e do tal garoto de rosa, Daniel mordeu o lábio ao vê-la rindo. Ela estava se divertindo! Quem seria o idiota?

– Tudo bem pra você então? – a loira perguntou.

Daniel olhou para a menina, franzindo a testa.

– Tudo bem sobre o quê?

A garota riu, achando-o muito fofo, e passou a mão pelo cabelo dele.

• • •

Amanda apenas balançava a cabeça ouvindo Marcos. Olhou de novo para o palco e viu a menina loira com as mãos no rosto de Daniel. Sentiu uma raiva maior do que antes. Respirou fundo e voltou a reparar no menino à sua frente. Ele era bonitinho, parecia simpático e entendia de música. Era uma boa oportunidade. Esqueça que Daniel está ali, esqueça, ela pensava.

– Olhe pra cima. – Marcos pegou no queixo dela, levantando seu rosto.

– Desculpe – ela riu –, faz tempo que não converso com quem não conheço. Não sei se tenho papo.

– Tudo bem se não quiser conversar...

– Não! Eu quero, quero sim... – disse rapidamente, e Marcos balançou a cabeça animado. – E, nossa, posso dizer que amei seu cabelo?

Ela começou a rir, com a tentativa que ele fez para olhar a própria franja, e tocou na parte que caía sobre a testa dele.

• • •

– ... você sabe, como eu já disse...

– Ahã.

Daniel fazia apenas barulhos incompreensíveis com a boca. Não conseguia tirar os olhos de Amanda e do almofadinha. Era isso, então. Como ele deduzira, ela estava a fim de outros. Ele não estava errado.

Olhou para a menina ao seu lado e sorriu. Voltou a olhar para Amanda, que saiu andando com o garoto, encostando em seu ombro. Apertou os olhos e respirou fundo.

– Quer ir lá pra trás, Yanna? – perguntou.

A menina pareceu animada. Os dois se levantaram e foram para trás do palco, onde provavelmente não havia ninguém.

Amanda olhou para trás naquele exato momento e abaixou a cabeça sem dizer nada. Viu Marcos sorrir e deu de ombros, respirando fundo. Então, era isso. Ela teria que ficar sem seu Daniel.

trinta e um

– Estilo da banda? Mandy, qual o estilo da Scotty? – Anna perguntava, enquanto tentava inscrever os meninos no site do festival.

Amanda estava com o violão em cima da cama e olhou para ela.

– Hmm... pop?

– São uma *boyband*! – Maya entrou no quarto rindo.

Ela trazia três potes de sorvete e, após entregar dois para as amigas, sentou-se no chão.

Amanda dispensou o sorvete.

– Pra mim, eles são rock.

– Err... põe, pop rock indie punk romantic... – Maya começou a falar.

– Pop rock, e que se dane! – Anna se virou para o computador.

Maya olhou para Amanda.

– Então...

– Então?

– Amiga, deixe de ser sonsa. Desde sábado você não quer falar do menino gatinho que vi com você no show!

– Vai ver é porque não tem nada pra falar.

– E você deixou essa oportunidade passar? – Maya perguntou.

– Não enche, Maya. Vai procurar o doce de coco! – Amanda falou e pôs a língua para fora.

– Falando em doce de coco, qual o sobrenome do Rafael? – Anna quis saber.

– Ligue pra ele e pergunte – Maya deu de ombros.

– Ok... nome, estilo, banda... Querem o nome de um *roadie*. Pra que isso? – Anna virou a cadeira giratória para as amigas.

– Pra carregar os instrumentos e ajudar a montar tudo – Amanda explicou, vendo Anna franzir a testa. – Coloque o nome do Fred; você não vai querer carregar bumbo de um lado pro outro.

– Falando em Fred... E a Guiga? – Maya perguntou.

– Amanhã é Natal, ela foi pra fazenda – Amanda disse, mostrando a mensagem no celular.

– Verdade! Estou tão animada pra este Natal que não me lembro de mais nada... – Maya disse, irônica.

Anna sorriu e continuou a preencher a ficha da Scotty no site. Fora Caio Andrade, ela tinha inventado sobrenome para todos eles e não queria nem saber.

• • •

– Daniel, esqueça – Rafael balançou a mão. – Você já está com uma garota, não está?

Bruno chutou uma pedrinha, enquanto os três andavam pela rua.

– Não. Não é assim – Daniel disse, enfiando as mãos nos bolsos do jeans. – Eu estou meio sem jeito.

– De? – Bruno olhou para ele.

– Ah, caras – Daniel deu de ombros parecendo envergonhado –, vocês sabem...

– Ah... não! – Rafael riu.

– Eu queria perguntar pra ela se... sei lá, se ela não quer namorar comigo ou algo...

– Ah, cara, que foda! Vá lá, dou todo apoio, você sabe – Rafael sorriu.

Bruno mordeu os lábios.

– Do nada, Daniel? A gente nem sabe quem é essa garota.

– Eu não sou assim, Bruno, mas acho que preciso ser. Preciso me arriscar para esquecer a Amanda, e foi o jeito que encontrei.

– Mas não é só acabar com todo esse drama e ficar logo com a Amanda? – Rafael perguntou sem entender.

– Não é a mesma coisa. A gente não está junto, e ela é muito confusa. Eu não entendo nada!

– É só ficar junto, Dan! – Rafael deu de ombros, fazendo Daniel e Bruno rirem.

– Como se tudo fosse fácil assim...

• • •

Naquela noite, Amanda não quis sair com Kevin e as meninas. Eles iam novamente ao Cabeça de Bode, mas ela já não aguentava o mesmo bar de sempre. Pediu uma carona até a casa de Bruno, achando que precisava de uma noite tranquila com seu amigo, como nos velhos tempos. Ele havia dito que não iria sair, pois precisava acordar cedo no dia seguinte para pegar um ônibus até a capital, onde passaria o Natal com os pais. Pelo visto, até a família fria de Bruno gostava de festas natalinas.

– O Rafa deve estar chegando aí! A mãe dele está louca em casa preparando ceia de Natal e não quer vê-lo por perto...

Amanda sorriu e se sentou no sofá ao lado de Bruno, que desligou a televisão.

– Por que você não está lá com o pessoal?

– Cansada. Ah, Bruno... as coisas andam meio confusas...

– Sei. – Bruno se levantou, foi descalço até a cozinha e perguntou: – Quer refrigerante?

– Uhum.

Ela tirou o tênis e cruzou as pernas. Olhou para os lados e viu que a casa estava uma zona.

Bruno atirou uma lata de Coca-Cola para ela quando voltou e se sentou ao lado da menina.

– E os outros meninos?

– Ah, Rafael disse que precisa de uma folga com videogame. E eu também. Desisti de sair com o Daniel.

– Ele não para mais, né?

– Isso não incomoda você?

– Não – ela mentiu.

Bruno balançou a cabeça.

– Porque ele se incomoda... Mas a verdade é que por mais que se sinta estúpido, ele acha que tem que continuar com essa palhaçada.

Amanda não disse nada e ficou esperando.

– O Daniel não está muito bem – Bruno falou.

– E quem está, Bruno? Eu não estou... – Amanda contou – e também não posso fazer nada. Eu ia, mas daí ele tava com uma menina e... Bah... Nada feito! Não vou encarar isso de novo. Se ele quer ficar com outras, que fique. Não tenho mais nada com isso.

Bruno franziu a testa, sem entender por que Daniel jogava a culpa em Amanda e ela nele.

Então, a porta da casa se abriu. Daniel e Rafael entraram animados.

– Cara, isso foi sem noção!

– Que novidade! – Daniel berrou.

Rafael desatou a rir, mas os dois pararam quando viram Amanda e Bruno no sofá.

– Ah, oi – Daniel disse, sem graça.

De repente, ficou vermelho ao encarar a garota. Não sabia por que ainda sentia aquele frio no estômago ao olhar para Amanda, principalmente quando não era previsto um reencontro.

Rafael andou até Amanda.

– O que faz aqui, gracinha? – perguntou e beijou a menina na bochecha.

– Nada, eu acho que já vou e...

Ela fez menção de levantar, mas Bruno segurou sua perna.

– Fique. Vai ser divertido ver você acabar com a raça do Rafa no Mortal Kombat!

– Ha-ha-ha, muito engraçado senhor tiozão que nem sabe dar Fatality – Rafael disse, e sorriu para Amanda. – Fique, não vá embora porque chegamos, né?

– Eu... vou... indo. Até mais! – Daniel falou sem graça e bateu a porta, sem ao menos olhar para eles.

Rafael virou-se de costas sem entender nada, e Amanda franziu a testa.

– Ok, Daniel precisa de um psicólogo – Bruno disse.

– Ele precisa de uma boa porrada, isso sim – Amanda deu um gole do refrigerante.

– Pois não é que eu acho a mesma coisa? Ele só tem feito coisas... não Daniel, entende? – Rafael falou e abriu a mochila no colo, sentando-se no sofá.

– Como assim? – Amanda perguntou.

– Como agora. Ele nunca trocaria uma noite de videogame e... Tchanan! – Rafael tirou um pacote de pão de queijo congelado e emendou: – E pão de queijo do Rafael por causa de uma garota. Ainda mais quando a garota por quem ele geralmente trocava a gente tá aqui!

– Err... – Amanda ficou vermelha.

– Então, o bastardo não foi com o Caio e o Fred? – Bruno perguntou.

– Ah! Acha mesmo? Nop. Hoje saiu com uma tal de Sofie... Sofia.

– Não conheço ninguém com esse nome na cidade – Amanda disse, tentando esconder a raiva que sentia.

– Nem eu. Vou botar no forno.

Bruno se levantou e pegou o pão de queijo de Rafael.

– Mandy? – Rafael sussurrou assim que Bruno saiu da sala: – Você não gosta mais do Daniel?

– Por quê?

– Achei que, quando ele voltasse, vocês iam namorar, sei lá... iam ficar juntos.

– Eu também. Mas, no momento, estou com tanta raiva que prefiro mudar de assunto.

– Ok, não está mais aqui o Rafael que falou!

– Bote o jogo, quero quebrar sua cara logo.

– Assim que eu gosto!

Ele sorriu malicioso, pulando do sofá, e Amanda riu.

• • •

Amanda e Rafael gritavam sem parar, disputando uma partida de futebol no videogame. Amanda estava ganhando de goleada, e o menino não se conformava. Já não bastava ela ser melhor que ele no jogo de luta? Bruno ria satisfeito, sentado no parapeito da janela da sala, fumando um cigarro. Amanda não gostava daquilo, mas não tinha direito de falar nada. O amigo já era quase adulto e vivia sozinho, certo? Ele sabia o que era melhor para si.

O celular tocou insistentemente até Amanda perceber. Pausou o jogo.

– Alô!

– Mocreia, saca só... Quer vir pra cá?

– Não.

– Err... eu acho legal você vir e...

– NÃO! KEVIN!

Amanda ouviu um berro, reconhecendo a voz de Maya do outro lado da linha.

– Por que você ligou pra ela?

Sim, era a voz de Maya. Amanda percebeu que ela não sabia que estava sendo ouvida. Kevin teria tampado a boca do celular, mas, mesmo assim, Amanda ainda conseguia ouvi-los.

– Não dê chilique, calma...

– Desligue isso já! – Maya falou nervosa.

Amanda não estava entendendo.

– O que houve? – ela perguntou, fingindo calma.

Rafael e Bruno se entreolharam sem entender muita coisa.

– Ah, Maya, que se dane... Seguinte, Daniel estava logo ali com alguém e...

– E daí? – Amanda disse, séria.

– E daí que se você não me deixar falar...

– Ah, Kev, fale logo...

– E daí que esse alguém era a Rebeca.

– O quê? – Amanda quase berrou. – Ah, não, Kev, diz que isso é mentira.

A menina sentiu as lágrimas embaçarem seus olhos. Rafael não sabia o que fazer. Bruno apagou o cigarro e se sentou de novo no sofá.

– Eu gostaria, mas... Não sei o que estava acontecendo porque eu não quis ficar pra ver...

– Eles foram lá pra trás, vou segui-los – Maya falou ao fundo.

– Não! Não! Mande a Maya parar! – Amanda disse, chorando. – Deixe que ele faça o que quiser.

Não sabia por que Daniel estava fazendo aquilo e, de verdade, não queria saber. Rafael franziu a testa quando ouviu o nome de Maya.

– Eu posso socá-lo! – Kevin disse.

Amanda riu levemente, enxugando as lágrimas.

– Não precisa... Mas... certeza absoluta de que era a Rebeca?

Aí, foi Bruno quem arregalou os olhos.

– Não era mais uma das fãzinhas dele? – ela perguntou.

– Rebeca. De blusa rosa coladinha no corpo e uma saia breguérrima, amiga...

– Por que ele faz isso comigo? – Amanda continuou chorando.

– Pode não ter sido nada demais, e já era, mas Maya seguiu os dois. Acho... Maya? – Kevin começou a gritar por Maya.

Amanda desligou o celular e encarou os garotos, os dois com expressão preocupada.

– Acho melhor ir pra casa.

– Nesse estado? Nem que me paguem, pequena. Você fica – Bruno alertou.

– Estou estressada... – ela afirmou. – Só isso.

– O que a Rebeca tem a ver com a história? E a Maya? – Rafael perguntou confuso.

Amanda explicou mais ou menos o que Kevin lhe dissera.

– E a única coisa que eu pedi... foi pra ele não ficar com ela. Caraca, Bruno, ela é meu inferno astral!

– Err... pessoas não podem ser infernos astrais e...

– Ah, Rafael, que se dane! Eu detesto essa menina também, ela ficou me querendo o resto do ano todo!

– Mas Daniel não disse pra gente que estava saindo com ela nem nada. Ele saiu com uma Sofia! So-fi-a! – Rafael repetiu.

– Vai ver que ele não queria dizer pra gente... – Bruno opinou. – Errr, talvez...

Amanda olhou para ele com cara de choro.

– Tudo bem, que se dane... – ela disse, esfregando o nariz. – Ele que se dane! É assim que ele quer as coisas? Então, as coisas vão ser assim. Cansei disso.

– Não canse ainda! – Rafael pediu.

– Fico só pensando qual seria a razão pra ele não nos falar nada... – cismou Bruno.

– Por que ele sabe que vocês odeiam ea Rebeca? – Amanda sugeriu.

– Será? – Bruno mordeu os lábios.

– Acho que tá todo mundo louco! – Rafael se levantou e propôs: – merecemos cerveja.

– Manda! – Amanda se levantou, indo atrás dele para a cozinha.

Bruno ficou no sofá. Quando o celular de Amanda tocou de novo, ele atendeu.

– Que foi Kevin?

– Ahh, liguei pra falar com a minha amiga, mas foi um macho que atendeu, gostei dessa. Telefone mágico.

– Fale logo, cara! – Bruno riu.

– Sem estresse, só liguei pra avisar que Maya se perdeu do Daniel, mas ele passou por mim, indo embora, e não estava mais com a Rebeca.

– Ok, cara, valeu.

– Ela não morreu de ataque de raiva, não é? Ou morreu? – Kevin perguntou.

– Quase. Agora está que nem uma bêbada com cinco latas de cerveja na mão... Que nem o Rafael – disse ao ver os amigos voltando à sala.

– Ai, céus! Bom vou catar a Maya, achar o Caio e o Fred. Até mais.

Kevin desligou o telefone. Bruno jogou o celular no sofá.

– Daniel foi embora sem Rebeca nenhuma, de acordo com a biba – contou abrindo uma latinha.

Amanda e Rafael fizeram o mesmo.

– Espero que caia em algum buraco e bata o carro – Amanda resmungou.

– Ei! Não! É o meu carro! – Bruno reclamou.

Os três começaram a falar ao mesmo tempo, bolando mortes horríveis para Daniel. Depois de algum tempo, Rafael berrou para que se calassem. Todas as latinhas já estavam vazias, e eles estavam sentados no chão.

– Shhhhiu, galera, saca só... a gente finge que não sabe de nada e chega junto, intimando!

– Chega junto? – Amanda perguntou e começou a rir do nada.

Bruno bagunçou os cabelos.

– Fechado. Mas temos que ver se ele vem pra casa, porque...

Nesse momento, ouviram alguém bater na porta.

– Danny e a chave perdida! – Bruno falou.

Ele se levantou e jogou a latinha em Rafael, que caiu para o lado em cima de Amanda. Os dois começaram a rir, e Bruno foi tropeçando até a porta.

– Que cheiro de cerveja – Daniel entrou, rindo.

Jogou a chave do carro em cima do sofá e encarou Amanda e Rafael sentados no chão.

– Quer? – Rafael ofereceu uma latinha vazia, mas Daniel negou.

– Então, caro Daniel, foi boa a noite? – Bruno perguntou, pegando em seu ombro.

– Não tão boa quanto a de vocês, pelo que posso ver...

– Jura? – Amanda perguntou e riu baixinho.

Rafael lhe deu uma cotovelada. Daniel não entendeu nada.

– Então... conte-nos sobre a Sofia – ela falou.

– Sofie – Daniel corrigiu.

Amanda pôs a língua para fora, vendo-o tirar o casaco e sentar-se no sofá, descalçando o All Star.

– E não tem nada demais pra falar – continuou. – Ficamos conversando no bar...

– Maricas – Bruno zombou esticado no chão.

– Cale a boca! – Daniel riu. – Mas não quero falar dela.

Virou-se para Amanda, e os olhares se encontraram. Ela sentiu vontade de chorar. Não sabia se era porque já estava bêbada ou porque sentia raiva ao imaginar Daniel mentindo.

– Aposto que não quer – Amanda disse, quebrando o contato visual com ele, e chutou uma latinha. – Vou buscar mais disso. Alguém quer?

Rafael e Bruno levantaram a mão. Daniel deu de ombros. Ela se virou e entrou na cozinha.

– Vamos aos fatos, quem é Sofia? – Rafael cruzou os braços.

– Sofie – Daniel corrigiu novamente. – É uma garota.

– Que bom! – Bruno continuava a rir.

– O que quer saber, Rafa?

Daniel deitou no sofá, relaxado. Olhava para a porta da cozinha, esperando ver Amanda voltar.

– Você saiu com a Rebeca? – a garota perguntou, chegando à sala de repente.

Rafael, prestes a perguntar a mesma coisa, tomou um susto e começou a rir. A menina jogou cerveja para os três e sentou-se ao lado de Bruno. Daniel ficou sem fala. Não sabia o que dizer.

– Não! – falou rapidamente ao se sentar. – Não, claro que não... Eu não faria isso. É isso. Ele estava mentindo, Amanda pensou. Bebeu um longo gole de cerveja, tentando evitar o choro.

– Tem certeza, cara? – Bruno perguntou.

– Eu nunca iria sair com ela, Amanda, eu juro...

– Não me importo... – ela disse sem olhar para ele.

Daniel abriu a latinha sem dizer mais nada, e os quatro ficaram um tempo em um silêncio constrangedor.

– Vou tomar banho, já volto.

Daniel se levantou e subiu as escadas. Amanda mandou o dedo assim que o perdeu de vista.

Rafael riu.

– A gente vai descobrir por que ele está mentindo, pode deixar.

A menina deu de ombros e deitou com a cabeça na barriga de Bruno.

trinta e dois

De vestido branco larguinho, de alcinha, e sapatilha vermelha, Amanda sentou-se na pequena escada da varanda de sua casa, ouvindo sua mãe e seu pai conversarem sobre trabalho, sentados em enormes cadeiras de balanço. A ceia de Natal estava quase no final e já passava das duas da manhã. Mais cedo, tinha recebido uma foto de Maya e seu irmão mais novo, Gabriel, abrindo presentes debaixo da árvore. Sorriu ao se lembrar disso. Devia ser legal ter uma família grande para se divertir no Natal. Carol atualizou sua página na internet com fotos das roupas que ganhou. Guiga não podia usar o celular em reuniões de família e, além disso, não devia pegar direito na fazenda. Anna mandou uma mensagem, dizendo que tinha comido tanta rabanada, que ficaria semanas na dieta do suco de luz...

Amanda sorriu ao pensar nas amigas. Então, lembrou-se de Bruno. Como a vida era injusta! Algumas pessoas tão ruins tinham famílias tão legais. Outras, tão boas como Bruno, tinham pais como os dele. Provavelmente, morreu de tédio lá na capital, sem ter com quem conversar, escutando como ele deveria ser responsável e não dar mais despesas para os pais. Resolveu telefonar, mas o garoto não atendeu. Sorriu sozinha. Ele já deveria estar dormindo.

Sua mãe a chamou para terminar a sobremesa e pediu que, depois, a ajudasse a tirar a mesa e lavar a louça. Amanda ajeitou o vestido e correu até os pais, sorrindo. Não eram os melhores do mundo, mas ela, pelo menos, tinha os dois por perto.

• • •

– Peraí, estamos indo na casa do Bruno, mas por que mesmo? A cidade está toda fechada, é praticamente Natal! – Kevin protestou.

– O Natal foi anteontem! Deixe de ser preguiçoso! – Amanda retrucou e olhou para Anna – Vamos dizer pra eles que precisam mandar algum material pro festival aceitar a banda! A gente só tem até o começo de janeiro pra enviar!

– Precisa de todos nós mesmo? Eu queria tomar sorvete e ir ao parque, antes que minha mãe mande eu voltar pra casa – Maya reclamou.

– A gente vai, assim que convencermos as crianças de que é uma boa oportunidade, ok? – Anna insistiu e fez com que todo mundo continuasse descendo a rua a pé.

• • •

– Daniel, caramba! Preste atenção, cara! – Bruno disse, grosseiro.

Daniel concordou e voltou a mirar o microfone. Bruno se sentia mal por estar tratando Daniel daquele jeito, mas havia algum problema com o amigo. Se ele estivesse mentindo para Amanda, não iria deixar barato.

– Daniel, deixe que eu canto isso – Rafael falou de mau humor.

Bruno riu ao perceber que Rafael sentia o mesmo. Daniel não disse nada. Não estava entendendo a atitude dos amigos. E muito menos Caio, que apenas ficou observando.

• • •

– Meu pai está organizando o Ano-Novo na sorveteria. Vocês vão, né? – Kevin perguntou, enquanto subiam a rua a pé.

Amanda deu de ombros. Maya concordou.

– Não sei se meus pais vão deixar – Carol fez careta.

– Acho que a Guiga volta amanhã! Não consegui falar no celular dela ainda! – Anna falou. – Mas pode contar comigo!

– Amiga, olha só, sobre aquele dia... – Maya começou a dizer baixinho perto de Amanda, mas todo mundo parou de conversar e prestou atenção. – Eu teria enfiado a mão na cara do Daniel se tivesse visto mais de perto.

– Tudo bem, Maya! – Amanda riu. – O Daniel faz o que quer.

Estava de bom humor. Não seria nenhum Daniel Marques que estragaria sua vida. Ela não podia chegar a esse ponto.

– Não com a bruaca da Rebeca! – Kevin falou.

As amigas riram com o susto de Maya e Amanda, que perceberam que não falavam sozinhas.

– Eu acabava com a vida dele... – Carol disse. – Cara, ele mentiu? Como assim, que tipo de namorado mente e...

– Ele não é meu namorado, Carol – Amanda corrigiu.

A turma avistou a casa de Bruno.

– E o que vai fazer agora? – Anna perguntou, tirando as mãos dos bolsos.

– O Daniel vai ter o que merece. Fui muito boazinha até agora, e ele pisa em mim que nem barata tonta – Amanda contou.

– Ninguém pisa em barata tonta, mocreia – Kevin respondeu.

– Ei, falo o que quiser quando estou com raiva!

Ela respirou fundo e viu as amigas rirem.

– Nós não estamos juntos – continuou. – Beleza, mas não significa que ele tenha deixado de gostar de mim tão rápido, certo? E, se ele gostar ainda, vai ficar roxo de tanto querer e não poder. Só digo isso...

Meio nervosa, mas decidida, Amanda avançou até a porta da casa de Bruno. Os amigos se entreolharam, e Kevin deu um pulinho animado.

– Vou assistir de camaroteeee! – gritou meio afetado.

– Mas eu ainda pego ele de porrada e também arranco os dentes daquela bruaca; é só eu começar minhas aulas de krav-magá e... – Maya estava dizendo, quando Rafael abriu a porta rindo.

• • •

– Tá, eu entendi, meu amor! – Caio disse, colocando a mão na boca de Anna. – O problema é...

Estavam todos sentados nos sofás da casa de Bruno, discutindo a inscrição no festival.

– Sempre tem um problema – Maya rolou os olhos.

– O problema é que não temos grana pra pagar uma gravação – Daniel completou.

– Vaquinha? – Amanda sugeriu.

As meninas concordaram e olharam para eles, esperando resposta.

– Por que estão fazendo isso? – Bruno sorriu.

– A gente ama vocês, embora não pareça – Maya disse.

– Romântico, mas eu não amo ninguém! – Kevin riu.

– Eu também te amo, cara – Bruno lhe mandou um beijo.

– Nem comece... – o garoto fez cara de nojo.

– Certo, vaquinha então – Anna falou.

– A animação está me contagiando – Caio beijou o ombro da namorada.

– Eu tô louca pra ver as outras bandas! – Amanda riu.

– Traidora! – Rafael berrou e pôs a língua para fora.

– Ninguém é melhor do que a gente – Daniel sorriu.

– Não tem competição, Danny – Amanda afirmou sorrindo.

O menino estranhou a atitude dela. Até algumas noites atrás ela parecia infeliz e desconfiada, acusando-o de estar saindo com a Rebeca. E ele não estava!

– Não tem? – ele olhou para Anna, desviando os pensamentos.

– Caraca! O Daniel não entendeu nada. Alguém tem vodca? – Anna perguntou, e todos desataram a rir.

– Vamos pôr assim, querido – Amanda disse.

Ela segurou na mão de Daniel, que a olhou surpreso, assim como Bruno e Rafael.

– Festival é um evento em que várias bandas tocam pra aparecer, pra mostrar que existem e fazer as pessoas berrarem seus refrões sem sentido – explicou. – Hmm, também é lugar de sexo, drogas e rock'n'roll!

– Sabia que tinha algo a mais! – Carol disse, rindo.

Amanda gargalhou, soltando a mão de Daniel. Ele desejou que ela falasse mais daquilo, ainda encostada nele. Não estava entendendo o que acontecia ali. Tudo era uma grande bagunça. Por que não estavam juntos mesmo?

– Deixe o Daniel sem entender. O que interessa é ter essa *demo* dos infernos pronta quanto antes. – Anna olhou para Caio que gemeu.

– Caraca... – ele arrematou.

– Ah, caras, larguem de ser maricas, até eu pareço mais homem – Kevin disse. – Vou pegar água.

Ele se levantou e correu desajustado até a cozinha. Bruno imitou o garoto e gritou:

– Traz pra mim, amor!

Kevin soltou um palavrão. Todos riram.

– Anna. Meninas, obrigado! – Bruno se declarou: – Estou realmente apaixonado por vocês.

– Eu sempre soube – Rafael disse, rindo.

– Isso é traição – Daniel falou brincando.

– Jura? – Bruno olhou sério para ele.

– Ei, calma lá... – Daniel abriu os braços sem entender a grosseria. – Será que alguém me explica por que diabos estou sendo crucificado desde que acordei?

– Desde o dia 23, seu lerdo – Rafael pontuou.

– Pergunte pra Amanda – Bruno deu de ombros.

– Ei! – a menina cruzou os braços.

Os amigos ficaram em silêncio, e ela encarou Daniel.

– O que eu fiz de tão errado, agora? – ele perguntou.

A menina mordeu os lábios ao fitar seus olhos. O coração parecia espremido. Isso não era justo.

– VOCÊ FICOU COM A REBECA, DESGRAÇA VIVA AMBULANTE! – Maya berrou.

Amanda e Daniel olharam para ela.

– Não, não fiquei – Daniel ficou sério rapidamente. – E não vou mais falar disso... Já cansei de dizer que não fiquei com ela.

– Tudo bem. Afinal, você não tem que dar satisfações pra mim mesmo! – Amanda forçou um sorriso.

– Claro, da mesma forma como você não precisa me contar dos emos que beija!

– Não preciso mesmo!

Ela riu, olhando para as amigas que desataram a rir. Daniel sentiu o sangue subir para a cabeça.

Kevin entrou na sala.

– Bruno, se você pudesse escolher um dos seus amigos de banda pra namorar, quem seria?

Todos olharam para ele rindo. Bruno pegou o copo de água da mão de Kewvin e voltou a se sentar.

– Caio. Ele é o único casado decente.

– Casado não! – Anna riu.

Caio deu língua para a namorada.

– Obrigado, Bruno, também te amo.

Mais algumas risadas, até que, de repente, o silêncio reinou. As meninas entretidas com os cabelos; os rapazes observando os pés. Kevin virou-se para o lado e seu olhar encontrou o de Amanda.

– Mocreia, se você pudesse namorar com um de seus amigos, quem seria?

Amanda riu. Olhou para Bruno, que parecia esperar ser o escolhido na resposta. Depois, mirou Rafael e Caio. Então, se voltou de novo para Kevin.

– O Daniel – respondeu.

Maya tossiu alto, engasgada com a saliva. Daniel virou-se rápido para Amanda, achando que iria cuspir seu coração fora.

– M-m-mas... – ele tentou dizer algo, mas calou-se.

– É meio óbvio, não? Quero dizer, a gente já namorou, nada mais normal.

Ela deu de ombros, achando-se altamente cara de pau, e adorou ver a reação de Daniel.

– Verdade – Carol riu.

– E você, Bruno? Qual das meninas?

– Bom, eu escolheria a Amanda pra namorar, se pudesse – Bruno afirmou.

Amanda riu, mas viu a expressão triste que Carol tentou esconder. Bruno também percebeu, mas era isso mesmo que queria.

– Porque ela me entende e acredita em mim – ele continuou.

– Acredito mesmo – a amiga confirmou.

Carol mordeu os lábios sem falar nada. Seu olhar encontrou o de Bruno, e os dois pareceram extremamente sem graça.

O silêncio reinou de novo.

– Doce de coco, quer tomar sorvete? – Rafael chamou.

Sentiu o coração disparar de repente e não sabia por quê. Que idiota.

– Tá! – Maya disse, e, ao vê-lo sorrir como se já soubesse sua resposta, levantou e se despediu: – Vemos vocês daqui a mil anos-luz.

Rafael passou as mãos na testa. Maya riu, pegou sua bolsa e saiu da casa de Bruno com o garoto.

– Rafael, tire a mão daí...

Ao ouvirem a reclamação em voz alta, do lado de fora, todos deram risadinhas.

– E eu vou encontrar o meu namorado, porque vocês realmente são cansativos – Kevin disse. – Mas organizem-se pro Ano-Novo!

Kevin pegou o copo vazio da mão de Bruno e o levou com o seu para a cozinha. Bruno riu ao vê-lo voltando.

– Obrigado.

– Não há de quê. Mocreia, me ligue.

Ele bateu a porta. Amanda deu de ombros, encarando Carol, que não dizia nada, apenas mantinha um sorriso no rosto.

– Ai, gente, que marasmo... – Anna resmungou. – Achei que fossem ficar mais animados com o festival.

– Eu estou animado – Daniel falou de um jeito muito calmo, que fez Amanda rir.

– Idiota... – Anna sorriu.

– Vamos lá pra cima – Bruno convidou. – Podemos ficar no quarto tocando violão e tal.

Ele seguiu em direção à escada. Anna, Caio e Carol concordaram e foram atrás. Daniel também se levantou.

– Pode me levar? – Amanda pediu.

Carol olhou para a amiga, assim como Daniel, mas decidiu não atrapalhar o que quer que estivesse acontecendo.

– Ahn? – Daniel perguntou distraído. – Eu não entendo você. O que está acontecendo?

– O que acontece é que eu gosto muito de você e você de mim. Acho que, no mínimo, nos devemos uma amizade, cara – ela falou e sorriu de verdade. – Vamos, me leve.

Daniel pegou a menina pela cintura. Amanda sentiu os joelhos cederem.

– Assim, não. De cavalinho – disse, rindo.

– Como?

Ainda meio confuso, ele se virou para a menina, que pulou nas suas costas.

– Eu não sabia desse seu gosto.

– Ande e não reclame! – Agarrada ao pescoço de Daniel e com as mãos dele em suas pernas, Amanda falou baixinho em seu ouvido: – Andeeeee.

– Que coisa louca! – Daniel balançou a cabeça.

Na tentativa de subir para o quarto, os dois quase rolaram escada abaixo. Então, desistiram da ideia idiota de andar de cavalinho.

trinta e três

– Por que você quer minha ajuda se eu sou um fiasco na cozinha? – Daniel perguntou para Amanda quando ela abriu a geladeira.

Os dois estavam na cozinha da casa de Bruno, decididos a fazer um bolo para acabar com o tédio daquela tarde.

– Você está fugindo de mim?

– Por que estaria?

– Eu não sei; você tem motivo?

O garoto negou fervorosamente, sem entender nada.

Amanda sorriu e o abraçou de repente. Era errado. Ela tinha que mantê-lo longe, fazê-lo sentir sua falta. Mas não conseguia.

Daniel afundou o rosto nos cabelos dela, apertando o corpo da menina contra o seu. Amanda encostou a testa em seu ombro, respirando seu perfume, e ficou calada. Não sabia o que dizer.

Mas para Daniel ela já dizia muita coisa. Eles eram dois idiotas.

– Bom... – a garota disse, soltando-se do abraço e percebendo que ele estava vermelho, envergonhado. – Daniel! Vamos fazer bolo. A Anna tá com fome!

– Eu estou com fome – o menino afirmou.

– Pois, então... – ela incentivou. – Pegue os ovos.

• • •

– Rafael, você não vai me deixar aqui na mesa – Maya alertou – para ir falar com essas meninas!

– Você não me quer – ele mirou uma garota parada no balcão.

– Você é um idiota! – Maya voltou a tomar seu *milk-shake*.

– É, eu sei... – Rafael mordeu os lábios. – Não consigo nem conquistar a menina que quero!

– Porque é idiota – Maya repetiu. – E também um panaca! Tem sempre que ficar com alguém? Não pode ficar na sua um pouco?

– Não! Quer dizer, posso. Mas seria chato.

– Ah, claro...

Uma menina morena e alta se aproximou da mesa, sorrindo para Rafael.

– Com licença, você é daquela banda dos sábados à noite, não é? – perguntou.

Maya tirou os olhos do sorvete e encarou a menina. Rafael concordou, sorridente.

– Poxa, eu gosto muito de vocês!

– Obrigado – ele disse, convencido.

Maya pôs a língua para fora. Achava aquilo babaquice. Duvidava que elas soubessem algum pedaço de letra ou soubessem o nome dos músicos. Só gostavam deles porque eram bonitinhos e engraçadinhos. E porque estavam acompanhados.

– Então... estamos indo a uma festa mais tarde. Quer ir conosco? – a morena convidou.

Sem a menor preocupação, ela ignorou completamente a presença de Maya, ali do seu lado. Rafael encarou primeiro a menina e depois seu doce de coco. A garota estava pálida. Sabia que ele iria aceitar.

De repente, Rafael pegou um papel do bolso e anotou dois telefones. Maya e a menina ficaram observando.

– Então, pegue esses telefones e ligue pros meninos. Eu não estou disponível hoje de noite. Eu e a doc... Maya vamos ao cinema, certo?

Ele encarou Maya, que se surpreendeu. A morena olhou para ela de cara fechada.

– Err... certo – Maya disse.

Rafael sorriu satisfeito, vendo a tal garota ir embora com um papel nas mãos.

– Não sou tão idiota assim... – ele disse, sorrindo.

– Veremos – Maya caiu na gargalhada.

Ela se levantou e saiu da sorveteria, com Rafael correndo atrás.

• • •

– Daniel! – Amanda berrou quando viu o menino bater o bolo de maneira errada.

Ela pegou na mão do garoto, que ainda segurava a colher de pau, e fez os movimentos corretos dentro da tigela de massa. Daniel ficou só olhando para o seu rosto.

– Preste atenção na tigela, Daniel.

– Hmmm – ele resmungou.

Enquanto a mão de Amanda se movimentava naquele vaivém, por cima da sua, o menino sentiu as pernas amolecerem, e ela percebeu isso.

– Continue sozinho.

Amanda riu e saiu de perto, com um pano de prato nos ombros. Daniel encarou a tigela de massa à sua frente e começou a mexer como ela tinha ensinado. A menina sorriu satisfeita, voltando a prestar atenção na calda de chocolate que esquentava no fogão.

– Pronto!

Ela chamou Daniel com o dedo, ainda encarando a panela. O menino se aproximou, encostou a barriga nas costas da garota e colocou o queixo em seu ombro. Amanda tremeu ao sentir o corpo dele grudado ao seu daquele jeito. Enfiou o dedo na panela, melando a ponta e levando a calda até a boca do menino, para que a provasse. Daniel lambeu o dedo dela.

A tensão sexual entre eles não era algo confortável. Daniel encostou uma de suas mãos na cintura de Amanda e riu ao vê-la secar o dedo lambido no pano.

– Está ótimo.

– Tem certeza? – ela perguntou incerta.

Ele confirmou e, ainda segurando na cintura dela, passou um dedo da outra mão na panela, apontando-o para o rosto da menina.

– Não aponte o dedo pra mim assim... – ela riu.

– Prove você mesma.

Amanda inclinou o rosto um pouco para a frente, lambendo de leve o indicador dele, e achou o gosto do chocolate extremamente gostoso.

– Acho que acabei então – disse ao desligar o fogo.

Daniel soltou sua cintura. Amanda se virou e ficou de frente para ele.

– Pegue a massa, por favor – ela pediu.

Ele concordou, olhando fixo para os lábios dela. Quando ele se virou, Amanda fechou os olhos com força, sem saber o que fazer. A ideia era ele querê-la, e não o contrário!

Daniel despejou a massa em uma forma e entregou à menina.

– Agora vamos esperar um pouco – ela disse ao colocar a forma no forno.

Daniel lavou as mãos e se sentou à mesa da cozinha, ainda encarando Amanda.

– Venha sentar aqui – ele disse.

Ela riu e se acomodou na bancada da pia.

– Pode deixar, aqui é melhor.

Os dois ficaram em silêncio, olhando para o fogão. Daniel fitou a garota, que cruzava e descruzava as pernas. Ela não movia o rosto, mas sabia que estava sendo observada. Passou as mãos nos cabelos e mexeu a cabeça de maneira sedutora para provocar ainda mais o menino. Ele descruzou as pernas, desconfortável, levantou-se lentamente e foi até o fogão. Depois, aproximou-se de Amanda.

– Eu gostei da ideia do festival – tentou iniciar uma conversa.

A menina o encarou, percebendo que ele chegava cada vez mais perto.

– Né? Vai ser tão legal poder conhecer gente nova!

– Vocês irão todos os dias conosco, não é?

– Se tudo der certo.

– Vai dar.

Ele encostou nos joelhos da menina, que riu.

– Vamos ter de ficar todos em algum hotel – ela disse.

Daniel concordou.

– No mesmo quarto?

– Não! – A garota desatou a rir e, quando ele deu língua, insinuou: – Mas a gente pode pensar nisso.

– É bom mesmo...

Daniel tentou se aconchegar mais, mas ela não abriu as pernas. Ele ficou com as mãos em seus joelhos. Os dois se encararam.

– Pare de me olhar assim – falou e jogou o pano de prato em cima dele.

– Não posso evitar, eu não consigo parar de olhar para você.

– É bom se acostumar – Amanda falou maldosa.

– É – ele mordeu os lábios –, vou ter de me acostumar a olhar outras garotas.

– Você já sabe como fazer isso.

Amanda piscou. Daniel não entendia por que ela fazia aquilo, mas não queria se afastar. Gostaria de poder ficar com ela, como já fizeram antes. Não entendia o que tinha feito de tão errado.

– Todas as garotas têm dado mole pra gente... Isso não é tão legal assim.

– Ah, é? Por quê? – perguntou, tentando parecer apenas sua amiga.

– Porque... bom – ele deu de ombros, vendo que ela mudou a expressão –, porque perde a graça.

– Cuidado pra não querer namorar o Bruno.

– Nem tanto! – Daniel começou a rir.

Amanda cedeu um pouco, deixando que ele encaixasse o corpo. Daniel passava os dedos lentamente nas pernas da menina, que queria fechar os olhos e sentir seu toque. Ao mesmo tempo, porém, sabia que não era esse o seu desejo mais cedo! Ela tinha que mantê-lo na linha.

– Daniel? – chamou.

Ele tirou os olhos das pernas de Amanda e encarou seu rosto.

– Me ajude a descer?

Ele a segurou pela cintura, colocando-a no chão. Ela se apoiava em seu pescoço.

– Obrigada – disse, docemente.

Sentiu o cheiro dele, mas se conteve. Viu o menino inclinar o rosto, com a mão na sua cintura, e não se rendeu. Ainda sorrindo, soltou-se dos braços de Daniel e saiu da cozinha.

• • •

– Vamos descer porque o cheiro disso está aumentando minha fome – Anna disse.

Ela pulou da cama correndo. Caio fez o mesmo, sentindo o cheiro de bolo de chocolate que entrava pela porta.

– Não gosto da ideia de ver Amanda de papo com o Daniel assim... – Carol comentou, seguindo lentamente para a porta.

– Por que não? – Bruno perguntou sem encará-la.

– Porque Daniel mentiu. E mente – respondeu olhando para ele.

– É claro, todos os homens são uns mentirosos, inclusive os que amam demais, não é? – ele falou e riu irônico.

– Talvez, no fim das contas – Carol franziu a testa –, eles não nos amem tanto assim.

– Ou talvez vocês não saibam disso.

– A culpa não é nossa!

– Se toda garota fosse sensível assim, poderia perceber as coisas sem precisar que o cara esfregue na cara dela! – Bruno resmungou.

Carol parou diante da porta e o encarou.

– Ou talvez o cara precisasse ser mais sensível para aprender que deveria deixar sua namorada saber que ele a ama.

Os dois se encararam. Estavam bravos. Carol sentiu que Bruno podia lhe dar um murro, se ela fosse um garoto. Ele fechou um dos punhos e colocou a outra mão no queixo dela, apertando com um pouco de força. As pernas de Carol amoleceram.

– Talvez os dois não se merecessem mesmo, não é? – disse, baixinho.

Carol não falou nada. Viu-o passar a língua nos lábios e soltar seu queixo. Ela olhou para os pés.

– Vamos.

Carol seguiu Bruno para fora do quarto, e os dois ficaram em silêncio por um bom tempo.

• • •

– Hmmm, meu bolo está uma delícia! – Daniel disse, colocando um pedaço na boca de Anna.

Ela riu, estendendo o polegar, e agradeceu.

– Cadê o Rafael pra apreciar isso? – Amanda falou. – E o bolo não estaria bom se não fosse por mim.

– Quem bateu a massa? – Daniel deu língua, vendo Amanda apontar para si mesma.

Carol e Bruno chegaram e se sentaram junto à mesinha improvisada na sala. Anna e Amanda cruzaram os olhares, mas não disseram nada.

– A melhor calda de chocolate que já provei! – Caio lambeu os dedos, percebendo que Amanda riu satisfeita.

– Não disse? – Daniel falou, metendo quase a mão toda na boca.

– Você é um gênio, Daniel, é isso que quer ouvir? – Amanda perguntou.

– Não – Daniel desatou a rir –, mas obrigado do mesmo jeito.

– Por que não vamos dar uma volta na praça depois? – Anna sugeriu.

Bruno deu de ombros. Carol apenas enfiou bolo na boca.

– Por mim... – Amanda concordou.

– Tudo bem, contanto que eu não tenha que voltar pra casa – Daniel falou.

Ele ainda lambia os dedos quando Amanda olhou seu rosto. Ela se preocupava com os problemas do menino em casa. Queria poder ajudá-lo.

– Fechado! – Caio comemorou. – Mas, agora, que tal ouvir The Who?

– Nããããão! – Amanda e Carol gritaram ao mesmo tempo, vendo Anna se levantar para correr até o som.

Imediatamente, Amanda segurou sua perna, e todos começaram a rir quando as duas iniciaram uma luta para ver quem chegaria primeiro até os CDs.

• • •

– *Laaaast night, she said...* – Amanda cantava enquanto caminhava com a turma pela rua.

Era fim de tarde, e o verão chegara de verdade. O vento quente deixava tudo mais abafado.

Daniel encostou no ombro da menina.

– Depois de duas horas ouvindo The Strokes, não acha legal virar o disco?

A garota negou.

– E você não canta muito bem... – Daniel acrescentou.

– Supostamente, né? Como quer me conquistar de novo, deveria me elogiar! – falou, virando-se para ele.

– E quem disse que eu preciso conquistar você de novo?

– E quem disse que não?

O garoto mordeu os lábios. Ela se afastou, rindo, e continuou a andar até os bancos da praça. Anna foi atrás dela.

Caio se aproximou de Daniel.

– Outch! – disse rindo e fugiu antes que o amigo lhe batesse.

Mais atrás, Bruno arrumou os cabelos de Carol, que estavam bagunçados pelo vento. E antes que ela pudesse reclamar, ele levantou a mão, sorriu, e saiu andando atrás de Caio. Carol sorriu meio idiota e percebeu que Daniel estava olhando na sua direção.

– Que foi?

– Vocês são tão lindos! – exclamou, aproximando-se dela.

A menina fez cara de horror.

– Me poupe! – reclamou.

Daniel deu um esbarrão nela. Os dois riram e seguiram os amigos até a pracinha.

• • •

– A gente, quando era mais novo, vivia aqui – Caio contou, empurrando Anna no balanço.

Amanda, que estava no outro, concordou.

– Mas a gente cabia no escorrega.

Daniel riu, subindo as escadinhas, e se sentou em cima do que seria o escorrega infantil.

– Cara, eu caibo.

– Tente escorregar e ralar a bunda, meu caro. A gente adorava.

– Yep, depois de enfiar a cara do Caio na areia! – Amanda deu uma risadinha.

Caio passou a empurrar o balanço dela com mais de força do que o da Anna.

– Nunca fui muito de brincar em pracinha – Carol lamentou.

Ela passou a mão nos brinquedos, pensativa. Bruno apenas observava, sentado no banco de concreto.

– Acho que eu não tinha amigos suficientes pra isso – acrescentou.

– Onde eu morava, a gente passava o dia no campinho – Daniel falou, pulando de cima do escorregador, que era quase da sua altura.

– Acho que sempre fomos mais *nerds*, não é? – Anna perguntou.

– Isso – Caio riu –, antes de vocês, madames, se tornarem populares.

– Mas, agora, os populares são vocês! – Amanda comentou.

– A gente faz por merecer! – Bruno piscou.

– Ah, claro! E a gente não, né? – Amanda riu. – Nós sempre fomos as mais simpáticas, mais bonitas...

Enquanto ela falava, Carol e Anna concordavam, balançando a cabeça.

– Vocês ainda são simpáticas e bonitas – Daniel afirmou. – E nem por isso continuam metidas e insuportáveis.

– Ah, Danny, eu amo você – Anna lhe mandou um beijo.

– Tenho a leve impressão de que as coisas eram mais legais quando vocês achavam que a gente era o máximo... – Amanda disse, e olhou para Daniel, que foi para trás de seu balanço.

– Quero deixar claro que minhas opiniões não mudaram – falou.

Caio e Bruno concordaram, rindo. As três ficaram sem graça. Carol se sentou no banco ao lado de Bruno e, lentamente, encostou a cabeça em seu ombro. O menino não disse nada e continuou olhando para os amigos. Caio balançava Anna. Daniel ficou de pé no outro balanço, onde Amanda estava sentada, fazendo-a dar gritinhos apavorados, com medo de que ambos caíssem no chão.

Bruno encarou os próprios pés.

Eles não eram tão idiotas assim. As coisas eram escritas certas por linhas tortas. E, afinal, eram adolescentes. Quem poderia culpá-los?

trinta e quatro

Dois dias depois do Ano-Novo, os meninos estavam na sorveteria, conversando sobre a *demo*, quando as garotas entraram. Elas sorriram, deram um tchau de longe e se sentaram ao redor de uma mesa perto da bancada de Kevin, que correu até elas para ver o que queriam.

– Então, a gente já tem a ordem certa em que vamos gravar, não é? Não vamos mudar nada daqui pra frente e... – Caio ia explicando.

Daniel parecia fora do ar.

– Vou lá falar com a Amanda – disse, já se levantando.

Bruno puxou seu braço, fazendo-o ficar sentado.

– Não olhem agora, mas temos visitas – falou quase num sussurro, com os dentes cerrados.

Olharam para a mesa das meninas, vendo alguns garotos se sentarem com elas. Caio fez menção de se levantar também, mas Kevin apareceu perto deles e o impediu.

– A Anna não vai fazer nada, deixe as outras serem felizes. Vocês viram o que aconteceu no Ano-Novo, certo?

– Oi, pra você também – Rafael falou sem tirar o olho de Maya. – Ela está sorrindo.

– Claro que está, olha o bonitão do lado dela – Kevin gargalhou da cara deles. – Ah, qual é, olha só quem fala... os garotos que não saem com outras meninas. E que não deram vexame no Ano-Novo, deixando as garotas sozinhas na festa, livres para conhecer outros garotos!

– É diferente... – Bruno bufou quando um garoto provou o sorvete de Carol, e ela deixou, na maior cara de pau. – Que absurdo.

– E posso saber por quê? – Kevin riu, fechando a boca de Daniel.

– Porque elas não ficam com ciúmes – Rafael deu língua.

– Claro – Kevin balançou a cabeça –, afinal, elas são de ferro.

– Kevin, minha namorada está sendo cantada por outro! – Caio disse, esfregando as mãos.

Quando viu Anna rir e apontar na sua direção, ele estufou o peito.

– Pelo jeito, ela sabe que tem namorado – Kevin bateu no ombro de Caio, que sorriu satisfeito enquanto Anna lhe mandava um beijo.

– Ok, esqueçam elas... vamos pensar na nossa música! – Daniel parou de olhar para a mesa do lado e se virou para Bruno: – O que temos em mãos?

– *Quero te abraçar*, *Tudo sobre você* e... – Rafael pensou.

– *Ela foi embora*? – Bruno sugeriu.

– Não, vamos pensar em outra – Daniel disse. – Que tal irmos pra casa?

– Bela ideia, cara – Rafael concordou. Levantou-se, enfiando a mão na carteira, e falou para Kevin: – Sem grana, pago depois.

– Claro! – Kevin ironizou.

Os quatro rapazes se levantaram e saíram da sorveteria sem olhar para a mesa das garotas. Elas pareceram nem ligar para isso.

• • •

– Falta uma música – Caio afirmou sentado no sofá, com uma latinha de soda na mão.

Eles passaram a tarde discutindo a escolha das músicas para gravar a *demo*. Não conseguiam decidir a terceira; por isso, as meninas chegaram à casa de Bruno no início da noite para ajudá-los. Anna abraçou o namorado pela cintura, ouvindo Amanda e Guiga berrarem por causa de algo na TV. Bruno se sentou entre as duas, no chão.

– Que tal um *cover*? – Carol sugeriu.

Daniel, que estava com a cabeça no colo dela, sorriu.

– Parece ótima ideia... – disse Rafael, sentando-se do lado de Guiga, e entregando-lhe um copo de Coca-Cola. – Mas de quem?

– Beatles? – Amanda perguntou.

Daniel a encarou, lembrando-se do momento juntos em que dançaram *All my loving*.

– The Killers! – Carol deu um pulo, fazendo Daniel quase virar cambalhota no chão. Rafael ajudou o amigo a se sentar.

– The Killers? Até parece que conseguem... – Maya falou zombando.

Caio ameaçou chutar a menina.

– Kaiser Chiefs? Eles são bons – Amanda afirmou.

Ela pegou a lata de cerveja da mão de Bruno e tomou um gole. Daniel cruzou os braços, chateado com a cena. Meu Deus, é apenas o Bruno!

– *Nananananana*? – Bruno cantou um pedaço de uma música do grupo, sacaneando o ritmo.

– Absurdo – Amanda olhou, inconformada –, absurdo...

– E algo nacional, tipo Kid Abelha? Os tiozões se amarram nisso... – Rafael opinou.

– Quê? Tá doido? – Bruno jogou uma almofada nele. – Nacional tem que ser uma banda mais de macho, tipo Sepultura.

– Que tal Queen? – Anna falou

– Queen é uma boa. *Bohemian rapsody*? – Caio perguntou.

Maya deu de ombros.

– Vocês nunca conseguiriam algo como... *Don't stop me now*!

– Um dia ainda vamos cantar músicas assim, você vai ver... – Caio garantiu.

Ele sorriu, levantando-se, e fez movimentos de guitarra no ar, imitando um trecho de uma das músicas do Queen. Maya riu, irônica. Amanda deu um grito quando Bruno, que fazia cosquinhas nela por pura implicância, a machucou sem querer.

– Desculpe, desculpe – ele começou a falar rapidamente, segurando o braço da menina.

– Não foi nada...

– Desculpeeee!

Ele beijou a mão de Amanda com carinho, fazendo-a rir. Rafael e Maya sacanearam os dois, o que deixou Carol e Daniel sem palavras. Ambos se viraram para a televisão sem dizer nada.

O celular de Daniel tocou.

– Anna, atenda aí – ele pediu preguiçoso.

A menina se virou para a mesinha do lado e viu um nome no visor do aparelho.

– Sofie – leu em voz alta.

Daniel pulou do sofá com uma rapidez surpreendente, pegou o celular das mãos da amiga e correu para a cozinha.

Bruno encarou Amanda, que olhava desinteressada para a porta fechada por onde Daniel tinha passado.

– Por que ele não fala dessa menina? – perguntou, olhando os pés.

– Porque deve ser alguém que ele não pode falar? – Carol riu.

– Carol, não piore – Bruno alertou.

– Por que logo a Rebeca? E por que ele a chama de Sofie? – Amanda se virou para Bruno, que não sabia o que dizer. – Ah, que se dane... Eu devia me acostumar com isso.

– Ah, claro que não! – Maya bufou. – Esse idiota tinha que aprender a ser homem de verdade e pegar mulher decente, qual é!

– Falou e disse, docinho! – Rafael beijou a bochecha da menina, que ficou vermelha rapidamente.

– Vou beber água.

Amanda se levantou disposta a fingir que nada estava acontecendo. Bruno fez menção de impedir, mas deixou que a amiga entrasse na cozinha.

– ... pode ser, eu sei lá... – Daniel falava, sentado na pia.

Amanda entrou sem olhar para ele e abriu a geladeira.

– Ahã... na casa do Bruno – ele continuou. – Não, do outro lado da rua... na outra esquina.

Amanda fez careta, mas Daniel não viu.

O menino sentiu o coração bater mais forte quando Amanda fechou a geladeira e se aproximou da pia, ao lado de onde estava sentado, para pegar um copo. Como ela não o encarava, sentiu-se ignorado. Continuar falando com Sofie se tornou insuportável.

– Ligo pra você depois. Não precisa... pode deixar...

Ele sorriu, ficando vermelho. Amanda o encarou e riu baixinho. Ele deu língua.

– Vai ser boa sua noite? – ela perguntou assim que ele pulou da bancada.

– Talvez sim, talvez não...

O menino sorriu maroto, aproximando-se de Amanda, e pegou seu copo para beber um gole de água. Amanda riu.

– Cafajeste... Ela sabe que eu existo?

– Vai ser minha amante agora?

– Achei que esse era o papel dela.

Retomou o copo da mão dele e foi até a pia com um sorriso malicioso, sem que ele visse. Daniel fez o mesmo. Ambos estavam dispostos a se provocarem mutuamente, o que era ridículo.

Ele foi atrás dela, abraçando-a pelas costas. Amanda sentiu um arrepio da espinha até a nuca.

– O que foi agora? – ela perguntou.

Daniel riu perto do seu ouvido.

– Então, de alguma forma você ainda é minha?

– Você está se achando muito. E não pode tanto assim.

Amanda lhe deu um beijo de leve na boca e saiu da cozinha. Daniel encarou a pia na sua frente e fechou os olhos, querendo que a sensação daqueles lábios em sua boca durasse para sempre.

• • •

– Porque o Johnny Depp é mais gostoso! – Anna berrou na saída do cinema ainda com um saco de pipoca na mão.

– Orlando Bloom! – Guiga riu, afetada, parecendo ter doze anos de novo.

Amanda sentiu o celular vibrar.

– Fofa? – Daniel berrou do outro lado da linha. – Nós somos foda, escuta isso...

Ela ouviu a contagem e o barulho de alguma música.

– O que é isso, amiga? – Anna perguntou, ouvindo a barulheira que saía do telefone de Amanda.

– *Pinball wizard*, diz o Daniel... – ela riu.

– Ah, que lindo, eles vão gravar The Who de verdade! – Guiga bateu palmas.

Amanda rolou os olhos e ouviu mais um berro de Daniel. Pegou o celular de volta da mão de Anna.

– Que foi, criatura?

– Foda! – ele berrou, rindo.

– É , é...

Garotos podiam ser tão bobos às vezes.

– Vou passar na sua casa depois daqui, ok?

Amanda sentiu um frio na espinha e sorriu sozinha. O pensamento de ver Daniel mais tarde, como em um encontro, ainda a deixava nervosa. Demorou para responder, mas resmungou algo e desligou o telefone. Olhou para as amigas.

– O que eu faço com ele?

– Daniel? – Guiga perguntou.

– Não, Albert... – Anna mostrou a língua.

– Nem me lembre... – Amanda gargalhou, dando de ombros, e saiu do shopping.

– O que tem demais no Daniel? – Guiga perguntou.

– Alguma coisa chamada Sofia! – Anna riu.

– Sofie, Sofie! – Amanda consertou rindo.

Ela foi para casa pensando se era uma boa ideia ter concordado com esse encontro mais tarde.

trinta e cinco

Amanda trancou a porta de casa. Estava com uma calça de moletom amarela e uma blusa do ursinho Puff. Que ótimo, seus pais tinham saído, e ela poderia ficar em paz vendo algum filme. Colocou a garrafa de refrigerante em cima da mesinha da sala, pegou algumas barras de chocolate e ligou a TV. Estava preparada para uma supernoite! Então, ouviu a campainha.

– Ah, que droga... o que será que esqueceram?

Andou até a porta, arrastando o pé no chão, e tomou um susto ao ver Daniel ali, parado. E ele estava tão bonito! Usava um casaco preto justo, calça jeans e tênis Mad Rats quadriculados. Os cabelos estavam bem penteados e ele mantinha as mãos nos bolsos. Olhou para ela sorrindo.

– Tudo isso só pra mim? – Daniel riu, apontando para o pijama da menina.

Amanda bateu na testa. Como pôde ter se esquecido de que Daniel passaria na sua casa naquela noite se ficara a tarde inteira pensando nisso?

– Às vezes cometo insanidades; esqueci totalmente de você... Entre.

Ela deu passagem para ele entrar na casa. Aquilo atingiu Daniel bem mais do que deveria. Ele sorriu amarelo e seguiu até o meio da sala.

– Chocolate e coca-cola... Já vi que preparou um banquete de fossa.

Amanda prendeu os cabelos e, desajeitada, passou por ele.

– Nah... apenas preparada para mais uma noite de tédio.

Daniel tirou o casaco, que deixou jogado na poltrona, ficando com a blusa branca simples que estava por baixo.

– Então, quer dizer que se esqueceu do nosso encontro?

Ele viu a menina se sentar no sofá com as pernas cruzadas. Isso de alguma forma o deixou mal. Não gostou de pensar que Amanda não se lembrava do que combinaram.

– Cara... totalmente.

Por que Daniel estava sorrindo? Era pra ele ter ficado no mínimo chateado, não?

– Senta – ela convidou.

Ele andou lentamente até o sofá e se sentou. A menina apontou a televisão.

– O que quer ver?

– Vamos conversar – ele sugeriu.

A menina não esperava tal resposta, mas sorriu e desligou a TV.

– Sobre o quê?

– Política.

– Claro, porque é realmente algo de que eu adoooro falar.

– Mao Tsé-Tung não diz nada pra você? – perguntou, fingindo ser entendido.

Na verdade, não lembrava quem era Mao Tsé-Tung nem de onde era. Deveria ter estudado mais.

– Mais do que Che Guevara – ela deu de ombros.

Os dois começaram uma discussão calorosa sobre política, mesmo sem saber metade do que estavam falando.

– Quer chocolate? – Daniel perguntou.

A menina aceitou, e ele se virou para a mesinha. Tirou o tênis e cruzou as pernas, como ela. Era impressionante como os dois podiam passar horas falando coisas sem sentido e se divertirem com isso. Gostavam da companhia um do outro. Não estava sendo nenhuma dificuldade ficar ali.

– Achei que fosse sair com a Sofie de novo... – Amanda disse, enfiando alguns quadradinhos de chocolate na boca.

– Não saio com ela todo dia – Daniel respondeu, também enfiando quadradinhos de chocolate na boca e dando de ombros.

– Só quando precisa?

– Que imagem você faz de mim! – Daniel falou rindo. – Não! Não é isso... Sei lá, é estranho falar disso com você... – ele ficou vermelho.

Amanda sorriu. Queria ouvir o que ele tinha a dizer, embora já começasse a sentir a barriga remexer.

– Finja que eu sou o Kevin.

– Não complica a minha vida. E o Kevin é mais bonito.

– Argh! Eu sei! Odeio ter amigo *gay* e gato, ninguém merece... – ao dizer isso, a menina colocou mais chocolate na boca.

Daniel sabia que já teria perdido Amanda para Kevin se ele não fosse *gay*, já teria perdido Amanda para ele. Ou pelo menos, era como pensava.

– Bom... eu gostei de você por tanto tempo, sabe? Passava os dias na escola com os garotos, apenas esperando que você me percebesse...

– Daniel... – Amanda mordeu a boca.

– Não, tudo bem. Já passou – falou.

Amanda sentiu o coração apertar. Não queria que tivesse passado.

– O negócio é que – ele continuou – eu não aproveitei nada, e quando eu digo aproveitar, digo sair com outras pessoas, fazer farra, sabe? Porque é claro que era megadivertido passar os dias escrevendo músicas pra você...

Ele piscou para ela, servindo refrigerante no copo que estava ali na mesinha. Amanda entendeu tudo.

– Então, você está correndo atrás do tempo perdido? – ela perguntou.

– Não perdido, mas mal aproveitado.

Daniel entregou o copo para ela, depois de beber um gole. Amanda queria ter o poder de fazer o tempo voltar para não ouvir aquilo. Mas que ideia de jerico querer conversar sobre isso.

– Entendo...

– Sofie é uma menina legal – ele disse. – Quem sabe, vocês não podem se conhecer?

– Ahhh... – Amanda engasgou com o refrigerante. – Que ótima ideia, Marques. Eu iria adorar.

Ela ficou pensando em se encontrar com Rebeca. Daniel percebeu que a menina estava sendo irônica.

– Você não a conhece. É bom ver pessoas diferentes às vezes.

– Não conheço, né? Ok...

Amanda sentiu vontade de gritar. Por que ele estava mentindo? Ele sabia quem era Rebeca. Ele já havia ficado com ela no passado! Isso era idiota demais para ser verdade.

– Quer fazer alguma coisa? – perguntou nervoso, sacudindo a perna.

Amanda encarou as meias dele e riu.

– O que quer fazer?

– Bote uma calça jeans e vamos andar.

O menino se levantou. Amanda fez o mesmo e subiu as escadas sem perguntar mais nada.

• • •

– Odeio morar em cidade pequena – Amanda comentou, enquanto caminhavam lado a lado pelas ruas vazias. – É tão entediante. Quero dizer, eu não sei bem como é uma cidade grande e tudo mais...

– Não é melhor do que aqui – Daniel coçou o queixo. – Nenhum lugar é.

– Como se essa cidade fosse o melhor lugar do mundo... – a menina suspirou. – Daniel? Como está o problema em casa?

– Ah... nada diferente. Meus pais não me deixam em paz. Acho que vou ter que fugir. Minha avó já topou fugir comigo! Ela é meio destrambelhada.

– Que aventura!

Os dois riram alto.

– Quer fugir comigo?

– Isso é ideia do Fred, acho que ele é uma péssima companhia pra você Daniel...

– Ah, custa nada fugir comigo! – Daniel falou e andou mais rápido, virando-se e ficando de frente para Amanda.

Passou a andar de costas para acompanhar a menina. Ela riu.

– Vamos morrer de fome, né? E sua casa com aquela mulher perfeita? Não quer perder tudo isso...

– Viveríamos do nosso amor, e eu estaria com uma mulher perfeita – ele falou.

Amanda sentiu o coração gelar ao ouvir aquelas palavras. Então, ela seria a mulher perfeita para ele?

– Que amor, Daniel?

Ele parou de andar e a menina fez o mesmo. Daniel encarou o tênis e coçou a cabeça.

– Desculpe, às vezes eu esqueço...

– Você vai ficar na casa do Bruno? – ela perguntou, ignorando o assunto e voltando a andar.

Daniel colocou as mãos nos bolsos e seguiu a menina.

– Não sei, não quero incomodar o cara. Afinal, ele tem que ter suas noites de privacidade com as fãs!

– E como um menino de dezessete anos espera viver sozinho?

– O Bruno vive! Não me subestime! – Daniel quase gritou.

Ouviram o barulho de um carro, que parou ao lado deles.

– Não imaginei ver vocês aqui a essa hora... – Albert disse, abrindo o vidro.

Amanda e Daniel não pararam de andar.

– Achei que você tivesse evaporado! – Amanda respondeu.

– Amanhã você se verá livre de mim.

– Uhul! – Daniel comemorou baixinho e fez um movimento com as mãos, fazendo Amanda rir e Albert bufar.

– Obrigada pelo aviso, mas temos que ir pra minha casa, não é, Danny? – Amanda pegou no braço dele.

Daniel olhou para a mão dela e depois para Albert. Riu.

– Claro.

– Até mais, Albert. Boa viagem – a menina disse, e puxou Daniel pelo lado oposto, afastando-se do carro.

– Que morra no caminho para onde quer que vá! Maldição...

– Qual foi o estresse? Ele não fez nada – Amanda gargalhou.

– Caraca, depois de tudo o que ele fez pra você?

– Eu só quero ficar em paz, Daniel, sem nenhum problema. Não mais do que os que você me traz.

Ela botou a língua para fora, vendo o garoto tentar se explicar.

• • •

Em alguns minutos, estavam parados diante da porta da casa de Amanda. A menina mexia nos bolsos, nervosa, depois que acabaram ficando em silêncio.

– Não diga que eu me tranquei aqui fora! – ela começou a falar rapidamente, e Daniel riu. – Ah, não ria, Daniel... não é engraçado.

– Tem sempre a janela.

– Não vou pular a janela de casa! Droga de porta.

– Vamos, eu ajudo você.

– Não vou pular a janela!

– Eu pulo por você, então.

Daniel saiu andando pela varanda da casa. Amanda correu atrás.

– Não! Eu faço isso...

– Não dá pra entender você, garota.

Daniel riu, dando um pulinho para se certificar que a janela estava aberta.

– Eu ajudo você, suba.

Ele virou as costas. Amanda riu, divertindo-se com a situação, e se apoiou em Daniel para encostar no batente.

Depois de alguns minutos, risadas e machucados, ela caiu do outro lado. Daniel voltou a rir e pulou, apoiando os braços na janela. Gritou por ajuda, e a menina se levantou, puxando-o pela calça para dentro de casa.

Nota mental de Daniel: fazer sua futura casa com janelas mais baixas.

Os dois se deitaram no chão, morrendo de rir. Daniel rolou para o lado, esticando-se no piso gelado.

Amanda se encolheu e olhou para ele.

– Isso foi divertido.

– Porque não é você que está com roxos nas costas e nas pernas.

– Eu precisava me apoiar, Daniel! Você se ofereceu!

– Isso foi abuso de poder!

Os dois se encararam solenemente.

– Você está linda hoje.

– Obrigada – a menina deu uma risadinha.

Daniel chegou perto de Amanda. Colocou uma das pernas entre as delas e apoiou os cotovelos ao lado de seu rosto.

– Eu daria de tudo pra beijar você agora.

– Tudo mesmo? – ela perguntou.

– Não mete o Kevin nisso.

– Não falei nada.

Amanda sorriu. Os dois ficaram se examinando por alguns minutos. Daniel passava o dedão nas bochechas dela, levemente. A menina mantinha as mãos no chão, sem se mover. Sua barriga estava endurecida de nervoso. Ela sabia que iam acabar se beijando mesmo. Então, por que essa cena toda?

Fechou os olhos e ficou sentindo apenas o calor do garoto. Sabia que o rosto dele estava se aproximando, podia senti-lo. O nariz de Daniel encostou em sua bochecha, e estava gelado. A menina sorriu de leve. Quando ele passou o nariz em seu rosto, lentamente, ela sentiu calafrios. Daniel roçou sua boca nos lábios dela. Amanda sentia uma vontade enorme de beijá-lo. Ficaram colados assim por alguns segundos.

Então, Daniel passou a língua nos lábios dela, fazendo a garota colocar as mãos no cós de sua calça. Ele sentiu as pernas vacilarem, e as mexeu nervosamente. Amanda prendeu a perna dele entre as suas e fechou os olhos quando sentiu que ele apertava sua cintura contra a dela. Sentiu-se relaxada como nunca. Abriu a boca, suspirando. Ele segurou o rosto dela, beijando-a de lado, enfiando a língua na sua boca por completo. A garota apertava o corpo de Daniel contra o seu.

Ela colocou a mão por debaixo da blusa dele, apertando a pele do menino com suas mãos geladas. Ele suspirou alto, mas não parou de beijá-la. Segurou seus cabelos, puxando o rosto da menina, ainda mexendo a língua com volúpia dentro da boca de Amanda colada à sua. Era algo maior que ele. Daniel sempre se sentia assim com Amanda. Diferente. Queria aquela garota para ele o tempo todo. Não entendia por que isso ainda acontecia depois de tantas coisas que os dois tinham sofrido.

Ele pressionava cada vez mais forte sua cintura contra a dela, arrancando suspiros e gemidos da garota. Tirou uma das mãos de seus cabelos e levou até a perna dela, apertando e encaixando os corpos.

Daniel apoiou as mãos no chão, olhando para ela, arfante. Amanda estava vermelha, com a blusa enrolada na parte da frente, e não queria que ele parasse. Que tudo se danasse, que a Rebeca se explodisse, ela pensou. Afinal, Daniel era seu quando ela queria. E era o que ela mais queria naquele momento.

– Daniel... – sussurrou.

O garoto desceu as mãos pela barriga de Amanda e começou a desabotoar sua calça. Ela mordeu os lábios e não fez nada. Daniel beijou seu umbigo e puxou o jeans para baixo, olhando a calcinha da garota. Descendo a roupa até os pés, ele encarou as pernas nuas da menina, mordendo os lábios. Amanda, rindo de nervoso, apertou uma perna contra a outra e suspirou. Daniel tocou seu joelho e seguiu o contorno de sua perna. Beijou levemente a coxa da menina, fazendo-a suspirar mais alto. Com uma das mãos, ele pegou a borda da calcinha e mirou seu rosto. Ela não parecia querer pará-lo, e Daniel sentiu um arrepio. Passou a língua devagar no meio da coxa da garota, fazendo-a tampar o rosto com as mãos. Quando estava prestes a tirar a calcinha da menina, uma buzina soou na frente da casa.

A garota se contorceu, com dificuldade para respirar, e viu Daniel rolar para o lado, com a mão entre as pernas e apertando os olhos. Ela sentou e colocou a calça rapidamente, ouvindo a buzina de novo.

– Já vai, cacete! – berrou.

Daniel tampou os olhos com as mãos quando ela acendeu a luz da sala. Tentou se sentar, mas não conseguiu. Doía. Virou de lado e abraçou o casaco dela, esperando que voltasse.

Amanda xingou seus pais mentalmente quando viu que eles queriam apenas pegar algo que tinham esquecido. Ela subiu no quarto de sua mãe, rapidamente, vendo Daniel deitado debaixo da janela, e entregou o que eles queriam. Sentiu um frio na barriga ao fechar a porta de casa e ouvir seu pai dizer “voltamos logo”.

Andou até Daniel, sentindo a cabeça um pouco pesada. Sentou-se ao seu lado.

– Já vou embora, calma – ele disse, ainda arfando, sem se virar para ela, com o rosto amassado no chão.

– Não tem problema, Daniel.

– Como não tem problema? Nenhum? – ele disse ao se virar de barriga para cima. – Você viu o que eu ia fazer? Quero dizer, eu sou um cafajeste idiota...

– Daniel, se eu não estou ligando, não é você quem deveria.

Amanda cruzou os braços sem entender nada. O menino colocou o casaco dela no rosto e riu.

– Você não sabe nem o que estava prestes a fazer – ele falou.

Amanda ficou vermelha e bateu na canela de Daniel, que encolheu as pernas, rindo.

– Cale a boca... – falou e puxou seu casaco, vestindo-o, porque estava com frio. – Eu não preciso ficar ouvindo você me sacaneando por algo que você não conseguiu fazer – ela disse, irônica, e se levantou.

Daniel deu língua e se levantou atrás dela. Os dois se sentaram no sofá.

– Outch, não é justo.

– Nós fomos feitos pra ficar conversando, Daniel.

– Então, odeio a vida! Convenhamos, né? – ele retrucou.

Novamente, se encararam de perto. Daniel sentiu o celular vibrar. Amanda rolou os olhos, mas ele tirou o celular do bolso e desligou sem nem ver quem era.

– Onde está aquele chocolate mesmo? – ele se virou de costas sorrindo.

Amanda balançou a cabeça e ligou a televisão, sem falar nada.

– *Madrugada dos mortos*? Tem certeza?

– Minha única intenção é quebrar esse clima...

– Oh, céus, como Deus me odeia... – Daniel se ajeitou no sofá ao lado dela, de frente para TV, vendo a menina rir. – Zomba mesmo...

Daniel colocou um pedaço de chocolate na boca de Amanda, que sorriu e encostou a cabeça em seu ombro. Ele respirou fundo. Não queria magoar essa garota. E não iria fazer isso. Ele só queria curtir a vida.

trinta e seis

– Hmmm, não vai dar mais para eu ir – Daniel afirmou ao desligar o celular.

Caio, que já estava indo para o carro de Bruno, juntamente com Rafael e suas respectivas mochilas, parou e olhou para ele.

– Por quê?

– Vou ver a Sofie; nós vamos ao parque.

– Ótimo – Rafael falou alto, quase robótico. – Caio, ande!

– Como quiser, então. Ligue pra gente depois.

Daniel ficou olhando os amigos partirem. Não sabia por que Rafael sempre agia estranho quando ele falava de Sofie. As reações de Bruno, ele até podia imaginar. O amigo não queria que Daniel magoasse Amanda. Mas Sofie era só uma garota! Que problema havia nisso?

Lembrou-se da noite em que lhe perguntaram sobre a Rebeca. O que ela tinha a ver com isso? Com as mãos nos bolsos, Daniel saiu andando pela rua vazia. Sentiu uma dor no peito ao pensar no nome de Rebeca. Ele não gostava de mentir para Amanda e nunca tinha precisado fazer isso. Mas era por uma boa causa. Ela não gostaria de saber de tudo.

• • •

Na cozinha de sua casa, Amanda olhou para o copo em sua mão. Percebeu, então, que estava triste. Sentiu vontade de chorar, mas tomou rapidamente a água quando ouviu alguém se aproximar.

– Eles chegaram, você não vem pra sala? – Maya perguntou. – Mandy?

– Eu já vou – falou tentando sorrir.

Maya mordeu a boca. Ia falar algo, mas desistiu. Apenas ficou encarando a amiga, sem muito tato para o momento. Pensou em algumas piadas, mas logo deixou para lá. Poderia piorar a situação.

– Ah, Maya, o que eu posso fazer? Gosto dele, e saber que ele anda com outras porque parece que perde seu tempo comigo não é legal, sabe?

Amanda falou muito rápido, sem dar tempo para a amiga pensar. Maya a abraçou, meio sem jeito. Não era boa consolando ninguém.

Bruno entrou na cozinha acompanhado de Rafael.

– O que fazem aqui? – Bruno perguntou, abraçando as duas. – E por que você está chorando?

– Não estou – Amanda respondeu fungando.

– E eu sou uma Tartaruga Ninja! – Rafael riu.

– Bem que você queria – Maya disse.

– Pelo menos as tartarugas têm aquela gostosa ruiva com eles... – o garoto retrucou.

Maya rolou os olhos .

– Onde está o Daniel?

– Ele não está aqui? – Amanda olhou para Bruno.

– Saiu – ele disse. – Com a Sofia, ou Rebeca, sei lá...

– Filho duma égua! – Amanda mordeu a boca.

Tinha prometido a si mesma que não iria ligar. Estava cansada daquilo. Era muita coisa para uma menina de dezesseis anos.

– Temos sempre a opção de atrapalhar a saída dele – Rafael sorriu.

Bruno balançou a cabeça, desaprovando a ideia.

– A gente bola isso melhor outro dia. Não sabemos nem se ele foi mesmo pro parque. Vocês conhecem o Daniel. Vamos pra sala, gente, antes que o Caio e a Anna achem que é pra assistir ao filme do Rambo sozinhos.

– Rambo? – Maya riu alto.

– Não gosta? – Rafael sorriu.

– Odeio.

– Mentiraaaaa! A Maya adora! – Amanda falou, passando a mão no rosto. – E ela disse que só ficaria com você se você se parecesse com ele, Rafael.

Maya e Rafael se entreolharam, vermelhos. Bruno deu uma risadinha. Rafael abriu a boca.

– Verdade – Maya riu. – Trate de entrar pra academia!

Ela saiu andando para a sala. Bruno e Amanda passaram abraçados pela porta e Rafael foi logo depois, ainda sem saber como ganharia tantos músculos em pouco tempo.

• • •

– Beatles!

– Rolling Stones!

– Beatles!

– Stones!

– Madonna!

Eles não paravam de discutir. Todos deitados no chão da sala da casa de Amanda, amontoados uns nos outros, com biscoitos e sacos de pipoca espalhados, além de garrafas vazias de refrigerante. Também não paravam de rir um minuto sequer. Era mais de meia-noite e, vez ou outra, alguém se arrastava até o banheiro.

– Offspring! – Caio disse, alto.

– Baaaaate na cova do John, Caio! – Amanda começou a rir.

– Não fale em covas uma hora dessas! – Maya fez o sinal da cruz.

– Não me diga que tem medo? – Rafael provocou.

– Medo do quê?

Bruno arregalou os olhos e fez com que todos ficassem em silêncio. Ouviram o barulho de uma porta rangendo e depois de passos. Amanda agarrou o braço de Rafael, assim como Maya, e a única coisa que ele fez foi sorrir satisfeito. De repente, escutaram um barulho mais alto.

– AHHHHHHHHHH – Anna berrou e ouviu o ritmo de *Help* dos Beatles.

Era o celular de Caio, e todos desataram a rir.

– Quem é o infeliz no telefone? – Kevin perguntou rindo.

Rafael segurava as pernas com vontade de ir ao banheiro.

– Caraaaca, Daniel! Por modequê tá me ligando a essa hora? – Caio disse, gritando.

– Onde você está, Caio? – o garoto perguntou do outro lado.

Estava alto o suficiente para todos ouvirem. Ou seria eles que estavam em completo silêncio.

– Casa da Amanda. E você?

– Em casa... – o menino falou desanimado. – Não estava conseguindo dormir, desculpe atrapalhar.

Amanda sentiu remorso ao ouvir isso. Caraca! Ela não podia sentir pena de Daniel o tempo todo.

– Tudo bem, cara. Tudo bem aí?

– É, normal. Onde estão todos?

– Aqui, na frente.

– Ahn – Daniel disse, entristecido, parecendo que queria ficar com os amigos.

– Como foi o encontro? – Caio perguntou.

– Foi legal, a Sofie é muito gente boa.

– Sei...

Bruno e Rafael botaram a língua para fora. Amanda riu de como os amigos tomaram suas dores.

– Mas apareceram umas garotas lá que... bom, depois explico melhor pra você. Meu pai tá berrando lá embaixo, acho que vou levar esporro de novo.

– Por quê? O que você fez? – Caio pareceu preocupado.

– Ele não anda muito feliz desde que eu decidi ficar aqui e arruma motivos pra brigar comigo – o garoto suspirou. – Vejo vocês depois, Caio. Mande beijos pra Amanda!

– Certo, cara. – Caio desligou o telefone, preocupado. Olhou para todos, e lamentou: – Coitado.

– Pois é – Anna disse, baixinho.

Todos ficaram em silêncio.

– Ei! Ele não mandou beijo pra mim! – Kevin berrou, fingindo indignação e fazendo todos rirem.

trinta e sete

Carol convidou Amanda para ir ao *paintball* com os meninos mais velhos do colégio. Mudar a rotina de sábado, sempre na sorveteria, não seria má ideia; Kevin que a desculpasse depois. Entrou no carro de Breno com a amiga. Nick e André já estavam no veículo. Uma música da Beyoncé tocava a toda altura. Amanda não entendia por que todos eles ouviam aquilo.

– Meu *pendrive*! – Carol anunciou.

Claro, agora ela sabia.

– A gente podia convidar mais pessoas. *Paintball* é legal cheio! – André sugeriu.

– Vou ligar pro Daniel então – Carol falou.

Amanda achou estranho. Das suas amigas, Carol era a que menos queria aproximação com os marotos. Agora ela já ligava até para um deles?

– Alô? Daniel Marques? – Carol brincou. – Sou eu, moleque, relaxe, não me confunda com uma das suas! – falou, olhando para Amanda, que deu uma risadinha sem graça. – Não. Tô aqui com o Breno e os meninos e com a Amanda. Pois é, entediado? Vocês não deviam ensaiar pra hoje à noite? Ahn, quem o enganou? – Carol riu.

Amanda estava fingindo não querer saber sobre o que conversavam.

– Ah, dane-se, Danny – ela continuava falando. – Quer jogar *paintball* com a gente? Não, nenhum deles. Nem Kevin.

– Ele não gosta do Kevin? – Nick perguntou.

– Ciúmes – Amanda encarou o garoto.

– Ok, pegamos você aí então... – Carol desligou.

– Quer dizer que vamos ter um dos perdedores conosco? – André disse, rindo.

– Vamos – Carol confirmou. – Você não se importa, né amiga?

– Sem problemas – Amanda disse.

– Soube que não estão mais namorando, é verdade? Depois de toda aquela confusão na escola? – Nick perguntou.

– Já se passou muito tempo, não é mesmo? – Amanda disse, tentando parecer normal.

– Que garoto burro! – Nick riu.

Amanda ficou corada. Era impressão sua ou tinha levado uma cantada do loiro ao seu lado? Não, ele não podia.

Carol explicou para Breno onde ficava a casa de Daniel. Foram buscá-lo. Amanda sentia que Nick estava perto demais, mas estava começando a se achar paranoica.

• • •

– Você joga igual um maricas! – Nick disse, passando por Daniel.

O garoto ia responder, mas levou um tiro de Carol nas pernas e se desequilibrou. Doeu para caramba! Amanda e Carol começaram a gritar e a correr, porque Breno, que era do time de Daniel, começou a persegui-las.

Daniel ficava um pouco sem graça porque não gostava muito dos outros garotos, enquanto eles tentavam deslocá-lo sempre que podiam. Somente André parecia mais simpático, mas ele estava no time adversário; então, era sempre engraçado ouvir um "foi mal, cara; corre mais".

Por outro lado, Daniel ficava observando Amanda correr desengonçada de Breno. Quando a menina passou por Nick, o garoto a pegou pelo braço. Amanda começou a gritar e a rir ao mesmo tempo. Daniel sentiu falta daquilo. Por que as coisas tinham mudado? Os dois não conseguiam mais se divertir daquele jeito. Sempre que ficava perto dela, Daniel queria agarrá-la ou algo assim. Agora, ele começou a ver que a queria também de outra forma. Queria o sorriso que ela dava para Nick.

O garoto loiro irritante jogou Amanda atrás da mureta inflável. Ela ria alto e gritava, pedindo que ele não atirasse. Daniel fechou a cara ao ver Nick gargalhar e ajoelhar perto de onde a menina estava jogada no chão.

– Nick, atire logo, que a Carol correu praquele lado! – Breno disse, mirando sua arma em André, que vinha na sua direção.

Nick olhou para Amanda e estendeu-lhe a mão, ajudando-a a se levantar. Daniel sentiu o estômago revirar. De repente, levou um tiro no meio das costas que o jogou contra o barril inflável.

– Mal de novo! – André disse, rindo, e saiu correndo ao ver Breno novamente em seu encalço.

Quando Daniel voltou a olhar para onde Amanda e Nick estavam, não viu mais os dois. Ficou procurando por um tempo, até que sentiu um tapa no ombro.

– Procurando por algo? – Amanda perguntou arfando.

Ela estava vermelha de tanto rir e correr, as bochechas saltadas e os cabelos bagunçados para fora do capacete.

– Não – Daniel riu –, acabei de ser bombardeado nas costas, está doendo.

Ele mostrou a enorme mancha vermelha de tinta no macacão preto.

– Sabia que você ganhava do Caio não porque era bom e sim porque ele é ruim!

– Não zombe de mim – ele disse –, você ainda é da equipe adversária.

– Você também!

Amanda acertou um tiro no pé dele e, rapidamente, saiu gritando quando ele lhe apontou a arma.

• • •

– Vou tomar banho antes de ir – Breno disse, tirando o capacete.

– Eu vou também, tenho ensaio daqui a pouco.

Daniel, após tirar a roupa de proteção e os tênis, foi para perto dos chuveiros.

Amanda e Carol encostaram as armas nas grades, rindo.

– Vocês são boas, meninas – Nick disse.

– A gente sabe. Muito treino dá nisso – Carol falou e riu de André, que tinha se enrolado com a perna do macacão.

– Epa, temos visitas... – Nick falou baixinho.

Três meninas se aproximaram da grade. Usavam roupas chamativas e curtas. A da frente fez Amanda tremer da cabeça aos pés.

– Que surpresa, Rebeca.

– Não posso dizer o mesmo – a garota ignorou.

Amanda continuou sorrindo ao ver Carol cruzar os braços.

– Não vim falar com você, vim falar com o Daniel. Cadê ele?

– Não interessa – Carol disse.

– Certo – Rebeca sorriu vitoriosa. – Avise que eu procurei por ele, ok? E que, mais tarde, nos vemos no Cabeça de Bode.

Ela acenou pateticamente e saiu de perto.

– Que garota imprestável! – Carol reclamou.

Amanda não respondeu. Estava furiosa. Então, era verdade que Rebeca estava saindo com Daniel. Mas não conseguia entender por que ele fazia isso. Por que diabos ele não lhe contava logo.

Nick tentou dizer uma ou duas palhaçadas para ver se a fazia rir, mas não conseguiu mais do que um riso irônico.

– Vou embora – ela disse, pegando suas coisas, ainda com o rosto e os braços sujos de tinta. – Meu dia foi arruinado.

– Não vá ainda, Mandy – Carol disse, segurando o ombro da amiga.

Amanda negou o pedido. Não queria ter que dizer a Daniel que Rebeca estava ali. Era melhor ele continuar achando que ela não sabia de nada.

– Eu vou junto. Vamos de ônibus, deixo você em casa – Nick pegou sua mochila rapidamente.

Amanda concordou.

– Até de noite, Carol – ela se despediu e acenou para a amiga assim que saíram do campo.

Dez minutos depois, Breno e Daniel voltaram dos chuveiros, falando mal das instalações do local. Daniel olhou para André e Carol, sentados nos banquinhos de madeira, e não entendeu nada. Onde estavam Amanda e Nick?

– Ela foi embora – Carol contou, vendo André correr para o chuveiro. – E, aliás, Rebeca esteve aqui procurando por você. Sua namoradinha é bem irritante quando quer, sabia?

Ela saiu andando atrás de André. Breno não disse nada e coçou a cabeça. Daniel ficou encarando o gramado.

– Que furada, cara! – Breno disse, gozando da cara dele.

– Carol? – Daniel se virou e gritou pela menina. – Preciso contar uma coisa pra você!

• • •

Amanda não dizia nada no caminho de casa. Ficou ao lado de Nick no ônibus, observando a rua pela janela.

– Por que a Rebeca a irrita tanto? Só porque ela diz meia bobagem por vez? – ele perguntou para quebrar o silêncio.

– Ela é uma vaca!

– Por que fica enchendo o Daniel?

– Dane-se o Daniel! – Amanda falou e, dessa vez, olhou para ele. – Eu não quero falar nessa garota. Ela sabe como estragar meu dia.

– Tudo bem... só queria que não ficasse esse clima estranho.

– Desculpe-me! – Amanda pegou na mão de Nick, que sorriu, e brincou: – Você joga muito bem pra um *playboy* esquisito.

Ele gargalhou.

– E você joga muito mal pra uma *nerd*. Geralmente, os *nerds* acham isso uma boa diversão diária!

– Ei, eu não sou *nerd*! E muito menos ruim em *paintball* – ela piscou.

Ele se aproximou mais, fazendo Amanda sentir um frio no estômago.

– Meus olhos veem outra coisa...

– Erm... o que eles veem? – perguntou e, quando Nick tocou em seu rosto, fechou os olhos.

– A boca mais linda que eu já vi.

Ele a beijou de leve. Amanda se deixou levar pelo beijo de Nick. Ao se dar conta, já havia chegado ao fim da linha, no terminal de ônibus. Por distração, perdeu o ponto da sua casa.

• • •

Kevin estava tendo ataques múltiplos de riso. Maya jogava uma bolinha de pingue-pongue para cima e para baixo, enquanto Amanda terminava de se maquiar.

– Não exagere, Kevin.

– Não... haha... O quê? Hahaha... fala... sério... haha... – ele não parava de rir.

Até desapertou a gravata que estava usando por baixo do suéter, porque se sentiu sufocado.

– A biba vai morrer aqui, Amanda. Desminta isso. Diz que não beijou o Nick megaloiro! – Maya pediu rindo.

– Nick... haha... mega lo... iro... haha! – Kevin enfiou a cara no travesseiro.

Amanda se levantou da cadeira da sua mesinha e ajustou a calça jeans.

– Beijei o Nick sim, e por pouco não arrebentei a cara do Daniel – disse, brava. – E, Kevin, se recomponha. O Lucas está chegando.

Kevin endireitou o corpo aos poucos, ainda vermelho e tentando se recuperar. Maya olhou para a amiga.

– E Nick beija bem? – ela perguntou. – Porque os *boybanders* sempre tiveram cara de que beijam bem.

– A gente devia ter consultado a Carol, é ela quem entende deles – Amanda riu. – E, sim, ele beija bem.

– Cheeeeeega de falar de outros machos! Eu tô no recinto! – Kevin ajustou a gravata, com as bochechas vermelhas.

– Você? Macho? Cadê? – Maya perguntou e riu quando tomou um tapa do amigo.

Ouviram uma buzina. Amanda apagou a luz do quarto, enquanto os amigos berravam para que ela acendesse de novo.

– E então? Rebeca com Daniel no bar hoje à noite. Você com Nick, Carol com Breno... Maya, vai pegar algum barango também? – Kevin riu enquanto desciam as escadas.

– Quer ficar comigo? – ela perguntou.

Amanda desatou a rir e, depois de se despedir dos pais, saiu de casa com os amigos.

• • •

Tenho tido minhas dúvidas.
Ela não o ama mais como costumava amar.
Ele teve sua chance, mas deixou escapar.
Ele queria voltar com ela esta noite.

Ela ficava com raiva sem dizer nada.
Ele não contava tudo que sabia.
Então ela nunca soube.

Ela não quer mais saber.
Não diga que a ama,
Porque ele a deixou.
Não diga que a quer,
Deixe-a em paz porque dessa vez
Ela está melhor sem você.

Amanda estava sentada na mesa vendo Fred e Guiga dançarem. Anna e Maya discutiam sobre o teor alcoólico da Smirnoff Ice, enquanto Breno e Carol se beijavam.

– Viu a Rebeca por aí? – Amanda perguntou.

Kevin negou.

– Quando a gente chegou, eles já estavam tocando, ela deve estar perto do palco.

– Ai que ódio, Kev... Que ódio! – Amanda colocou as mãos no rosto. – Não sei se vou conseguir ver os dois juntos e agir como se nada estivesse acontecendo.

– Então bata neles!

– Não! – Amanda sorriu. – É sério, Kevin... Eu não acho que quero encarar isso.

– Você se meteu nessa. Quem mandou querer ficar de pega com um cara comprometido?

– Kevin! – Amanda disse alto. Os dois riram. – Depois de ter ouvido que eu o fiz perder tempo, nada disso faz mais sentido, cara. Nada...

– Sei... Ele vai te dar um beijinho e você corre pra Vila dos Perdedores de novo!

Kevin fez um sinal com as mãos na testa. Lucas e Nick chegaram e se sentaram com eles.

– Adivinhe quem André pegou agora há pouco? – Nick perguntou com o nariz empinado.

Para Amanda, era incrível saber como que eles mudavam na frente das pessoas. Maya e Anna pararam de olhar o rótulo da bebida para prestar atenção neles.

– Conte logo! – Maya disse.

– Vocês não vão acreditar – Lucas riu –, a Rebeca.

– O quê? – Amanda quase gritou.

Ela tampou a boca. Kevin mostrou os dentes, nervoso. E Anna riu.

– Vaca... – disse, baixinho.

– Mas... ela... está saindo com Daniel.

– Pelo visto ela está fazendo o mesmo que ele. Curtindo a vida – Maya deu de ombros, irônica.

– Não acredito... Será que ele sabe? – Amanda perguntou.

Por que estava preocupada com isso? Ela era mesmo uma idiota.

– Não quero nem saber, eles que se entendam! – Kevin falou alto. – Garoto burro, garota vulgar. Imagine só o filho dos dois? Uma anta ambulante...

– Kevin – Anna disse, censurando-o.

– Sério. Sempre soube que o André gostava das fáceis, mas o Daniel é quem leva o prêmio pega-barangas do ano.

– Lucas, desculpe, eu tinha prometido o prêmio pra você... – Maya zombou.

Lucas riu muito alto, enquanto Kevin tentou bater nela.

– Estou... pasma – Amanda falou. Depois riu. – Eu não quero saber de nada disso, vamos embora?

A música parou naquele momento. Era hora do intervalo da banda. Amanda sentiu o estômago embrulhar, porque eles a convenceram a ficar na mesa.

Carol olhou para amiga, depois para Daniel, e balançou a cabeça. De longe, chamou o garoto, que desceu do palco e pegou na mão de uma menina que tinha acabado de chegar correndo até ele.

– Bata palmas, Mandy, o Caio não tem culpa se você tem problemas com Daniel – Anna disse rindo.

Amanda estava de costas para o palco, mas, mesmo assim, aplaudiu. Maya franziu a testa ao ver Carol, Breno e Daniel se aproximando.

– Amanda.

Era a voz de Daniel, cansada por causa do show. A menina não se virou. Pela expressão das amigas, ele estava acompanhado, e ela não queria ver isso.

– Vim te apresentar a Sofie, de quem tanto falei.

Carol e Breno se sentaram, rindo. Amanda olhou para a amiga e queria saber por que ela tinha a cara de pau de ficar feliz por causa daquele momento. Daniel tossiu, esperando que Amanda se lembrasse de que ele estava ali.

A garota fingiu seu melhor sorriso e virou para trás, com intenção de dar um soco em Rebeca. Mas não viu Rebeca nenhuma. Daniel estava de mãos dadas com uma menina ruiva, bonita, que sorria para ela.

– Amanda, essa é a Sofie – ele sorriu. – Sofie... essa é um dos amores da minha vida.

trinta e oito

– Você é a Sofie? – Amanda perguntou trêmula, olhando para a menina.

– Prazer em conhecê-la, o Daniel parece uma gralha quando fala de você – Sofie riu e estendeu a mão para cumprimentar Amanda.

Amanda reparou que seu cabelo não era ruivo natural como o de Maya, mas tinha um corte bonito e moderno. Ela era alta e magra e se vestia como uma estrela de banda punk. Era diferente e chamava a atenção.

Caio, Bruno e Rafael chegaram logo em seguida, pulando e rindo, com bebidas nas mãos.

– Olá, minha gente! – Rafael acenou. Olhou para Daniel com a testa franzida. – Quem é?

– A... Sofia – Amanda respondeu atônita; ainda não tinha acreditado.

– Sofie – a garota corrigiu e apertou a mão de Rafael.

Bruno fez o mesmo, estranhando não ver Rebeca, e Caio nem se deu conta de que havia outra menina ali, sentando-se logo ao lado de Anna. Guiga e Fred, que vieram logo depois, também foram apresentados à garota. Em minutos, estavam todos sentados à mesma mesa.

– Nunca vi você por aqui – Bruno falou, evitando olhar para Carol e, profundamente, desejando as piores mortes dolorosas para Breno.

– Minha prima mora aqui – a menina contou. – Vim passar as férias.

– Só as férias? – Kevin perguntou, parecendo mais aliviado do que sua amiga.

Amanda ainda estava sem entender muito bem a situação. Era para Daniel estar com a Rebeca, e não com essa ruiva metida que falava bem. Não era justo! Pelo menos na Rebeca ela podia bater sem se sentir mal em estragar um nariz tão bonito.

– Minha prima me convidou pra vir pra cá... E eu assisti a um show de vocês outro dia, quando conheci o Daniel.

A garota riu, encostando a cabeça no ombro do menino. Amanda, sem perceber, bebeu um gole enorme de cerveja.

– Aí, como não sabia qual seria a reação da minha prima quanto a arrumar alguém enquanto estou aqui, decidimos manter segredo, não foi?

– Foi – Daniel sorriu e olhou para Amanda, que bebia cerveja direto do gargalo da garrafa, sem piedade.

– E a parte mais engraçada de todas é... – Carol começou a contar, quando Rebeca e André chegaram à mesa.

– Sofie! – a Rebeca quase gritou. – O que está fazendo aqui de novo?

Imediatamente, a menina ruiva pareceu atormentada.

– Rebeca, some – Daniel disse, sem olhar para ela.

André se sentou naturalmente na única cadeira vaga, deixando Rebeca de pé, sem entender nada.

– Ela é prima da Sofie! – Carol gritou e riu de toda a situação.

– Ahn? – Amanda tossiu e quase cuspiu a cerveja.

– Mas eu vi você com a Rebeca outro dia, Daniel! – Maya disse. – Lá atrás!

– Claro que me viu... – o garoto ficou vermelho. – Ela persegue a Sofie desde o dia que viu a gente se beijando.

– Eu não acredito... – Rebeca disse furiosa. – Você nunca mais vai voltar pra essa cidade! Nunca! Ele foi a única pessoa de quem mandei você ficar longe, prima! A única!

– Fora que a Rebeca se aproveitou, porque eu não me lembrava dela no início, e tentou se passar pela prima, sabe?

– Não se meta, Daniel – Rebeca disse alto. – Sofie, vamos embora!

– Deixe a garota em paz, sua vaca! – Amanda disse, fazendo com que as amigas olhassem para ela.

Nick, que estava ao seu lado, riu orgulhoso.

– Eu não falei com você – Rebeca colocou a mão na cintura.

– Quer mesmo discutir comigo? Na frente de todo mundo? Acho que não – Amanda disse, pacientemente.

Ela pegou o copo de vodca de Nick e deu um gole. Deus, precisava de coragem para enfrentar aquilo tudo.

– Então, Sofie, onde mora?

– França... – a menina sorriu tímida.

Rebeca ficou sem ação ao ver todos conversarem, ignorando sua presença.

– Sofie! – Berrou de novo.

O álcool subiu à cabeça de Amanda. Quando pensava que Rebeca podia ser baixa, ela ia até o fundo do poço e cavava mais um pouco. Não era legal ver Daniel daquele jeito, com outra garota, mas sentiu-se aliviada ao saber que não era com quem ela pensava. Aliviada, acima de tudo, porque não teria de brigar com seu amigo. E aliviada porque, agora, sabia que Daniel não tinha mentido. Talvez omitido, mas não mentira para ela. Ele não tinha saído com Rebeca dessa vez.

– Olha só – Amanda disse –, você não é bem-vinda aqui. Sua prima é. Viva com isso.

Ela tentou se levantar, mas sentiu uma mão em seu ombro. Lucas fez com que ela ficasse sentada.

– Eu... eu... – Rebeca não sabia o que dizer. Olhava para os lados à procura das amigas.

– Não, gente, tudo bem... – Sofie pareceu triste. – Eu vou embora, ninguém precisa brigar por minha causa...

– Não é nenhum problema brigar com a bruaca da sua prima, anjo – Kevin disse, rindo.

– No três, se você não vazar, eu mesma vou quebrar seus dentes e partir você ao meio! – Maya falou franzindo a testa. Rafael inflou o peito, orgulhoso, enquanto Fred olhou para ele e desatou a rir, pegando o celular e ligando a câmera.

•••

Dançar com Nick não era o que Amanda chamava de diversão. Mas não podia negar que era divertido quando Fred e Guiga esbarravam nos dois só para implicar com o garoto, que parecia desconfortável entre os perdedores do colégio.

Ela dançava algum *remix* de música pop, sentindo-se um pouco tonta. A imagem de Daniel beijando Sofie não saía de sua cabeça. Também não conseguia parar de pensar em como ele ficava bonito enquanto beijava. Ela era burra o bastante para pensar assim? Amanda tinha certeza de que ainda o amava. Agora, porém, tudo estava tão diferente que eles pareciam não mais pertencer um ao outro, como antes.

•••

– Ahhhhh – Carol entrou no banheiro enfurecida. – Eu preciso de uma bebida forte.

Amanda a seguia, sem entender o surto repentino da amiga.

– Carol, tá tudo bem? – Amanda chegou perto dela.

– Não – Carol riu. – Tá tudo bem com você?

– Não... – Amanda respondeu. – Mas é a vida, fazer o quê?

– Por que, amiga? – Carol tampou o rosto. – Por que eu ainda me importo com ele?

Amanda sorriu, radiante. Bruno iria adorar saber que Carol ainda gostava dele. Claro que não era da sua conta, mas mesmo assim...

– Por que... a gente não volta pro salão e hmm... arrasa? – Amanda perguntou, fazendo Carol rir. – Tô falando sério.

– E fazer os babacas pagarem?

– Claro, não jogaria meu charme aqui nessa espelunca à toa!

•••

– Amanda, Carol, onde vocês estavam? – Anna perguntou.

– O show não vai começar? – Carol olhou para Caio, que, ao lado da amiga, passou a mão nos cabelos e saiu correndo. Então, perguntou para Anna: – O que foi isso?

– Banheiro... – ela respondeu.

As três estavam em frente ao palco e viram Maya chegar.

– Droga, dá vontade de socar essas barangas mal comidas – ela reclamou.

– Que isso! Olha a baixaria... – Amanda tampou a boca da amiga e elas riram.

– Falando das peguetes? – Carol perguntou, fazendo cara feia.

Maya concordou.

– Sério, beleza, não sou NADA do Rafael e nem quero, mas elas não dão descanso! Eu estava na mesa falando com o Daniel, na boa, e chega uma baranga para beijar o Rafael! NA BOCA!

– Oh, meu Deus, quem? – Carol falou espantada.

– A Laís, do segundo ano! Você lembra? Aquela que queria fazer seu dever de casa...

– Ainda bem que foi na boca – Anna deu uma risadinha. – Mas por que essa revolta toda agora? Até agora vocês estavam se lixando.

– Eu estou ainda – Carol deu de ombros.

– Pelo menos a menina é bonitinha, e não é a Rebeca – Amanda afirmou.

– Aliás, lixando é a mãe! – Maya disse, irritada.

Ela saiu batendo o pé e empurrando algumas pessoas em seu caminho. As outras três se entreolharam. Guiga e Fred chegaram correndo. Como Fred é alto e desajeitado, era engraçado ver a garota tentando acompanhá-lo.

– Tá muito calor aqui! – Guiga se abanou. – O show já vai recomeçar!

Os meninos pegaram seus instrumentos. Daniel, de frente para o pessoal da mesa, agachou-se e disse:

– Oba, não vi vocês ocuparem a parte da frente em nenhum show!

– A gente só quer se divertir Daniel, vá tocar! – Carol disse, rindo.

Ele sorriu e olhou para Amanda, sentindo algo estranho quando seus olhares se encontraram. Ele não gostava de admitir que se sentia atraído por ela e que não podia fazer nada. Sua vontade era largar tudo, descer e agarrar aquela garota. Simplesmente pelo jeito que ela o olhava, pelo jeito que sorria. Será que era muito burro por não estar com Amanda? Ele tinha certeza de que ainda a amava, mas sentia que estavam cada vez mais distantes. Por que a vida tinha de ser tão complicada assim?

Caio fez uns barulhos de teste no seu microfone. Daniel ajustou o seu, sem tirar os olhos de Amanda.

– Errm... Estamos de volta!

Bruno fez a contagem. Começaram a tocar *Quero te abraçar*.

Enquanto cantava, Daniel olhou para Sofie, que estava perto de Rebeca do lado do palco. Depois, olhou para as amigas na sua frente. Viu Nick, André e Breno se aproximarem delas.

Amanda sentiu a mão de Nick na sua cintura. Ele também cantava trechos da música. Ela sorriu e puxou o outro braço dele, virando-se de costas. O menino abraçou Amanda, apertando-a pela cintura, e colocou o queixo em seu pescoço, beijando de leve a menina. Amanda não resistiu. Sabia que Daniel estava olhando.

Virou o corpo, beijando Nick com vontade. Viu que Carol já estava agarrada com Breno e que Maya já batia papo com André. Achou isso engraçado. O mundo sempre dá voltas.

Quando voltou a olhar para Daniel, ele parecia furioso e desviava o olhar.

Amanda sorriu.

Bingo.

trinta e nove

Amanda sentia a cabeça pesada, mas estava sorridente. Não devia ter bebido nem pulado tanto. Após o fim do show, alguns minutos atrás, eles ainda ficaram todos juntos no meio do salão do bar. Aos poucos, as pessoas iam embora ou se aglomeravam na rua em frente. Amanda sentiu uma mão em seu ombro e abraçou Nick com força.

– Você está alterada – ele disse, rindo.

Bruno e Daniel se aproximaram conversando.

– Não estou! – Amanda sorriu.

Nick passava as mãos pelas costas dela, enquanto Carol não parava de rir com Kevin e Lucas por qualquer motivo, rindo cada vez mais alto a cada sequência de gargalhadas.

– Quer ir lá pra casa? – Nick perguntou.

Daniel parou ao lado deles, vendo Bruno chamar Fred para a mesa. Ouviu o que o garoto loiro estava dizendo.

– A gente pode fazer alguma coisa melhor do que aqui... – Nick falou para Amanda.

– Hmm... – ela riu, ficando vermelha.

Daniel sentiu o coração sair pela boca. Amanda estava bêbada! Ele não podia fazer isso com ela. Maldito *playboy*.

– Além do mais, sua cota de bebidas acabou por hoje – Nick brincou.

Amanda concordou.

– Nick, Nick... Sei bem por que quer me levar pra sua casa...

Daniel fingiu não estar ouvindo. Carol olhou para Bruno, afastando-se dele. O amigo deu de ombros e se sentou à mesa com Guiga e Fred.

– Hmm... sabe? – Nick beijou Amanda de leve.

Daniel se segurava para não pular em cima daquele loiro aguado e esganá-lo. Procurou por Sofie, olhando para o salão, mas não a encontrou. Viu Nick segurar firme o cós da calça de Amanda, puxando-a para mais perto. Era isso, ele não podia deixar.

– Erm... licença – Daniel cutucou Amanda no ombro. – Posso falar com você?

– Fale – Amanda deu de ombros, achando engraçado ver a cara de desespero de Daniel.

– Lá fora.

– Ahn, certo – Amanda se desfez dos braços de Nick e seguiu Daniel até a porta.

Nick não gostou nada daquilo e, contrariado, se sentou à mesa com os outros.

• • •

A parte de fora do bar estava cheia. Pessoas conversavam na calçada. Alguns carros estacionados, com as portas abertas, mantinham o som a toda altura, mas cada um tocava um estilo diferente. Muito barulho e confusão, com pessoas rindo e gritando a todo instante. Quanto tempo até a polícia aparecer por lá e enxotar todo mundo para casa?

Daniel parou em um canto, encostado em um poste, e colocou as mãos nos bolsos. Amanda achou engraçada a cena; ele parecia um astro de punk rock emburrado. Ela ficou ao lado dele, de braços cruzados.

– O que foi?

– Você vai... pra casa do Nick? – perguntou, sentindo o estômago revirar.

– Isso não te interessa – ela deu de ombros –, até onde eu sei...

– Amanda, você não está sóbria. Ele vai se aproveitar, ele só quer...

– Eu sei o que ele quer, Daniel – Amanda balançou a cabeça e olhou para Daniel, irritada com aquela situação; ele não decidia se queria ficar com ela, e agora queria atrapalhá-la com outros caras –, que, por sinal, não deixa de ser o mesmo que você quer – ela acrescentou.

– Amanda... – Daniel disse, franzindo a testa.

– E se eu quiser também? Não tem nada me impedindo.

– Eu sei – Daniel pareceu nervoso com a ideia.

– Você não devia ficar tão preocupado comigo, tendo a sua garota perdida pelo bar com a asquerosa da Rebeca – Amanda quase rosnou, deixando a raiva transparecer.

– Eu sei... – Daniel esfregou uma mão na outra.

– E, por sinal, eu não gostei de não saber dessa história!

A cabeça de Amanda rodava e seu estômago revirava; as palavras simplesmente fugiam de sua boca antes que pudesse controlá-las.

– A única coisa que eu te pedi foi para não ter relações com a Rebeca, que, por algum tempo, eu achei que fosse a mesma pessoa que você chamava de Sofia, Sofie, sei lá!

– Você achou? – Daniel olhou para ela com a sobrancelha erguida.

– Achei. E fiquei muito puta, vou admitir...

– Por que não me disse algo?

– Porque achei que você estava mentindo e achei que era você quem tinha que falar. Ok, não era mentira, mas você teve algo a ver com ela de qualquer forma... – Amanda quase gritava de indignação.

– Bom, se for assim, acho que isso também não interessa mais... – ele encarou os sapatos.

Amanda sentia vontade de chorar, de gritar, de sumir no mundo.

– Você não tem o direito de ficar chateado porque eu estou ficando com o Nick. Não tem direito nenhum! – ela disse, arfando.

Daniel olhou em seus olhos e se sentiu magoado.

– Eu sei que não tenho, mas não aguento ver aquele cafajeste tentando...

– Fazer a mesma coisa que você fez com um monte de garotas! – Amanda falou mais alto, sentindo as lágrimas escorrerem por suas bochechas.

Daniel mordeu o lábio.

– Então é isso, você está com ciúme?

– Não! – Amanda sentiu uma pontada no peito; como ele podia ser tão egoísta assim? – Não é isso, Daniel.

O garoto sentiu uma dor aguda, como uma faca perfurando seu peito.

– Não achei que você fosse ficar assim, você nunca me disse nada e...

– Depois de tudo? – ela riu, irônica, limpando as lágrimas do rosto. – Você não é burro, Daniel, mas eu não espero mais nenhuma atitude sua.

– Você não pode estar falando sério! – ele disse, rapidamente.

– EU NÃO AGUENTO MAIS FALAR COM VOCÊ SOBRE ISSO! – Amanda gritou.

Daniel segurou a menina pelo braço dela.

– FALE MAIS BAIXO...

– ME SOLTE!

– Eu não vou soltar. Não vou soltar pra você correr praquele infeliz e... e... fazer o que alguém BÊBADO, como você, está prestes a fazer!

Amanda fitou os olhos de Daniel e, depois, a mão que apertava seu pulso.

– A mesma coisa que você fez, não foi? Só que eu não estava bêbada...

– Não estava! Você queria a mesma coisa que eu!

– Eu queria você pra mim! – a menina gritou. – Mas eu não tive! Você me abandonou, lembra? Que merda, Daniel, me deixe em paz!

Amanda tentou se soltar da mão de Daniel, que mordeu os lábios, apertando ainda mais o braço dela.

– Escute...

– NÃO QUERO OUVIR NADA! – ela disse, chorando cada vez mais. – Pro bem da nossa amizade, me solte...

– Amanda...

– Eu falo sério.

A garota o encarou com os olhos cheios de lágrimas. Daniel sentiu que podia vomitar de tão nervoso, e soltou o braço dela. Amanda mexeu nos cabelos e voltou rapidamente para dentro do bar.

Daniel levou as mãos à boca e ficou olhando para a rua. Não sabia por que agia como um idiota. A última coisa que ele queria era ter brigado com Amanda.

Ele tinha de se desculpar.

• • •

Amanda sentiu a mão de Nick descer mais abaixo do cós da sua calça. Ela podia estar bêbada, mas sabia o que estava fazendo. Deixou o menino beijá-la como ele queria, encostados na parede do corredor da casa de Breno. O pessoal ria na sala, ouvindo música. O próprio Breno estava em um dos quartos com Carol, enquanto Anna e Caio ficavam em outro.

– Quer subir? – Nick perguntou.

Ela riu. Sentiu-se confusa ao chegar ao topo da escada e entrar em um dos quartos vazios, que devia ser de um dos irmãos de Breno.

Nick fechou a porta lentamente. O olhar de Amanda girou pelo quarto. Ela não enxergava muita coisa. Sentia-se estranha naquele lugar, embora, no fundo, ainda repetisse para si mesma que estava fazendo a coisa certa e que sabia muito bem onde estava se metendo.

O garoto a segurou por trás, com força, e fez a menina suspirar alto. Ela fechou os olhos e sentiu as mãos de Nick percorrerem seu corpo. Por um minuto, achou que era Daniel, mas, quando se virou para beijá-lo, sentiu uma dor no fundo do peito.

Nick a empurrou até a cama, deitando-se rapidamente sobre sobre seu corpo. Ela ficava repetindo: "Está tudo bem, sei bem o que estou fazendo". Mas algo a alertava de que não era bem assim. Ouviu a voz de Daniel na sua cabeça: Você não está sóbria... Ele vai se aproveitar. *Mas que inferno, Daniel, sai da minha cabeça!*

Amanda sentiu a boca do menino percorrer seu pescoço e ele levantou a sua blusa sem nenhuma delicadeza. Aquilo mexeu com Amanda. Por mais que Daniel fosse um cafajeste e a tivesse deixado sozinha na cama no dia seguinte, ele sempre fora carinhoso com ela. Sabia como fazê-la se sentir bem. Amanda sentiu os olhos se encherem de lágrimas, enquanto Nick tirava a própria roupa. Opa. Ele estava só de cueca? De repente, a cabeça de Amanda começou a rodar, e ela só via vários olhos verdes piscando e uma boca sussurrando "Ele está só se aproveitando".

A mão de Nick percorreu o corpo de Amanda e parou no botão da sua calça. Sem pensar ou olhar para menina, ele abriu o zíper, puxando a calça para baixo. O quarto começou a rodar mais rápido. Amanda se sentou rapidamente e, antes que o garoto pudesse se mexer, vomitou em cima dele.

• • •

Trancada no banheiro da suíte na casa de Breno, a menina lavou o rosto. Não acreditava que tinha vomitado em um dos meninos mais bonitos da cidade. Nick ficou furioso e a deixou ali sozinha. Que ironia.

Ouviu seu celular tocando. Ela tinha largado a bolsa no chão do quarto. Abriu a porta lentamente.

– Cadê você? – a voz de Daniel soou preocupada do outro lado.

– Na casa do Breno... no quarto do... – Amanda soluçou. Queria Daniel ali com ela.

– Eu só queria pedir desculpas. Eu não devia ter brigado com você...

– Ah, tudo bem – a menina falou e se sentou na cama. – Você não estava errado.

– Estou me sentindo mal agora...

– Não se sinta – Amanda disse, baixinho. – Vá curtir a sua noite, como sempre, Daniel. Não se preocupe comigo. Eu estou bem.

– Ahn – ele disse, desapontado. – Ok, então, boa-noite.

– Pra você também...

quarenta

Anna bateu insistentemente na porta da casa de Amanda. A amiga não atendia ao celular de jeito nenhum. Depois de alguns minutos, viu a cara de quem não tinha dormido aparecer diante dela.

– Ô dificuldade! – Anna entrou na casa da amiga.

– Eu e Kevin ficamos até tarde jogando videogame, vê se pode?

– Ele está aqui?

– Dormindo – Amanda deu de ombros. – Mas o que houve?

– Recebi a carta do festival de bandas e...

– E? – Amanda abriu os olhos.

– A Scotty tá dentro! Vai tocar com outras bandas novas. Tem os nomes aqui... – Anna abriu o envelope que tinha recebido. – Erm... We Are Infinite, No Shift, DeLorean, Zero ou Um… e ah! Adivinhe?

– Nem me peça, olhe a minha cara…

– The Click Five!

– Ah! Tá brincando? Kevin vai enfartar! – Amanda pegou o papel e se sentou no sofá.

– Vamos até a casa do Caio avisá-lo – Anna sugeriu. – Depois, pegamos os meninos e podemos ir ao *paintball* comemorar ou algo assim...

– Ah, ok. Vamos acordar o Kevin antes.

As duas se olharam maldosas e subiram a escada correndo.

• • •

– Nunca mais me acordem desse jeito! – Kevin resmungava, enquanto dirigia para a casa de Caio.

As garotas riram. Ele ligou o som a toda altura e tocou *Catch your wave* do The Click Five para entrar no clima. Amanda e Anna não sabiam cantar direito a música, mas achavam divertido ouvir Kevin imitando o vocalista.

Quando entrou no carro com sua mochila, Caio estranhou a alegria de todos.

– Não se pode mais ficar feliz? – Anna abraçou o namorado.

Amanda, sentada no banco da frente, estendeu o braço para que Caio a cumprimentasse.

– Pode, deve! Mas só se eu puder ficar feliz também.

– Você vai! – Anna entregou o pacote para ele.

Caio abriu rapidamente e comemorou ao ver o nome da Scotty na lista de bandas.

– Caraca! Isso... é... lindo e...

– *Gay*! – Kevin disse, e todos riram. – Que dia vocês vão tocar?

– No terceiro – Caio se apoiou no banco da frente.

– Já vi que vamos ficar uma semana lá! – Amanda riu.

– E as férias já estão acabando. – Anna lembrou.

– Depois começa a tortura de novo... – Caio disse.

Kevin buzinava na frente da casa de Bruno. Depois de uns minutos, e nenhum sinal de vida, pegou o telefone.

– Apareça aqui fora, chame os outros, se estiverem aí. Temos boas novas e uma revanche no *paintball*.

– Ahn – Bruno resmungou do outro lado.

Kevin desligou o celular, voltando a dar atenção aos amigos no carro.

– Vamos todos a esse festival? Alô! – falou alto, porque Anna e Caio estavam aos beijos.

O garoto soltou a namorada e encarou Amanda e Kevin.

– Vamos, claro! Se a minha mãe liberar...

– E como a gente vai fazer? Quero dizer, não podemos dormir no carro... – Anna riu.

– A gente aluga um quarto de hotel – Amanda deu de ombros.

– O melhor da cidade! – Caio riu.

– Não sonhe – Kevin disse. – Caio, você fica responsável de agendar a reserva dos quartos por lá. Eu vou pedir a caminhonete do meu pai emprestada, assim cabe mais gente. O velho não vai se importar.

– Certo, então! – Caio concordou.

Bruno abriu a porta de casa e botou para fora Rafael e Daniel, ainda sonolentos. Após ligar o carro, seguiu o de Kevin para o campo de *paintball*.

• • •

– Nããããão! Maya, atrás de você! – Amanda berrou quando viu Rafael sair detrás de uma coluna para saltar em cima dela.

Maya começou a gritar e atirar para os lados, acertando tanto Amanda quanto Rafael.

– Ah, obrigada! – Amanda ironizou.

– Idiota, cretino, filho de uma... – Maya saiu xingando Rafael pelo campo.

Amanda ficou parada, com uma enorme mancha rosa na perna, feita por alguém da sua própria equipe. Latejava de dor. Ia ficar roxo, com certeza! Quando Bruno passou correndo, ela mirou nele e acertou em suas costas, fazendo-o cair no chão.

Daniel se aproximou, temeroso, e sorriu.

– Não chegue tão perto – Amanda mirou a arma e riu.

Ele fez o mesmo.

– Eu atiro em você e você em mim, ok? Ficamos quites.

Ela pensou e depois abaixou a arma.

– O que quer?

– Conversar...

– No meio da partida? Tá louco, Daniel, já é a terceira vez consecutiva que eu perco e...

– Você dormiu com o Nick no sábado, não dormiu? – o menino perguntou calmamente.

Amanda mordeu o lábio e o encarou. Felizmente, ela não tinha dormido com o Nick, mas não sabia se queria que o garoto soubesse disso. Ele não mandava na sua vida.

– Daniel...

– Sei que não é da minha conta, mas odeio pensar que você fez aquilo porque estava com raiva de mim – ele disse, e se aproximou mais.

Ela tirou o capacete e começou a caminhar. Daniel a acompanhou. Amanda respirou fundo.

– No começo, estava com muita raiva. Mas...

Amanda decidiu não contar a verdade; não mentiria, só não falaria tudo. Daniel não tinha feito a mesma coisa com a história da Rebeca?

– Ah... – Daniel disse, baixinho, desapontado. – Então, você... gostou?

– Daniel! Eu não vou falar sobre isso – Amanda olhou para ele.

– Tudo bem.

Ele levantou os braços. Amanda viu Bruno por perto e começou a rir. Deu um empurrão em Daniel, jogando-o para trás de uma lata enorme. O garoto caiu no chão, sem entender, e Amanda jogou-se logo depois.

– Shhh! – ela colocou a mão na boca dele.

Daniel ficou deitado no chão, com os joelhos para cima e apoiado nas mãos. Ela estava ajoelhada na frente dele.

– Quê? – o menino perguntou quando ela o soltou.

– O idiota do Bruno está aqui na frente – Amanda sussurrou.

– E daí? – Daniel sorriu ao vê-la colocar o capacete novamente.

– E daí? E daí que, se ele me vir, vou ter dois tiros e isso não vai ser legal...

– Tá com medo do Bruno? – Daniel riu.

Amanda apertou os olhos, levantou sua arma e mirou entre as pernas abertas do garoto. Daniel engoliu em seco.

– Não – ela respondeu.

– Amanda... – ele disse em tom de aviso.

– Shhh! – Amanda não desviou a arma de lá.

– Amanda! – Daniel sussurrou, olhando para onde a ponta da arma estava encostada.

– Que foi? – a menina riu baixinho. – Tá com medo de mim?

– Não! – O garoto respondeu, dando língua. – Mas é perigoso, tire isso daqui e...

Amanda sentiu uma bola de tinta atingir seu capacete e caiu de lado. Morrendo de rir, ela rolou no chão e encarou Bruno, que fazia cara de mau.

– Bruno Torres! – ela exclamou.

Amanda morria de rir. Daniel se levantou com as mãos entre as pernas.

– Não salvo mais você, aprenda a lidar com garotas, Danny – Bruno zombou.

Amanda se levantou correndo, assim como Daniel.

– Poxa, Bruno! – A garota reclamou e mirou a arma em Daniel.

– Quê? Que eu fiz? Droga... – Daniel falava, quando levou um tiro na perna.

– Um a um, estamos quites! – ela gritou e saiu correndo.

Daniel ficou parado, com a arma na mão, sem reação.

– Ei, isso não foi justo! Não fui eu quem atirou em você! – ele berrou.

Mas a menina já estava longe, travando uma luta com Rafael, e nem deu bola.

– Tá tudo bem? – Bruno perguntou, colocando a mão no ombro dele.

– Na medida do possível... – Daniel sacudiu a perna com a mancha verde. – Eu só... ainda... não acredito que ela...

– Que ela? – Bruno indagou.

– Dormiu com o Nick. Sabe, transou com ele só porque estava com raiva de mim.

– Ahn? Acho que ela não faria isso! – Bruno riu. – Quero dizer, o Nick é boa pinta, a Maya disse...

– Pff! – Daniel saiu andando.

– E eles ficaram só algumas vezes – Bruno continuou falando atrás dele. – Tudo bem que ela parecia estar gostando dele, mas...

– Chega, Bruno.

– Ela não teria ido pra cama de qualquer um; eu conheço minha pequena e...

– Bruno! – Daniel tampou os ouvidos. – Lá lá lá lá.

– ...diferente de você, ele estava lá no dia seguinte...

– Por Deus, esqueça isso! – Daniel mirou e deu um tiro no amigo, acertando em seu braço.

Bruno arregalou os olhos, com uma expressão irritada.

– Prepare-se para morrer, Goldfinger... Corra!

Ele apontou a arma para Daniel, que desatou a correr, rindo.

• • •

Faltava só um dia para o festival. Era preciso organizar a viagem, separar a documentação restante, conseguir um hotel, comprar passagens de ônibus e o mais importante: convencer os pais a deixá-los ir.

Amanda fazia a mala, dobrando suas roupas cuidadosamente, enquanto Guiga estava no computador.

– Eu estou triste porque você não vai...

– Achava mesmo que meu pai ia deixar? – Guiga suspirou. – Vamos, não fique assim... Você precisa se divertir por nós duas!

– Espero que seja legal. Quero dizer, não vai ser tão diferente daqui, certo? Vamos nos encontrar de tarde, ver shows e ir pro bar. Depois, dormimos – Amanda deu de ombros.

– Depende de quantos quartos o Caio conseguir reservar – Guiga riu.

– Ele sabe que tá em perigo!

– Cara, é o Caio – Guiga deu de ombros. – Se ele não agendar os quartos, vocês terão que dormir no carro.

– Pelo menos, a Ranger do Kevin tem ar-condicionado e som.

Amanda riu, e Guiga voltou sua atenção para o computador.

– Filha, pegou protetor solar? E aquela blusa de renda branca? Você fica linda nela! Pegou casaco? Pode fazer frio à noite! Você sabe como é essa região, uma doideira...

– Mãe! Eu sei fazer a mala!

Amanda reclamava, enquanto sua mãe entrava no quarto, como um furacão, mexendo em tudo e revirando a mala da filha.

– Ai, minha garotinha, vai fazer sua primeira viagem de gente grande! Você vai adorar! Eu e seu pai costumávamos pegar a moto dele e sair por aí, era tão divertido!

A mãe de Amanda parecia perdida em pensamentos. Ela podia ser bem estranha às vezes. Implicava com coisas bobas, como a filha dormir fora por muito tempo, mas ficava maravilhada quando ela ia viajar com os amigos. Vai entender.

– Mas você não tem autorização para subir em uma moto, mocinha. Se eu souber que você...

– Pare, mãe! Não tem moto nenhuma. Eu vou com o Kevin. Ele é responsável, não bebe quando dirige e fez revisão no carro. Juro.

– Ahhh, o Kevin! Esse menino vale ouro...

Sua mãe suspirou, saindo do quarto, resmungando algo sobre "vou pegar aquele chapéu de palha maravilhoso, vai combinar com a sua blusa".

– Minha mãe não bate bem, deve ter sido aquele clima *hippie* da juventude dela!

– Podia ser pior; você poderia ser filha dos meus pais controladores... Quer trocar? – Guiga ofereceu.

As duas riram alto. Uma música coreana começou a tocar. O toque especial de Kevin.

– Fale, gato! – Amanda atendeu.

– Só confirmando quem vai para organizar tudo – falou Kevin, que era viciado em planejamento e adorava isso.

– Eu vou, Kev...

– Guiga não vai mesmo, né?

– Nop.

– E o Fred?

– Ele vai, é o *roadie*.

– Certo. Vou ligar pra casa dos farofeiros e ver quantos temos lá.

– Carol disse que liga pra você, se o pai dela deixar.

– Tá... A banda deve ir de ônibus, só eu tenho carteira. Então, vamos levar os *cases* dos instrumentos no meu carro. Cabem todas vocês na caminhonete.

– Ótimo. Já falou com Caio?

– Falei, ele tava ligando pros hotéis – Kevin riu. – Impressionante como ele estava desesperado. Bom, vou telefonar pros três porquinhos, e ligo mais tarde. Acha que quer sair hoje?

– Ah, nem! Vou ficar aqui com a Guiga.

Amanda riu, vendo a amiga fazer sinal de positivo.

– Ok, beijos, mocreia.

• • •

Amanda acordou na quinta-feira de madrugada ao som do despertador. Não acreditou quando olhou para mesinha e viu que eram cinco da manhã. Esfregou os olhos e foi ao banheiro tomar uma ducha.

Trocou de roupa e fechou a mala, deixando propositalmente o chapéu de palha de sua mãe no chão, como se tivesse deixado cair sem querer e esquecido de levar. Desceu a escada em silêncio, para não acordar os pais, e foi até a cozinha tomar um copo de leite. Lá, encontrou, preso na porta da geladeira, um bilhete com a letra de seu pai:

Em caso das emergências abaixo, ligue para o papai:

- *Meninos desaforados*
- *Meninos com segundas intenções*
- *Meninos oferecendo bebidas (Não aceite!!!)*
- *Meninos com cabelo colorido ou trecos de metal pendurados no rosto*
- *Meninos dizendo que tatuagens são "maneiras" (Nem pense nisso!!!)*
- *Falta de dinheiro (Cuidado com meninos trambiqueiros)*

Divirta-se.

Amamos você.

Amanda sorriu. Seu pai era tão fofo. Ela tinha sorte. Rabiscou no final do papel: "Topo a parte de me mandarem dinheiro. Também amo vocês". E o deixou pregado na geladeira. Pegou sua mala e foi se sentar no degrau da varanda de sua casa para esperar Kevin. Ela usava calça jeans clara, All Star preto com estrelinhas, blusa curta e um enorme casaco branco por cima. Prendeu os cabelos com uma bandana e se encostou na mala. Riu. Parecia uma desajustada indo para Woodstock.

Viu o carro de Kevin virar a esquina e parar, logo em seguida, na sua frente. A menina fez sinal de carona e o garoto abriu a janela, rindo.

– Cabe mais um *hippie* aqui dentro.

– Certo, então. Valeu, bicho! – Amanda abriu a porta e deu de cara com Maya e Anna, sonolentas. – Boa-noite.

– ... noite – as duas murmuraram.

Depois da escala na casa de Carol, que encontraram cochilando na calçada usando uma saia muito curta, Kevin recebeu um telefonema. Ficou apenas concordando por alguns minutos e desligou. As meninas atrás estavam fofoqueiras, falando besteira o tempo todo, mas pararam quando ele abaixou o som do carro.

– Que houve, Kev? – Anna, sentada no banco do carona, perguntou.

– Vamos lá, temos mais alguém pra recolher.

Ele olhou desconfortável para Amanda pelo espelho retrovisor. A menina ficou confusa, porque estavam todas ali. Não faltava ninguém.

– Ué, algum dos meninos perdeu o ônibus? – Maya perguntou.

– Nop... nós vamos apanhar a Sofie em casa.

Amanda mordeu os lábios e sentiu vontade de chorar. Claro que a Sofie iria; tinha se esquecido dessa possibilidade. Sentiu a mão de Carol em sua perna, e riu. Teria de lidar com isso durante a semana.

Ou não.

quarenta e um

Na entrada da cidadezinha, já dava para ver a zona provocada pelo festival. Uma enorme placa estava virada, onde se lia: "Bem-vindos à Cidade da Música Margareth Vilela". Não parecia dentro do estado do Rio de Janeiro nem que virasse de cabeça para baixo. Muito menos perto de Alta Granada.

As ruas estavam lotadas de carros e de pessoas andando. Já passava das nove da manhã, e o sol quente avisava que o verão chegara pra rachar. Vários jovens da idade deles circulavam por ali, e muitos realmente tinham cara de ser de alguma banda. Kevin foi até a pequena rodoviária para buscar os meninos. Eles subiram na caçamba da caminhonete, e, embora fosse perigoso, estavam se divertindo muito. Caio dava as instruções, através de uma janelinha entre o banco de trás e a parte traseira do carro, de como chegar ao hotel. O trânsito estava lento, e Kevin olhava feio para o lado de fora.

– Olha esse tipo de gente... tão estranha! – falou ao ver um rapaz cabeludo com uma camiseta do Ozzy Osbourne.

Maya abriu a janela e acenou para o primeiro garoto bonito que viu, arrancando risadas das amigas.

– Contenham-se. – Kevin resmungou.

Viraram em várias ruazinhas repletas de carros e foram parar em frente a uma pousada de nome esquisito. Tinha quatro andares e não parecia ser nada moderna, ou que tenha sofrido alguma reforma ultimamente. Estacionaram e tiraram as bagagens da caçamba.

– Espeluuunca! – Carol dizia, enquanto Daniel parecia sorridente.

Os meninos juntaram as malas e os instrumentos na porta da hospedaria.

– É o que podemos pagar, não se esqueça – Caio piscou ao passar por ela, subindo a escadinha até a recepção.

Com Fred e Amanda ajudando a carregar os *cases* da bateria, logo estavam todos diante de uma mesa comprida de madeira. Caio confirmou os dados para a senhorinha no balcão.

– Vou morrer infectada por bactérias aqui – Amanda disse, e tampou o nariz, sentindo cheiro de mofo.

– Podia ser pior – Sofie riu.

– Não podia nada – Carol bufou. – Isso me cheira a coisa do Caio mesmo!

– Ei! – Anna deu um peteleco na amiga.

As duas riram. De repente, se viraram para a recepção, quando ouviram Caio começar a falar alto.

– ... mas eu reservei quatro quartos!

– Me desculpe, mas já foram alugados.

– Mas... mas... como?

– Que tipo de serviço de merda é esse? – Bruno atropelou Caio, enquanto o menino gaguejava.

– Temos apenas um quarto com cama de casal disponível. Pagamento adiantado – a senhora avisou, sem ligar para as reclamações.

– Não, obrigado – Kevin disse. – Vamos procurar outro lugar pra ficar.

– E vão ficar na rua, esse deve ser o último quarto da cidade. Tem gente alugando jardim pra acampar, meus jovens. Vocês têm sorte, porque outra banda desistiu do quarto pra dormir em um carro.

Ela se virou para pegar a chave. Kevin fez uma cara de horror.

– Se preferiram um carro, imagine como deve ser o quarto! – Amanda opinou.

Maya riu alto e depois fechou a boca rapidamente, com medo de contaminação.

– Vamos ficar – Rafael pegou a chave. – Obrigado.

– Vamos? – Daniel disse com a voz esganiçada. – Não entendi a parte de todos nós aceitarmos isso.

– Ou ficamos ou vamos pra casa – Bruno deu de ombros.

O garoto pegou sua mala e seguiu Rafael para as escadas. Ótimo. Teriam de subir até o terceiro piso carregando as malas e os instrumentos. Anna e Caio fizeram o mesmo. Amanda e Maya se entreolharam, enquanto Carol deu de ombros.

– Ermm... ok – Fred riu. – Acho que vamos ter de revezar a cama.

– Eu não vou dormir – Amanda disse, rindo.

– Vai ser divertido! – Sofie também sorriu.

Ela parecia alegre. Kevin fez sinal positivo com o dedo, comemorando ironicamente a felicidade da menina.

• • •

Chegaram ao terceiro andar sem fôlego, e deram de cara com uma Carol horrorizada sentada em cima da sua mala.

– Quê? – Maya perguntou.

Viram Anna sair do quarto correndo, enquanto Caio jogava um lençol encardido no corredor.

– Nos trinques – ele afirmou.

– Ahhhhhhhhh, claro! Parece até o Hotel Hilton, sabe? Aconchegante, bonito, LIMPO! – Carol disse, brava.

Caio pegou a mão dela, rindo.

– Eu deixo você dormir no carpete.

Carol pôs a língua para fora, e os outros se entreolharam sem entender.

– É mais limpo que a cama – Caio explicou, encarando os amigos e voltando para dentro do quarto.

Amanda levou sua mala, seguindo Fred com a bateria. Riu ao ver os amigos tentando se ajeitar dentro do quarto. Não era pequeno e não parecia tão horrível quanto Carol descrevera. Estava meio sujo e encardido, mas nada que noites em claro não resolvessem.

Deixou sua mala com as outras e abriu a cortina. Era de um náilon barato que, mesmo fechada, deixava o sol passar para dentro do quarto. Viu todos se espalharem em volta da cama e Daniel fechar a porta.

– O que faremos agora? – Rafael perguntou, ligando a televisão pequena, em cima de uma estante.

Bruno desligou o aparelho rapidamente.

– São dez horas, esqueceu? Temos de ir ao local do festival pra nos apresentar. Depois... lá deve ser mais divertido.

– Eu estou cansaaaada! – Anna disse, sentando-se no chão, e encostou a cabeça em cima da sua mala.

– Vai perder as bandas? – Maya riu.

– Por que está tão interessada? – Rafael cruzou os braços.

– Acho que sou que nem suas fãs – Maya tirou o casaco, pois estava um forno lá dentro –, adoro um *rockstar*.

– Por que não disse antes? – Rafael sorriu.

– Vocês não são *rockstars* – ela afirmou.

– Ahn? – Rafael fez cara feia.

– Ainda, ainda... – Daniel abraçou Maya de lado.

– Quando esse dia chegar, me avisem – Amanda riu passando pelos dois.

Daniel ficou olhando para ela.

– Certo... seguinte, vão, se inscrevam e tudo mais. Em uma hora encontramos vocês – Anna combinou e fechou os olhos.

Fred saiu do banheiro, tossindo.

– Será que, se a gente pagar, alguém limpa isso?

– Ermm... Estamos de saída, até mais! – Bruno falou.

Daniel pegou a carteira na mala e beijou Sofie. Deu de cara com Amanda na saída do quarto.

– Até mais – disse, sem graça.

– Até – Amanda riu.

No fim, somente as meninas e Kevin sobraram no quarto.

– Olha, tem ar-condicionado! – Carol falou, enquanto examinava o local.

– Se funcionar... – Maya duvidou.

Amanda surtou ao entrar no banheiro.

– Carol, não chegue perto! – falou sem sair de lá.

Arregaçou as mangas e ligou a torneira. Daria um jeito naquela sujeira de alguma forma. Maya riu e foi ajudar a amiga, enquanto Carol reclamava de todas as coisas dentro do quarto.

• • •

Daniel olhava ao redor, prestando atenção em todos os detalhes, curtindo a movimentação do festival. As pessoas se vestiam de forma diferente, ele achava aquilo o máximo. Todos conversavam animados.

– Por aqui – Caio informou e entrou em uma tenda, com um cartaz que dizia: "Bandas".

Algumas pessoas passavam por eles, segurando guitarras e baquetas. Bruno e Rafael discutiam sobre tudo, maravilhados. Fred foi na frente com Caio.

– Oi, desculpe... estou com a Scotty aqui.

– Só um minuto – um rapaz de moicano pediu, verificando a listagem. – Scotty, terceiro dia...

– Isso! – Caio concordou.

– Seguinte, peguem essa autorização e, na cabine seguinte, vão tirar foto de vocês.

– Ahn, ok, valeu! – Fred riu.

Os cinco se dirigiram até a cabine indicada, discutindo e ajeitando as roupas.

– Eu não quero tirar foto! – Rafael resmungou, fazendo careta.

– Fica na sua – Bruno mandou. Olhou para um garoto, que passou por eles, e disse: – Acho que conheço esse cara de algum lugar.

Caio entregou a autorização a uma moça, na porta da cabine de fotos, e ela lhes pediu que entrassem. Outros três rapazes estavam posando para as câmeras.

– Olha só o cabelo dele – Daniel riu de um menino que estava à frente.

– Pare de apontar, Daniel! – Bruno abaixou a mão do amigo, bufando.

– Parem de sussurrar! – Caio sorriu.

– Eu não quero tirar foto! – Rafael repetiu, fazendo os outros rirem.

A banda que estava posando saiu e foi para perto deles. Um dos caras usava bermuda rasgada e camiseta regata preta furada.

– Olá – ele cumprimentou. – Banda também?

– Ahã – Daniel concordou, apertando a mão do garoto. – Vocês?

– We Are Infinite – o menino de cabelos para cima respondeu. – Tocamos só no terceiro dia.

– A gente também! – Caio disse, contente. – Somos os Scotty.

– Nome maneiro. Eu sou o Leo – um terceiro garoto se apresentou. – Esses são Davi e Vitor.

– Irado o cabelo de vocês – Davi respondeu, pegando um fio do cabelo de Bruno.

O baterista se sentiu desconfortável. Esse cara estava dando em cima dele? Qual era?

– Iscótch! Ehrrr Sucotí! – um senhor berrou.

– É Scotty, tio – Caio corrigiu e saiu andando com Rafael, que ria atrás dele.

– Então, nos falamos depois – Davi apertou a mão de Fred, seguindo sua própria banda para fora da cabine.

– Uhhh, que cabelo bonito! – Daniel zombou de Bruno, que o mandou tomar lá naquele lugar.

• • •

– A gente podia ter dormido mais – Maya reclamou, esfregando os olhos.

– Será que está lotado? – Carol perguntou.

– Será que vamos encontrar os meninos? – Amanda temeu.

– Calem-se, matracas – Kevin cortou –, eles não são exatamente os tipos de caras que desaparecem em multidão.

– Muito menos o Fred – Anna pontuou, e todos riram.

Quando já andavam no meio da aglomeração, Kevin parou de repente, levando a mão à boca.

– Kev, você tá bem? – Amanda encostou a mão em seu ombro.

– Erm... erm...

– Kev? – Maya perguntou rindo. – Que houve?

– Joey!

Foi a única coisa que ele disse ao ver um rapaz bonito passar por ali. Joey usava camiseta branca e calça jeans apertada. Estava com uma menina de cabelo azul, que sorria, radiante. Encarou Kevin, que estava boquiaberto, e riu. Acenou com a cabeça, fazendo Kevin engolir em seco, e desapareceu na multidão.

– Só eu não entendi? – Anna perguntou.

Kevin ainda estava sem fala e com o olhar perdido.

– Joey? – Amanda riu – Quem é Joey?

– Aquele era... era... ele sorriu pra mim! – Kevin berrou rindo.

As amigas se entreolharam.

– Era o baterista do The Click Five – Sofie explicou.

– Bonito – Carol riu.

– Muito – Sofie concordou.

Amanda não pôde deixar de pensar que não gostava de ouvir a menina que estava com Daniel falar bem de outros caras.

– Ele... ele... me cumprimentou e... – Kevin gaguejava.

Anna assoprou sua testa.

– Quer água?

– Vodca! – Kevin gritou.

– Vamos achar o Rafael de uma vez – Maya disse.

As amigas olharam para ela, desconfiadas.

– Erm, e os outros também... – Acrescentou sem graça, e saiu andando.

As meninas a acompanharam, apontando e falando sobre quem passava por elas.

– Kev, deixe de ser menina, vamos logo! – Amanda o puxou pelas mãos.

O menino custou, mas tirou o olho de onde Joey tinha desaparecido, e seguiu as amigas.

• • •

O lugar era enorme. Um campo gramado se estendia por todos os lados. Na entrada, ficavam as bilheterias e as diversas tendas de inscrição de bandas. Filas e mais filas se misturavam, e não parava de chegar gente. O palco ficava em uma área onde a multidão só teria acesso na hora do festival.

Estavam todos sentados na grama. Muita gente passava conversando e rindo. Outras pessoas estavam deitadas em toalhas, aproveitando o sol. Alguns ambulantes circulavam, carregando isopores e gritando. Perto deles, um grupo tocava violão e cantava uma música da Janis Joplin. Era cada vez mais parecido com o clima do movimento *hippie*.

Amanda se levantou e saiu de perto para comprar água, o sol estava mesmo forte. Talvez tivesse sido melhor ouvir sua mãe e ter trazido o chapéu de palha. Daquele jeito, ficaria torrada e ardendo! Andava lentamente entre as pessoas, reparando em cada *piercing*, cada tatuagem e cada roupa esquisita. Seu pai enfartaria naquele lugar. Sorria sozinha ao perceber que era alvo dos olhares de garotos.

– Desculpe – um menino, com a pele bronzeada, se aproximou.

Ela ficou vermelha. Reparou que o cabelo dele era muito bonito, chapado no rosto, e que tinha um sorriso enorme. Não era muito alto, usava camiseta do filme *Curtindo a vida adoidado*, bermuda preta e tênis Vans quadriculado. Era bem estiloso.

– Oi – disse sem conseguir tirar os olhos da boca dele.

– Está perdida? – perguntou.

– Erm, não exatamente. Estou com uns amigos de uma banda que vai tocar aqui – ela disse, e apontou mais para o meio.

– Qual banda?

– Scotty – Amanda respondeu, feliz porque o outro sorriu.

– Acho que conheci esses meninos. Prazer – ele estendeu a mão –, sou Davi Foster, do We Are Infinite. Vou tocar amanhã, logo depois da banda dos seus amigos!

– Sério? Eu sou a Amanda – ela apertou a mão dele, sorrindo.

– Quer tomar alguma coisa? – perguntou, acenando para um vendedor.

A menina concordou, estava morrendo de sede. Olhou para onde os amigos estavam, e seu olhar se encontrou com o de Daniel. Ela riu e seguiu Davi.

• • •

– Epa! – Bruno olhou para trás e depois para os amigos de novo. – Não olhem agora, mas a Amanda está do lado do garoto do cabelo bonito.

– Garoto bonito? – Maya olhou para onde Bruno apontava. Viu a amiga ao lado de um rapaz supercharmoso e, então, percebeu que Daniel olhava para os pés. – Sortuda!

– É o cara daquela banda lá! – Fred sorriu e perguntou curioso: – Será que estão conversando?

Anna levantou o rosto do colo do namorado a tempo de ver Davi falar algo no ouvido de Amanda.

– Acho que sim! – Carol riu. – Mas deixem a menina em paz! Ela que tá certa, nem perdeu tempo.

quarenta e dois

– Chega, Mandy, não quero ouvir mais nada sobre esse tal de Davi! – Rafael tampou os ouvidos e começou a cantar algo.

Maya riu, abaixando a mão dele.

– Coisa boa é pra ser ouvida, querido.

A primeira banda do dia arrumava os instrumentos no palco principal, e as pessoas começavam a se aglomerar. O festival duraria praticamente o dia inteiro, começando às duas da tarde. Daniel estava com Bruno e Fred mais à frente no enorme gramado. Apenas ouvia a conversa das meninas.

– Ele chamou você pra sair? – Carol perguntou.

– Ah, não exatamente – Amanda sorriu. – A gente conversou, e ele deve vir pra cá mais tarde.

– Pra cá onde? – Anna segurava a mão de Caio, que nem prestava atenção nelas.

– Pra arquibancada, perto do grupo de metaleiros ali – ela apontou.

– Gente, esse pessoal não toma banho, fato! – Kevin disse com a mão no bolso.

– Eles tomam banho, só que se sujam de novo pra sair e parecer sujões! – Rafael riu.

– Aposto que tomam mais banho que vocês – Maya zombou.

Rafael, com uma expressão de indignação, tentou fazer a menina cheirar embaixo do seu braço.

– Cadê a Sofie? – Daniel ignorou a discussão.

Amanda deu de ombros em resposta a ele, e olhou para Maya.

– Fora o Davi tem mais dois caras na banda...

Daniel suspirou e saiu de perto, pensando que não gostava nem um pouco desse tal de Davi-Cabelo-Bonito. Garoto metido!

Bruno viu o amigo se afastando e o seguiu.

– Dói, né?

– Cale a boca.

– Burro.

– Não enche, Bruno – Daniel rolou os olhos. – Olha só, não é como eu esperava, ok? Vê-la com o Nick, beleza... Ele é *playboy*, a gente sabe que nunca daria certo.

– Mas o tal Davi é bonitão.

– Ele é bem o tipo que me dá medo... – Daniel saiu andando com as mãos nos bolsos.

Bruno riu e continuou caminhando perto dele.

– Você não tem direito nenhum de reclamar, a Sofie tá aqui e...

– Não estou reclamando, estou?

Quando Daniel olhou para Bruno, o amigo percebeu quão confuso ele estava.

– Pô, Danny. Vocês dois se gostam, cara. Por que precisam desse show todo?

Bruno queria perguntar isso fazia tempo. Daniel mordeu o lábio.

– Eu não posso... não posso ter essa dependência por ninguém, Bruno.

Daniel pareceu cansado momentaneamente.

– Isso é egoísmo, já pensou nela? – Bruno perguntou.

– Não sei no que eu ando pensando ultimamente, cara... Volte pra lá, não vou estragar seu show, a banda começou a tocar.

Bruno olhou para o palco e quase não enxergou nada. As pessoas pulavam, aplaudiam e cantavam com uma banda esquisita que subira ao palco. Olhou para Daniel novamente.

– Vamos curtir o show, você não precisa pensar nessas coisas agora.

• • •

– Davi! – Amanda chamou ao ver o menino passar por eles com um rapaz ao lado.

– Caraca, tá megalotado isso! – ele precisou gritar, pois o som da banda no palco estava alto. – Oi, oi – cumprimentou o grupo.

Amanda sentiu as bochechas vermelhas. Isso era ridículo. Havia acabado de conhecê-lo, e ela gostava do Daniel.

– Prazer, Maya – a garota ruiva disse, apertando a mão dele.

Davi riu, e Rafael fechou a cara.

– Você é o... – Caio apontou para o menino alto de cabelos estranhamente encaracolados.

– Vitor, sou batera! – Ele acenou em cumprimento e, quando uma garota subiu ao palco, berrou: – Caraca, essa menina é meu sonho de consumo.

Davi e os outros riam. Rafael parecia extremamente emburrado pela atenção que Maya estava dando aos garotos. Bruno se aproximou com Daniel. Viram Davi entregar um copo de cerveja para Amanda. Os dois estavam sorrindo. Daniel mordeu o lábio e deu meia-volta. Bruno ficou parado sem saber o que fazer.

Amanda olhou discretamente para ele na hora em que Daniel dava as costas e saía andando. Por incrível que pareça, ela sorriu. Bruno balançou a cabeça e foi para perto de Carol, que não percebeu sua presença.

– Obrigada, gente, vocês são do caralho! – a menina berrou no microfone.

Todos pareciam animados, e eles podiam jurar que muitas garotas ficaram só de sutiã.

– Muito bom! – Caio elogiou enquanto ria alto. Bruno concordou.

– E, olha só, a programação de hoje nem é tão boa assim – Davi opinou.

– E daí? – Rafael falou grosseiro.

Maya olhou brava para ele.

– E daí que não precisamos passar o dia todo por aqui, querem fazer algo?

Davi arqueou a sobrancelha, assim como Amanda e Carol.

– Beleza, vamos pra onde?

Amanda começou a rir ao ver a expressão de Bruno e Rafael. Caio e Fred apenas se divertiam, alheios a tudo, conversando sobre os instrumentos da banda e os erros cometidos naquele primeiro show. Precisavam ficar atentos para tudo sair perfeito na apresentação da Scotty.

Enquanto Maya e Davi discutiam para onde ir, Sofie tocou no ombro de Amanda.

– Viu o Daniel?

– Nop – ela disse, fazendo-se de desentendida.

– Aposto que tá no banheiro – afirmou Kevin, que chegou pelo outro lado.

– Típico – Amanda riu. – Ele é sempre assim, não é? Sempre vai pros lugares mais impróprios.

Sofie sorriu de leve e concordou, envergonhada.

– Mas não esquente. Depois que passa a gostar, ele começa a querer sumir com você, e não sozinho – Amanda continuou dizendo.

Sofie mordeu o lábio.

– Vou ver se ele está no banheiro, então.

Ela saiu de perto. Amanda encarou Kevin.

– Limpe o veneno, amiga! – Kevin olhou feio, mas esboçava um leve sorriso.

– Qual é – piscou –, não vou bancar a boazinha! Deixe isso pra ela.

Amanda voltou sua atenção para Davi e Maya, que agora convenciam Carol a ir para um barzinho *punk* do outro lado da cidade.

• • •

O celular de Amanda tocou. Ela achou estranho ler o nome de Daniel no visor. Saiu de perto de Kevin para falar com o garoto. Também se afastou dos amigos para uma área menos movimentada. E atendeu:

– Sua namorada está atrás de você.

– Escute, preciso falar com você – ele disse, seriamente.

– Daniel – Amanda sentiu o coração saltar –, estamos indo pra um bar, se quiser ir...

– Por favor.

– Não. Não agora, não hoje e, por favor, não comece com tudo de novo. Foi você quem trouxe a Sofie pra cá, e não eu.

– Amanda...

– Se quiser ir conosco, encontre a gente perto da saída. Se não quiser, bom show.

Ela desligou o telefone. Sentiu uma dor de cabeça repentina. Não era justo Daniel brincar com os seus sentimentos, era?

Estava parada, olhando para o celular, quando sentiu uma mão no ombro.

– Algum problema? – Davi perguntou. – Ainda de pé nosso barzinho? Queria muito passar mais tempo com você, sei lá, pra gente se conhecer melhor.

Ele parecia tímido e, com as bochechas rosadas, ficava uma gracinha.

– Claro que está de pé! – Amanda confirmou. – Era só um dos meninos procurando a... namorada.

Davi seguiu com Amanda para perto dos amigos. Ela sorriu ao sentir a mão dele escorregando pelo seu braço e, depois, os dedos dele entrelaçando os seus.

•••

– Só vim pelo The Click Five! – Kevin disse.

Estavam todos em volta de duas mesas quadradas, juntadas pelo garçom. Já era fim de tarde, e estavam famintos. O bar era daqueles tipo lanchonete, e os meninos se lambuzavam com hambúrgueres. Amanda ria de Rafael, tentando beijar a bochecha de Maya, todo sujo de mostarda. Daniel e Sofie estavam aos beijos em uma das pontas, ignorando a presença deles.

– Mentira, Kevin – Bruno retrucou. – Admita que você não vive sem a gente.

– Claro que vivo, eu não vivo sem o Eric! – o garoto se abanou.

Todos riram e passaram a discutir sobre as bandas do festival. Amanda sentiu o braço de Davi em volta de sua cadeira. Sorriu ao perceber que Rafael e Kevin começaram a discutir quem era mais útil em uma banda.

Quando Bruno e Rafael travavam uma disputa para ver quem roubava mais batata frita do outro, e Fred tentava separar os dois, Amanda pediu:

– Gente, por favor... Não sejam tão estranhos, eles não conhecem vocês ainda!

Davi e os outros meninos da banda riram. Carol olhou para um dos garotos ao seu lado e piscou para Amanda. Bruno reparou e fechou a cara na hora, e descontou em Rafael, jogando uma batata frita nele e acertando seu olho.

– Ai, cacete!

– Caraca, meninos, chega! Amanda pediu ou não pediu pra agirem como gente normal? – Carol perguntou.

– Não se meta – Bruno bufou.

Carol mordeu os lábios e ia responder algo grosseiro, mas, na hora, o garçom chegou com algumas bebidas.

– Desculpem a demora. O bar está cheio – ele disse, servindo todo mundo.

– Problema não, a gente está se divertindo – Davi respondeu, olhando para Amanda e rindo.

– Fale por você... – Rafael enfiou algumas batatas na boca.

– O que você tem? – Maya perguntou baixinho, grata por somente ela ter ouvido o que ele tinha dito.

– Eu não tenho nada – Rafael respondeu baixinho também e olhou para Maya, percebendo que ninguém estava dando bola pra eles.

Maya encarou o garoto e notou que ele olhava para Vitor e Leo, que estavam conversando. Ela sorriu. Em seguida, Rafael rolou os olhos e apontou para Daniel e Sofie.

– Ele tem algum problema. Se não parar de engolir a menina, não sobra nada pra Rebeca criticar na volta.

– Deve ser essa a intenção dos dois, não se meta! – Maya riu.

Rafael também riu ao ver Amanda olhar para Daniel e franzir a testa.

Será que ele era tão idiota quanto os dois?

quarenta e três

Parte do grupo tinha voltado para o festival. Bruno e Fred, ansiosos, queriam avaliar as bandas concorrentes e traçar estratégias para o show deles. Apenas Amanda, Davi, Leo, Carol, Daniel e Sofie estavam ainda na mesa.

– Já ganhamos alguns concursos lá em São Paulo, mas... sei lá – Leo disse.

– Vocês devem tocar muito bem – Carol riu.

Daniel rolava os olhos a cada comentário.

– Quem canta na banda? – Amanda perguntou.

Davi bebeu um gole da Coca-Cola e apontou para o amigo.

– O Leo, ele toca baixo e canta. Eu faço o *backing vocal* e toco guitarra. O Vitor só toca bateria mesmo.

– Vitor só pensa em pegar mulher! – Leo falou.

– Ele devia conhecer mais o Bruno... – Carol rolou os olhos.

Leo e Davi não entenderam, mas Amanda e Daniel se entreolharam.

– Pena que o Bruno não esteja aqui para se defender – Daniel se meteu na conversa.

– E vocês, caras? Estamos ansiosos pra ver a Scotty! As meninas aqui parecem gostar – Davi disse, olhando para Daniel.

– Erm... – ele olhou rapidamente de Amanda para Carol.

– Conte pra eles quem é a melhor banda do mundo, Danny! – Carol falou rindo.

– Não é pra tanto... – Daniel ficou vermelho.

– Eles cantavam nos bailes da escola – Amanda contou, e Davi prestava atenção. – E eu, bem, já toquei com eles.

– É, quando Danny estava fora do país – Carol completou.

– Bom saber que alguém já pode me substituir – Davi disse, sorrindo.

– Eu não sou nada boa – Amanda balançou a cabeça e ficou vermelha.

– Não comece! – Daniel riu. – Se você me substituiu, deve ser muito boa.

– Ai, Daniel! – Carol jogou um punhado de guardanapos amassados nele.

– Ganhei até música – Amanda olhou para Davi.

Ele arqueou a sobrancelha e olhou para Daniel, que mordia os lábios. Sofie deu um beijo na bochecha dele.

Davi voltou a encarar Amanda.

– Isso é romântico.

– E foi – Amanda mirou Daniel rapidamente. – Bom, no começo.

Carol, Davi e Leo riram com ela. Daniel não conseguia parar de se lembrar do dia em que desceu do palco e beijou Amanda. Do dia em que foi dela. E se sentiu um idiota vendo Davi com as mãos nos ombros da sua garota.

– Já está ficando tarde e estou megacansada – Carol falou, bocejando.

– Mas já? – Davi fez bico.

Daniel tentou se distrair com Sofie.

– Dormimos pouco, acordamos muito cedo... – Amanda disse. – Acho melhor irmos pro hotel.

Ela se levantou da mesa com Carol. Leo e Davi fizeram o mesmo.

– Em qual hotel estão? – Leo perguntou.

Amanda explicou como chegava, e Davi riu.

– A gente deixou de ficar lá pra dormir no carro, espero que tenham pego um quarto melhor que o nosso – ele contou rindo.

Carol e Amanda se entreolharam e não disseram nada.

– Vem com a gente? – Carol perguntou.

Daniel se levantou pegando na mão de Sofie e seguiu os quatro para fora do bar até a rua principal.

– Então, vamos voltar pro festival – Davi disse. – Vejo você amanhã?

– Claro! – Amanda ficou vermelha ao perceber que estava de mãos dadas com ele.

Davi sorriu e se abaixou um pouco, estalando um beijo nos lábios da menina.

Daniel mordeu a boca e andou mais rápido, com Sofie ao seu lado.

Amanda viu Davi sair de perto com Leo e tocou os lábios.

– Bela pegada – Carol encostou a mão no ombro da amiga –, eu não teria feito melhor.

– Ele é tão... meigo – Amanda franziu a testa, fazendo Carol rir.

Daniel estava distante delas, mas conseguia ouvir. Ele queria correr atrás de Davi e bater nele. Mas, em vez disso, seguiu para o hotel. Carol e Amanda falavam sem parar da nova banda que conheceram. Que saco.

• • •

Sofie caiu no sono. Daniel estava com o violão na mão e uma garrafa de cerveja do lado. Carol e Amanda foram buscar algum salgadinho no mercado da rua. Era quase meia-noite, e o pessoal ainda não tinha voltado do festival.

Estava ficando quente no quarto. A janela, emperrada, não abria. Daniel sentiu uma gota de suor cair de sua testa. Praguejou ao tentar ligar o ar-condicionado, mas, por incrível que pareça, o aparelho só funcionava no modo aquecedor. Ele ia derreter ali!

Levantou-se da cama e tirou a calça jeans e a camiseta. Ficou apenas de cueca boxer preta. Andou até a televisão e a desligou, achando que o chiado estava começando a incomodar. Olhou então para Sofie.

Era uma garota que todo cara gostaria de ter. Era bonita, simpática e não reclamava de nada. E ainda morava em outro país, sinal de que tudo era coisa de momento.

Não podia ser melhor para Daniel.

Porém, a cada barulho dos outros andares, ele olhava para a porta na esperança de ver Amanda entrar. Chegava a ser ridículo. Ele não queria gostar mais dela tanto assim. Os dois já tinham sofrido tanto! Queria ter espaço, queria dar espaço. Mas algo não deixava.

Ouviu um barulho. Algo no andar de cima se arrastava. Legal, vizinhos barulhentos.

Voltou a se sentar na cama e pegou o violão. Ficou tentando rimar "quarto no terceiro andar" com alguma coisa, mas achou tudo uma porcaria naquele momento. E daí que estavam em um quarto no terceiro andar?

Fora o ar-condicionado esquentando, a cama quebrada e a televisão do vizinho a toda altura. Não. Não adiantava forçar porque não iria sair nenhuma música disso.

Então, começou a cantar algo que costumava ouvir quando pequeno.

• • •

Daniel foi para perto da janela quando ouviu barulho de trovão. Percebeu a iluminação da rua através da cortina vagabunda. Ouviu um barulho e olhou para a porta. Carol e Amanda entraram no quarto ensopadas e sorridentes.

– Acredita nesse temporal do nada? – Amanda falou e tirou a sacola de dentro da blusa, entregando-a para Daniel.

– Cacete, tá quente aqui! – Carol espremeu os cabelos na pia do banheiro.

– O ar-condicionado tá ruim. Acho que travou em alguma temperatura alta – Daniel falou.

Ele se sentou na cama e abriu a sacola. Sofie se mexeu, mas voltou a dormir. Amanda tirou os sapatos e se sentou no chão em frente ao menino.

Ficou observando a roupa que ele usava.

– Passe a cerveja – pediu.

Daniel ficou parado por segundos. Virou para trás, pegou a garrafa e entregou para Amanda.

– E agora, onde vamos dormir? – Carol apareceu de volta no quarto.

Os dois, ainda calados, olharam para ela.

– No chão – Amanda disse, rindo.

– Ou não dormimos – Daniel piscou, abrindo um pacote de Pringles.

– Cara, vocês tem show amanhã!

– Tanto faz – Daniel deu de ombros.

– Se os outros não voltarem resfriados, né? – Carol se sentou ao lado de Amanda.

– Aí, teremos que passar o título de melhor banda do mundo pro We Are Infinite – Daniel disse, visivelmente enciumado.

– Você está com ciúmes – Amanda zombou.

– Não estou! – Daniel encheu a boca de batata.

– Não minta – Carol riu, abrindo um pacote de Fandangos.

– Eu não tô! – disse meio alto e viu Sofie se mexer.

– Shh, não vai querer acordar a princesa, né? – Amanda alertou.

Ela olhou para a cama e começou a tirar lentamente a calça jeans, ainda sentada no chão.

Ele ficou apenas olhando para Amanda.

– Agora admita que é você quem tá com ciúmes – Carol disse, apontando para a amiga.

– Fato! – Amanda se levantou apenas de calcinha e camiseta, indo para o banheiro. – Mas eu não vou ser idiota por isso.

Daniel ficou com o olhar perdido na direção do banheiro.

– Tem quem seja por você – Carol disse, rindo de Daniel.

O menino deu língua. Carol revidou. Ele então se ajoelhou no chão e começou a fazer cócegas na garota.

Os dois começaram a berrar de tanto rir. Amanda sorria dentro do banheiro, olhando para a pia quebrada, enquanto torcia a calça molhada.

quarenta e quatro

– Ela não quer mais saber, não diga que a ama, porque ele a deixou, não diga que a quer... – Amanda estava com o violão de Daniel.

– Ei, gosto dessa música! – Carol disse, feliz.

Daniel sorriu ao ver as duas cantarolando uma das canções da Scotty.

– Que tal cantarmos We Are Infinite? – ele puxou o violão dela.

Amanda pôs a língua para fora, enfiando vários biscoitos na boca.

– Deixe de ser panaca, Daniel, você nem conhece os caras...

– Vamos ver... – ele disse. Pegou uma nota qualquer e começou a inventar uma letra: *– Essa garota que moveu o mundo por mim, tem as pernas mais bonitas que eu já vi...*

– Quem é ela? – Amanda gritou rindo.

– *... naquela época ela me escreveu cartas pra dizer que me ama, mas agora isso está apenas na memória... MEMÓRIA!* – ele repetiu alto.

Sofie se mexeu e continuou dormindo.

– É feio ter ciúmes – Carol balançava a cabeça.

– Daniel... – Amanda apenas conseguia rir.

– *Agora ela está grávida e terá um bebê, parece que está escapando de mim...*

– Isso é ridículo! – Amanda estava de pijama, sentada no chão ao lado de Carol.

– *Agora que ela está casada, estou na miséria. Porque o marido dela é bem maior do que eeeeeu!* – Daniel piscou para Carol, que começou a rir, quase cuspindo seu biscoito.

– *Porque ele malha muito...* – o menino continuou, mas parou para pensar e riu sozinho. – *Não tem muito no que ele não seja melhor do que todo mundo, e agora estou perdendo o papel principal nesse livro por causa dele...*

Amanda ficou pensativa. Por que Daniel estava com toda aquela implicância? Não era ele quem estava acompanhado ali?

– Chega, né? – ela jogou salgadinhos em Carol e Daniel.

– Boa música, Danny!

– Vai se chamar "Coisas que um herói queria dizer e não pode mais porque é um idiota e o namorado da sua garota é melhor do que ele pode imaginar ser".

– Isso é o nome da música? – Amanda riu.

– Pós-moderno – Daniel afirmou –, a nova moda é ter nomes compridos.

Amanda estava se abanando, enquanto Daniel anotava a música em um caderninho. Ouviram um barulho, e a porta do quarto escancarou. Carol abafou um grito de susto. Fred apareceu na frente, segurando os ombros de Bruno. Os dois estavam rindo e vermelhos. Logo atrás, Maya e Rafael, ensopados, discutiam algo que parecia muito importante, e Caio tentava separar os dois. Anna fechou a porta, rindo, falando algo com um Kevin sonolento.

– Até que enfim! – Carol disse.

Bruno olhou para ela, e a menina sentiu um frio nas costas por vê-lo molhado daquele jeito. Hormônios ridículos.

– Ainda bem que o quarto está quentinho – Fred falou. – Está chovendo muito lá fora!

– Eu sei – Daniel riu. – Caio?

– Cara, eu não aguento mais o Rafael e a Maya juntos! – reclamou, passando entre os amigos e indo até Daniel. – Anna, eles são todos seus!

– Ah, merda... – Anna bateu na testa.

Então, Maya soltou os cabelos de Rafael, que gritava por ajuda no meio do quarto, impedindo a passagem dos amigos.

• • •

– *Booooys dooooooont cry!* – Caio cantava e tocava violão.

Amanda olhou em volta e riu ao ver todos os amigos com pouca roupa.

Sofie, Kevin e Anna estavam dormindo na única cama. Fred falava no celular com Guiga, no outro lado do quarto. Daniel, Bruno, Rafael e Caio estavam em uma roda no chão com Amanda, Carol e Maya.

– Essa música é deprê – Carol resmungou.

– É The Cure! – Rafael disse, como se fosse óbvio.

– E eu com isso? – a garota deu de ombros.

Maya e Amanda se entreolharam.

– Ah, claro – Rafael pegou o violão de Caio. – O que quer? Britney Spears? Ivete Sangalo? Rebelde?

– Rafael... – Maya falou, tentando evitar uma discussão, mas ele começou a cantar e tocar.

– Oops, *I did it again...*

Todos riram e ficaram tentando tirar o instrumento dele. Daniel olhou para Amanda, e ela fez o mesmo. Os dois ficaram se olhando por um tempo, achando graça em tudo. A garota fechou as pálpebras, ainda sentindo o olhar de Daniel. Ela se perdeu em pensamentos e, quando voltou à realidade, Caio estava reclamando de sono.

– Mas já? – Bruno olhou o relógio. – Opa, quase quatro da manhã!

– Eu tô um caco – Maya disse, estalando os dedos.

– Onde vamos dormir? – Carol olhou para os lados.

Caio se jogou na cama ao lado de Anna, abraçou a namorada e murmurou um "boa-noite" para todos.

Fred já estava recostado nas malas, dormindo.

– Mas que droga – Carol fechou a cara.

– Aqui tem carpete – Bruno disse, batendo no chão.

– Isso fede! – Maya franziu o nariz.

– Dorme com a cabeça na minha barriga, doce de coco – Rafael sugeriu. – E não diga que fede porque você está tão fedida quanto eu.

– Não ia dizer isso – a menina riu e ficou vermelha.

Rafael puxou sua camiseta, fez de travesseiro e se deitou de barriga para cima. Maya, gentilmente, se deitou com a cabeça no peito dele. Rafael passou o braço sobre os ombros dela.

Os outros ficaram observando. Amanda descruzou as pernas e mirou o quarto. Bruno mordeu a boca.

Daniel também se deitou no chão, de barriga para cima e perto da porta. Amanda deu de ombros e se deitou um pouco afastada dele, na mesma posição. Daniel olhou para ela e viu que a menina observava o teto. Bruno foi engatinhando até Amanda e se deitou perto dela, do outro lado.

– Apague a luz, Carol – Daniel pediu.

Carol passou por cima dos três e apagou a luz. Ficou tudo escuro.

– Ah, que bom, agora não consigo voltar pro outro lado.

– Deite aqui mesmo – Bruno disse, baixinho.

Ele empurrou Amanda para o lado, fazendo a menina encostar o ombro no de Daniel. Carol respirou fundo e se deitou ao lado de Bruno. Não tinha mais espaço no quarto.

Depois de poucos minutos de silêncio, apenas com o barulho alto da televisão do quarto vizinho, Daniel fez um som com a boca.

– Saco! Tão dormindo?

– Não – Amanda disse.

– Nop – Bruno falou baixo.

– Hmmm – Carol murmurou.

– Estou entediado.

– Tente dormir, Daniel – Amanda disse.

– Durma, cara.

– Hmmm.

– Acho que tô com fome – Daniel se virou de lado.

– Também, a gente só comeu batata e biscoito – Amanda riu.

– Sério? Eu comi lá na rua com o pessoal – Bruno falou baixinho.

– Hmmm, calem a boca – Carol resmungou.

– Aqui não tem Mc Donald's 24 horas – Amanda disse.

– Deve ter algum bar aberto! – Daniel riu e se levantou.

– Vai sair? – Amanda se sentou, ainda no escuro.

Daniel tateava o chão, atrás de suas roupas.

– Preciso, eu não consigo dormir de barriga vazia.

– Vá se ferrar, cara! – Bruno riu, virando-se para Carol.

– Humpf...

– Quer que eu vá com você? – Amanda perguntou.

Ela estava morta de fome!

– Não precisa – Daniel disse, relutante.

– Eu posso ir... – ela se levantou.

Daniel quase caiu enquanto tentava vestir a roupa no escuro.

– Merda de Rafael no caminho! – disse, rindo baixinho.

A menina olhou para os lados.

– Vou acender a luz do banheiro pra gente botar alguma roupa, porque lá fora deve estar frio.

– Certo.

Daniel se virou de costas. Amanda acendeu a luz, vendo Carol enfiar o rosto no ombro de Bruno para proteger os olhos. Achou graça ao ver Bruno abraçar a menina.

Correu para perto de Fred e pegou sua calça jeans de cima da mala. Vestiu o casaco preto do Caio, era o que estava mais perto, enfiou os tênis e viu Daniel surgir de um canto escuro já arrumado também.

– Bora logo, pra gente não voltar de manhã.

Amanda concordou e apagou a luz do banheiro, seguindo-o até a porta.

quarenta e cinco

Os dois caminhavam em silêncio por uma rua escura. Vários carros ainda passavam, com música alta, e eles escutavam o burburinho de pessoas conversando ao longo dos jardins, repletos de barracas de acampamento.

– Cidade movimentada – Daniel observou com as mãos nos bolsos.

– Demais! – Amanda concordou.

Ficaram em silêncio novamente, visivelmente sem graça. De alguma forma, era constrangedor estar naquela situação. E fazia frio. Havia parado de chover, mas a rua ainda estava molhada, e as árvores derramavam pingos de água na cabeça deles quando passavam por baixo.

– Amanda?

– Daniel?

– Você já... hmm, ficou com o... o...

– Davi.

– Isso.

A garota diminuiu o passo e examinou a expressão de Daniel. Ele estava nervoso, e não era algo que ela estava acostumada a ver. Desciam a rua, ainda à procura de algum bar aberto.

– Não – ela disse, voltando a olhar para a frente.

– Erm... por falta de vontade ou de oportunidade?

– Daniel! – Ela retrucou, desconfortável por falar sobre esse assunto com ele. – O que você tem com isso?

– Sei lá.

– Acho que não te interessa se eu quero ou não ficar com alguém, certo? Não me interessou quando você quis ficar com a Sofie.

– Mas...

– E, então, estamos quites – Amanda finalizou.

Seu modo de falar foi o ponto final da conversa. Daniel concordou, voltando a olhar para a frente. No final da rua, encontraram um botequim aberto com algumas pessoas conversando em frente.

– Até que enfim! – Daniel tentou rir e, ao ver Amanda andando na frente, mordeu os lábios.

Ele realmente se sentia um idiota. No fundo, não conseguia imaginá-la com Davi. Com ninguém, na verdade, a não ser consigo mesmo! Mas sabia que ela tinha razão! Ele estava com a Sofie, não estava?

Mas... e se a Sofie fosse embora?

• • •

– Daniel, acorde! – Amanda tocou no braço do menino, que balançou a cabeça, derramando um pouco de café na calça.

– Eu não tô dormindo.

– Claro que está. Além de tudo, quase roncou em pé.

– Que horas são? – Daniel esfregou os olhos depois de largar o copo de café na bancada.

O bar estava começando a encher mais. Pessoas estranhas, com casacos e cabelos embaraçados se espremiam no balcão com seus lanches. O céu já clareava.

– São cinco e pouco... quer voltar?

– Eu não... – bocejou. – Nem tô com sono.

– Bom, problema seu. Eu estou! – Amanda saiu andando.

O garoto bebeu o último gole do café e correu atrás dela.

– A gente tem o dia todo pra dormir – o menino disse, e colocou a mão delicadamente em seu ombro.

– Nem pensar, Davi vai passar lá no hotel.

– Hmm – Daniel soltou o ombro dela. – Tá...

Amanda mordeu o lábio, porque não queria que ele tirasse a mão dali.

– Bom, dormir o dia todo naquele quarto não vai ser legal mesmo.

– Verdade – Daniel sorriu e fitou os olhos dela.

– Quê?

– Que o quê? – ele riu.

Amanda parou e colocou a mão na cintura.

– Por que está me olhando assim?

– Assim como?

– Daniel!

– Ahn, tá – ele chegou bem perto, como quem conta um segredo –, vamos arrumar uma barraca, dormir até umas oito horas e bater lá no hotel.

– Hmm – Amanda mal respondeu.

Sua perna começou a tremer, porque Daniel estava falando baixo em seu ouvido.

– E então?

– Onde vamos arrumar barraca? – ela perguntou no mesmo tom de voz.

Daniel ficou encarando a menina. Depois, olhou para uma casa ali perto, onde havia várias barracas armadas no jardim. Dois garotos vinham saindo de lá, conversando. Daniel chegou perto deles, e Amanda ficou olhando, meio de longe.

– Ei, tudo bem? – ele cumprimentou.

– Beleza, e aí?

– Beleza – tossiu baixo –, bom, meu nome é Daniel. Não sou daqui... Eu e a minha namorada estamos um pouco perdidos.

– Hmm – o menino maior reparou na presença de Amanda, que não ouvia bem a conversa e rodava o pé, olhando para o chão.

– Sabe como é... – Daniel deu de ombros.

– Pode falar, cara – o outro garoto riu.

– Sabem onde podemos arrumar uma barraca ou algum lugar para descansar por algumas horas? Estamos andando desde ontem à noite e precisamos dormir um pouco.

– Coitada da garota, mané! – o menino disse. – Pô, pega mal deixá-la na rua assim.

– Psiu, guria! – o garoto alto chamou. – Chega mais.

– Oi – Amanda se aproximou com vergonha.

– Sou o Paulão, e ele é o Celo. Vamos liberar a barraca por algumas horas. A gente tá atrás de um rango, sacou? E depois vai rolar um campeonato de *air guitar* irado lá no fim da rua.

– Jura? – Amanda olhou para Daniel, rindo. – Obrigada!

– Mané, deixa a menina na rua de novo não, falô? Mulher gosta de conforto, vai acabar sozinho. – O mais baixo aconselhou e apontou: – Vai lá, nossa barraca é a verde-limão.

Amanda olhou para o jardim e logo a localizou. Era uma barraca pequena e, realmente, verde-limão: quase fluorescente.

Que figuras!

– Poxa, obrigada! Muito prazer conhecer vocês...

– Passa lá no *air guitar* depois, cara. Posso ensinar você a tocar algum instrumento maneiro.

Os meninos se afastaram.

Daniel sorriu tímido e se virou para Amanda.

– Vamos? Conseguimos uma barraca!

Ele saiu andando. Chegou à barraca verde-limão e puxou o zíper para abri-la.

– Bom – Amanda espiou –, uma barraca POUCO arrumada!

– Entre e não reclame. Temos pouco tempo

Amanda ajoelhou e viu Daniel entrar engatinhando pelo colchonete no chão. Sorriu. Daniel deitou em um dos lados, de barriga para cima. Ela balançou a cabeça, começando a morrer de frio. Entrou, fechou o zíper e engatinhou até o outro lado do colchão.

– Como deixaram pessoas que eles nem conhecem ficar aqui, meu Deus... – a garota falou sozinha, em voz baixa.

– Camaradagem de viagem! Confortável?

– Melhor que tapete mofado – Amanda sorriu.

Os dois ficaram em silêncio.

– Daniel?

– Hmm – ele disse, sonolento.

Amanda se virou para ele e se aproximou. Ficou com o nariz perto do dele e sacudiu o menino pela barriga.

– Tá acordado?

– Agora tô.

– Me lembrei de uma coisa.

– Se for algo sobre Davi, Nick ou Bruno, eu vou dormir.

– Bruno? – Amanda sorriu. – Nah... eu não penso só nisso, poxa.

– Desculpe – Daniel riu com sono.

– Ok, eu me lembrei do almoxarifado – falou.

Daniel abriu os olhos e se sentou devagar.

– Por quê?

– Por que o quê?

– Por que lembrou de lá? – Daniel franziu a testa.

– Porque sim.

– Amanda? – Achou estranho dizer o nome dela e disse, rápido: – Fofa...

Amanda sorriu levemente.

– Ah, era uma época legal. A gente se gostava de verdade, não tínhamos tantos problemas, e eu ainda era dona da sua bunda!

– Da minha bunda? – ele arregalou os olhos.

– Não acredito que esqueceu!

Ela sentiu uma pontada no coração. Daniel mordeu os lábios e, de repente, desatou a rir.

– Que foi? – ela perguntou.

– Nada...

– Que foi? – Amanda se sentou ao seu lado.

Daniel começou a se contorcer, gargalhando, e encostou a testa no ombro da garota.

– Daniel Marques! – ela exclamou.

– Ahn? Cara...

Ele respirou fundo. Encarou a menina. Os dois ficaram em silêncio. De repente, Daniel segurou Amanda pela nuca. Ela ficou sem reação quando sentiu os lábios dele nos seus. Não sabia o que fazer!

Ok, na verdade, sabia. E era bem simples. Mas não era certo. Ou era?

– Daniel... – murmurou quando o garoto segurou em sua cintura, com força, fazendo-a se deitar para trás.

– Shh, cale a boca... – ele voltou a beijá-la.

Era isso. Sentir a boca de Amanda na sua era a melhor coisa do mundo. Ela deixou que Daniel a beijasse por uns minutos e depois se afastou.. Olhou para ele, apoiado ao seu lado e vermelho.

– Por que isso? – perguntou ofegante.

Daniel beijou de leve sua boca, deitou-se e piscou:

– Pra você lembrar que é só minha. Não importa o tempo que for e nem onde for, sabe? A única dona da minha bunda ainda é você. Bom-dia.

Ele se virou de lado, deixando Amanda confusa, encarando a lona verde-limão.

Ela sentiu vontade de chorar ao mesmo tempo em que sorria.

Era tudo o que queria ouvir.

quarenta e seis

No fim do dia, todos estavam bem cansados. Saíram da arena de shows comentando sobre as bandas, os erros, os melhores momentos... Fred estava fascinado pela grandiosidade do evento. Com certeza, gostaria de trabalhar com isso no futuro. Caminhavam de volta para o hotel, exaustos. O mais legal da cidade era que dava para se fazer tudo a pé. Ali, ficava a maior universidade de música e artes do estado; consequentemente, a cidade foi se desenvolvendo em torno dela. Tudo ali era inspirado em música.

– Bom, se nos dão licença, precisamos roubar o Davi – Leo avisou.

Davi vestia calça rosa-choque justa, regata roxa e tinha o cabelo brilhante, ajeitado com gel para o lado. Era bonito e excêntrico. Amanda andava de mãos dadas com ele e Bruno vinha logo atrás, com o grupo de amigos.

– Mas por quê? – Amanda perguntou.

Davi sorriu, percebendo que ela não queria que ele fosse embora. Ela ficava mais bonita sorrindo, e ele estava encantado pela garota.

– Temos que ensaiar; afinal, temos um show para fazer amanhã!

– Ah, claro... – Bruno olhou para Rafael.

O menino olhou para Caio, que se virou para Daniel, que deu de ombros.

– Se for assim... – Amanda riu.

Davi sorriu. Despediu-se de todos e parou na frente de Amanda, dando um estalinho em seus lábios. Depois, saiu andando rápido com os amigos na direção oposta.

– Opa, que isso! – Maya falou rindo.

Rafael olhou para Caio novamente.

– Ensaio é?

– Erm... – Caio apertou a mão de Anna. – Pra que ensaiar?

– Pra quê? Cara, a gente vai pagar mó mico amanhã! – Bruno deu um pescotapa no amigo.

– A gente nem pensou nisso! Tem muita gente boa aqui. A segunda banda de hoje foi fenomenal – Daniel falou e parecia nervoso, roendo as unhas.

– Ah, vão ter ataque agora? – Kevin saiu andando.

Fred segurou Rafael e Bruno pelo ombro, enquanto subiam a rua do hotel.

– Sempre há tempo, rapazes. Por exemplo, podemos ir pro nosso querido quarto mofado e ensaiar um pouco.

– Naquela espelunca? – Rafael torceu o nariz.

– Melhor que nada – Carol opinou.

– Então, sem vocês lá dentro! – Daniel disse, e apontou para as meninas.

– Ah, fala sério – Sofie se manifestou.

Amanda olhou feio. Quem era ela para dar opinião na vida de seus amigos?

– Concordo com o Daniel, as meninas devem se manter longe – Amanda falou e, quando Kevin riu alto, emendou: – E isso inclui você!

Ela puxou o braço do amigo, fazendo-o cambalear.

– Certo, pra onde vamos? – Maya pulou até a amiga.

– Que tal ao ensaio do We Are Infinite? – Carol sugeriu, e elas riram.

– Ah, nem vem! – Bruno cruzou os braços.

Carol olhou para ele.

– Algum problema?

– Não! – ele bufou. – Vamos.

Bruno entrou na pousada, seguido pelos outros garotos.

– Não se percam, hein – Fred avisou.

Amanda fez sinal de positivo. As meninas e Kevin se entreolharam.

– E agora? – Maya deu de ombros.

– Vamos analisar a concorrência e provar o sorvete dessa cidade! – Kevin disse, animado.

• • •

Daniel estava inquieto, sentado na cama, enquanto Caio explicava algo aos outros. Fred se aproximou.

– O que o cabeça de vento está pensando?

– Nada.

– Hmmm – Fred riu. – Sei... mas pensar na Amanda não vai ajudar você no show de amanhã.

Daniel mordeu o lábio. Talvez, ajudasse.

– A gente pode cantar *Perto demais*. Teve uma boa reação da galera lá no colégio – Bruno palpitou.

– Não sei... – Caio mexeu no queixo.

– Vou tentar abrir a janela – Rafael se levantou.

Andou pelo quarto torcendo o nariz. Estava fedendo a mofo.

– Eu particularmente gosto de *Perto do lago* – Fred disse.

– *Tudo sobre você*? – Daniel sugeriu.

– Boa! – Caio bateu as mãos, nervoso. Torceu o nariz. – Rafael, por que não abriu a janela?

– Porque não dá! – o garoto berrou, fazendo mais força na madeira.

– Fracote – Bruno riu do menino e foi até lá, forçando e empurrando junto. Nada.

– Não acredito que vocês não conseguem abrir uma janela! – Caio riu sentado.

Fred e Daniel gargalharam e se levantaram para ajudar.

– Isso não deve ser aberto desde... desde que foi construído! – Rafael falou, irritando-se, e deixou os outros três tentando.

– Ou desde que alguém colou – Daniel desistiu também.

– Onde viemos parar?! – Caio balançou a cabeça.

– Num quarto no terceiro andar... – Rafael sentou-se na cama. – Se eu fosse você, escreveria uma música sobre isso... Rima! – Ele olhou os dois amigos, Bruno e Fred, forçando a madeira, que agora rangia. Secou o suor da testa e começou a inventar um ritmo: – Não pedimos esse quarto no terceiro andar, que parece despencar...

– Idiota essa ideia – Caio deu de ombros.

– Não, cara, escute... – Daniel falou e se sentou ao lado dele e de Rafael, pegando o violão. – Eu ontem pensei nisso... estava chovendo e tinha barulhos pelo prédio.

– Assustador – Rafael concordou.

– E tipo... o ar-condicionado não funciona!

– Bem que eu senti – Caio riu, olhando o aparelho enferrujado na parede. – Mas fazer música sobre quarto é idiota.

– Não é não! – Rafael e Daniel falaram ao mesmo tempo.

– Desisto! – Fred foi para perto deles, com as mãos vermelhas. – Melhor vocês ensaiarem sem roupa mesmo!

– Boa ideia! A gente pode tocar pelado! – Rafael bateu palmas.

Bruno e Caio se entreolharam.

– Não – Bruno disse. – Nem vem...

– As garotas iriam adorar! – Fred ria.

– Seria um diferencial, já que vamos pagar mico sem saber tocar! – Daniel disse, irônico.

Todos se entreolharam, e Caio puxou o violão.

– Vamos começar... – ele disse. – *Tudo sobre você*?

quarenta e sete

Estavam todos espalhados pelo quarto no fim da noite. As meninas e o Kevin voltaram para a pousada com caixas de pizza e cerveja. Era tão bom ter um amigo maior de idade para comprar bebidas! Daniel estava só de bermuda em cima da cama, com o violão, cantando uma música dos Beatles que ele adorava, enquanto Caio e Rafael se revezavam para cantar. Bruno discutia com Fred e Maya sobre carros. A ruiva era fascinada pelos modelos esportivos e entendia bem do assunto. Às vezes, não sabiam como ela não tinha nascido menino.

De repente, um barulho alto de palmas e gritos invadiu o quarto.

– Que isso? – Caio perguntou com a voz esganiçada, assustado.

Carol se levantou, foi até a porta do quarto e voltou rindo.

– Adivinhem só, temos um vizinho de quarto barulhento.

– Ahn? – Amanda se levantou.

– É, isso é barulho de TV! – Carol ria.

Eles ficaram em silêncio.

– ... e agora o famoso homem que engole facas....

– Ai, céus! – Daniel balançou os cabelos.

– Quem ouve a TV tão alta assim? – Sofie tampava os ouvidos.

– Beeeeeem do nosso lado! Êêê, sorte! – Kevin bebeu um gole de cerveja.

– Será que a gente vai na recepção reclamar? – Anna olhou para Caio.

– Nem a pau – Maya se levantou –, vai que eles resolvem matar a gente!

– Não viaje! – Bruno ria.

– Esse povo daqui tem cara de mafioso mesmo – Rafael riu, olhando para Maya.

– Pois é – ela sorriu –, e eu ainda nem comecei minhas aulas de krav-magá.

Ouviram o barulho de uma porta batendo, e várias pessoas começaram a reclamar no andar de baixo, aos berros e palavrões.

– Ok, fizeram isso pela gente – Amanda voltou a se sentar, cruzando as pernas. – Onde você estava na música, Daniel?

– Errm... – ele olhou para o violão.

– Tô falando que isso daria uma música... – Rafael esticou as pernas em cima de Bruno.

– Falar sobre o quê? Sobre a TV alta? Vizinhos de quarto reclamando? Ar-condicionado estragado? – Caio riu.

– Uma baita lição de vida! – Amanda apontou para ele. – A gente podia estar bem pior.

– Isso mesmo, aproveitem o que temos! – Fred sorriu.

– Pé no chão, galera; ninguém aqui conseguiria pagar por algo melhor em alta temporada, então... – Kevin se levantou, indo até o banheiro, e berrou com voz fina: – Ai, minha nossa-senhorinha-das-bichas! Quem usou o vaso e não deu descarga?

Bruno sorriu malicioso.

• • •

O celular vibrou e Amanda atendeu rapidamente quando viu o nome de Davi no visor. Os meninos cantavam Ramones, trocando a letra por causa da quantidade de cerveja que tinham bebido, e ela já estava começando a ficar entediada.

– Oi! – Sentiu as bochechas corarem.

– Quer dar uma volta?

– Acabou o ensaio? – A menina sorriu sozinha ao escutar que sim e concordou: – Tudo bem. Onde nos encontramos?

– Em frente ao seu hotel.

– Que horas?

– Estou aqui embaixo – Davi disse, rindo. – Pode descer.

• • •

– Dorme, Daniel – Caio alertou. – Amanhã é o nosso show.

Os dois estavam deitados na cama entre Sofie e Anna.

– Não consigo.

– Cara, ela não vai voltar agora. Não tem porque, então dorme – Caio sussurrou para mais ninguém ouvir.

Daniel sentou-se na cama, furioso. Passava da meia-noite, e Amanda ainda não tinha voltado. Ela estava com ele, o menino do cabelo engomadinho. Isso não era bom.

– O que pretende fazer?

– Estou confuso, Caio...

– Quanto ao que fazer agora ou...

– Quanto a ter Amanda e Sofie no mesmo quarto, ao mesmo tempo – Daniel falou tão baixo que Caio quase não ouviu.

– Ah – Caio falou, sentando-se ao lado dele com cuidado para não acordar Anna.

– Eu gosto da Sofie, mas não tanto quanto da Amanda – Daniel confessou. – E, poxa, vê-la com outro e saber que é porque a Sofie está aqui não me agrada.

– Deve ser ruim – Caio não sabia o que dizer.

– É isso, eu preciso que a Sofie vá embora – Daniel disse, decidido.

– Mas – Caio se espantou –, tipo, não vai expulsar a garota...

– Não vou.

– Daniel, ela vai ficar magoada...

– Preciso do celular dela.

– Ahn? – Caio viu Daniel levantar da cama. – Mas por quê?

– Eu não vou conseguir isso sozinho – Daniel disse, mexendo na bolsa da menina, que estava em cima da sua mala.

• • •

Amanda e Davi andavam lado a lado de volta ao hotel. Ele parecia feliz e era muito educado, hora nenhuma tentou se aproveitar dela. Amanda descobriu que tinham muito em comum, gostavam dos mesmos filmes e livros, e conversaram bastante sobre música. Ele contou que também era filho único e, apesar de ter nascido em uma cidade pequena no interior do Rio Grande do Norte, morava em São Paulo há mais de dez anos.

Ele não usava a franja do cabelo caída no rosto, como nos outros dias; tinha feito um topete meio de lado, que Amanda adorou. Seu cabelo era mesmo bonito. Ela tomava picolé e sorria ao pensar na aparência de Davi. Às vezes, seu braço esbarrava no dele, fazendo-a sentir-se arrepiada; então, ela olhava envergonhada para os próprios pés. Desde quando voltara a ser criança?

– Adorei a noite – ela disse.

– Adorei conversar com você. Sempre bom conhecer gente nova.

– Verdade.

Amanda colocou os cabelos para trás das orelhas. Sentia o olhar fixo de Davi. Quando é que ficou tão quente aqui?

Ele parou de andar. Alguém tocava violão ali perto. Havia gente em todos os lugares e nos gramados das casas. Ela se virou para o garoto. Nossa, ele tinha olhos tão intensos!

– Eu não quero assustar você nem nada, mas eu...– pediu – posso beijar você?

A menina ficou vermelha e sentiu os joelhos cederem. Como alguém perguntava isso? Era só beijar e pronto. Ela não estava com ele até uma da manhã? Isso só poderia significar que ela queria algo mais do que falar sobre futebol e música, certo?

Amanda não sabia o que fazer. Encarou os sapatos e deixou fluir a primeira reação de quem está envergonhado. Deu de ombros.

Davi sorriu, vendo que tinha abertura para o que queria, e se aproximou, encostando a boca na bochecha dela e, aos poucos, tocando seus lábios.

• • •

Eram sete e meia da manhã quando alguém bateu na porta. Daniel não acreditou no que estava acontecendo. Devia estar sonhando.

Bateram de novo. Amanda abriu os olhos para ver Rafael que nem zumbi andando até a porta do quarto.

– Arrumadeira! – uma moça gritou com um sotaque engraçado, meio espanhol.

– Ahn? – Rafael ficou confuso.

– *Qué ou no*?

– Calma aí! – Rafael voltou para perto dos amigos. Esfregou os olhos e puxou o pé de Caio. – Cara, arrumadeira.

– Ahn? – Caio teve a mesma reação, arregalando os olhos.

– Quer arrumar a joça.

– Que horas são?

– Sete e pouco – Amanda disse, sentando-se onde estava, no chão, e esfregando os olhos.

– Bom, a gente teria de levantar às oito mesmo. Diz pra ela esperar um pouco que estamos saindo – Caio falou ajeitando o cabelo.

– Estamos? – Bruno perguntou rouco. – Sério?

– Ainda bem que você não canta, infeliz – Maya resmungou, ainda deitada no chão.

Aos poucos, todos foram acordando, sobrando somente Fred. Caio e Daniel pularam em cima e fizeram cócegas até o menino se levantar, aos berros.

Em meia hora, estavam todos na porta do hotel, arrumados e com os instrumentos.

– Estou... ahhhhh – Carol bocejou – morrendo de sono.

– Claro, quem não está? – Anna esfregou os olhos. – O que, diabos, faz uma arrumadeira a essa hora?

– A pergunta é: o que, diabos, ela faz? Alguém já limpou aquele quarto alguma vez? – Bruno reclamou.

– Se ela conseguir abrir nossa janela, eu juro que não reclamo – Rafael disse.

– Não tinha aquelas mensagens de porta dizendo "Não perturbe", não? – Fred perguntou.

Caio e Daniel riram.

– Se escrevermos a música, ela pode ser tornar um *hit*! – Rafael disse.

Todos saíram andando para o local do show. O sol já estava quente.

– Sério. Poderíamos até chamar o primeiro CD de O *quarto do terceiro andar*... – continuou. – Ei, por que estão me ignorando?

Rafael saiu correndo percebendo que tinha ficado para trás.

quarenta e oito

O local estava mais lotado que nos outros dias. Era o dia mais esperado do festival, porque o The Click Five tocaria como atração principal. Jovens de todos os tipos, famílias inteiras e até alguns vovôs do rock estavam por lá. Daniel, Caio, Rafael e Bruno tentavam não pensar nisso. Precisavam se concentrar para o show da Scotty, o primeiro para um público tão grande. Eles estavam em uma das tendas atrás do grande palco, onde as bandas ficavam reunidas. Mais ninguém era permitido ali; porém Fred, com a sua lábia envolvente, convenceu um dos funcionários a deixar as meninas entrarem. Eles não poderiam deixar aquelas donzelas indefesas sozinhas na multidão, certo? E Kevin era quase uma donzela também, convenhamos.

– Ai! Ouvir *Catch the wave* ao vivo vai mudar minha vida! – Kevin falou animado.

– Não a minha! – Bruno jogou uma baqueta nele. – E, nesse momento, quem importa somos nós.

– Tadinho! – Amanda chegou perto e fez carinho nos cabelos do amigo.

– Não é pra tanto – Bruno riu.

– Vou vomitar – Caio disse suando e com as bochechas rosadas.

Anna o abraçou, tentando acalmá-lo.

– Calma, gente, não somos os primeiros... – Daniel tentou acalmar os amigos.

O celular de Sofie, que estava sentada no colo dele, vibrou e ela se levantou correndo.

– Ah, não, a Rebeca... – saiu reclamando.

Daniel riu e olhou para Caio, que balançou a cabeça em desaprovação. Ninguém viu isso.

– Essa garota atormenta até quando estamos longe! – Maya pôs a língua para fora.

– Não me atormenta mais – Amanda levantou os braços; ela e Carol riram.

– De quem é o primeiro show? – Rafael sentou-se no colo de Maya, fazendo a menina quase cair para trás.

Pelos alto-falantes, eles ouviram alguém anunciar uma banda de Fortaleza, que começou a tocar um rock indie.

– Isso responde sua pergunta? – Bruno falou, enquanto se ouviam gritos e palmas da plateia.

Ficaram em silêncio ouvindo o som meio abafado da banda. No final da apresentação, Kevin deu o veredito, dizendo que foi "o melhor show até agora".

Mais duas bandas se apresentaram, e os meninos discutiam as possibilidades. Uma delas, a No Shift, tinha um som punk rock bem diferente. Fred gostou bastante, e disse que depois pesquisaria sobre aquela banda. As meninas apenas balançavam a cabeça;

não entendiam muito de música, ou nada, como no caso da Carol. Foi quando Sofie entrou na tenda, afobada.

– Que pressa é essa? – Anna perguntou quando a garota lhe deu um encontrão.

Daniel chegou até perto dela.

– O que houve?

– Queria muito ficar pro seu show, mas... a Rebeca ligou. Minha mãe quer que eu volte imediatamente.

Ela parecia decepcionada. Caio apertou os olhos, e Amanda olhou direto para a menina.

Daniel fez uma expressão de espanto, que não convenceu o amigo.

– Que absurdo...

– Não tanto; sabia que não poderia ficar todos os dias... – contou. – Meus pais são meio chatos com isso.

A ruiva soltou os cabelos, passando a mão entre os fios. Por um segundo, todos os meninos acompanharam os movimentos de Sofie. Amanda ficou com inveja.

– Mas, e agora? Não podemos ir com você e... – Daniel começou a falar.

Sofie deu um beijo em Daniel.

– Nem precisa. Pego um táxi até a rodoviária. Acho que meus pais querem voltar pra França ainda esta semana – ela sorriu, triste. – Foi bom conhecer você, Daniel – e olhou para todos –, vocês são bem legais.

– E você é lindona, filha! – Kevin disse, rindo. – Volte um dia pra nos visitar!

– Pode deixar! – A menina balançou a cabeça e, virando-se para Daniel, desejou: – Boa sorte. – Ela o beijou com intensidade e avisou: – Deixo a chave do quarto na recepção.

– Certo – Daniel balbuciou.

A menina saiu correndo e sumiu na multidão. Todos ficaram um tempo calados.

– Pois é, mãos à obra! – Daniel retomou os preparativos.

Amanda evitou sorrir, mas estava sendo bem-sucedida.

Caio deu um cutucão em Daniel.

– Você não teve nada com isso?

– Vamos ao show, Caio! – Daniel sorriu maroto e enfatizou: – É isso que interessa!

• • •

– Garotos, estão prontos? – uma moça entrou na tenda, perguntando.

Ela usava jeans e camisa branca, com a logomarca do festival, e não parava de falar em um rádio comunicador, segurando uma prancheta com a lista das bandas do dia. As meninas se entreolharam, desejaram boa sorte para os amigos, e foram para o gramado disputar um espaço para assistir à apresentação da Scotty.

Daniel olhou nervoso para Caio.

– Não sei – disse, passando as mãos no cabelo. – Estamos?

– Acho que sim. Um minuto. – Caio puxou seus amigos para o canto e cobrou: – Lembram das letras? Notas?

– Claro, pô! – Bruno bufou.

– Somos profissionais, cara! – Rafael deu um tapa na cabeça de Caio.

– *Tudo sobre você*, *Silence is a scary sound*, do McFly, *Quero te abraçar* e *Perto do lago*? – Daniel perguntou, anotando mentalmente.

– Sem *Ela foi embora*? – Bruno olhou para ele.

– Não sei se é uma boa... – Daniel começou a suar.

– Cara! É uma música linda, tem que ter... – Rafael opinou.

– Eu ainda encaixaria *Perto demais* – Caio falou.

– Eu... não posso cantar *Ela foi embora* – Daniel disse, e saiu da tenda rapidamente. Os amigos se entreolharam.

• • •

Amanda conseguiu um espaço em frente ao palco, no canto direito. Sentou-se na grama, enquanto os instrumentos ainda eram montados e trocados. Anna e Maya se acomodaram ao lado dela, e Carol e Kevin ficaram discutindo e olhando para um grupo de garotos.

– O que acha? – Maya perguntou.

– Do quê?

– Da Sofie...

– Estranho, né? – Anna olhou para as amigas.

– Verdade – Amanda cruzou os braços. – Do nada.

– Levante a mão quem acha que o Daniel teve a pior reação do mundo! – Maya disse, e levantou a mão.

Anna e Amanda logo fizeram o mesmo.

– Pode ter sido a melhor! – Anna cutucou a amiga.

– Nem começa – Amanda balançou a cabeça.

– É, Anna, se toque. Você acha que, com alguém como Davi do lado, ela pensaria no idiota do Daniel?

– Calma, Maya, também não é pra tanto... – Amanda riu.

– Então, qual é? – Maya quis saber. – Porque, pelo que sei, o Daniel ainda espera que vocês fiquem juntos.

– Como você sabe?

– A pergunta certa é quem me disse. – Maya riu e entregou: – Rafael!

– Fofoqueiro! – Anna desatou a rir.

– Ele faz de tudo pra atrair sua atenção, amiga – Amanda disse, rindo da cara impaciente de Maya. – Dá uma chance pro coitado.

– Deixem que eu cuido do doce de coco – Maya ficou corada. – Mas não há dúvida de que o Daniel fica pensando em você nos ensaios e tudo mais; e fica mesmo.

– Hmm, acho que sei disso – Amanda falou como uma garota apaixonada.

– Faça como quiser; já fiz meu papel de fofoqueira aqui. – Maya se levantou e avisou: – Vou comprar água antes do show. Ei, mocinho! Você aí de chapéu com o isopor!

A menina ainda deu mais alguns berros, acenando para um vendedor ambulante, até conseguir ser atendida.

• • •

– Cale a boca, é agora! – Anna resmungou, segurando Kevin.

– Cale a boca? COMO ASSIM? – ele alterou a voz. – Eric Dill está aqui atrás!

– Dane-se! – Maya riu, olhando para trás. – Opa, ele é gatinho!

– Meninas! – Amanda fez com que mirassem o palco.

Ela sentiu uma felicidade estranha invadir seu corpo. Sentia-se sorrindo como idiota ao encarar os quatro amigos, já no palco, aplaudidos por um público imenso. Todos os problemas passados com eles não eram nada perto da alegria e do orgulho que sentia ao ver os quatro unidos como banda. No canto do palco, Fred ria, conversando com um dos caras do We Are Infinite. Daniel foi até o microfone. Uau, ele estava lindo!

– Boa-tarde! Erm... Nunca tocamos para um público tão grande e bonito assim! – disse.

As meninas aplaudiram e gritaram, recebendo uma menção especial.

– Obrigado ao nosso fã-clube particular! – O guitarrista se curvou, agradecendo.

E muitas pessoas riram, quando as garotas gritaram mais ainda. Carol quis se esconder no ombro de Kevin, que começou a berrar coisas obscenas, como "me leva pra sua cama, gatinho".

– Bem, vamos logo, Danny! – Rafael surgiu do lado dele, em outro microfone. – Que o nosso negócio aqui é fazer rock'n'roll! – gritou e ganhou mais aplausos. – Um beijo pro meu doce de coco!

Ele apontou para onde as meninas estavam grudadas, bem perto do palco. Maya sentiu suas bochechas queimarem.

– Erm, não é pra tanto... – Daniel balançou a cabeça. – Caras, no três...

E os acordes de *Quero te abraçar* ecoaram. O *riff* de guitarra no começo da música, tão animado e dançante, empolgou muitas pessoas da plateia, que curtiam e gritavam "Uhul". Emocionada, Amanda sentiu o corpo esquentar e, cheia de orgulho, bateu palmas com o resto do público. Ficou feliz em saber cantar a letra. Ela adorava aquela música.

• • •

Quando as notas de *Ela foi embora* começaram, Amanda olhou assustada para o palco, Daniel parecia surpreso e nervoso ao mesmo tempo. Os outros três, pelo contrário, se mostravam mais felizes, sem se importar com a reação do amigo. Daniel olhou diretamente para Amanda. O público estava adorando o show.

– Tudo bem? – Kevin encostou no ombro dela.

– Eu... – Amanda se virou para ele e disse – vou ao banheiro.

Aquela música era linda, mas trazia lembranças dolorosas. Lembranças que ela lutava para superar. Olhou de novo para Daniel. Ele estava pálido e cantava com os olhos perdidos na multidão. Ela respirou fundo e, quando se virou de costas, deu de cara com Davi. O menino estava tão bonito! Sorriu para ela de uma forma que não tinha feito antes.

– Que música bonita – ele disse.

Amanda voltou a mirar o palco. Daniel não mais a olhava, e a raiva ardia em seus olhos.

– Verdade...

– Amanda... Eu queria dizer que adorei ontem à noite e...

– Não fale nada agora, não é o melhor momento – ela pediu, olhando de novo para o palco.

A letra daquela música invadia a sua cabeça. Seu coração batia acelerado. Aqueles acordes de guitarra, aquelas batidas da bateria, a voz de Daniel... Fechou os olhos. Amanda lembrou-se do baile, do seu mascarado descendo do palco e vindo em sua direção, dos dois correndo pela rua... O toque dele, os dois deitados juntos, e... ela acordando sozinha na manhã seguinte. A dor em seu estômago era gritante agora. Ela se sentiu tonta.

– Tudo bem – Davi disse, ao notar como seu rosto estava pálido. – Você está bem?

– Acho que sim.

Ela tentou sorrir, e o garoto a abraçou por trás.

• • •

De longe, Daniel olhou os dois. Sentiu os olhos se encherem de lágrimas, mas não podia atrapalhar a apresentação da banda. Sua vontade era pular do palco em cima daquele garoto engomadinho metido a roqueiro. Era a sua música! A sua garota! O seu momento! O tal de Davi tinha que parar de roubar as suas coisas!

• • •

– Amanda... – Davi sussurrou em seu ouvido com voz romântica.

A menina fechou os olhos, e a única coisa em que pensou foi em Daniel. Em seus beijos. Nele. Só nele. Não era justo.

– Não posso, Davi... – ela afirmou.

Deu um sorriso para ele, saindo do abraço. O menino mordeu os lábios sem entender.

– Eu simplesmente não posso – acrescentou –, desculpe-me.

– Mas... – Davi tentou insistir.

Amanda sentiu que começaria a chorar a qualquer momento. Virou-se de costas e caminhou entre as pessoas para sair da arena. Davi e Daniel acompanharam-na com o olhar.

• • •

Amanda ouviu o show da Scotty acabar. A risada de Bruno no microfone foi inconfundível. Ela secou as lágrimas. Estava chorando, sentada no gramado perto das bilheterias.

Não entendia por que eles tinham tocado aquela música, tão significativa para ela. E não era justo que Daniel usasse a música assim, do nada, e sem nenhum motivo. Ela tinha perdido o controle dos acontecimentos. Como fora parar ali? Não estava com Daniel. E ele não tinha ficado triste com a ida de Sofie.

A próxima apresentação seria da We Are Infinite. Amanda sentia-se feliz; tinha adorado conhecer os garotos da banda, mas não conseguia ser como Daniel. Não conseguia usar Davi daquela forma. O menino era legal demais e parecia se importar com ela. Por isso, não se aproveitaria da situação.

A menina percebeu a aproximação de alguém, que se sentou na grama ao seu lado.

– Espero que tenha gostado do show – Daniel disse.

Ela riu devagar, soando um pouco mais falsa do que queria.

– Gostei sim, como sempre.

– Eu não queria que eles tocassem aquela música, sabe...

– Eu também não.

Amanda olhou para Daniel. O nariz dela estava vermelho por causa do choro. Os dois se encararam, e a garota viu um brilho nos olhos dele. Daniel colocou os cabelos dela para trás.

– Estar no palco é maravilhoso.

– Imagino – ela falou rindo e sentindo um calor tomar conta de seu corpo de repente; então, elogiou: – Vocês ficam ótimos lá em cima!

Daniel sorriu. Céus, como ele era bonito!

– Agora, aquela de fã-clube foi facada; a Carol vai matar você.

– Ela que se vire com o Bruno. Foi ele quem me pediu pra dizer isso. Duvido que alguma banda tenha fã-clube mais legal que o nosso!

– O The Click Five tem! – Amanda pôs a língua para fora.

– Eles só têm pessoas chatas – Daniel discordou –, que nem o Kevin.

– Que é do seu fã clube!

Os dois riram e ficaram em silêncio. Daniel arrancava pedacinhos de grama, inquieto.

– Por que você não me pareceu triste quando a Sofie foi embora? – Amanda perguntou.

Daniel parou de mexer no matinho e olhou para ela.

– Porque eu não estava.

– Achei que gostava dela.

– Gosto – ele deu de ombros –, mas não tanto quanto gosto de você...

– Que legal você descobrir isso agora...

– Eu sempre soube – ele sussurrou.

Em seguida, apontou para os telões ao lado do palco. A banda We Are Infinite já havia começado seu show.

– E o cara ali? O que você tem com ele?

– Nada – Amanda suspirou. – Bom, a gente ficou ontem e...

– Ahn? – Daniel arregalou os olhos. – Ah, eu sabia, por que estou espantado?

Ele encarou a imagem do garoto no telão; como estavam longe, não conseguiam enxergar coisa alguma no palco.

– Ele parece tão confiante quando fala com você – Daniel disse.

– Verdade...

– Eu me sinto idiota, porque não consigo falar direito com você, não daquele jeito.

– Não tem motivos pra você não conseguir falar comigo, Daniel. Somos amigos e...

– De merda!

– Como é?

– Amigos de merda, isso sim – ele repetiu.

A garota se levantou, enfurecida.

– Você não pode dizer uma coisa dessas depois de tudo! – Gritou.

Daniel se levantou e gritou no mesmo tom:

– De que adianta ser seu amigo? Eu não consigo, ok? Não dá! Tenho ciúmes de você com esse idiota, fico com inveja porque outros caras têm a sua atenção e eu não!

Ela mal podia acreditar no que ouvia.

– Não seja ridículo, Daniel. Foi você quem me trocou por aquela sonsa da Sofie.

– Eu queria aprender a não depender de você, mas não consigo! – Daniel disse, passando as mãos nos cabelos, nervoso.

Amanda balançou a cabeça.

– Você não pode aparecer do nada e me dizer isso... Você está brincando comigo... – ela reclamou e sentiu que começaria a chorar de novo.

– Eu fiz a Sofie ir embora – o garoto confessou. – Não queria que ela estivesse no mesmo lugar que você! Ninguém pode estar...

Daniel sentia que suas palavras iam sufocá-lo. Por que ela não entendia isso?

– Você está maluco, Daniel...

– Não! – ele falou fracamente. – Eu... estou apaixonado por você. Como sempre. Essa é minha fraqueza; sempre dou voltas e caio na mesma armadilha.

– Pensei que a gente estava bem como amigos e...

– NÃO QUERO SER SEU AMIGO! – Ele berrou.

A menina sentiu as lágrimas escorrerem. Não sabia o que dizer. Não foi ele quem sugeriu que fossem amigos?

– Não queira ser minha amiga, por favor...

Ele também chorava. Aquilo foi demais para Amanda. Ele balançou a cabeça e, mantendo sua fama de covarde, saiu correndo.

• • •

O show do We Are Infinite tinha acabado. Daniel estava de pé, apenas observando as pessoas em volta. Uma alegria geral começara a tomar conta de todos. Chegara a hora do show do The Click Five. Daniel pôs a língua para fora, em sinal de desaprovação. Queria que Amanda voltasse.

Por que ele tinha falado tudo aquilo? Sempre estragava as coisas!

Ele se sentou no mesmo lugar de antes, com a cabeça apoiada entre as pernas. O povo gritava as músicas da banda, e ele nem queria saber o que cantavam. Esperar por ela estava cansando. Ela não iria voltar?

Começou a achar que tinha esperado demais. Levantou-se e olhou para o telão. A banda cantava algo engraçado, e Daniel mordeu os lábios ao prestar atenção à letra.

Cause she's bittersweet
(Porque ela é amargamente doce)
She knocks me off of my feet
(Ela me nocauteia)

And I can't help myself
(E eu não posso evitar)
I don't want anyone else
(Eu não quero outra pessoa)
She's a mystery
(Ela é um mistério)
She's too much for me
(Ela é muito para mim)
But I keep coming back for more
(Mas eu continuo voltando para mais)
She's just the girl I'm looking for
(Ela é apenas a garota que eu estou procurando)

Era *Just the girl*; Daniel conhecia aquela música. Decidiu sair dali. Esperaria pelos outros no hotel. Sem esperança de que Amanda voltasse, ele não queria ouvir aquelas músicas. Precisava entender que os dois não tinham nascido para ficar juntos.

Ele se virou de costas e enfiou as mãos nos bolsos. Começou a andar lentamente para fora da arena.

– Daniel!

Ouviu um grito. Seu coração disparou, e ele achou que estava tendo um ataque cardíaco. Virou-se rapidamente. Amanda pulou em cima dele e se agarrou em seu pescoço. Daniel ainda teve tempo de ver os olhos da menina se fechando enquanto ela o beijava com mais paixão do que jamais o fizera.

quarenta e nove

Bruno procurou por Daniel perto dos amigos e em toda parte. Como não o encontrou, resolveu ir até o hotel. Estava preocupado, pois o amigo saíra do palco sem dizer nada, sumindo no meio da multidão.

– Ai, meu pai... – ele disse baixinho quando viu Daniel e Amanda aos beijos, perto da saída da arena.

Olhou para os lados e ninguém parecia reparar no casal. Chegou mais perto, para ter certeza. Eram eles! Alguém precisava saber!

Saiu correndo de volta, atropelando várias pessoas até bater nas costas de Carol sem querer.

– Que foi? – ela perguntou emburrada.

– A Amanda... Daniel, eles...

– Ah, não, ela bateu nele? – Carol perguntou, preocupada, e saiu correndo para o lugar de onde Bruno viera.

Bruno balançou a cabeça para recuperar o fôlego, mas não deu tempo. Correu atrás da garota e não demorou para alcançá-la.

Carol parou com os olhos arregalados e os dois ficaram vendo Daniel e Amanda juntos.

– Eu... não imaginava... – Carol balbuciou.

– Muito menos eu – Bruno disse.

Os dois se entreolharam.

– Bruno... – Carol mordeu o lábio.

O menino prendeu a respiração, esperando que ela falasse alguma coisa. Carol pensava rapidamente. Sentiu que queria falar com ele, mas não sabia como.

– Não é nada, esqueça – ela disse e saiu andando.

Bruno, na hora, pareceu surpreso. Depois, respirou fundo e abaixou a cabeça, sorrindo.

• • •

Daniel parou de beijar Amanda e olhou para a menina. Os dois estavam assustados.

– Eu... – o garoto começou a dizer.

Mas ela balançou a cabeça.

– Você quando fala só estraga as coisas, fique quieto.

Daniel sorriu. Olhou para o lado e viu Bruno parado, encarando o par de tênis.

– Erm... cara? – berrou.

Amanda olhou para Bruno, que parecia assustado.

– Ih, eu... eu atrapalhei? Eu não quis, eu... – o baterista queria se desculpar.

– Bruno! – Amanda gritou e correu, pulando no colo do amigo.

– Sai – o garoto desatou a rir –, você tá gorda!

– Que iiiiisso?! – Maya gritou, aparecendo do nada do lado deles. – O que eu perdi?

– Muita coisa – Daniel riu.

Rafael, Caio, Carol e Anna vieram juntos.

– Amanda e o Daniel voltaram. Pronto, falei! – Carol disse bem rápido.

Os outros ficaram sem reação.

– Ah, grandes coisas – Rafael disse, andando para fora da arena.

– Não é novidade – Maya riu. – Fala sério.

– Como não? Ela tinha o gato do Davi e... – Carol começou a falar, mas calou-se ao ver a cara de Amanda.

Daniel chegou perto de Carol e a agarrou pela cintura, fazendo a menina gritar.

– Quer dizer que ele é mais bonito que eu?

– Me solteeeeeeeeeee!

– Hmm...

– Mandy, fale para esse idiota me soltaaaaar!

– Se vira! – Amanda deu o braço a Bruno, e voltaram juntos para o hotel.

• • •

– *When you're down... and troubled... and you neeeeed a helping haaaaaaaand!*

– Caio, cale a boca! – Kevin reclamou enquanto se abanava.

– Droga, esse lugar está muito quente! – Bruno reclamou, tirando a camiseta.

– Uhhh! – Amanda e Maya começaram a sacanear o menino, que jogou a camiseta suada nelas. – Eca!

– O que vamos fazer? Estamos aqui dentro há horas ouvindo Caio cantando *You've got a friend...* – Daniel disse.

– Perdemos o fim do festival, eu voto em voltar pra casa! – Carol parecia emburrada.

– Mas... onde está o Fred? – Amanda levantou a cabeça do colo de Daniel.

– O Fred não veio com a gente! – ele deu de ombros.

– Ai, céus. A Guiga vai nos matar se voltarmos sem o namorado dela – Rafael afirmou preocupado.

– *Não pedimos esse quarto no terceiro andar...* – Caio começou a cantar – ... *não estou tão cansado assim pra dormir em qualquer lugar...*

Rafael olhou para ele.

– Até que enfim concordaram com a minha ideia!

– *Uma das camas está quebrada, o outro quarto é barulhento...* Hmm... *nosso ar-condicionado está emperrado no calor...*

– Isso ficou bom – Maya disse, animada.

Todos pararam para ouvir, e Caio olhou para Daniel, como se pedisse ajuda.

– Ahn... hum... sei lá... *Lá fora está chovendo, alguns hóspedes estão reclamando sobre o quarto que está com a TV muito alta!*

Todos começaram a rir.

– Acho que momentos assim nos lembram que devemos manter nossos pés no chão – Carol filosofou.

– Isso pode ser uma bela música, por que não pensaram nisso antes? – Anna olhou apaixonada para Caio.

– Ei, mas eu... – Rafael ia interromper.

– Pois é, isso pode ser um *hit* contando a história de como a banda começou – Kevin sorriu.

– Mas foi isso que eu... – Rafael olhou para ele confuso.

– Já sei! Pode ser o nome do CD, pois conta a história e tudo... – Maya olhou para Rafael. – Que foi? Você tá roxo.

– Eu tô puto! – ele gritou.

– Mas tem que falar da arrumadeira... – Kevin bocejou.

– E das cortinas vagabundas – Amanda se levantou, indo até a janela, e puxando as cortinas de lado.

– E esse negócio de ficar com os pés no chão foi fantástico, Carol – Caio disse, deixando a garota envergonhada.

– É... ficar nesse muquifo faz a gente perceber isso – Daniel concordou e, esticando os braços, chamou Amanda.

– Que tal voltarmos pra casa? – ela sugeriu. – A gente só tem duas semanas de férias...

– Depois começa tudo de novo... – Kevin disse, e apoiou a cabeça no ombro de Maya.

– Coitado de você – ela falou em tom solidário –, aturar tudo de novo MESMO!

– E o Fred? Vai pra universidade, cara – Caio fez um muxoxo.

De repente, a porta do quarto se abriu. Com o susto, Rafael gritou que nem uma garotinha, e Maya riu da sua cara..

– Ouvi meu nome! – Fred entrou.

– Onde você tava? – Bruno perguntou.

– Cara, que calor! – Fred fez cara feia. – Tava no festival, oras. E tenho uma surpresa...

– Adoro surpresas! – Anna riu.

– Não pra vocês meninas.

– Diz logo! – Daniel falou, enquanto Amanda se sentava no colo dele.

– Um cara gostou da banda. Se tudo der certo, até o começo do ano letivo vocês podem assinar um contrato.

• • •

– Suba logo no ônibus! – Daniel berrou.

– Larga mão de ser chato – Amanda veio correndo e retrucou, rindo. – O Bruno esqueceu o celular no carro do Kevin

Estavam na rodoviária. Kevin dera uma carona para eles até lá. Amanda tinha trocado de lugar com Caio, para ele voltar ao lado da namorada; assim ela ficaria mais tempo com Daniel. Estava tão feliz agora que estavam juntos.

– Que foi? – Daniel perguntou, reparando no olhar de Amanda. – Estou sujo? Quando como chocolate, você sabe que eu...

– Não, não está.

– Beleza, por que tá me olhando assim então? – Daniel fez cara de desconfiado.
– Nada... – ela sorriu. – Gosto de olhar pra você.
Daniel ficou vermelho e pôs as mãos na cintura dela.
– Algum motivo específico? Não gosta do meu nariz?
– Adoro seu nariz! – ela deu um beijo de leve no nariz dele.
– Meus olhos são grandes?
– Suficientemente bonitos – Amanda disse, fazendo Daniel rir.
– Meus cabelos, então. Bem, não é melhor que o do Davi, mas...
– Esqueça o Davi. Foi idiotice minha. O Davi é bonito e tudo mais, mas ele não é você.
– Hmm...
– Eu não queria que as coisas tivessem chegado a esse ponto.
– Nem eu. Quero dizer, sei que foi por minha causa...
– Foi.
– Desculpe – ele mordeu os lábios.

A menina encarou Daniel, sentindo seu perfume e percebendo quanto sentira sua falta. Segurou o queixo dele e deu um beijo em seus lábios. Antes que Daniel pudesse fazer qualquer coisa, o motorista gritou para todos entrarem logo no ônibus.

– Preparados para uma viagem de volta beeeem animal? – Bruno surgiu e entrou no ônibus, animado.

– Fiquei com medo, Bruno! – Rafael berrou atrás dele.

Os dois subiram as escadas do ônibus e se acomodaram nas poltronas, sentando-se na frente dos amigos. Amanda ficou na janela. Bruno se ajoelhou no banco, virado para trás, conectou seu iPod em uma caixinha de som pequena e ligou o som.

– Lostprophets, senhores! Vamos deixar o Rafa mais assustado!
– Eu e aquelas duas senhorinhas sentadas ali na frente – Rafael apontou.
– *One*! *Two*! *Three*! – Bruno e Daniel gritaram.

A música *Last train home* começou, e eles cantaram juntos. Surpreendentemente, algumas pessoas no ônibus gritaram "uhul" e balançaram a cabeça enquanto o ônibus saia pelas ruas da cidade para pegar a estrada. Estavam todos rindo, menos as duas senhorinhas lá da frente.

cinquenta

Três horas depois, estavam em Alta Granada. Já eram dez da noite, e Kevin passou lá para dar carona a eles.

– Como diria Clarice Lispector, "casa é onde nosso coração está" – Rafael afirmou.

Ele abriu os braços quando desceu do ônibus, respirando fundo, e tossiu por ter inalado fumaça do cano de escapamento dos ônibus no terminal. Bruno riu e deu tapinhas nas costas do amigo.

– Eu ia chamar você pra dormir em casa comigo hoje – Daniel disse, aproximando-se de Amanda, e segurou sua mão –, mas lembrei-me de que, praticamente, fui expulso.

– Quer que eu durma na casa do Bruno? – ela perguntou, sorrindo.

Daniel encarou o sorriso da menina. Sentiu borboletas no estômago.

– Se você quiser...

– Se meus pais deixarem, né? Acho que minha mãe vai reclamar – ela sorriu para ele.

Ouviram uma buzina. Era a Ranger de Kevin estacionada na rua em frente à rodoviária. Os meninos e Amanda foram correndo até lá e subiram na caçamba.

• • •

Amanda largou a mochila em cima da cama e foi ao banheiro lavar o rosto. Decidira ir direto para casa, pois não queria ouvir sermões de sua mãe. Afinal, ela sabia que já havia aproveitado muito bem aquela semana, e seus pais tinham sido legais deixando-a ir ao festival sem reclamações nem nada. Voltou para o quarto penteando os cabelos e riu ao ver seu mural de fotos. Ela precisava imprimir algumas da viagem para colocar ali. Agora, tinha fotos de todos os amigos juntos, sem ser as de turma do colégio. Como tinham mudado. Todas elas. Carol, apesar de ainda ser fresca, era outra pessoa. Maya também tinha mudado, assim como Anna e Guiga.

Ela não sabia como chegara àquele ponto; só sabia que estava adorando cada aventura.

Sentou-se na cama e largou-se para trás. Pensou em Daniel. Sentiu sua pele arrepiar ao lembrar-se dele. Não tinha como evitar, estava mais feliz do que nunca. Pegou o celular do bolso da calça e enviou-lhe uma mensagem.

• • •

So much has changed.

Muita coisa mudou? Daniel segurava o celular sem entender. Ficou pensativo. Por que ela mandara aquilo? Será que queria dizer que... sei lá, não gostava mais dele como antes?

Largou o celular na cama do quarto de hóspedes da casa de Bruno e foi para o banheiro. Não se passaram nem cinco minutos e ele ouviu alguém esmurrando a porta.

– Se não descer logo vai acabar o miojo! – Caio berrou.

Beleza, mal deu tempo de lavar a cabeça.

Desceu as escadas apenas de shorts e pulou correndo para a cozinha.

– Pegue do prato do Rafael, ele roubou mais da panela – Bruno acusou.

Rafael mostrou o dedo do meio ao enfiar uma garfada de macarrão na boca.

– Querem beber algo hoje? – Daniel perguntou.

Caio concordou.

– Faltam só duas semanas pras aulas começarem! Temos de aproveitar. Minha mãe nunca mais vai me deixar sair de casa por causa do vestibular.

– Noite de homens? – Rafael perguntou.

Os outros concordaram.

– Chega de garotas! – Caio riu.

– *Gay*! – Daniel encheu a boca de miojo.

– Mais tarde ligo pro Kevin, então – Fred disse e reconsiderou: – Qual é, a gente não vai excluir o menino porque ele não é totalmente homem...

– Ninguém disse isso – Bruno riu. – Pegue meu carro e vá à casa dele buscá-lo; melhor assim. Desse jeito, não tem como ele ficar de bobeira e querer ir pra casa mais cedo.

– É, até porque só vai ter bêbado pra dirigir! – Caio riu, e todos voltaram a comer.

• • •

Amanda acordou de repente e olhou o relógio. Eram duas da manhã. Tinha caído no sono! Trocou de roupa rapidamente e olhou para o celular. Nenhuma mensagem de volta. O que os meninos estariam fazendo? Não era do feitio deles estar dormindo...

Ligou para o celular do Bruno. Caio atendeu.

– Casa da mãe Joana? Olha, o padeiro não está, deixe seu recado depois do grito do Rafael – Caio riu alto.

Amanda ouviu várias vozes e então um grito. Desligaram o telefone.

Olhou para o celular em suas mãos e achou que algo não estava certo. Ligou de novo.

– Alôôô? – Era a voz de Kevin, mas estava fina. – De quem é esse telefone?

– Meu! – Bruno berrou.– Alô? Mãe?

– Amanda – a menina disse, ouvindo barulho de coisas caindo e mais risadas bêbadas.

– Ah, oi, meu amor – Bruno falou brincando; sua voz estava embargada, e todos os meninos ficaram quietos. – Que houve?

– Hmm... estava curiosa sobre o que estavam fazendo, mas, pelo visto, estão se divertindo!

– Ah, sim, bastante. Até agora só o Daniel vomitou. Fred está dormindo e já vimos cinco filmes pornôs.

– Programão, hein – Amanda disse e ouviu outra voz ao fundo.

– Quem é? – Daniel perguntou.

– Não interessa – Bruno disse, rindo. – Ai, saia daqui... é a Amanda, ok? Sua amada namorada, agora me deixe!

– Não é minha namorada, larga a mão de ser idiota, Bruno – Daniel retrucou.

Amanda sentiu uma pontada no peito.

– Agora não é mais sua namorada? Na hora de comover meio mundo com boiolices, que nem as do Kevin, ela significa alguma coisa! – Bruno berrou.

Pareciam ter se esquecido de Amanda do outro lado.

– Cale a boca, Bruno! – Daniel gritou. – Desligue o telefone!

– Não desligo! Que babaca... depois vai choramingar e...

– Não vou porcaria nenhuma! – Daniel gritou e pulou em cima dele, tentando pegar o celular. – Eu não vou e não quero, é tudo passado, esqueceu?

Amanda sentiu o estômago doer. Passado? Os dois não tinham voltado a ficar no dia anterior? Ele não disse que era apaixonado por ela? Ouviu os meninos gritando algo e desligou o telefone. Não precisava ficar ouvindo aquilo.

• • •

– Ah, que ótimo, agora ela desligou! – Bruno afirmou irritado.

– Quem mandou ficar gritando? – Caio falou.

– Daniel! – Bruno berrou apontando.

– Eu? Eu não fiz nada… merda…

– Acho que ela ouviu você, babaca – Kevin falou balançando a cabeça. – Passado? O que você quis dizer com isso?

– Que não vou mais choramingar por ela, porque eu quero fazer as coisas certas – Daniel falou, como se fosse óbvio, e bebeu mais um gole de cerveja.

– Ótimo, agora se vire, porque ela desligou o telefone – Bruno disse, jogando-se na cama.

– Amanhã falo com ela, acho que minha boca tá formigando.

– Vá vomitar no banheiro! – Rafael gritou.

cinquenta e um

Havia dois dias que eles não se viam. Carol estava de castigo por ter ficado no festival um dia a mais do que dissera aos seus pais. Maya estava cansada e, pelo que sua mãe tinha dito, passaria o dia dormindo. Kevin tinha reservado os dias para o namorado. Guiga grudou-se em Fred, e os dois também não eram vistos.

Amanda rolou para o lado na cama, discando o número de Anna.

– Tô de saco cheio, quer sair?

– Hmm – Anna pensou –, não sei, estou exausta...

– Eu cansei de ficar deitada na cama!

– Por que não liga pro Bruno ou pro Daniel?

– Devo ligar...

– Você e Daniel voltaram mesmo?

– Nada decidido – Amanda mordeu o lábio. – Sabe, ele ainda é um panaca.

– Sei! – Anna riu do outro lado. – Oba, minha mãe está chamando pro almoço! Ligo pra você de noite?

– Ok, tudo bem...

Amanda foi até a janela. Havia muita gente na rua. As pessoas estavam curtindo a última semana de férias da forma como podiam.

Ela só pensava que estava perdendo tempo em casa, dormindo.

•••

– Não quero criar música com nome de mulher – Rafael disse, e cruzou os braços.

– Eu gosto de Joana – Bruno opinou.

– Quem sabe, um dia! – Caio continuou afinando o violão.

– Essa música é só pro final do ano letivo, a gente pode pensar nela depois – Daniel riu.

– Não podemos! Cara, o tempo passa! Daqui a uma semana, estaremos de volta ao inferno do colegial! Pensou nisso? – Rafael disse, um tanto dramático.

– Bom, já – Daniel balançou a cabeça –, e não dou a mínima.

– Porque é um idiota.

– Olha só quem fala.

– Crianças! – Bruno riu. – Falaram com alguma das meninas ontem?

– Nop, nenhuma – Rafael balançou a cabeça.

– Anna me ligou e só – Caio contou olhando para Bruno, e os dois encararam Daniel.

– Nem sinal, não olhem pra mim.

– A gente vai ligar pra elas? – Bruno arqueou a sobrancelha.

– Beleza, cada um liga pra uma – Caio disse, pegando o celular.

– Eu ligo pra Maya! – Bruno disse, rapidamente.

– Ah, cara, que merda... – Rafael resmungou, procurando o número de Carol no próprio celular.

Daniel se virou de lado e enviou uma mensagem de texto.

• • •

Amanda tomou um susto com o celular vibrando em cima da escrivaninha. Correu para ver.

Quer escrever uma música comigo?

Ela mordeu o lábio. Ele merecia ou não?

• • •

Daniel esperou uma resposta, vendo Rafael dar risadas de alguma coisa que Carol falava.

– De castigo? Ah, que idiota...

Olhou para o celular de novo, e nada de mensagem da Amanda. Caio desligou o telefone.

Daniel sentiu a mão vibrando.

Nope.

Ele arregalou os olhos. Não previa aquela resposta!

Sentiu as mãos tremerem. E se estivesse fazendo tudo errado de novo? Como ele faria tudo certo?

Hum. Pq?

Era tudo ou nada, dependendo do que ela dissesse, ele iria até a casa dela.

• • •

Amanda olhou o celular de novo. Franziu a testa, pensando em algo para dizer. Não veio nada em mente. Bem ou mal, ela queria encontrar Daniel. Só não queria que ele soubesse disso. Não depois de ter escutado o que ele havia dito sobre ela ser passado. Decidiu por fim não responder nada. Desligou o celular e se enfiou debaixo das cobertas.

• • •

Daniel fitou o celular por mais alguns minutos. Todos já haviam desligado seus telefones.

– Erm... Maya estava dormindo, mas a mãe dela é bem simpática – Bruno informou.

– Ew! – Rafael disse, alto. – Carol está de castigo.

– Por quê? – Bruno pareceu interessado.

– Ligue e pergunte! – Rafael pôs a língua para fora.

– Anna não sabe se pode sair hoje. O que acham? Daniel? – Caio olhou para ele.

Daniel estava meio de costas para os amigos.

– Ela... não responde! Ela não me responde mais.

– Ahn? – Bruno franziu a testa.

– Você é um idiota mesmo! – Caio encarou Daniel. – O que você disse?

– Nada... nada demais, juro! Chamei ela pra fazer música, não achei que isso...

– Ela agora acha que você é coisa do passaaaaaado, sabe? – Rafael piscou.

– Acha? – Daniel mordeu os lábios.

– Não, cabeção! Você, no dia em que chegamos, deu uma de Bruno e foi, pra variar, um canalha – Rafael falou rindo.

Bruno mandou o dedo para ele.

– Ah... ah... – Daniel olhou para os lados – mas eu estava bêbado...

– Ela não sabe disso – Caio zombou da cara do amigo.

– O que eu faço? – Daniel parecia confuso.

– Vá à casa dela. Suba na janela, faça uma serenata... – Bruno falou.

Daniel riu, mas ficou pensando na ideia. Ele tinha de fazer algo.

• • •

Amanda se levantou; já era noite. Foi ao banheiro, tomou banho e trocou de roupa, fazendo tudo que podia da forma mais lenta possível. Acabou colocando uma camisola fora de uso há algum tempo. Havia muitas roupas das quais ela havia se esquecido depois que começara a sair com os marotos. Tinha mudado muito. Sentou-se diante do espelho e ficou penteando os cabelos até ouvir um barulho do lado de fora, perto da janela. Era barulho de corda de violão.

Ficou estática, sem saber o que fazer. Uma música lenta e melódica começou a soar lá de fora, como uma serenata que lembrava dias de calor. Lembrava a praia, lembrava romance e nomes escritos na areia. Seu corpo todo parecia petrificado, e seu coração batia com força, fazendo seus dedos latejarem. A voz de Daniel ecoou. A música, bonita e simples, falava de amor e saudade. Não cantava baixo; era para Amanda ouvir. Ela e toda a vizinhança, claro.

Amanda se levantou devagar, tomando cuidado para não fazer barulho. Não queria que ele parasse, queria saber como estava seu coração. Tinha certeza de que músicos se expressavam melhor cantando. Era dessa forma com ele. Aproximou-se da cortina e, sem querer, esbarrou na janela. Xingou-se mentalmente, mas Daniel já havia parado de tocar. A menina saiu dali, indo até o *closet*, e fechou os olhos, desejando que ele não fosse embora, que recomeçasse a serenata. Estava gostando! Tinha que ser idiota e desastrada.

De repente, ouviu um barulho, e as mãos de Daniel surgiram no parapeito de sua janela. A menina deu um gritinho.

– O que tá fazendo? – perguntou alto.

Ainda bem que os pais de Amanda tinham saído para jantar fora.

Daniel ergueu a cabeça, com uma expressão de dificuldade.

– Subindo... na... janela, o que... parece?

– Daniel!

O menino impulsionou o corpo para cima e se jogou para dentro do quarto, caindo destrambelhado no chão.

Amanda não conseguiu ficar séria e deu risada.

– Você riu! Você riu...

– E daí?

Ela o ajudou a se levantar. Estava vestindo camiseta social escura e calça jeans, bem arrumado.

– E daí que era o que eu queria... – ele piscou.

Os dois se olharam, e a garota ficou vermelha. Amanda sentiu o coração disparar. Era assim toda vez, não tinha como. Afastou-se um pouco. Daniel se levantou sem tirar os olhos dela.

– Você está linda – ele disse, reparando na camisola.

– E você está bem arrumado... O que houve?

– Não se faz serenata desarrumado!

– Ah, certo – Amanda riu. – E qual motivo da serenata?

– Bom, você não quis fazer música comigo. Então, eu fiz essa pra você. Tive de vir até aqui para mostrar...

– Ah, legal, e agora que mostrou pode ir embora, certo? – ela disse enquanto andava até a porta do seu quarto.

– O que houve? Não me ignore assim... – pediu, segurando-a pelo braço.

Amanda parou e respirou fundo.

– Daniel, acho que não estamos prontos.

– Prontos? Até parece que a gente vai casar e...

– Não quero sofrer toda vez que escuto você falando besteira, Daniel. Isso não me faz bem.

– Eu... eu... – Daniel gaguejou, ainda segurando o braço dela. – Eu não queria, eu não quero... não é o que quero!

– Eu sei que não, na maioria das vezes... – ela respirou fundo; pensou que ia chorar. – Vamos fazer o seguinte, a gente não tem que ficar junto, a gente...

– Eu tenho, sim! Tenho que ficar junto de você!

– Não seja dramático – ela disse sem olhar no rosto dele.

– Você me ama, você gosta de mim que eu sei!

– Até aí é fácil, Daniel.

Então, Amanda olhou para ele. Daniel viu lágrimas nos olhos dela. Puxou a menina pelo braço e a abraçou, da forma como queria fazer desde que decidiu ir até lá, acolhendo-a. Sabia que era o culpado por deixá-la triste. Era ele, e só ele, quem a fazia feliz e triste ao mesmo tempo. Não era justo. Ficou abraçado a Amanda, acariciando os cabelos dela. Sentia seu perfume, seu toque... Era tudo o que ele queria.

– Olha – ele finalmente começou a dizer algo.

Amanda secou as lágrimas e o encarou.

– Vou passar a noite aqui com você apenas pra protegê-la de mim mesmo, ok?

Amanda arregalou os olhos, surpresa.

– Não vou te fazer mal, não hoje... por favor.

A menina balançou a cabeça, concordando, e andou até a sua cama. Então, Daniel tirou os tênis. Pegou o celular do bolso, antes de tirar a camisa, e enviou uma mensagem. Depois, apenas de calça, puxou a coberta e se deitou ao lado de Amanda. A menina se aconchegou nos braços dele. Em questão de minutos, estavam dormindo.

• • •

Missão dada é missão cumprida, capitão.

Bruno leu a mensagem.

– Sinal de que podemos ir, está tudo bem – ele sussurrou.

Rafael pegou o violão de Daniel e colocou no *case*.

– Vamos, estou com fome – Caio disse.

– Pizza Hut? – Bruno olhou para os dois.

– Só se for agora! – Rafael respondeu.

Os três evitaram rir para não fazer barulho e chamar atenção. Correram pelo gramado até a rua e entraram no carro de Bruno, deixando Daniel na casa de Amanda.

cinquenta e dois

– E como ficou resolvido? – Anna perguntou tomando sorvete.
Kevin se sentou ao lado dela.

– Resolvido o quê?

– Amanda e Daniel – Maya disse, entediada, colocando a língua para fora. – Gente, vocês me cansam.

– Desculpe! – Amanda riu e terminou de tomar seu sorvete. – O combinado é deixar rolar e não se ater a relacionamento. É nosso último ano na escola, a gente tem de se divertir...

– Até ele? – Carol perguntou.

– Pois é – Kevin riu –, aposto que, se ele for se divertir com a Rebeca, você não vai gostar...

Os amigos riram. Amanda franziu a testa.

– Ele entendeu beeeem minha explicação de não se ater a relacionamentos! Isso também significa sem Rebeca, Davi ou qualquer pessoa que cause ciúmes e tudo mais.

– Espertinhos! – Maya cutucou Amanda, que riu.

– Estou ansiosa pro terceiro ano! – Anna sorriu.

– Mas por quê? Não tem nada demais, fora álgebra e química orgânica... – Kevin resmungou.

– Não nesse caso, bocó – Anna discordou. – Tô falando em ir pra universidade!

– Hmm – Amanda torceu os lábios.

– A primeira coisa que vou fazer é sair dessa cidade dos infernos! – Carol anunciou. – E nem tentem me dar lição de moral, porque cansei daqui! Cansei dos caras daqui...

– E da gente, mocreia? – Kevin perguntou.

– Bom, amigos são pra sempre – Carol riu. – Vocês não vão deixar de serem meus amigos se eu me mudar.

– Veremos! – Anna disse.

• • •

No fim do dia, eles se encontraram na porta da casa de Bruno. Todos vestiam casacos, porque a noite estava ficando mais fria. Bruno acendeu um cigarro e se sentou no meio-fio.

– Apague isso, pelo amor de Deus! – Maya pediu e se aproximou, acompanhada por Carol e Amanda.

Rafael e Daniel estavam encostados na mureta da casa do amigo, contando piadas.

– Até que enfim chegaram – Daniel disse.

– Achei que não vinham – Rafael chutou uma pedrinha.

– Como se a gente tivesse algo mais interessante pra fazer – Maya riu.

– Tá me chamando de desinteressante, doce de coco?

– Não – ela disse.

Bruno jogou o cigarro para o lado e pisou na guimba.

– Querem entrar ou ficar aqui?

– Aqui está frio – Amanda disse.

Bruno concordou e abriu a porta de casa.

– E a Anna e o Caio? – Amanda perguntou.

– Saíram juntos.

– Os dois estão num fogo só – Carol contou.

– Carol! Deixe eles terem vida! – Maya disse, rindo.

– É melhor alguém ter... – Bruno falou, fechando a porta atrás de si.

Todos estavam na sala, tirando os casacos. Carol ficou olhando para os pés.

– Bruno, querido, há quantos anos você não arruma sua casa? – Amanda assoprou o móvel do telefone.

– Uns três... Desde que meus pais saíram daqui!

– Mentira! Eu fui obrigado a lavar a cozinha algumas vezes! – Daniel disse, segurando o ombro de Amanda.

– Então, vamos ver algum filme? – Maya perguntou.

– Ah! – Rafael riu. – Bruno adquiriu um clássico dos clássicos! Precisamos ver isso...

– *A Bela e a Fera*? – Amanda perguntou.

– *Grease*! – Daniel disse.

Todos começaram a rir, falando ao mesmo tempo como Bruno adorava filmes de mulherzinha. O menino ficou vermelho.

– O quê? Eu gosto do filme...

– Por mim... Sempre é bom ver John Travolta em calças justas! – Carol disse, correndo para o sofá.

Amanda e Maya foram atrás.

– Quem faz pipoca? – Rafael perguntou.

Todos se entreolharam irônicos, e Rafael pôs a língua para fora indo para a cozinha.

• • •

– Psiu!

Amanda ouviu. Não deu bola. Quem estava enchendo o saco enquanto Travolta dançava o *Greased lightning*?

– Psiuuuu!

Ela sentiu uma pipoca bater em seu ombro. Olhou para cima do sofá, vendo Daniel vermelho de tanto rir.

– Shhhhh Daniel!

– Vem cá...

Ele se levantou devagar, aproveitando que Maya e Carol cantavam a música alegremente, enquanto Rafael e Bruno tentavam imitar os atores dançando. Amanda se levantou e seguiu Daniel. Ele subiu a escada escura da casa de Bruno até o andar de cima e entrou na primeira porta à direita. Amanda o seguiu, ouvindo as risadas dos amigos.

– Daniel, seu quarto está limpo! – ela disse, acendendo a luz.

– Bom, é a única coisa que tenho, né? – ele falou e se sentou na cama.

Ela fechou a porta e foi até perto dele, reparando na roupa de cama lavada e nas fotos em um pequeno mural. Viu o pequeno papel com a letra de *Quero te abraçar*.

– Bons tempos.

– Nem tão bons assim – ele piscou e estendeu a mão, fazendo com que ela sentasse na cama à sua frente.

– Então, quer dizer que você se mudou de vez?

– Uhum. Meu pai não tá falando comigo, e eu vou ter que conseguir um emprego ou algo assim, mas minha mãe tá mais calma. Acho que a velha, ehrr, a minha avó, a convenceu de que vai ficar de olho em mim. Milagres acontecem! – Daniel sorriu, dando de ombros.

Ela sorriu em resposta. Teria seu Daniel perto de si.

– Daniel?

– Hmm?

– O que quer comigo aqui em cima?

Daniel tirou os tênis e cruzou as pernas em cima da cama de casal do quarto de hóspedes, que agora era o seu quarto. Amanda fez o mesmo.

– Erm, conversar.

– Sobre algo específico? A gente pode conversar lá embaixo e...

– Sabe que... um dia nós vamos nos casar, não sabe? – Daniel perguntou.

Amanda arrumava os cabelos, sentada na cama.

– Ah é? Não sabia disso...

– Claro que sabia, não minta. A gente vai ter vários filhos.

– Dois.

– Vários.

– Três?

– Vinte...

– Daniel! – Amanda riu alto. – A gente pode casar sem ter que fazer filhos!

– Não podemos não. A lei é ter filhos.

– Que lei?

– Erm, a minha.

– Ah, certo, Daniel...

Amanda reparou que ele mexia nos cabelos, enrolando-os com os dedos. Ele sempre fazia isso quando ficava nervoso.

– O que houve? – ela perguntou.

– Quer fazer filhos comigo?

– Ahn? – Amanda se assustou com a "proposta", sentindo as bochechas ficarem vermelhas e se sentindo idiota por isso. – Tipo, agora?

– Nesse momento.

– Erm, Daniel...

Desistiu de se importar com as bochechas. O que ele tinha na cabeça? Por que seu coração estava batendo tão forte?

– Ah, ok, estou brincando. Eu só... sinto sua falta.

– Não sente não!

– Sinto! – ele disse, olhando para ela.

Os dois ficaram em silêncio. Uma atmosfera quente tomou conta do quarto. Amanda mordeu os lábios.

– Sente?

– Muito! – Daniel respirou fundo, estava um pouco pálido. – Eu fico mal, pensando que não tenho você quando eu quero, sabe?

– Hmm... – ela abaixou a cabeça.

– Eu seria expulso mil vezes da escola só pra poder ficar com você como naquela noite...

– Daniel...

Ela fitou os olhos dele, meio sem saber o que dizer, e se levantou devagar antes que fizesse alguma burrada.

– Não vá embora... – ele pediu baixinho.

A menina parou. Daniel se levantou e foi para perto dela. Passou a mão em seus cabelos e em seu queixo.

– Eu quero você.

– Daniel... – ela só conseguiu sussurrar.

Sentiu o hálito quente do menino em seu queixo. O cheiro do perfume dele invadiu sua mente.

O garoto a empurrou delicadamente para trás, fazendo Amanda encostar no guarda-roupa. Os dois ficaram se olhando e sentindo a tensão no ar, sem fazer nada. Ele pôs suas duas mãos no rosto dela, fazendo a menina fechar os olhos. Seu coração estava a mil. Era o que ele mais esperava em tempos.

Encostou os lábios nos dela e puxou o rosto da menina para mais perto, intensificando o beijo e fazendo com que ela gemesse alto. Ela segurou em sua nuca, apertando seus cabelos. Daniel desceu uma das mãos para o cós da calça jeans dela e gentilmente a virou para a cama. Amanda, sem interromper o beijo, pulou no colo de Daniel, colocando as pernas em volta da sua cintura. Ele a apertou contra seu corpo. Os dois sentiam algo inexplicável, que somente amantes conseguem sentir. Algo que fervilhava e doía em cada um deles. Daniel ficou meio tonto com ela em seus braços. Então, deitou-a na cama, jogando-se por cima logo depois.

Desesperadamente, ele tirou sua camiseta, enquanto ela fazia o mesmo. Daniel puxou a calça dela, respirando fundo, enquanto Amanda se jogava mais para trás da cama, para que ele pudesse caber lá também. Daniel encarou a garota apenas de calcinha e sorriu malicioso. Ela pôs a língua para fora e desabotoou a calça dele.

Era isso, era de verdade.

Com Daniel apenas de cueca, os dois se deitaram na cama, ainda se beijando. As mãos de Daniel corriam pelo corpo da menina, apertando-a contra o próprio corpo e fazendo-a gemer. Daniel gostava disso. Virou com ela para baixo e olhou para seu rosto.

– Eu te amo, assim, mil vezes mais do que você pensa – sussurrou.

Amanda sentiu calafrios na barriga e sorriu. Não estava nervosa como imaginou que estaria. Agora, ela sabia o que estava acontecendo. Não importava se ele fosse embora no dia seguinte, de novo. Ela sabia o que queria naquele momento. E ela queria Daniel.

– Veremos se é tanto assim... – ela piscou.

Daniel levantou a sobrancelha, agarrando as pernas de Amanda em volta da sua cintura.

Aos poucos, foi movimentando seu corpo, fazendo com que ele mesmo respondesse aos seus instintos. Amanda jogou a cabeça para trás, enquanto Daniel beijava seu pescoço. O menino esticou a mão e abriu a gaveta do criado-mudo ao lado da cama, pegando um envelope prateado com o preservativo. Amanda o encarou, e ficaram em silêncio por alguns segundos. A garota balançou a cabeça de leve, concordando, e Daniel desceu a mão pela barriga dela, tirando a sua calcinha. Em seguida, a menina apertou ainda mais as pernas em volta dele. Ele tirou a cueca e olhou para ela novamente, respirando rápido.

– Três filhos de uma vez, aposta?

Ela deu uma risada, puxando o menino pelos cabelos.

cinquenta e três

– Não suba! Não sabe respeitar privacidade? – Bruno disse.

Carol parou perto da escada.

– O que eu sei é que já passa de meia-noite, e temos de ir embora! – ela respondeu furiosa.

– Temos? – Bruno riu. – Acho que Maya não quer ir pra nenhum lugar, não... – ele falou, apontando para a porta do banheiro.

Os dois ouviram barulhos e berros.

– ...deixe de ser palerma...

– ... vire pra cá...

– Cuidado com a pia!

Então, as vozes se calaram. Carol cobriu o rosto com as mãos.

– Vou embora sozinha. Eu não tô a fim de levar bronca por causa delas.

Ela saiu andando até a porta e Bruno a segurou pelo braço.

– Veja bem, ou eu te levo em casa ou você dorme aqui. Não vai sair assim tão tarde sozinha – ele falou e franziu a testa.

Carol olhou para o seu braço e para a mão dele. Recuou um passo.

– Eu fico, obrigada – falou nervosa.

Ela andou rápido para a cozinha. Bruno ouviu mais um estrondo vindo do banheiro, e a risada histérica de Maya. Balançou a cabeça e se sentou no sofá, ligando a TV.

• • •

– Um elefante incomoda muita gente. Dois elefantes incomodam muito mais!

– Não! Você tem que dizer: incomodam, incomodam muito mais – Maya corrigiu.

Daniel arqueou a sobrancelha.

– Por quê?

– Porque são dois elefantes, oras – respondeu como se fosse óbvio.

Rafael olhou para Daniel, enquanto Amanda ria.

– E daí?

– E daí que fizeram a música assim, cabeção! Não discuta! – Maya quase gritou, fazendo todos desatarem a rir.

Estavam sentados ao redor da pequena mesa da cozinha. Carol e Bruno preparavam alguma gororoba para comerem. Ainda eram dez da manhã, e eles não acharam nada melhor para fazer.

– Vamos ensaiar – Rafael disse.

– Ah, cale a boca... – Bruno virou alguns ovos na frigideira. – A gente tem muito tempo; além do mais, nem é nada importante!

– Grana, Bruno! Grana! – Rafael exclamou, chocado.

– Ficou mercenário agora? – Bruno bufou.

Daniel sacudiu a cabeça.

– Eu tô precisando. Meu pai já disse que não terei mesada se deixar de morar com eles.

– A gente vai ganhar pra tocar hoje lá no Bode! Quer algo melhor? – Rafael estava sorridente.

– Ovos quentinhos e tostadinhos saindo! – Bruno falou.

Todos pararam para olhar para ele.

– Ew! – Daniel fez cara feia.

– Não reclame. Obrigada, B – Amanda disse, aceitando o ovo mexido meio queimado.

– Meu amigo, o que te distraiu tanto? – Rafael pegou um pedaço preto do ovo.

Bruno se fez de desentendido.

– Trouxe o suco! – Carol chegou perto.

Maya cutucou Rafael, e os dois riram. Amanda olhou para Daniel.

– O seu está bem queimado.

– Quer trocar? – ele perguntou, mostrando o prato.

– Não! – ela riu e enfiou o ovo na boca na hora em que Daniel tentou pegá-lo.

Em alguns minutos, aquilo se transformou em uma guerra de comida.

• • •

Amanda rolava na cama tentando dormir. Era domingo à noite, e as aulas começariam no dia seguinte. Como as férias passaram tão rápido? Ela não entendia o conceito de começar as aulas no final de janeiro, se ainda tinha o carnaval por vir. Mas, como sua mãe não se cansava de repetir, este ano não seria moleza! O tão temido ano do vestibular.

Fechava os olhos e só via Daniel. Daniel. E mais Daniel. As mãos do garoto em seu corpo, o carinho que ele fazia. Sempre tão preocupado e meigo. Nem um pouco parecido com Nick. Ela suspirou. Graças ao santo da bebida, nada aconteceu naquela noite. Ela se arrependeria amargamente se tivesse se entregado para um garoto do qual não gostava, e por raiva ainda. O mais engraçado é que Daniel não sabia da verdade. Ele ainda achava que ela tinha passado a noite com o outro menino. Mas ela era só dele. E era só dele que ela queria ser.

Ouviu uma buzina, e seu coração disparou. Daniel? Foi até a janela de camisola e se apoiou no parapeito. Era o carro de Kevin estacionado embaixo de uma árvore perto de sua casa. Respirou fundo. Teria de parar de achar que Daniel estaria em todos os lugares.

Seus pais já estavam dormindo, e ela ficou com medo de ouvir o amigo buzinar de novo. Seu pai teria um ataque se encontrasse um menino àquela hora em sua casa. Viu Kevin abaixar o vidro do carro.

– Chispe! – ela tentou não falar alto, abanando a mão. Para seu espanto, viu Guiga sair do carro e perguntou: – O que faz aqui?

– Vem também! Último dia de férias, amiga! Desça!

– Não posso! Minha mãe vai escutar a porta e vai me barrar...

– Pra isso, serve a janela, dona Amanda – Daniel disse, saindo do carro.

Ele estava com um casaco da Hard Rock Café e de samba-canção. Ela achou estranho, e reparou que Guiga se cobria com um roupão. Pelo visto, todos no carro tinham fugido de casa de pijamas!

Amanda pegou um casaco vermelho, apressadamente, e vestiu-o. Apoiou-se no parapeito da janela e tentou descer pelo pequeno telhado que cobria o *hall* da sua casa, mas escorregou uma vez e teve de se conter para não gritar. Pendurou-se na calha e se jogou, estatelando-se no jardim. Como os agentes secretos fazem isso parecer tão fácil? Guiga e Daniel correram para perto dela.

– Tô bem! Não se preocupem! – ela se levantou limpando a roupa. Viu que o carro de Kevin estava abarrotado de gente e riu. – Aonde vamos?

– Praia – Daniel disse, pegando sua mão e puxando-a para o banco do carona.

– Mas...

– Sente no meu colo e no do Daniel. Não cabe mais ninguém lá atrás! – Guiga riu, dando espaço para Daniel dividir o assento.

Amanda franziu a testa e pulou no colo deles, fechando a porta.

– Vamos? – Kevin perguntou.

– Rápido, caramba! Tô amarrotado! – Caio berrou lá de trás.

– Fui a última?

– Não, ainda falta o Fred! – Guiga disse.

Kevin arrancou com o carro, fazendo todos no banco de trás xingarem.

• • •

You wake up late for school.
(Você acorda atrasado para a escola.)
Man you don`t wanna go!
(Cara, você não quer ir!)

Rafael cantava aos berros. Maya e Anna começaram a bater palmas, acompanhando o ritmo. Estavam sentados em roda na areia da praia. Atrás deles, havia um posto salva-vidas abandonado. Amanda sorriu ao se lembrar de uma certa noite naquele mesmo lugar...

You ask your mom, Please? But she still says, No!
(Você pede para sua mãe, Por Favor? Mas ela ainda diz não!)

– Nãaaaaaao, chega de músicas chatas! – Carol disse alto.

– É Beastie Boys, doida! – Caio tampou a boca de Carol, que fez cara feia.

You missed two classes and no homework
(Você perdeu duas aulas e não fez a lição)
But your teacher preaches class like you`re some kind of jerk

(Mas seu professor dá aula como se você fosse algum tipo de imbecil)

Rafael estava tão animado, que balançava os braços, esquecendo-se de tocar o violão.

– Agora, hein – Daniel gritou, levantando uma lata de cerveja.

Kevin e Bruno fizeram o mesmo e berraram a toda altura.

You gotta fight for your right to paaaaaaartyyyyyyy!
(Você tem que lutar pelo seu direito de festejar!)

As meninas riam descontroladamente. Guiga filmava tudo com o celular; aquilo iria para o Youtube com certeza. Fred puxou o violão de Rafael.

– Tem que cantar direito, cara.

– Vai lá, mestre – Rafael riu, pegando a cerveja de Maya.

You pop caught you smoking and he said, no way!
(Seu pai te pegou fumando e ele disse, de jeito nenhum!)
That hypocrite smokes two packs a day!
(Aquele hipócrita fuma dois maços por dia)

Fred tocava violão, animado. Bruno estava sem graça, porque os amigos começaram a mexer nos seus cabelos e dar tapas em suas costas.

– Só as meninas agora! – Kevin falou.

Amanda se levantou meio tonta. Maya e Carol fizeram o mesmo, morrendo de rir. Elas tinham tomado goles de vodca, tentando se esquentar por causa do vento frio, e agora estavam sob efeito da bebida. Guiga e Anna ficaram sentadas, com as bochechas muito vermelhas, e Rafael empurrava Kevin para se levantar também.

You gotta fight for your right to paaaaaaaaaartyyyyyyy!
(Você tem que lutar pelo seu direito de festejar!)

Elas começaram a cantar e a pular, fazendo alguma dança esquisita. Fred começou a rir tanto que se esqueceu do resto da música. Guiga pulou em cima dele, beijando seu rosto e rolando com o menino pela areia.

– Eca, longe daqui! – Bruno resmungou, virando-se de costas para os dois.

Amanda olhou para Maya, e as duas andaram até Bruno, fazendo chame.

– Ih... Que foi? – ele perguntou.

Carol olhou para elas e parecia chocada.

– Gatinho, se importa de me dar sua cerveja? – Maya fez uma voz sensual.

Rafael desatou a rir mais do que podia. Kevin achou que ele fosse explodir.

– Mi...mi...minha cerva? – Bruno gaguejou e olhou estranho para Maya.

Amanda passou a mão nos cabelos dele.

– Eu quero outra coisa...

– Ai, Jesus! – Caio disse, fechando os olhos.

Daniel tampou os olhos de Anna, que começou a gritar.

– E então... – Maya quase sentou no colo de Bruno.

Carol fez um barulho.

– Que pouca vergonha; se soubesse que tínhamos vindo pra isso eu teria ficado em casa!

Carol se levantou e saiu andando para perto do carro de Kevin. Amanda puxou Maya correndo, com ar de vencedora. Bruno não entendeu nada quando Rafael abraçou Maya por trás e Daniel fez o mesmo com Amanda.

– Vai lá, seu idiota. – Daniel deu um chute em Bruno.

Ele se levantou meio tonto e correu destrambelhado para onde Carol estava.

– Não me deixem de vela! – Kevin reclamou, recebendo um estalinho de Anna.

– Não vamos...

– Nem teria como, a doce de coco não me quer hoje! – Rafael pôs a língua para fora.

Maya balançou a cabeça.

– Se contente com o que tem, moleque.

Rafael, ainda abraçado a ela, se jogou na areia e rolou por cima dela.

– Ai, saia de cima! Tem areia no meu cabelo! – Maya berrou enquanto batia nele.

– Se o Bruno voltar sem a Carol, juro que mato ele! – Daniel disse, sentando-se na areia.

Amanda se sentou entre as pernas dele. Guiga e Fred vieram para perto, ainda vermelhos do amasso.

– Eu ajudo – Caio falou.

– Eu também – disse Rafael.

Ele agora estava sentado na barriga de Maya, que esperneava e fazia ameaças assustadoras.

– Estamos de acordo que é agora ou nunca? – Amanda perguntou.

Todos concordaram, falando ao mesmo tempo sobre planos que nunca tinham dado certo antes.

cinquenta e quatro

Bruno chegava cada vez mais perto da garota, encostada na parte de trás do carro. Cansado da corrida, ele sentia o suor descer pela testa, mas não fazia ideia de qual era razão de ter ido atrás dela.

– Não se aproxime.

– Carol...

– Eu não estou de bom humor, Bruno – ela bufou.

O garoto franziu a testa e deu de ombros.

– É, você nunca está mesmo.

– Se veio me ofender, eu...

– Não vim – ele disse, e cruzou os braços, encostando-se no carro ao lado dela. – Na verdade, nem sei por que vim. – Confessou honestamente.

Carol sentiu o coração doer. No fundo, queria que ele soubesse.

– Hmm, então pode ir embora... – ela afirmou.

– Não quero.

Os dois ficaram em silêncio, criando um clima pesado. Carol olhou para Bruno, que roía as unhas. Sentia-se nervosa. Seu estômago doía demais, e seu corpo começava a tremer. Era só o Bruno, por que estava daquele jeito?

– Bruno – ela disse. – Você acha que fui tão péssima namorada assim?

– Hmm? – ele olhou para ela, despertando dos pensamentos e tirando o dedo da boca. – Ah, não! Bom, na verdade, mal deu tempo pra saber mesmo... Você terminou logo...

– Não teria terminado se você não tivesse me traído.

– Não? – ele olhou espantado para ela. – Ma...ma... mas eu não traí você! Isso é fofoca!

– Bruno, eu não quero discutir isso.

– Mas a gente devia! Ó, você não me odeia.

– Odeio sim! – ela virou a rosto para o outro lado.

– Não odeia, e sabe por quê? Porque você sabe que eu não traí você. Sabe que eu só tinha olhos pra você.

Ela mordeu o canto da boca. Ele usou o verbo no passado.

– E quer saber mais... – Bruno fez uma pausa e continuou: – Você sabe que a única coisa que eu quero é poder beijar você de novo.

– Bruno, você está bêbado.

Ela balançou a cabeça, sentindo a mão tremer mais do que o normal. Sua boca estava começando a ficar seca.

– E daí? Eu vim correndo, quase tropeçando, atrás de você... Posso não estar muito bem, mas eu não minto.

Ele passou a mãos nos cabelos, quase loiros e bagunçados. Carol o encarou. Mesmo com a pouca iluminação dali, percebeu os grandes olhos azuis do garoto, fitando-a. Ele era tão atraente...

– Sei... – a menina disse, e desviou o olhar para os pés.

Bruno sentiu seu coração bater mais rápido. Ele se sentia muito atraído por ela, sempre fora assim.

– Eu não quero mais nada com você, entende? – Carol olhou para ele, nervosa.

Bruno sentiu a dor de um soco no estômago, mas fitou seus olhos.

– Mentira.

– Não é. Na verdade, eu não apareceria namorando um maroto nem que me pagassem.

– Isso é... mentira! – Bruno falou.

Ela olhou para ele. Os dois ficaram calados. Bruno se aproximou lentamente, ficando de frente para ela e colocando as mãos no vidro do carro. Carol ficou entre seus braços. A menina não sabia o que fazer.

– Você gosta de mim, só que é teimosa demais.

– E você gosta da Amanda.

– Eu gosto sim – concordou.

Carol mordeu a boca, surpresa.

– Mas ela é como minha irmã, diferente de você... – comparou.

Carol sentiu o perfume dele, o cheiro de cerveja e fechou os olhos. Bruno se inclinou.

Então, ela abriu os olhos, encarando-o.

– Não se aproxime...

Ele não ligou para as palavras dela. Já fazia muito tempo que desejava tê-la de novo nos braços. Queria beijá-la. Ela era tão linda. Ele adorava sua expressão emburrada, seus lábios finos, seus cabelos curtos... Aproximou sua boca dos lábios dela. Carol se debateu. Bruno segurou firme em seus braços, com a menina ainda resmungando e se sacudindo.

Ele a apertou com força contra o próprio peito. Ele era muito mais alto que Carol. Imprensou o corpo dela com o seu contra o carro e, sem pensar muito, ficou ali parado, apenas sentindo o calor de Carol, que, aos poucos, foi parando de se mexer. Respirou fundo e olhou nos olhos de Bruno, que estavam escuros de desejo.

Ela lentamente balançou a cabeça, concordando. Bruno deu um sorriso.

• • •

Amanda acordou com o despertador tocando enlouquecidamente. Mas enlouquecida mesmo estava sua cabeça! Como o mundo girava! Por que tinha bebido demais na noite passada?

Levantou-se correndo. Já eram seis e meia. Aos tropeções, foi ao banheiro tomar um banho gelado para despertar. Depois, vestiu a camisa do colégio com uma saia rodada. Tentou passar um corretivo nas olheiras e esconder a cara de ressaca com maquiagem, mas não teve sucesso. O relógio deu sete horas! Droga, perdeu a carona de seu pai. Pegou sua mochila e, sem tempo para tomar café da manhã, saiu correndo de casa.

O Sol machucava seus olhos. E estava calor. Andou rapidamente pela rua, vendo outras pessoas também saírem de casa para o colégio. Cumprimentou uma ou duas pessoas conhecidas e, então, avistou a casa de Bruno. O menino e Daniel estavam parados na frente do carro. Bruno usava óculos escuros estilo aviador e tinha um cigarro pendurado na boca. Seus cabelos estavam molhados e completamente bagunçados, e sua camiseta do uniforme estava apertada em seu corpo, como sempre. Parecia um *cover* do James Dean. Daniel tentava ajeitar os cabelos, olhando pelo retrovisor do carro, e usava uma camisa xadrez com a gola voltada para cima por cima do uniforme. Ela sorriu para eles.

Bruno assobiou.

– Achei que não viria.

– Achei que não estava me esperando – Amanda gritou, correndo até os dois.

Daniel se virou e sorriu quando a viu chegando perto.

– Bom-dia.

– Dia – Daniel disse, ainda sorrindo.

– Vamos? – Bruno falou.

Ele jogou a ponta do cigarro no chão e entrou no carro conversível, cuja capota estava abaixada. Daniel pulou para o banco de trás, e Amanda abriu a porta do carona.

– Mas antes quero saber de uma coisa...

– Que foi... – Bruno grunhiu dando a partida no carro.

– Você ficou ou não ficou com a Carol? – Amanda largou a mochila no banco de trás.

Daniel também tinha colocado óculos escuros. Ele sorriu para ela, e seu coração deu um pulo.

– Ih, pode crer... hein? – Daniel cutucou Bruno.

– Sem comentários! – Bruno deu ré e saiu com o carro da garagem.

– Mas por quê, Bruno? Somos seus amigos! – Amanda falou indignada.

– Melhores amigos! – Daniel enfatizou.

– Carol disse que me odiaria de novo se eu contasse algo e... – Bruno ia dizendo.

Amanda deu um salto.

– Então aconteceu! Estava mais do que na hora!

– Eu não disse nada, hein? – Bruno sorriu maroto.

– Nem precisava! Era só pra confirmar. Fofa, nós somos demais!

Amanda e Daniel bateram as palmas das mãos num cumprimento.

– Vocês dois... – Bruno balançou a cabeça.

E saiu pela rua acelerando o carro até o colégio, chamando atenção de todo mundo que passava.

• • •

Atravessaram os portões sob os olhares de todos. Muitos ali esperavam para ver Daniel, mas, definitivamente, não ao lado de Amanda. A menina pegou a mochila e andou na frente, acenando para os garotos ao avistar as amigas na entrada.

Logo, outras meninas se aproximaram de Bruno e de Daniel, querendo puxar papo. Os dois se entreolharam, adorando tamanha atenção. Então era assim que garotos populares se sentiam?

• • •

Primeiro dia de aula é a mesma coisa todos os anos. Você diz seu nome, apresenta-se e, então, começa a conversar com os colegas de classe, enquanto a professora discute com algum aluno sobre física nuclear. Até aí, o dia estava normal. Mas Amanda estranhou estar na mesma sala que Kevin.

– Bicha, olha só – ele cutucou suas costas.

Amanda se virou para trás, sorrindo. Kevin ficava cada dia mais afetado, e ela não o culpava por isso. Ele se sentia mais à vontade agora para afirmar sua opção sexual. Amanda estava orgulhosa dele.

– O quê, Kev?

Ele apontou para uma revista de fofocas aberta em cima da sua mesa. Carol, na carteira ao lado, também espiou.

– We Are Infinite! – ela disse baixo e ficou vermelha quando algumas pessoas a olharam.

Amanda virou a revista, que estava de ponta cabeça. Era uma notícia sobre a banda, que se tornou a mais nova contratada de uma grande gravadora. Ela riu quando localizou Davi na foto. Ele merecia.

– Não vai dizer nada? – Kevin perguntou.

– Sorte deles! – Amanda riu.

– Não vai dizer nada? – Kevin repetiu.

Carol riu, e Maya se aproximou para ver o que acontecia.

– O que quer que eu diga, Kev?

– Ah... – ele fingiu pensar. – Que você trocou um verdadeiro *rockstar* por um cara de meia-tigela!

– Outch! – Maya falou, voltando a olhar para o quadro.

Amanda virou a revista para Kevin novamente.

– Daniel vai ser um *rockstar*, vocês vão ver...

– Sei... – Kevin continuou folheando as páginas da revista sem dar atenção às amigas.

Amanda virou-se para a frente e pensou em como seria se a Scotty assinasse com alguma gravadora. Elas ainda estariam na vida dos meninos?

• • •

Na saída do colégio, eles ficaram parados no estacionamento, como de costume.

– Alguém viu a Rebeca por aí? – Kevin perguntou.

Daniel negou.

– Espero que tenha morrido. – Amanda falou, chutando pedrinhas.

Daniel riu, pegou a menina pela mão.

– Coitada...

– Não comece! – Amanda riu.

Abraçada por Daniel, ela sorriu ainda mais. Ele fez isso na frente do colégio todo. Bruno prendeu o riso quando algumas meninas do primeiro ano olharam impressionadas. Ninguém parecia aprovar que eles ficassem juntos.

De repente, eles ouviram uma voz meio irritante, e Amanda se soltou de Daniel. Ele não entendeu bem, até Rebeca se aproximar.

– Olá, meninos! – Rebeca sorria de uma maneira meio Barbie.

Maya levantou uma sobrancelha, Guiga fingiu ler a revista de fofocas com Kevin, e Anna deu as mãos para Caio. Carol olhou para a menina.

– Repetiu de ano, Rebeca? – Perguntou.

A garota a olhou com expressão de nojo.

– O que quer dizer com isso, esquisita?

Bruno, encostado no capô do seu carro com Daniel e Rafael, fez cara feia.

– Ow... o que quer, garota? – disse, rispidamente.

Carol sorriu pelo canto da boca.

– Não é legal ofender nossas amigas assim – Bruno acrescentou.

– Amigas? – Rebeca fingiu que ia vomitar.

Duas garotas que sempre andavam atrás dela, e nunca falavam nada, deram risadinhas.

– Elas nunca foram amigas de vocês até saberem que são os Scotty! – Rebeca afirmou.

– Claro, o que interessa é eles serem de uma banda, não é? – Amanda disse, irônica.

Rebeca a ignorou.

– Só vocês não percebem isso. É o comentário geral! Quem estava por cima desceu e quem estava por baixo subiu...

– Tá entendendo bem do negócio de subir e descer – Caio zombou, e Anna deu um tapa de leve nele, fazendo os amigos rirem.

– Só disse qual é a fofoca.

– É outra coisa que você entende bem – Amanda falou.

Rebeca olhou para ela com desprezo.

– Ah, você se deu bem, foi aceita pelo grupo de perdedores depois de estragar a banda deles, hein!

Amanda arqueou a sobrancelha, percebendo que havia plateia. As pessoas pareciam se juntar sempre quando as duas estavam perto. Em pouco tempo, quase todos disfarçavam, fingindo estar conversando perto da grade do portão

– Eu não estraguei nada – Amanda explicou. – E olhe bem pra ver quem é perdedor aqui. Eu não precisei ir até seus amigos pra ofender você.

– Porque não pode.

– Não?

Amanda entregou sua mochila para Guiga, que levou um susto, e partiu pra cima de Rebeca. A menina andou para trás, enquanto suas acompanhantes se afastaram assustadas.

– Não sabe argumentar?

– Sei, mas prefiro bater em você...

– Ehr, meninas... – Bruno disse, chegando perto de Amanda. – Não vamos cometer infrações no primeiro dia de aula.

– Meu amor – Daniel enfatizou a última palavra, pegando Amanda pela mão.

A menina se espantou, assim como todos os que estavam em volta. Não fingiam mais estar ali de bobeira.

– Não ligue pra ela, vamos embora... – Daniel acrescentou.

– Pra minha casa! – Bruno riu, colocando os óculos escuros.

Todas as meninas em volta pareciam suspirar quando Daniel e Rafael fizeram o mesmo. Caio e Kevin riram.

– Quero uns óculos desses também! – Caio reclamou, e Anna fez cara feia. – Ah, ok, mentira...

Bruno foi até o carro, assim como os amigos. Daniel levou Amanda para a parte de trás, ainda sem capota, e a ajudou a subir. Todos observavam. Kevin entrou em seu enorme carro, estacionado do lado do de Bruno, com Guiga, Maya e Rafael.

– A gente se vê no Bruno?

– Meu *loft* é de vocês! – ele riu ligando o carro.

Amanda deu um tchauzinho para Rebeca antes que Bruno arrancasse e Kevin fizesse o mesmo, chamando a maior atenção possível. Eles até gostavam daquilo e estavam adorando toda aquela popularidade rebelde. Parecia filme de adolescentes.

cinquenta e cinco

Era quinta-feira depois da aula. Amanda estava sentada em frente ao computador, visitando portais de bandas britânicas e vendo fotos nas redes sociais. Carol vivia postando imagens de bolsas e sapatos, e Amanda estava de saco cheio disso. Mas é a gente quem escolhe os amigos, certo? Sorriu. Pela internet, ela via várias fotos de Maya com o irmão mais novo e sentiu saudade de ir para casa dela. A mãe de Maya sempre fora mais compreensiva e simpática, diferente da reencarnação de Hitler que estava na cozinha naquele momento, gritando com a faxineira e mexendo no fogão. Resolveu enviar uma mensagem para Bruno.

O q tá fazendo?

Esperou. Dez minutos depois a resposta veio com o toque barulhento.

Tocnd batria. Vemprca.

Amanda fez careta. Bruno não podia escrever direito na mensagem?

Não entendi nada! >.<

Respondeu.

Eo disse pra vir pra k!!!11

Ok, ela tinha entendido essa parte. Olhou para o computador e para a mochila do colégio e decidiu que a casa do amigo era bem mais divertida. Mas teria de inventar alguma desculpa para o Hitler de saias.

– Mãe, eu vou na casa da Carol! – gritou, descendo as escadas.

Tinha trocado de roupa, mas segurava a mochila. Sua mãe apareceu na porta da cozinha, com as mãos na cintura.

– Amanda Barcelos, você não para em casa! O que as mães dos seus amigos vão pensar? Que eu não criei você direito!

Ela usava um avental branco por cima do vestido florido. Além dos cabelos loiros presos em um coque, estava maquiada, como sempre. A mãe ligava muito para a aparência. Amanda só a vira sem maquiagem uma vez, quando ela teve dengue e ficou sem poder sair da cama por uma semana.

– Ah, corta essa, mãe!

A garota prendeu os cabelos em um rabo de cavalo, tentando não parecer muito brava. Será que só na sua casa as coisas eram assim?

– Estou indo fazer dever de casa! E eu tô no terceiro ano, me deixe viver! – acrescentou.

– Ahhhh, agora eu não deixo você viver, é isso? Sabe quantas crianças no mundo queriam estar no seu lugar, mocinha? Você tem muita moleza! Faz sempre o que quer!

– A mãe balançou a cabeça, voltando para a cozinha, e avisou: – Não vai dormir fora! Amanhã, você tem aula, e o seu pai vai dar escândalo se chegar e você não estiver em casa. Ouviu, né?

Nossa, o humor dela estava terrível. Amanda revirou os olhos.

– Tá! – ela berrou e saiu batendo a porta.

Ainda ouviu sua mãe reclamar, dizendo como os jovens de hoje não têm mais responsabilidade.

• • •

Desceu a rua chutando as pedrinhas com a ponta do tênis. Com as mãos nos bolsos, cantarolou alguma coisa que lembrava *Sexyback* e riu. Viu a casa de Bruno de longe. Cerrou os olhos para enxergar bem. Pera aí! Havia duas meninas na porta... conversando com...

– Tarde, Daniel! – Amanda disse, tranquilamente, como se fosse comum ver Daniel sem camisa conversando com duas garotas bonitas.

O menino olhou para ela e pareceu envergonhado. Amanda cumprimentou as meninas com a cabeça, ainda sorrindo, e entrou pela porta da frente da casa. Parou lá dentro e deu uma risada. Era engraçado deixar Daniel sem graça.

A menina caminhou até os fundos, contornando a piscina, e ouviu o som da bateria.

– ... não nesse ritmo.

– Está certo, cara!

– Mais rápido!

– Ah, claro! Vamos cantar Minha garota em uptempo? – Rafael berrou.

Amanda bateu na porta. Escutou o barulho de algo caindo. Então, Bruno apareceu de calça jeans e sem camisa.

– Tô gostando de ver que estou sozinha com homens seminus – ela disse, ao reparar que Caio e Rafael estavam da mesma forma.

– É o calor! – Caio lhe deu um beijo na bochecha.

– Eu tirei porque eles tiraram! – Rafael deu de ombros.

– Já estão ensaiando? – Amanda riu.

– O burro do Bruno quer tocar *Minha garota* em uptempo! – Rafael falou como se fosse um absurdo.

– Hmm... – Amanda mordeu a boca e fingiu que entendeu.

– A música não tem nem letra! – Caio reclamou.

– Temos uma frase do refrão! – Bruno disse.

– Nova música, é?

Bruno pegou um pedaço de papel jogado no chão e começou a ler.

– Saí com os caras e bem na frente da gente tinha essa linda garota. Ela mexeu comigo sem ter nenhuma ideia de que eu a queria pra mim.

– Hmm. – Amanda balançou a cabeça, e quando Daniel entrou de fininho no miniestúdio, ironizou: – Ohhhh, onde estava, Daniel, o garanhão?

– Erm... lá fora – ele olhou envergonhado para Amanda –, olha, elas...

– Não se importe comigo! – a menina piscou.

– Falando sobre? – Daniel pegou sua guitarra.

– A música nova! Bruno quer aumentar o tempo!

– Eu acho ótimo – Daniel disse.

Bruno jogou uma baqueta em Rafael, fazendo todos rirem.

– Não quero atrapalhar, vou lá fora ligar pra Guiga! – Amanda saiu da salinha.

Andou um pouco pela casa e subiu a escada. Entrou no quarto que Daniel estava usando e observou o cômodo. Estava a cara dele! Em pouco tempo, ele transformara o lugar em sua casa também. Parou em frente ao mural na parede. Deu risadinhas ao ver as fotos. Eles estavam tão diferentes! Daniel estava tão... melhor. Tinha crescido, não estava tão estranho, e os cabelos estavam definitivamente diferentes. Nada parecia ser como antes.

Ela sentou-se na cama, toda arrumada. Suspeitou que a bagunça estivesse jogada para debaixo dos lençóis, então nem arriscou mexer em nada. Só queria ficar por ali. Pensar que Daniel dormia lá todos os dias fazia com que se sentisse bem.

Deitou-se, com as pernas para fora da cama, e ficou mirando o teto.

• • •

De repente, viu Rebeca se aproximando de Daniel, que ria de braços abertos. A garota chegou perto... e mais perto... e apertou a bunda dele! Como ele tinha coragem de deixar aquilo acontecer? Só ela tinha o direito de apertar a b...

Amanda tomou um susto quando sentiu algo gelado em sua boca e levantou o rosto rápido.

– OPA! – Daniel disse, quando as testas dos dois se bateram.

A garota voltou a ficar sentada na cama, vendo Daniel com a mão na cabeça.

– Ai, desculpe! – Amanda chegou perto dele, nervosa. – Desculpe! Eu... adormeci e estava sonhando... tipo, pesadelo altamente assustador, e então...

– Isso doeu – ele fez cara feia e riu –, mas você se assustou com meu beijo.

– Hum-hum.

– E adormeceu no meu quarto? – ele fez cara de safado.

– Não comece... – Amanda cerrou os olhos.

– Eu me sinto lisonjeado.

– Menos mal. O que faz aqui?

– Cansei de discutir com o Rafael e o Bruno. Caio foi pra casa da Anna e deve voltar em uns vinte minutos.

– Sei...

Ela olhou desconfiada. Os dois riram. Ficaram em silêncio. Às vezes, eles se sentiam desconfortáveis na presença um do outro, sem nenhuma explicação. Daniel se inclinou e deu um leve beijo nos lábios dela. Amanda sorriu. Ele então se levantou.

– Vamos comer miojo? Tô com fome, odeio a escola e odeio comer lá. Acho que a cozinheira não lava as mãos...

– Eca, Daniel! – Amanda fez careta.

Daniel virou de costas para a menina.

– Suba. Vamos pra cozinha

Amanda subiu na cama e então pulou em suas costas.

– Mas, Daniel, a escada...

– Vamos – ele disse, sentindo-se muito corajoso.

• • •

O terceiro ano não era como eles esperavam. Exigia muito mais da turma, como nenhuma outra série tinha feito. Duas semanas depois do começo das aulas, todos estavam correndo com cadernos, livros, apostilas e cópias clandestinas de supostas provas passadas. Em alguns dias, teriam aulas na parte da tarde também. Isso seria o inferno! Apesar disso, Kevin estava tirando de letra. Passava as aulas lendo revistas de fofocas.

– Este devia ser o ano da diversão! – Maya disse, furiosa, jogando os livros no gramado em frente à enorme árvore onde Amanda, Kevin e Rafael estavam sentados.

– Esqueça a diversão, querida! – Kevin riu roendo a unha.

– Eu vou me dar muito mal – Rafael balançou a cabeça.

– Sente-se, Maya – Amanda riu. – Estamos conversando sobre uma proposta que Fred fez.

– Pra quem? Guiga? – Maya perguntou curiosa.

– Não! – Kevin riu.

– Pra gente – Rafael mordeu a boca.

– Que tipo de proposta? – Maya olhou para ele.

Rafael olhou para Amanda, e Kevin e respirou fundo.

• • •

– O QUÊ? IR PRA ONDE? – Anna berrou.

Caio fechou os olhos.

– São Paulo, Anna. – Bruno disse.

Daniel apertou a touca contra os cabelos rebeldes.

– MAS... MAS... – a garota respirou fundo – assim, do nada?

– Não é do nada! Somos uma banda... E temos futuro, sabe? – Caio explicou baixinho.

Anna mordeu os lábios. Carol se aproximou.

– O que houve?

A amiga se sentou ao lado de Daniel na mesa do pátio. Anna encostou a cabeça na mesa, em choque. Carol olhou para Caio e depois para Bruno.

– Fred conseguiu uma audição pra banda – Bruno contou – em uma grande gravadora em São Paulo.

– Em... – Carol franziu a testa – São Paulo?

– A Anna não quer entender que eu tenho de ir – Caio suspirou.

Anna levantou a cabeça parecendo furiosa.

– ENTÃO VÁ! EU NÃO ME IMPORTO! NÃO QUERO PASSAR O RESTO DA VIDA COM VOCÊ MESMO! – gritou.

Em seguida, levantou-se da mesa e saiu andando rápido para o gramado na direção em que tinha visto Amanda e Kevin seguirem. Caio ficou perplexo.

– Mas vocês... voltam? – Carol olhou para Bruno, sem querer.

O menino deu ombros.

– Esse é o problema. – Daniel riu nervoso e explicou: – Se nós tivermos sorte e gostarem da banda, podemos assinar um contrato agora. Aí, é bem capaz de não voltarmos tão cedo. A gente não pode garantir que vai continuar na cidade.

Amanda tinha acabado de chegar perto da mesa. Em choque e paralisada, escutou as palavras de Daniel. Sentiu o chão tremer. Ou seriam suas pernas? Rafael não tinha dito nada sobre SE MUDAR PARA OUTRO LUGAR. Olhou para o amigo, que deu de ombros. Culpado.

Daniel olhou para Amanda e mordeu a boca.

– Vem cá – ele chamou.

Amanda negou com cabeça.

– Eu... vou atrás da Anna. Agora sei por que ela estava chorando – Amanda disse e saiu correndo, observando a expressão de desespero de Caio e vendo Rafael sentar-se à mesa com Kevin.

– E agora? – perguntou.

– Cadê a Maya? Guiga? – Carol levantou-se sem tirar os olhos de Bruno.

– Com a Anna, acho – Kevin respondeu e deu de ombros.

– Então... se tudo der certo, vocês vão desaparecer? É isso? – Carol perguntou, levantando-se.

Bruno olhou para ela, pulando da mesa.

– Olha, eu espero...

– Não me importo – ela riu de maneira forçada, mas ele percebeu –, boa... sorte.

Carol saiu andando para onde as amigas tinham ido. Bruno sentiu que podia morder a si mesmo de tão nervoso. Ela queria que ele ficasse!

– E agora? – Rafael perguntou de novo.

Caio bateu com a cabeça na mesa. Daniel respirou fundo.

– E agora vamos reatar os laços com as nossas garotas antes que seja tarde demais.

– E não é? Tipo, tarde demais? – Kevin se intrometeu.

– A gente não aceitou ainda – Bruno parecia desesperado.

– Mas é a carreira de vocês... – Kevin olhou para Caio, mortalmente abatido.

– Eu não sei se minha carreira importa mais do que a Anna. – disse, baixinho.

Daniel sentiu grande tristeza ao pensar em ficar sem Amanda novamente.

– Então – Kevin se levantou sem saber mais o que dizer –, boa sorte!

E deixou os garotos sozinhos, completamente desnorteados.

cinquenta e seis

She loves you, yeah yeah yeah...
(Ela ama você, ié, ié, ié)

– Pare com essa música, Daniel... – Caio pediu com a cabeça enfiada na almofada.
Bruno chegou com uma bandeja e copos de cerveja.
– A gente vai precisar...

You think you've lost your love. Well, I saw her yesterday...
(Você acha que perdeu seu amor. Bom, eu a vi ontem.)

– Daniel… – Caio ficou entre a vontade de chorar e de bater no amigo.
Kevin e Rafael chegaram à sala da casa de Bruno.
– *She loves you* é muito emotiva pra ele... – Kevin disse.
– Olha, não é nenhum de vocês que está prestes a perder a namorada, ok? – Caio se levantou, pálido.
Daniel balançou a cabeça.
– Mas, como você, estamos perto de perder quem a gente ama. Todos nós.
– Menos eu! – Kevin riu, sentando-se no sofá.
Caio também se sentou.
– Ela não me atende no telefone! Não falou comigo na escola ontem. Eu acho que ela me odeia.
Daniel, assustado com o drama de Caio, foi até a mesinha de telefone e discou o número da casa de Amanda.
– Alô? – a menina atendeu. Ouviu uma respiração. – Daniel?
– Não é nossa culpa, sabe? – ele falou sem cerimônia.
– Mas não é fácil perder você duas vezes – a menina respondeu baixinho. – Já é muito ruim saber que vou ficar presa nessa cidade, mas é pior saber que não vou ter companhia...
Daniel mordeu os lábios, sentando-se no chão, sem saber o que fazer.
– Mas também não é assim...
– Você sabe como é esse mundo da fama, Daniel. Você vai pertencer a eles.
– Eu pertenço a você.
Ele sentiu um aperto na garganta. Os meninos na sala olhavam com pena, sem saber o que dizer.

– Eu quero muito que vocês assinem um contrato. Um bem milionário! Quero, acima de tudo, que você seja feliz...

– Amanda...

– Que dia vocês vão? – ela o interrompeu.

Daniel olhou para os amigos.

– Na semana que vem. Bom, na verdade, a gente ainda não aceitou e...

– Não perca essa chance, Daniel! É o maior sonho de toda banda. A gente vai ficar bem – ela falou, segurando o choro.

– E eu? Vou ficar bem sem você? – o menino quase berrou.

Sentiu algumas lágrimas no rosto. Céus! Como era dramático!

– Espero que sim – ela riu nervosa –, agora preciso ir. A Carol precisa de mim, ela... acho que não vai se perdoar se o Bruno for embora.

– A gente se fala amanhã, então...

– Certo – a menina desligou.

Daniel se levantou, indo até os amigos.

– Se a gente for, não tem volta?

– Nop – Bruno balançou a cabeça.

– Então, temos um problema pela frente. – Daniel coçou a cabeça, pegou um copo de cerveja e afirmou: – De qualquer forma, Bruno, você conseguiu o que sempre quis. A Carol está bem mal porque você não vai estar mais por perto...

Ele saiu da sala, vendo o rosto de Bruno se iluminar subitamente.

• • •

Daniel se sentou na beirada, com o copo nas mãos e os pés dentro da água, observando as pequenas ondulações feitas pelo vento na superfície da piscina. Pensava no contrato da gravadora. Primeiro, fariam uma audição. Fred explicara que o produtor da tal gravadora, apesar de ter gostado muito da apresentação da Scotty no festival, precisaria mostrar as músicas para um coordenador da empresa. Fred fizera questão de frisar que essa audição seria essencial para o futuro da banda, e que cada um teria que dar o melhor de si. E aí eles gravariam um CD, e o mundo poderia ouvir suas músicas. Uau. Quem sabe, a Scotty ficaria famosa um dia? Esse pensamento o assustava. Era tudo o que Daniel sempre quisera. Nunca se imaginara em um emprego que o prendesse num escritório, nem sendo professor, bombeiro ou astronauta. Ele só queria fazer músicas e tocar o coração das pessoas. Parecia brega, ele sabia. Mas Daniel era um romântico incurável.

Mas pensou no outro lado: conseguiria dormir sem ter certeza de que Amanda estava bem? Pensou em como ficava nervoso perto dela e em como se sentia fraco toda vez que ficavam longe um do outro. Sempre fora assim. E, agora, quando ele finalmente estava conseguindo ficar com ela, surgia a proposta de sua vida. Era uma decisão difícil, mas ele sabia o que tinha de tomá-la. A vida não era justa mesmo.

• • •

Maya chegou à escola e viu Rafael sentado em um banco perto do estacionamento. Foi andando lentamente até lá e se sentou ao lado dele.

– Oi, doce de coco.

– Oi! – Rafael abriu um enorme sorriso para ela.

– Então... hoje é sexta...

– Eu sei – disse, e voltou a olhar para os pés.

– Vocês vão mesmo? – a menina perguntou.

Rafael balançou a cabeça, concordando.

– Fred já organizou tudo. Temos de procurar um tal Ricardo num tal prédio prateado, com alguma logomarca famosa na frente – explicou, parecendo infantil.

– Animado? – ela perguntou.

– Não...

– Olha, eu acho o máximo! Assim que fizerem algum show eu vou estar lá com as meninas. Vamos acenar da primeira fileira! – Maya sorria, encorajando-o.

– Você é demais.

– Eu sei! – Maya olhou para os pés também.

Os dois ficaram em silêncio.

– Gosto muito de você – Rafael suspirou.

Maya olhou para ele, meio desnorteada.

– Erm... doce de coco?

– Eu gosto como nunca gostei de ninguém na vida. De montão! Perco o ar quando te vejo – confessou.

Maya não sabia o que fazer. Ela não estava acostumada com declarações e situações melosas. Ficava nervosa com isso. Continuou encarando as sapatilhas.

– Obrigado por ser compreensiva. Sei que não somos nem metade do que o Caio e a Anna são, mas ele está passando por uma fossa braba, e... eu só não queria que você ficasse mal comigo.

– Não vou – ela respondeu em um sussurro, colocando os cabelos para trás das orelhas.

– Obrigado – Rafael sorriu.

– Eu... meio que gosto um pouco, tipo, bem pouquinho, de você também... – Maya disse, ficando mais vermelha que seu cabelo.

– Sei... – Rafael olhou para ela.

Maya era mesmo a garota mais bonita que já tinha visto. Seu rosto não era como o de uma princesa ou de uma boneca; era uma beleza mais agressiva, mais presente. Seu cabelo vermelho-vivo brilhava com intensidade na luz do Sol, fazendo um contraste sensual na sua pele branca. Uau, ele queria beijá-la.

– Espero que não chame nenhuma loira peituda e rica de doce de coco... Ou eu vou até São Paulo arrancar o seu...

– Opa! Prometo que só você é meu doce de coco.

– Certo, então.

Maya se levantou. Não sabia se chorava ou se ria. Não sabia se tinha sido certo Rafael falar tudo isso logo agora. Ele iria embora, não iria?

– Mas, olha só, não está confirmado que eles vão gostar da gente. Podem nos mandar voltar pro feno e celeiro, sem nos aceitar na cidade grande!

– Difícil – Maya riu. – Vocês são talentosos. Se esse tal de Ricardo dispensar uma banda como vocês, ele não sabe nada de música.

Ela sorriu e saiu andando em direção ao portão do colégio. Rafael encolheu as pernas e abraçou os joelhos, vendo a garota se afastar. Seu coração estava apertado.

• • •

– Ei! – Daniel parou atrás de Amanda no bebedouro do corredor em frente à sala dela.

– Daniel... – a menina sorriu.

– Posso falar com você? – perguntou.

Ela concordou e o seguiu até fora do colégio. Os dois deram a volta pelo gramado até chegarem à parte de trás. Era intervalo para a troca de professores, e os inspetores estavam muito ocupados, controlando os alunos que perambulavam pelo colégio, para percebê-los por ali. Ela sorriu quando viu para onde Daniel seguia. Em um corredor, eles pararam em frente a uma porta.

– No almoxarifado?

– Quer lugar mais tranquilo pra conversar?

Ele abriu a porta da pequena sala lotada de quinquilharia. Amanda sorriu ao vê-lo fechar a porta.

– Esse lugar me traz boas lembranças.

– Muito boas – ele piscou, maroto. Sentou-se no chão e fez com que ela fizesse o mesmo.

– Então... alguma boa notícia?

– Não sei...

– Vocês vão mesmo? – Amanda perguntou e, quando o garoto concordou com a cabeça, soltou o ar. – Certo.

– Quero que saiba que vou torcer pra não sermos chamados!

– Não faça isso, Daniel! – Amanda virou-se para ele. – Essa é a vida de vocês!

– Você é a minha vida – Daniel disse. – Se tiver de ficar lá, eu volto pra buscar você.

– Aposto que volta – Amanda sorriu.

– Vamos nos casar – ele ficou vermelho –, esqueceu?

– E ter um batalhão.

– Uma orquestra – Daniel corrigiu. – Eu vou voltar. Sempre volto.

– Não posso negar. – Amanda mordeu os lábios – Eu te amo.

Daniel não esperava ouvir aquilo. Sentiu o coração ir à boca e voltar, batendo com força e com vontade. Ele se aproximou dela e colocou uma das mãos em seu rosto. A menina fechou os olhos, deixando uma lágrima escorrer pela bochecha. Ele passou lentamente o nariz na pele do rosto dela. Parecia durar uma eternidade. O mundo tinha parado para os dois.

– Namora comigo? – ele pediu.

Amanda abriu os olhos, encontrando os imensos olhos verdes do menino, encarando-a bem de perto.

– Mas, Daniel...

– Se você for minha namorada, eu vou voltar, não importa quando.

– Eu... – a garota começou a chorar. – Ok, tudo bem.

– Não chore – ele encostou a cabeça dela em seu peito –, eu tenho uma namorada linda, que eu amo e que vai me esperar... certo?

– Cer-certo – ela soluçou.

Daniel a apertou com mais força contra o peito.

– Quando tocar *Quero te abraçar*, você vai se lembrar de mim? – Amanda perguntou.

– Vou – respondeu choroso, encarando a garota. – E também quando tocar *Ela foi embora*, *Jantar a dois*... e *Tudo sobre você*, *Perto demais*...

– Vai se lembrar de mim com *Esquecer você* – ela sorriu e, mais uma vez, ele concordou.

– Você vai estar em cada letra que eu fizer. E, quem sabe, não se muda pra São Paulo comigo?

– Não acho que vou poder... Meus pais me querem aqui. Provavelmente, serei uma caixa de supermercado medíocre, que vai ficar a tarde toda cantarolando uma música da Scotty, mesmo depois que sair de moda – ela sorriu.

– Isso parece bem perdedor...– ele disse, e os dois riram. – Eu volto. Não vou deixar você viver assim.

– Eu acredito em você...

– E agora vamos parar com o drama e aproveitar nosso tempo. Afinal, a gente não sabe do futuro. Se a gravadora não nos quiser...

– Tem quem queira – Amanda piscou.

Daniel deu uma risada gostosa, fazendo cara de malandro.

cinquenta e sete

– Sabe o que eu não acredito? Que cheguei a imaginar um terceiro ano com eles... – Maya falou.

Guiga e Anna olharam para ela. Amanda e Carol estavam deitadas na cama de Maya. As meninas comiam brigadeiro de colher e estavam de pijama; todas tinham dormido na casa da amiga ruiva.

– Nem me fala! – Anna exclamou chorosa.

Ela estava com o nariz vermelho e os olhos inchados. Passara a noite sendo consolada pelas amigas.

– Eu estou perplexa – Guiga disse.

Amanda e Carol não falaram nada. Até parecia um sonho que um dia estivessem na praia cantando e dançando, enquanto, no outro, estavam prestes a não ver mais seus amigos.

• • •

Os meninos se encontraram na porta da casa de Bruno. Estavam com os habituais ternos e máscaras que usavam nos shows.

– Imagine se é nosso último show aqui? – Caio perguntou.

– Nem fala, cara... – Daniel engoliu seco.

– Eu quero ficar milionário! – Rafael riu, pegando seu instrumento. – Vamos logo ou não nos pagam!

– Certo, vão indo... vou passar em...um lugar – Bruno disse.

Daniel olhou estranho.

– Não quer me levar?

– Erm, melhor não.

O amigo balançou a cabeça, subindo a rua correndo. Rafael e Caio deram de ombros e entraram no carro.

• • •

Amanda terminou de se olhar no espelho. Usava vestido preto simples e botas sem salto. Não estava com espírito para sair. Estava custando a acreditar que poderia ser o último show que assistiria da Scotty. Por alguns momentos, torceu para que algo acontecesse e eles desistissem, mas depois se arrependeu. Ela não podia ser tão egoísta. Era o sonho deles.

A campainha tocou. Maya saiu do banheiro do quarto da amiga de toalha.

– Se for o Kevin, mande ir na frente! – gritou.

Amanda riu e desceu a escada, ajeitando os cabelos em uma rápida trança. Abriu a porta da frente e deu de cara com Bruno, meio suado.

– Ei, entre! – Amanda ficou preocupada ao ver o estado do amigo. – O que houve?

– Vim... correndo...

– Mas por quê, o que aconteceu? Algo sério? Não vai me dizer que...

– Não! Nada sério... Bom, não assim.

Bruno foi andando até a sala de estar. Sentou-se no sofá, abrindo um pouco a camisa no colarinho.

– Bruno, você está me assustando.

Amanda se sentou ao lado dele. O amigo franziu a testa.

– Se eu disser pra você que não quero ir embora, o que faz comigo?

– Erm... – ela ficou sem fala. Mordeu os lábios, pensativa. – Bruno, você tem que ir.

– Não quero.

– É a sua banda.

– Não me importo – ele disse, e abaixou a cabeça. – Passei minha vida ao seu lado, perto das meninas e tudo mais. E agora, do nada, isso vai deixar de existir?

– Isso chama ser famoso! – Amanda sorriu para ele.

– Eu não quero isso tudo – Bruno balançou a cabeça. – Você sabe muito bem. Quero ser um garoto normal do interior, com a minha casa, as minhas cervejas e...

– Sabe do que mais? Vocês podem voltar! Nem sempre tudo dá certo! Estou torcendo pra que dê, claro. Mas pode acontecer de ficar para uma próxima...

– Não sei... Fred disse que é bem possível que a gente assine. Ele agora tá cheio dos contatos musicais, sabe como ele é, né?

Bruno olhou para a garota com seus enormes olhos azuis. Amanda o abraçou. O amigo tremeu de leve. Nossa, ele estava tão inseguro! Amanda sentiu um aperto no coração, ela o amava como a um irmão, mas ainda ia fazer dezessete anos. Não sabia como aconselhá-lo direito, mal dava conta da sua vida. Duvidava que os pais do garoto soubessem de algo. Bruno jamais lhes pediria conselhos ou permissão.

– Uma coisa de cada vez, ok? Vamos aproveitar o show de hoje. E depois tudo se encaixará. Carol está vindo pra cá, quer esperar?

– Não, acho melhor não e...

Bruno ia se levantar quando a porta da casa se abriu. Apareceram Carol, Kevin e Guiga.

– Tarde demais – Amanda sussurrou.

Bruno mordeu os lábios ao ver Carol extremamente bonita em um vestido branco colado ao corpo.

– Noite – ele cumprimentou.

Kevin riu e berrou o nome de Maya.

– Cadê a Anna? – Carol ignorou Bruno e foi subindo a escada.

– No outro banheiro – Amanda disse, vendo Guiga abraçar o amigo.

Ficaram todos em silêncio até as outras três descerem.

– Vamos? – Kevin sugeriu.

Bruno concordou, mexendo nos cabelos. Carol ficou olhando para ele. Sem querer, os olhares se cruzaram. Amanda saiu da frente, pegando a mão de Anna, e caminhou para fora da sala.

– Carol... – Bruno chamou.

A menina parou de andar e se virou para ele.

– Agora não – ela fechou os olhos.

– Se eu for... você pode ir comigo – ele disse.

Carol tomou um susto. Seu coração pulsou mais forte e ela olhou para ele.

– Bruno... eu... – ficou sem fala.

Ela ouviu o grito de Kevin, dizendo que Bruno já estava atrasado. O garoto sorriu vendo Carol enrolada.

– Você decide! – Bruno estendeu o braço.

Ela abaixou a cabeça e deu o braço para ele, indo para o carro que os esperava do lado de fora.

• • •

– Olha a microfonia! – Caio berrou rindo quando Daniel se enrolou nos cabos.

– Tinha de ser o Daniel! – Rafael bufou, como se isso acontecesse sempre.

Iriam tocar em uma casa de shows pequena, localizada no centro da cidade, que em alguns dias da semana se transformava em uma danceteria de gosto duvidoso. Alta Granada não tinha um espaço para grandes apresentações, e shows não eram comuns. Contudo, a fama dos Scotty tinha crescido tanto na região, que o dono do lugar, um senhor barrigudo e bigodudo, os convidara para tocar lá. E fazia questão de pagar vinte por cento do valor dos ingressos vendidos. Fred tentara aumentar o valor da negociação, mas, para um primeiro show, não estava nada mal.

– Ei! Cinco minutos! – o senhor barrigudo e bigodudo avisou.

Caio riu mais ainda da cara que Daniel fez.

– Olá, rapazes! – uma menina disse perto do palco.

A casa ainda não estava cheia, mas havia muita gente chegando e se acomodando. Quase ninguém prestava atenção na banda, que se enrolava com cabos e pedaleiras em cima do palco.

– Ah, oi – Rafael disse, quando viu Rebeca com suas duas fiéis escudeiras atrás.

Uma delas lhe deu uma piscada, e ele se assustou. Será que estava tão bonito assim?

– Então... soube que vão viajar... – Rebecca puxou papo.

– Claro que soube! – Caio rolou os olhos.

A garota o ignorou.

– E então, Daniel? – fez questão de pronunciar o nome dele.

O garoto terminou de arrumar o microfone e olhou para ela.

– Quê?

– Se vão viajar... – ela repetiu com uma voz melosa.

– Erm, não que eu saiba. Vamos viajar, Caio? – Daniel olhou para o amigo.

– Acho que não... Rafa?

– Definitivamente, isso é fofoca, Beca – Rafael respondeu, afetando mais a voz ao falar o apelido dela.

Os três deram risadinhas. A menina levantou a sobrancelha.

– Certo. Queria apenas desejar boa sorte.

– Valeu! – Caio disse, simpático.

Olhou para a frente e viu as amigas entrarem. Anna e Amanda conversavam e riam de alguma coisa. Maya e Guiga vinham na frente.

– E aí, palhaços! – Maya riu da cara de Rafael.

– Eca, o que a jararaca tava fazendo aqui? – Guiga perguntou.

– Qual delas? A loira, a morena ou a de cabelo sem cor definida? – Rafael perguntou.

– Está conhecendo demais o terreno alheio! – Maya franziu a testa.

– Tu não me deixas conhecer o teu, broto – ele mudou a entonação e sorriu galanteador.

Caio deu um tapa na cabeça de Rafael. As meninas riram, e Maya ainda lhe mostrou o dedo do meio.

Anna, Kevin e Amanda se aproximaram. Daniel acenou alegremente para a namorada, que fez o mesmo. Amanda ficou de frente para o palco, perto dele.

Bruno e Carol vieram logo depois, ambos calados e sérios. Bruno subiu no palco correndo, vendo Daniel já ajeitar a guitarra.

– Então... boa-noite – anunciou.

As pessoas se aproximavam do palco. Daniel viu Fred conversando com uma senhora de vestido espalhafatoso perto do bar. Ah, não! A senhora era sua vó! A mãe de Caio também estava ali, fotografando tudo para criar um álbum do futuro filho famoso. Milagrosamente, ela não o impediu de viajar para São Paulo, mas fez milhares de recomendações. O garoto teria de ligar de hora em hora para dizer se estava bem. Os pais de Rafael estavam sorridentes, sentados em um canto, um tanto quanto deslocados, mas morriam de orgulho do filho. Daniel suspirava; estava mais nervoso do que nunca.

– Somos os Scotty, e essas são algumas músicas feitas por nós. Queremos dedicar o show aos nossos amigos e namoradas porque, sem eles, não seríamos quem somos hoje – falou e se virou para Bruno, assim como para Caio e Rafael.

Amanda viu Maya sorrir alegremente. Anna mordia o lábio, enquanto Carol parecia prestes a chorar. Guiga passou o braço pelo ombro da amiga, ao mesmo tempo que Fred chegava perto delas e gritava igual a uma garota.

• • •

No intervalo do show, os meninos desceram para falar com as amigas. Estavam suados e vermelhos. Caio logo abraçou Anna, que começou a gritar e a rir ao mesmo tempo. Rafael abraçou Carol e Maya, mas as duas se esforçaram para se soltar do abraço. Daniel veio na direção de Amanda. Pegou sua mão, sem dizer nada, e puxou-a com força, literalmente correndo até a parte de trás do palco.

Era um pequeno lugar escuro cheio de fios e amplificadores. Tinha um pequeno sofá vermelho meio rasgado e um corredor com uma porta no final. Daniel não esperou que Amanda inspecionasse o lugar todo com o olhar. Encostou-a na parede, segurando forte em sua cintura, e deu-lhe um beijo tão profundo que ela achou que ia ficar sem ar. Ele separou as bocas, vendo-a respirar forte. Ainda a segurava com força quando sentiu a menina pegar seus cabelos com agressividade e puxá-lo de volta.

Amanda pulou com as pernas em volta do corpo de Daniel, fazendo-o quase se desequilibrar. Mas não se soltavam do beijo.

Ele se desequilibrou para trás, apoiando as costas na parede oposta, enquanto ela bagunçava os cabelos dele, mesmo achando que não podiam ficar mais embaraçados.

Os dois ficaram daquele jeito até ouvirem um barulho de passos. Amanda desceu da cintura dele, com a boca toda vermelha, e ele pegou sua mão e puxou-a para trás do sofá. Sem saber porquê, ambos se abaixaram e ficaram escondidos. Ouviram mais passos, e quando perceberam que duas pessoas tinham entrado na sala, ficaram em silêncio.

– Você não tem o direito de fazer isso comigo.

A voz da menina era chorosa e o garoto retrucava:

– Eu até agora não entendi o que fiz.

Daniel olhou espantado para Amanda, ambos ainda escondidos atrás do sofá.

– Você sabe que não estamos juntos e, mesmo... mesmo assim, você...

– E mesmo assim eu faço você querer estar comigo?

– Não! Não, Bruno, não...

– Você sabe que gosta de mim e sabe que eu sou apaixonado por você. Não aguento mais! Estou prestes a ir embora e nem assim você deixa de lado essa sua arrogância...

– Não sou arrogante! – Carol berrou.

– Todas as suas amigas mudaram, Carol. Todas! Até a Maya e a Amanda! Eram as mais chatas, convenhamos... E você simplesmente passou pela gente e não mudou um fio de cabelo.

– Não é fácil assim...

– Se não fosse fácil, elas ainda seriam como você...

Os dois ficaram em silêncio. Amanda olhou para Daniel e mexeu com a boca dizendo que ia matar Bruno por chamá-la de chata. Daniel riu baixinho.

– Olha, desculpe – Carol pediu.

– Desculpas não são o bastante – o garoto balançou a cabeça. – Eu não consigo parar... de gostar de você...

– Bruno, eu não vou suportar a ideia de você ir embora, tem de haver outro jeito! – Carol disse.

Amanda tampou a boca, porque achou que fosse gritar, e Daniel riu, encolhendo os ombros.

– Então, por que terminou tudo? Eu não fiz nada pra você, não a tratei mal, embora você ache...

– Bruno...

– No que eu estava pensando quando deixei você fazer isso? – ele disse, triste, sentando-se no sofá.

Amanda prendeu a respiração.

– Você tinha me dito que o seu amor tinha esgotado e que estava cansado de mim...

– Eu não quis dizer nada disso, você sabe...

Os dois ficaram em silêncio.

– Você disse uma vez que nunca me deixaria – Bruno parecia ressentido –, que estaria lá quando eu precisasse. Pra me abraçar, pra ficar comigo...

– Gostar apenas não é suficiente, Bruno. Você nunca demonstrou que sentia realmente algo além, por mais que eu dissesse tudo isso.

– Eu apenas acreditava em você... E pensava que você não ia ficar mudando de ideia, não ia mudar...

– Não mudei! Só parei de acreditar! – Carol continuava em pé na frente do menino.

Mais silêncio.

– Desculpe – Bruno disse de repente.

– Você mesmo disse, desculpas não são o bastante.

– Precisam ser – ele falou, ficando de pé e pegando Carol pelo braço para trazê-la mais para perto. – Eu quero ser bom o suficiente...

– Você pode tent...

E Bruno interrompeu a fala de Carol com um beijo em sua boca.

Daniel olhou assustado para Amanda e os dois ficaram sem reação. A única coisa que Daniel pensava era que daria uma ótima música, isso se Bruno não descobrisse os dois ali e os matasse. Mas, na cabeça de Amanda, aquilo era loucura. Carol nunca dissera às amigas que gostava de Bruno tanto assim. Ficou muito feliz quando viu os dois se soltarem do beijo e sorrirem um para o outro, saindo da sala.

cinquenta e oito

– Tum pá. Tum-tum pá – Bruno batia na mesa da cozinha da sua casa ao mesmo tempo em que fazia sons altos com a boca.

Daniel desceu a escada sem camisa e com os cabelos bagunçados.

– Que horas são?

– Quase onze – Bruno riu.

– Não dormiu?

– Nop – ele se levantou, estava só de cueca samba-canção de coração.

– Que houve? Algo sério? – Daniel esfregou os olhos, abrindo a geladeira. Ótimo; só tinha ovo e um pedaço de queijo fedorento.

– Nada... – Bruno encheu um copo de água no filtro.

– Erm, esse nada tem nome?

– Não – Bruno falou sério.

Daniel sentou-se à mesa da cozinha, pegou o celular e começou a escrever uma mensagem, sorrindo sozinho.

• • •

Amanda sentiu o celular vibrar no bolso da calça e se assustou, quase derrubando sorvete em Maya. Abriu a caixa de mensagens e sorriu.

Bom-dia, fofa. ;)

Ela se levantou da mesa na sorveteria e foi até o balcão, com o celular na mão.

– Que houve? – Guiga olhou para as amigas.

– Esse sorriso dela tem nome – Anna riu.

– E tem uma cara bem idiota – Maya disse.

Todos riram vendo Amanda entretida no celular. A menina respondeu a mensagem rapidamente, ainda se sentindo estúpida pelo seu estômago dar voltas sempre que pensava em Daniel.

• • •

O q faz meu rockstar preferido acordado?

Daniel leu. Sorriu. Não sabia como sorrir mais e não parecer idiota. Bruno balançou a cabeça.

– Vai ficar na cozinha? Vou tomar banho.

– Pode ir, cara – Daniel disse sem tirar os olhos do celular.

Bruno deu de ombros, saindo da cozinha e tomando caminho para seu quarto. Daniel voltou a escrever algo.

• • •

Almoça comigo? xD

Ela sorriu novamente. Sentia-se muito feliz por, finalmente, estar com ele. Era o seu Daniel! Só dela. As borboletas no estômago e a vontade de pular só aumentavam. Evitava pensar que isso poderia durar se ele se mudasse para outra cidade.

Respondeu a mensagem, ainda sorridente. Estava decidida a viver um dia de cada vez. Se Daniel fosse embora, ela faria o máximo para entender. E torceria para que um dia ele acabasse voltando.

Amanda voltou para a mesa.

– Ah, não, eu odeeeeeio essa cara de apaixonada! – Maya revirou os olhos.

A amiga pôs a língua para fora.

– Olha só, quem fala, do-ce-de-co-co – Amanda disse devagar, fazendo Maya corar.

– Eu não estou apaixonada.

– Ah, tá. Sou eu quem estou – Kevin balançou a cabeça. – Admita que você gosta dele!

– Não enche, Kevin! – Maya berrou, apontando a colher cheia de sorvete para o amigo, sujando o rosto dele.

• • •

As meninas discutiam sobre o que fazer no vestibular, além de reclamar da quantidade absurda de matérias para estudar, quando a porta da sorveteria se abriu, fazendo um barulho maior que o normal. Bruno entrou na lanchonete meio emburrado, vestindo calça jeans surrada e uma camiseta do Metallica colada ao corpo, com os cabelos molhados e bagunçados. Ele não parecia muito simpático. Todas as garotas, e até alguns garotos, olharam para ele e suspiraram. Carol ficou vermelha. Ele viu as amigas e apressou o passo até a mesa delas.

– Oi, gato! – Maya acenou.

– Fala aí, doce de coco! Mandy, o Daniel tá lá fora. Disse pra você andar logo.

– Tá, certo.

Amanda se levantou, limpando a boca suja de sorvete. Deu um beijo na bochecha do amigo, sorriu abobada e saiu correndo da sorveteria. Bruno se sentou no lugar dela, ao lado de Carol, sem dizer mais nada.

• • •

Abriu a porta e sentiu o sol sobre sua cabeça. O vento balançou sua saia, e ela ouviu uma buzina. O carro de Bruno estava sem a capota e parado no estacionamento da sorveteria. Amanda sorriu ao ver Daniel de óculos escuros, acenando.

– Estou me sentindo em um filme! – ela riu.

Pulou para dentro do carro sem abrir a porta. A saia voou, e Daniel ficou vermelho.

– Posso saber em que filme? *Titanic* ou *O exorcista*?

Ela riu, vendo-o acelerar o carro. Daniel sentiu uma sensação engraçada na barriga. Parecia que estavam saindo pela primeira vez.

– Eu me sinto em *Grease*, sabe?

– Achei que o John Travolta da turma fosse o Bruno, o pegador – Daniel disse, manobrando pela rua.

– Eu sou o John Travolta, *baby*. Você é Olivia Newton-John, aquela que eu ignorei na escola pra manter a fama de má.

– Você nunca foi má.

– Eu tentei – ela afirmou e aumentou o volume do rádio.

Um CD antigo do Paralamas do Sucesso estava tocando.

– Mas eles ficam juntos no final – Daniel olhou para ela.

– E quem disse que o final é agora? – Amanda ficou vermelha. – Eu hein...

– Estamos em um carro conversível...

– Apenas dirija, Daniel. Temos o dia todo pela frente!

A menina abriu a bolsa e pegou seus óculos escuros, sentindo-se bem ao perceber o sorriso que Daniel tinha no rosto.

• • •

– Para onde estamos indo? – ela perguntou, assim que Daniel parou em frente ao parque da cidade.

Era ali que ficava o parque de diversões, mas, após o fim da temporada de férias, o local se tornara um grande gramado, com bancos de madeira espalhados e um pequeno lago no meio, com alguns patos preguiçosos nadando.

– Vamos fazer um piquenique!

Daniel desceu do carro, pegando uma mochila da parte de trás. Puxou a capota, assim que ela saiu, e andou para dentro do parque, segurando a mão dela.

– Quer dizer, comer no chão com insetos e tudo mais?

– Quero dizer, ter um dia maravilhoso sentados no gramado, observando os pássaros e rindo um pouco.

– Ok, então.

Os dois pararam embaixo de uma grande árvore. Daniel abriu a mochila, tirando uma toalha de mesa quadriculada, meio engraçada, e dois copos grandes de macarrão instantâneo. Amanda ajudou-o a estender a toalha e sentou-se na frente dele.

– Precisamos de água quente – ela apontou as instruções de preparo.

Daniel sorriu maroto e tirou uma garrafa térmica da mochila.

– Eu penso em tudo, fofa.

Ele abriu os copos de plástico e encheu de água fervente, tampando-os logo em seguida. Em questão de minutos, o casal comia em silêncio.

– Ei, Daniel – ela chamou, abrindo uma lata de refrigerante que ele lhe entregara.

O menino olhou para ela, terminando de sugar um fio de macarrão. Ela riu.

– Acha que vai poder me ligar quando estiver em São Paulo? – perguntou.

– Vou comprar um celular só pra isso. Ah, fofa, não garanto que vamos ficar lá de qualquer forma!

– Eu garanto – ela sorriu. – Quero dizer, vocês são bons. Ninguém diz o contrário.

– Obrigado! – Daniel ficou vermelho e deixou seu pote de macarrão de lado.

– Faço questão de que *Quero te abraçar* vire *single*!

– Será bem famoso, conhecido em países de todo o mundo! – Daniel falou, e ela concordou.

Ele abriu a mochila mais uma vez e tirou um pedaço de papel. Ficou vermelho.

– O que é isso, Daniel?

– Eu escrevi há um tempo... Bom, faz bastante tempo. Não tinha a letra inteira, somente o refrão. Acho que agora consegui encaixar tudo que queria. Você pode dar uma olhada?

– Claro!

Daniel sorriu e entregou o papel meio amassado à menina, que começou a ler em voz alta.

– *O mundo seria um lugar solitário sem você, que me faz sorrir.* – Ela olhou para ele e falou: – Conheço essa letra. Ou algo parecido.

– Conhece? – ele franziu a testa.

– Você murmurou uma vez. Na primeira vez que estivemos no almoxarifado...

– Achei que não tivesse ouvido – ele sorriu sem graça.

– Achei que você soubesse que canta alto – ela zombou. Voltou a ler: – *Então, me abrace até o mundo acabar e eu não serei mais um cara sozinho. Porque tenho você pra me fazer bem quando os dias são duros e as noites longas...*

– E agora vem a parte nova... – ele avisou e bebeu um gole de seu refrigerante, sentido-se contente ao ver sua garota sentada na sua frente, lendo sua música.

– *Eu nunca duvidei de você. Se as estrelas se chocassem você iria sentar e vê-las caindo?* – Amanda olhou para o garoto, que sorria cantarolando junto. – *Então me abrace até o céu ficar claro e sussurre palavras de amor no meu ouvido.*

Os dois se olharam. Amanda sorriu.

– Pode pular o refrão; aparentemente, você já o conhece...

– *Olhando em seus olhos, espero que você não chore. E mesmo se chorar, vou estar bem ali ao seu lado, pra te abraçar a noite toda, mesmo sem você saber. Se precisar de mim, estarei lá.*

– Gostou? – perguntou meio nervoso.

Amanda concordou em silêncio. De repente, quis chorar. Como ele conseguia escrever letras tão sinceras?

– Isso é lindo – ela disse, fitando Daniel.

– Obrigado.

O menino pegou na mão dela. Os dois se olharam em silêncio por instantes.

– Sempre que precisar de mim, eu estarei lá – ele garantiu.

– Eu sei – ela sussurrou e sacudiu as mãos perto dos olhos, tentando segurar as lágrimas. – Odeio essa vontade de quase chorar.

– Não precisa chorar, fofa. Estamos juntos, não estamos? – ele disse, ajoelhando-se na frente de Amanda.

Amanda concordou.

Daniel passou a mão nos cabelos dela e ela balançou o rosto e sorriu, vendo-o quase se desequilibrar. Em um impulso, empurrou-o para trás, fazendo o menino cair de costas na grama, fora da toalha. Daniel agarrou-a com as pernas e puxou-a para perto. Os dois riam descontroladamente, deitados de barriga para cima e olhando para o céu.

– Tudo na vida é um jogo de chances! – Daniel segurou forte a mão de Amanda.

– Eu sei, já li isso em algum lugar. Acho que em *Alice no país das maravilhas*.

– Não me lembro – Daniel suspirou. – Acho que estamos tendo nossa chance.

A garota concordou, puxando o celular do bolso da calça e plugando o fone de ouvido, que estava na bolsa. Colocou um lado no próprio ouvido e o outro no de Daniel. O garoto sorriu, fechando os olhos. Amanda correu os dedos pelo aparelho até escolher uma música que queria ouvir.

If this is love, than love is easy. Its the easiest thing to do.
(Se isso é amor, então amor é fácil. É a coisa mais fácil de fazer.)

E os dois cantarolaram juntos com o McFly, enquanto sentiam que o mundo tinha ficado mais bonito apenas com eles deitados no meio do parque, observando o céu. Podiam ouvir o vento trazendo novidades.

cinquenta e nove

Carol abriu a porta da casa de Bruno devagar. Maya deu um empurrão. Elas tinham sorte de ele nunca se lembrar de trancar a casa antes de sair.

– Ande logo!

– Não me empurre! – Carol fechou a porta lentamente.

– Então, temos a casa livre.

– E o que quero na casa do Bruno, Maya? – Carol riu com as mãos na cintura.

– Sabotagem de instrumento, me siga!

A amiga passou pela cozinha, abriu a porta dos fundos e caminhou para o quartinho de música. Carol balançou a cabeça e seguiu a amiga.

– Eu não quero ter nada a ver com isso.

– Já era! – Maya riu.

• • •

– Vocês vão procurar por um tal Rick Araripe, ok? Só por ele... – Fred repetia pela milésima vez.

Guiga chegou à sala da casa do namorado com um travessa de pães de queijo recém-assados.

– Valeu – Bruno sorriu, anotando tudo o que Fred falava em um papel. – Certo, esse Rick aí, você conversou com ele?

– Conversei – Fred balançou a cabeça. – Um bom rapaz, prometo. Ele que tem poder de decisão na gravadora, o dono confia nele.

– E... se ele não gostar da gente? – Bruno parecia assustado.

– Tentamos outra gravadora, oras – Fred disse como se fosse fácil. – É normal receber um não, Bruno.

– Eu sei – o garoto balançou a cabeça. Quando seu celular tocou, atendeu:. – Que é Rafael?

– Eu preciso imediatamente da minha palheta! – o amigo berrou do outro lado do telefone.

– Usa ela, ué – Bruno enfiou um pão de queijo na boca.

– Como, se ela está na sua casa?! – Rafael parecia furioso.

– Vá lá e pegue, eu hein...

– Deixou a porta aberta?

– Como sempre...

– Beleza. Onde você tá?

– Na casa do Fred, resolvendo coisas da viagem...

– Ok. Fui! – Rafael desligou o telefone.

Bruno voltou a atenção ao casal à sua frente.

– Então, quando é o casamento?

E eles riram com a cara vermelha de Fred.

• • •

Rafael chutou pedrinhas até a casa de Bruno. Como pôde deixar sua palheta de estimação lá? Não era possível. Algo o atormentava tanto que mal se lembrara da sua palheta! Abriu a porta da casa de Bruno e a fechou com um estrondo.

• • •

Maya ouviu a porta da frente bater pouco depois de entrar com Carol na sala de instrumentos. A garota olhou para os lados, apavorada.

– Ai, meu Deus, é o Bruno! – Maya disse, baixinho.

Carol arregalou os olhos. Em que encrenca se meteu!

Puxou o braço de Maya para saírem dali, mas a amiga correu para dentro do miniestúdio, enfiando- se perto de caixas e *cases* de instrumentos. Carol olhou para os lados, ouvindo um assobio alto. Ai, céus! Correu para fora e entrou na primeira porta que viu. Era o banheiro da piscina.

• • •

Rafael assobiava uma música do Blink182 enquanto contornava a piscina. Ouviu um barulho de porta batendo de leve. Parou e olhou para os lados. Nada. Será que estava tendo alucinações?

• • •

Carol prendeu a respiração, ouvindo alguém andar do lado de fora. Bruno ficaria furioso se a encontrasse ali, e ela não queria conversar com ele. Não agora. Ainda estava confusa com tudo. Olhou meio de lado para o pequeno espelho do banheiro, entortando a cabeça. Não era tão bonita assim. Como Bruno podia gostar dela?

• • •

Maya viu a porta do quartinho sendo aberta. Ai, droga! Justo lá, naquela hora? Que momento inoportuno. Fechou os olhos e se encolheu mais entre os *cases*. Bruno iria zombar muito da sua cara se a visse ali. Era um absurdo entrar na casa dos outros assim, e seria pior ainda se ela contasse o motivo. Teria que admitir que gostava de Rafael, o que não ia ser legal. Alguém entrou assobiando. Ela apertou os olhos. Era agora. De repente, ouviu uma voz esganiçada e quase feminina.

– Ei, o que você está fazendo atrás do *case* do meu baixo?

Droga!

• • •

Amanda e Daniel andavam de mãos dadas pelo parque. Apesar de ser um domingo ensolarado, poucas pessoas estavam por ali. Os dois conversavam sobre tudo o que podiam, falando de música, escola, diferenças entre canadenses e brasileiros. Por fim, acabaram entrando em uma pequena discussão por conta de ciúmes. Qual é, todo mundo sabe que caras de banda não são fiéis às namoradas!

– Eu não acho que... – Amanda ia dizendo, quando uma música tocou alto.

Daniel fechou os olhos. Era seu celular. Fez sinal com a mão, pedindo um minuto para ela, e enfiou a mão no bolso.

– Fala, Rafa.

– Emergência zero vinte e cinco, corre.

– Que merda é essa? – Daniel perguntou.

– Vem pra casa do Bruno.

– Por quê? – Daniel olhou para Amanda, impaciente.

A menina olhava ao redor, tentando se concentrar em outros pensamentos e evitar que as lágrimas caíssem, como sempre acontecia quando ela começava a discutir qualquer coisa com Daniel.

– Erm, bem... tem um problema que eu... eu não consigo...

– Ah, ok. Se é sério, espere, ok? Cinco minutos.

– Cinco minutos? É caso de vida ou morte.

– Certo – Daniel desligou o celular e olhou para Amanda de forma muito séria. – Você é a minha namorada. Se você não me conhece o bastante pra saber que eu não iria me interessar por outra garota enquanto estou com você, então não merece ser minha namorada.

– Você gostou da Sofie... estando comigo – Amanda disse, olhando para os pés.

Daniel ia dizer algo, mas sua garganta secou.

– Eu não gostei da... da Sofie – gaguejou.

Amanda sacudiu a cabeça.

– E se... eu... não mereço ser sua namorada?

Daniel e ela se olharam em silêncio.

– Olha só – ele disse, aproximando-se e soltando a mochila no chão para segurar o queixo da garota e olhar em seus olhos –, odeio silêncio.

Ela sorriu com a seriedade que ele tinha falado.

– Mesmo sendo silêncio, é um barulho perturbador – ele acrescentou.

– Daniel... – ela falou manhosa.

Ele arregalou os olhos, interrompendo-a.

– A gente não vai mais tocar nesse assunto. Porque já fizemos muita burrada de ficar longe um do outro. Se não quiser, não passo na sua casa hoje de noite, mas não me venha dizer que...

– Pode passar – ela disse.

Amanda sentiu as bochechas corarem. Por que ainda ficava com vergonha disso?

Ele sorriu e lhe deu um beijo. Olhou o relógio.

– Céus, vamos ao socorro de Rafael!

Daniel saiu andando depressa, de mãos dadas com a menina, que não sabia se sorria ou se chorava.

• • •

Carol bateu na porta com força.

– Quem mandou se trancar aí? – Rafael berrou.

Maya apareceu com um facão, uma colher de pau e uma garrafa de cerveja nas mãos. Rafael riu e pegou o facão.

– Carol! Sai de perto da porta que... – ele ouviu outra batida. – Caraca, saia da porta!

– Rafael, seu idiota! Não me tranquei aqui dentro! – Carol gritou. – A porta emperrou! Merda de porta!

Maya sorriu, abrindo a cerveja.

– Por que raios ela está trancada no banheiro? – Rafael olhou pra Maya.

– Talvez, se escondendo de você... – a menina deu de ombros.

– História mal contada! – Rafael olhou para a porta. – Carol, vou tentar quebrar a porta...

– Não, seu maluco! – Carol berrou. – Se ele souber que eu estive aqui, ele...

– Opa, que isso? Que hospício se tornou a minha humilde residência? – Bruno apareceu atrás de Maya e Rafael.

Maya engoliu em seco, e Rafael largou o facão.

– Erm, oi, cara – Rafael acenou.

Bruno se aproximou da porta com a testa franzida.

– Que houve? O que vocês dois pervertidos estão fazendo?

– Eeeeeew! Ew, seu nojento! – Maya grunhiu. – A gente não fez nada...

– Cheguei agora há pouco – Rafael disse, quando ouviram a porta da casa bater.

Daniel e Amanda passaram pela piscina e pararam olhando a cena.

– Convenção das bruxas? – Bruno perguntou.

– Qual a emergência? – Daniel chegou perto deles.

– TEM EMERGÊNCIA? – Bruno olhou para Rafael.

– Maya – Amanda olhou para os lados –, você estava com as meninas...

– Erm... – Maya ficou vermelha.

– Guiga está com Fred. E a Anna foi pra casa do Caio, porque eu a acompanhei a pé até lá. – Bruno contou. – Por quê?

– Cadê a Carol? – Daniel perguntou.

Rafael e Maya apertaram os olhos, como se ele tivesse dito uma besteira.

– Quê? – Daniel olhou para a porta do banheiro. – O que foi?

– Que tem a porta? – Bruno girou a maçaneta, que não abriu. – Que houve?

– Emperrada – Rafael disse, simplesmente.

– Hm... – Bruno forçou um pouco e bateu com o ombro.

A porta cedeu, abrindo. Carol praticamente caiu em cima dele.

Maya bateu no braço de Rafael.

– Você disse que estava fazendo força!

– Eu estava, doce de coco!

– Tudo isso de força? – ela cruzou os braços.

Carol se ajeitou, totalmente vermelha.

– Erm, posso perguntar? – Daniel estendeu a mão.

– Não – Carol disse, arrumando a roupa.

Bruno estava perplexo olhando para ela.

– Tá, tipo assim, eu e Carol viemos... – Maya começou a contar.

– Você veio, eu nem sabia o que queria... – Carol a interrompeu.

Maya olhou feio para a amiga.

– Como estava dizendo, eu e Carol viemos sabotar os instrumentos dos meninos.

– Burra – Carol balançou a cabeça.

– O quê? – Daniel olhou para Amanda. – E você?

– Eu o quê, eu estava com você no parque, oras.

– Por quê? – Bruno perguntou e olhou para Carol.

A menina olhou para ele.

– Porque vocês vão embora. Mas a gente não quer que isso aconteça.

Rafael pegou a cerveja da mão de Maya e bebeu um gole grande. Amanda pegou a garrafa da mão dele e fez o mesmo.

– Mas...

Bruno ia dizer, mas a menina balançou a cabeça.

– Soa ridículo, mas... é estranho. Até pouco tempo, vocês não eram nada mais do que garotos chatos e irritantes, que iam pra diretoria e eram motivo de piadas nossas. – Carol falou.

Daniel olhou para Amanda, e Maya riu.

– E, do nada, eu vejo a Anna sem comer por causa do Caio. A Amanda chorando, porque Daniel tinha arrumado uma namorada – Carol parou –, e a Maya deixando alguém chamá-la de doce de coco! E ela mal come doce! – ela confessou, vendo Maya ficar vermelha. – A Guiga praticamente se casou com o Fred, e eu... eu...

– Você? – Bruno perguntou. Ele prendia a respiração sem perceber.

– Você foi meu namorado porque era o mais bonito deles – disse.

Bruno arqueou a sobrancelha. Daniel e Rafael abriram a boca, inconformados.

– Mas eu me apaixonei por você – Carol afirmou – e soube que você tinha me traído.

– Mas eu não...

– Eu sei – ela falou firme. – Sempre soube que era mentira, mas eu quis acreditar que era você quem estava errado, porque eu... não queria... gostar de você. Porque você era um maroto, um deles e... e agora...

– Agora você é uma de nós – Rafael disse, calmamente.

– Olhe pra elas – Carol apontou para as amigas. – A Amanda nunca teria saído com esse tênis imundo antes. E a Maya? Isso parece camisa de futebol!

– Caraca, não fala assim da minha camiseta.

– Eu gostei – Rafael disse, e Maya riu, agradecendo.

– Só que é muita coisa pra mim. É difícil ser uma pessoa e, de repente, perceber que tudo mudou. Como agora. Se vocês forem embora, a gente mudou à toa – suspirou.

Todos se entreolharam.

Não tinham pensado naquilo.

sessenta

Anna sentou-se na frente da carteira de Amanda e bateu com a mão na mesa da amiga.

– Eu vou matar o Caio!

– Mata não, pobre menino. Que houve?

– Se você não reparou, ele e seus amigos marotos não vieram à escola. E sabe do que mais? Ele nem me disse nada! – Anna parecia aflita. – O que será que aconteceu?

– Provavelmente, Rafael teve uma infecção estomacal ou Daniel engoliu a chave de casa sem querer, quem sabe? – Maya disse, sentando-se na carteira ao lado das duas.

Carol e Guiga entraram na sala.

– Alguém viu o Kevin por aí?

– Ele também? – Anna se virou para as amigas e desabafou: – É um complô!

– Seguinte, que tal a gente se esquecer por um minuto de que eles existem? – Carol perguntou.

As amigas ficaram em silêncio, pensando.

– Eles não vieram, não nos ligaram e, provavelmente, pouco se importam se a gente deu ou não por falta deles – Carol concluiu.

– Você pode ter razão – Maya concordou.

– Bom, eles devem estar fazendo as malas – Amanda sugeriu.

A professora entrou na sala, e elas voltaram em silêncio para os seus lugares.

• • •

– Vocês não acham melhor a gente começar a arrumar a mala? – Rafael entrou na sala da casa de Bruno, onde Caio e Daniel jogavam videogame.

– Não – Caio disse sem prestar atenção.

– Mas a viagem é nesta semana – Rafael insistiu.

– Droga, Daniel! – Caio gritou, enquanto Daniel ria escandalosamente.

Rafael rolou os olhos e foi para a cozinha, onde achou Bruno e Fred conversando.

– Caras, que tal começarmos a arrumar as malas?

– Boa ideia, vocês não podem deixar tudo pra última hora – Fred respondeu.

Bruno concordou.

– E os maricas?

– Nem me ouviram! – Rafael sacudiu a cabeça e, ao sair da cozinha, disse: – Vou em casa tentar descolar uma grana e já volto.

– E eu? Vou ligar pra minha namorada! – Fred sorriu.

Bruno deu um risinho. Sentiu inveja.

• • •

– Então, você viaja na quinta? – Amanda perguntou. – Mesmo?

– Yep, quinta bem cedo nosso ônibus sai – Daniel respondeu no telefone.

Os dois ficaram em silêncio por um tempo.

– E não voltam à escola?

Daniel ficou calado. Mordeu a boca.

– Bom, só se tudo der errado por lá.

– Tudo bem, então, vejo você depois – Amanda falou, desligando o celular.

Sentou-se no gramado da escola e sentiu as lágrimas se formando. A ficha ainda não tinha caído, e ela não sabia o que fazer quando realmente sentisse falta de Daniel.

Rebeca e algumas meninas se aproximaram, rindo. Amanda logo tratou de arrumar o rosto.

– Olha só, quem está aqui – Rebeca sorriu maliciosa. – Sozinha?

– Melhor do que mal acompanhada.

– Legal, agora deu pra ser poeta – Rebeca riu.

Amanda teve vontade de vomitar.

– Seguinte, sábado vai ter festa lá na casa da Shaira, sabe? Perto do parque da cidade.

– Ok – Amanda olhou para as unhas, aparentando não estar interessada.

– Vocês e os perdedores podem ir – convidou a garota morena ao lado de Rebeca.

Amanda olhou para ela e riu.

– Obrigada pelo convite. Se eu não tiver nada melhor, podem contar comigo.

As garotas lhe deram as costas. Amanda respirou fundo e se levantou. Será que as amigas gostariam de ir à tal festa para estragar a noite de Rebeca?

• • •

– Festa de bruacas? Tá maluca? – Guiga perguntou, mordendo uma barrinha de cereal.

Maya desceu da mesa quando viu um dos inspetores passar.

– Pode ser legal. Estaremos sem os meninos, vai ser uma forma de esquecer – Amanda deu de ombros.

– Por mim, tudo bem – Carol concordou.

Anna chegou perto delas, falando no celular:

– ... eu não devia nem ter falado com você pela primeira vez, que merda de vida...

Ela continuou andando. As amigas se entreolharam e fizeram cara de que não sabiam o que estava acontecendo.

– Preparadas pro começo das provas? – Carol perguntou.

Todas negaram.

– Nem um pouco – Amanda disse.

– Erm, já têm provas? – Maya fez cara feia. – Ah, com esse problema acabei esquecendo de tudo.

– Nem me fale – Guiga fez muxoxo.

– Menos mal pra você, que não vai perder o namorado! – Amanda disse.

Guiga balançou a cabeça.

– Fred vai ter que se mudar no fim do ano. Morar na faculdade. E eu suspeito que, se os meninos ficarem famosos, ele vai ser o empresário da banda.

As amigas se entreolharam e decidiram não falar mais nada. Apenas ficaram observando o movimento à sua volta. Havia pessoas felizes por estarem finalmente no terceiro ano e outras com raiva por se sentirem sobrecarregadas com os estudos e sem tempo para atividades fora da escola. Todos querendo ir para faculdade, ser independentes. Amanda agora não conseguia entender o sorriso de ninguém. Podia ser drama de jovem, mas ela, momentaneamente, tinha ficado sem perspectiva do que faria dali em diante.

• • •

Amanda, Anna, Carol e Maya andavam pela rua em direção à sorveteria de Kevin, depois da aula. Bruno estacionou perto delas e as convenceu a irem à sua casa para passar a tarde. Carol não ficou contente com a proposta, mas Amanda achava que precisava ficar a maior parte do tempo com seus amigos antes que eles fossem embora de vez. Assim, as quatro amigas se viram sentadas no sofá da casa de Bruno, apertadas, enquanto os meninos jogavam videogame, berrando e rindo.

– Alguém quer cerveja? – Rafael perguntou na sala.

Amanda e Caio disputavam uma luta no videogame.

– Quero Coca-Cola! – Maya disse.

– Garotas devem beber cerveja; assim, ficam bem bêbadas e param de falar besteira – Rafael resmungou.

– Vou ajudar você, cara – Daniel gargalhou e correu para a cozinha atrás de Rafael.

– Minha vez! – Carol pegou o controle das mãos de Amanda.

– Ninguém é páreo para mim! – Caio riu.

– Não se vanglorie querido, a Carol bomba! – Anna alertou.

– A Carol? Em videogame? Ah, quero só ver... – Bruno debochou.

– Qual o problema? – Carol não gostou e olhou feio para ele.

– É que você é garota demais pra isso – ele falou sinceramente.

Maya abriu a boca sem saber o que dizer. Amanda, porém, teve reação rápida:

– Tá me chamando de garoto? – ela gritou, jogando uma almofada em Bruno.

– De forma alguma, pequena... Foi só jeito de falar! – Bruno bagunçou os cabelos de Amanda.

Rafael e Daniel entraram na sala com uma bandeja. Copos, garrafas de cerveja e refrigerante e baldes de pipoca foram espalhados pelo lugar.

– Tá muito quente aqui! – Bruno resolveu tirar a camisa.

– Nãaaaaao! – Carol berrou.

– Bruno! Bruno! Bruno! – Maya e Amanda batiam palmas.

O garoto se levantou enquanto puxava a camisa pela cabeça. Rafael e Caio se irritaram.

– Cara, não quero ver ninguém pelado! – Daniel gritou tapando os olhos.

– Bom pra você – Amanda disse.

Carol também tentou tapar o rosto, mas Anna a impediu e fez questão de fazê-la ficar de olho aberto.

– Não é como se eu fosse tirar a roupa toda! – Bruno se sentou no chão de novo.

Rafael pôs a língua para fora.

– Uma peça basta, Bruno!

– Mas eu tirei só a camisa! Por enquanto...

• • •

Amanda andou pelo quintal, na parte de trás da casa de Bruno, à procura de Daniel. Ele saíra para ir ao banheiro e não tinha voltado. Ninguém tinha se dado conta, porque estavam entretidos demais com as brincadeiras de Bruno e Rafael. Mas ela sentira falta. Não queria perder a oportunidade de ficar perto dele.

Viu o menino deitado na grama ao lado da piscina. Aproximou-se com cuidado, para não assustá-lo.

– Vai ficar doente por causa do sereno.

– Estou pensando – ele abriu lentamente os olhos, enquanto ela se sentava ao seu lado.

– Quer compartilhar?

– Quer ouvir? – ele perguntou, e ela concordou. – Quando eu for famoso, quero fazer muita caridade.

– Caridade? – Amanda sorriu.

– É. Quero adotar crianças, quero doar meu dinheiro...

– E você está pensando nisso agora, Daniel? Você tem de pensar na sua vida primeiro.

– Mas isso faz parte da minha vida, ué – ele afirmou e se sentou. – Ah! Fiz uma música que não tem ritmo ainda, só a letra. É um pouco grande.

– Fale pra mim – ela abraçou as pernas e apoiou a cabeça nos joelhos.

– Ok, você quem pediu... – ele sorriu e fechou os olhos. Com a voz suave começou a declamar: – *Passo tempo todo assim, ainda insisto para entender... Como está, onde está você? Ainda sonho com o dia que eu vou correr, eu vou atrás de ti. Eu vou sair, vou sair de casa. Mas o tempo já passou, e eu só vejo o passado. Nossa hora já chegou. Foi tão bom estar ao seu lado.* – Fez uma pausa e limpou a garganta antes de continuar: – *As mensagens que eu já te mandei, os sorrisos que eu já recebi e as imagens que eu ainda lembro. Foi tão ruim ter que te ver partir. E as lembranças que não me abandonam, e as palavras que você falou. O primeiro e o último beijo, que pra mim ainda não terminou.*

Ele abriu os olhos, e o rosto de Amanda estava bem perto do seu.

– Te amo, Daniel.

– Também te amo, fofa.

E ela o beijou.

sessenta e um

– Saco de escola! – Maya jogou a caneta no chão, enquanto Amanda passou por ela, carregando o material.

– Vamos lá encher o Kevin – ela sugeriu.

– Tenho trabalho pra fazer – Maya descartou a ideia.

– Não fez ontem?

– Não! Hmm, estava ocupada! – Maya falou rápido, ficando vermelha.

Anna parou ao lado das duas e, curiosa, perguntou para a amiga:

– O que você fez ontem, em plena terça-feira?

– Eu...

– Você, o quê? – Amanda insistiu.

– Estava com Rafael – Maya ficou sem graça. – Ele me mostrou mil fotos e imagens de lagartos diferentes e eu fingi que entendia tudo.

– Ahhhhh! – Anna deu um berro. – Que lindo isso!

– Não é lindo! Não é! – Maya disse nervosa e saiu andando na frente.

As amigas a seguiram.

– Mas por quê? O que ele fez? – Amanda nunca tinha visto Maya tão ansiosa assim.

– Ele vai fazer. Ele vai embora. De que adianta ele ser meu amigo agora?

– Eu... eu não sei... – Amanda olhou para Anna.

– Esqueçam – Maya balançou a mão – e se divirtam por mim e pela Guiga, que, aliás, está de castigo por causa da conta do celular ou sei lá o quê.

Maya seguiu em direção ao portão da escola. Anna e Amanda se entreolharam.

– Vamos pra sorveteria – Amanda sugeriu –, a gente não tem o que fazer com isso. Afinal, acho que estamos no mesmo bote.

Anna deu de ombros. Carol surgiu correndo.

– Me esperem! O que vão fazer?

– Que tal um sorvete de morango com calda de caramelo e *marshmallow*? – Amanda perguntou.

– Lá vem você com as misturas estranhas! Mas aceito um suco de abacaxi com adoçante.

As três subiram a rua conversando sobre sabores de sorvete.

• • •

– Acham que estão prontos? – Fred quis saber.

– Estamos – Bruno disse, firme.

– Tomara que contratem a gente – Daniel coçou a cabeça –, mas, ao mesmo tempo, quero voltar pra cá.

– Não pense assim – Fred aconselhou. – Pense que vocês vão realizar um sonho, certo?

– Certo – Bruno concordou. Olhou para Daniel e perguntou: – Quer fazer algo hoje?

– Não. Vou ficar em casa. Talvez ligue pro Caio, ele está chateado.

– Acho que vou lá na sorveteria do Kevin. As meninas devem ir pra lá – Bruno informou, pegando as chaves do carro.

– Opa, vou com você! Tô precisando de um *milk-shake* de graça pra acalmar os nervos – Fred falou.

Daniel se sentou no sofá e encarou a televisão desligada.

• • •

Amanda acabou perdendo a atenção na conversa dos amigos, que falavam de revistas de moda e desfiles da cidade grande. Toda hora o rosto de Daniel vinha na sua cabeça. Ela disse que ainda precisava revisar a bateria de exercícios de álgebra e se despediu deles, mas não foi para casa. Não queria falar com ninguém. Pegou o ônibus, que parou na primeira esquina, e sentou-se no banco do fundo, onde ela e Daniel tinham se sentado uma vez. Ficou olhando a paisagem e sentiu vontade de chorar. Iria perder seu Daniel de novo.

• • •

Daniel pegou uma garrafa de cerveja na geladeira e ligou para Caio. Caiu na caixa postal. Ele sabia que Caio não estava ocupado. Viu que seu próprio celular tinha várias ligações perdidas de sua mãe. Não queria lidar com ela naquele momento.

Por que doía tanto seguir os sonhos?

Sentou-se no sofá da sala, somente de calça, e ligou a TV. Não prestava atenção em nada, mas fingia para si que não ficaria mal por ir para longe de Amanda de novo.

• • •

Amanda desceu na praia. Ainda era de tarde e o céu estava cinza. Tirou os tênis, colocando-os dentro da mochila, e andou pela areia, olhando as ondas agitadas. Caminhou pela beira do mar até se cansar e se largou na areia, começando a chorar. Encolheu-se e chorou muito. Chorou por todos os dias que quis ficar perto dele e não conseguiu. Chorou por Daniel. Chorou por Bruno, Caio e Rafael. Chorou por não saber o que fazer da vida dali para a frente. Não sabia o que queria ser na vida. Aquele ano tinha uma pressão maior ainda. Sua mãe estava enlouquecida, com seus estudos e horários, e a cobrava cada vez mais. Ela desejava morar em uma cidade grande, longe de tudo aquilo. Queria morar com Daniel. Seus pais nunca permitiriam. Questionou a vida. E se sentia cada vez mais triste. Ela não sabia mais o que fazer. Queria ser forte para se despedir de Daniel. Sabia que teria um longo caminho pela frente, e ela só tinha medo. Faltava coragem para percorrê-lo sozinha.

Pegou o celular e ligou para ele.

• • •

O controle da TV estava jogado de lado. Daniel babava com a cabeça encostada na parte de trás do sofá. Ao lado dele, algumas latas e garrafinhas de cerveja vazias. Ouviu um zumbido e pulou ao perceber seu celular tocando.

– Alô! – atendeu totalmente tonto. Ouviu uma respiração profunda e olhou a bina. – Fofa?

– Daniel... – ela disse, e desatou a chorar.

– O que bove... ehrr... que houve?

– Você está bêbado... – ela falou lentamente.

– Não é por isso que você está chorando.

– Não – Amanda parou. – Eu fiz uma música.

– Cante pra mim! – Daniel passava a mão no rosto, tentando afastar a tontura, sem sucesso.

– Não fiz a melodia! – Amanda começou a chorar, como se isso fosse ruim. – Eu só pensei... eu tô na praia – ela respirou fundo – e me perguntei como que é ser realmente amado pra sempre. Como é ter uma casa e um lar, mas não o que temos. Como sonhamos, sabe? E que eu sempre caio quando tem obstáculos.

A voz embargou por causa do choro. Daniel sentiu que iria chorar também e deitou-se no sofá.

– Eu não aguento! Se tem pedra no meu sapato eu fico assim. Eu paro. Meu mundo para. Talvez o tempo me faça ficar melhor, mas eu queria que fosse logo! – Amanda declamou a letra que fez.

– Fofa... – Daniel tentou falar, mas continuou a ouvir.

– Fico perguntando se vou saber me despedir de você. E não sei se consigo. Você não vai estar mais aqui comigo – ela continuou.

– Eu sei.

– Não sei o que fazer, pra onde ir... Estou apenas seguindo o tempo. A estrada. O sol já se foi – ela suspirou. *– O mundo tá passando diante de mim e eu estou sentada. Imaginando. Sonhando. Sendo idiota.*

Ela falou de si mesma de maneira grosseira. Daniel balançou a cabeça.

– Não fique sozinha... – foi a única coisa que ele conseguiu falar. Sua cabeça doía. Tinha bebido muito.

– Você não tá nem ouvindo, está? Você não vai entender. Depois a gente se fala – ela desligou.

Desligou sem Daniel ter respondido nada. O garoto se levantou e correu até o banheiro, sentindo-se enjoado. Ajoelhou ao lado do vaso sanitário e começou a chorar. Ele não deu a mínima. Sentiu ânsia de vômito e dor de cabeça, mas a pior dor foi ouvir, mesmo que no subconsciente, sua namorada chorando. Era inexplicável. E, novamente, era tudo por sua causa. Enfiou o rosto no vaso e vomitou.

• • •

Amanda se deitou na areia e ficou encarando o céu. Sua mente estava perturbada. Fechou os olhos e adormeceu ouvindo o som do mar.

sessenta e dois

Na casa de Bruno, Caio cantarolava uma música sentado no chão da sala.

– Caio, pare com isso! Essa música do McFly é mó depressiva! – Rafael pediu, já ficando nervoso.

Caio olhou para o sapato e colocou o violão dentro do *case*. Bruno passou com algumas malas, enquanto Daniel desceu as escadas cabisbaixo.

– Vamos, animem-se! – Fred disse e, voltando-se para Daniel, perguntou: – Dor de cabeça?

– Ressaca– ele sorriu sem ânimo.

– Espero que tudo dê certo. Rick está muito curioso pra conhecer vocês, me ligou para dizer isso depois que enviei a *demo*. Ele garantiu que não vai me decepcionar!

– Certo! – Rafael falou chateado. – Merda.

Ele saiu chutando o *case* de Caio, que deu um berro e foi atrás dele.

Bruno apareceu na porta.

– Tudo pronto! – ele disse, e olhou para os amigos.

– Tudo? – Daniel perguntou, vendo o outro concordar. – Então, acho que vamos...

– Vão passar na escola antes? – Fred perguntou, seguindo-os para fora da casa.

– Vamos. A gente precisa – Caio falou.

Fred sorriu e abraçou cada um deles.

– Eu iria com vocês, mas já faltei demais nas aulas. Preciso ir para a faculdade. Liguem pra mim assim que pisarem em São Paulo! Quero saber de tudo!

– Pode deixar. Não se esqueça de pegar meu carro na rodoviária e deixar na casa do meu tio, ok? – Bruno pediu.

Fred confirmou com a cabeça, e acenou quando os quatro entraram no carro e partiram. O amigo girou as chaves da casa de Bruno nas mãos e olhou para a sala vazia. Trancou a porta e subiu a rua a pé.

• • •

O carro estacionou em frente ao portão da escola, e eles saíram. Caio pendurou o *case* do violão nas costas. Daniel usava enormes óculos escuros para esconder a cara de ressaca. Bruno ajeitava os cabelos da melhor forma que podia, e Rafael apenas abaixou a cabeça, colocando as mãos nos bolsos. Ficaram parados ali e ouviram o sinal do fim da aula tocar.

Daniel sentiu o estômago dar voltas. Estava nervoso. E só piorou quando viu Amanda atravessar o portão com as amigas em volta. Céus, como ela era linda. Os dois se entreolharam de longe. Ele viu a tristeza nos olhos da sua menina. Desencostou do carro e esperou que elas viessem até eles.

As pessoas passavam observando os antigos marotos, agora futuros *rockstars*. Eles não eram mais os mesmos. Estavam bonitos, bem arrumados, e já pareciam gente que não morava mais na cidade.

Amanda se aproximou lentamente, à frente das amigas. Colocou o cabelo para trás da orelha, olhando para os pés. Com ímpeto, Daniel avançou e a abraçou, afundando o rosto, agora sem óculos, no pescoço dela. Amanda largou a mochila no chão e o agarrou com força.

Bruno deu um abraço em Maya e viu Carol se aproximando. Sorriu para ela. A menina retribuiu.

– Então, é hora de finalmente dizer adeus? – perguntou, e Bruno concordou. – Treinei isso por muitos dias! – Carol pareceu nervosa. – Mas acho que nunca teria sido o bastante. Eu só preciso que você vá embora logo. Não vou aguentar me despedir.

A garota se virou e saiu andando. Bruno desencostou do carro e foi atrás dela. Quando a abraçou por trás, a menina se sentiu confortável e, ao mesmo tempo, apavorada pela separação iminente. Pela primeira vez, porém, ela não ligou que as pessoas estivessem olhando. E quase todo o colégio assistia à cena.

Anna, já chorando, correu até Caio assim que o viu. Beijou-o na boca com intensidade e afundou o rosto entre os braços do garoto.

– Eu te amo – Caio sussurrou no seu ouvido. Pegou a sua mão e beijou o anel, com pedra em forma de coração, que ele tinha dado a ela. – Você vai ser sempre a dona do meu coração.

A menina concordou, chorando mais, e beijou outra vez o namorado.

Maya passou por Amanda e Daniel, seguindo para o lado de Rafael. Ambos não tiveram reação nenhuma. Olhavam para os pés e para os amigos. Kevin sorriu para eles. Guiga estava chorando, segurando bolsas e cadernos das amigas. Maya evitou olhar para o rosto dos amigos. Não era chorona, de jeito nenhum, mas preferia tomar cuidado.

– Nunca vou achar doce de coco melhor que você – Rafael confessou. – Juro.

Maya sentiu uma fisgada no peito, e seus olhos se encheram de lágrimas. Ah, não! Ela não chorava na frente de ninguém. Escondeu o rosto nas mãos e sentiu um abraço forte de Rafael.

Amanda segurou o queixo de Daniel, molhado de lágrimas.

– A música se chama *Andando ao sol* – ela contou.

Daniel sorriu. Não conseguiu evitar.

– Vai ser sucesso algum dia – Amanda completou –, depois de *Quero te abraçar*!

– Eu sei – Daniel enxugou as lágrimas. Olhou para ela. – Eu... eu não sei o que... não sei...

– Shh. – Amanda sorriu, beijou de leve os lábios dele e sussurrou: – Você não precisa dizer nada. O adeus não precisa ser falado, precisa?

– Não.

• • •

De mãos de dadas, elas observavam o carro de Bruno virar a esquina. Ficaram alguns segundos paralisadas. Estava um silêncio ao redor delas. Mas, aos poucos, os alunos foram despertando da cena, cochichando e indo embora. Guiga abraçou Maya, que ainda chorava silenciosamente, e Kevin aproveitou para tirar uma foto vergonhosa dela. Maya chorando? Verdadeira relíquia! Ele guardou o celular no bolso da calça e segurou Amanda por trás, abraçando-a.

– Vai ficar tudo bem – Kevin sussurrou.

Amanda apenas concordou. Ao seu lado, Carol respirou fundo, tentando se recompor.

– É melhor ir embora se não quisermos que isso vire manchete no jornal da cidade! – Carol afirmou, ainda vermelha, e pegou sua bolsa.

As amigas concordaram e entraram no carro de Kevin em silêncio.

– Hoje é só nossa! – ele avisou, estacionando em frente à sorveteria.

Kevin trancou as portas do estabelecimento por dentro. As amigas se sentaram em um canto sem saber o que dizer ou fazer. Maya não parava de chorar, Amanda soluçava alto e Anna estava branca. Carol, por sua vez, tentava se manter tranquila.

– Nada acaba desse jeito. Vocês vão ver! – Guiga consolou.

sessenta e três

A manhã da sexta-feira passou arrastada. Não era a mesma coisa. No colégio, ninguém falava sobre o assunto, porque ninguém sabia na verdade o que tinha acontecido.

– Ele ligou pra você hoje? – Amanda perguntou baixinho para Anna, que estava na carteira da frente.

– Ainda não – Anna olhou para trás. – Eu vou ligar...

– Não. O melhor é esperar. Dê um tempo para as coisas acontecerem pra eles – Guiga aconselhou.

Amanda voltou para sua cadeira e respirou fundo. A cada minuto ela puxava o celular do bolso, mas não havia sinal de ligação de Daniel.

• • •

Na saída da escola, Fred esperava por elas. Estava com as botas que usava com frequência, calça jeans justa e os cabelos loiros compridos amarrados em um coque, algo que somente Fred podia usar. Amanda estava discutindo com Kevin alguma coisa sobre álgebra, relacionada ao corpo humano masculino, quando viu o amigo caminhando na direção delas.

– Meninas. Kevin.

– Boa-tarde – Maya sorriu de leve.

As outras acenaram, e Guiga abraçou o namorado.

– Novidades pra gente? – Carol perguntou.

– Caio me ligou ontem à noite.

– Filho de uma... – Anna xingou.

– Não fique brava! – Fred riu alto. – Eles pediram pra avisar que foi tudo bem na viagem e que estão em um hotel perto da gravadora. O celular deles não pega direito lá.

– Ah! – Amanda se achou idiota por ficar esperando telefonemas de Daniel.

– Anotei o telefone do hotel e o ramal do quarto deles, se quiserem – Fred estendeu um papel.

As meninas ficaram sem reação, mas Amanda tomou a frente e puxou o papel rápido. Pegou o celular e discou na mesma hora. Fred apenas riu, vendo-a irritar-se com o "tu tu" do telefone.

– Atenda, Daniel, atenda... – Amanda murmurou.

– Alô, mãe!

Ouviu alguém berrar e riu sem querer.

– Rafa, é a Amanda – ela disse, e viu Maya sorrir de repente.

– Ahhhhhhhhh, amiga do coração! Olá. A que devo o prazer da sua ligação?

– Rafael! Como vocês estão? Poxa, a gente quer saber...

– Caraca, calma! Ô, Danny, a Amanda, a garotinha aqui quer falar com você. Beijos.

– Beijos! – ela riu, fazendo positivo para Maya, que parecia mais contente. – Daniel?

– Ah, fofa! – Daniel pareceu aliviado. – Que saudade!

– Também. Como está por aí?

– Tudo tranquilo. A cidade é linda! Você tem que conhecer, fofa, tem que ver como é...

– Eu imagino – ela disse meio para baixo, pensando que não iria para São Paulo, e sabia disso.

– Nossa reunião é daqui a pouco. Eu tô suando.

– Fique calmo! – Amanda sorriu. – Vai dar tudo certo.

– Queria que você estivesse comigo...

– Eu também.

– Mas eu preciso deixar o Caio falar com a Anna se não ele vai ter um ataque de biba aqui, ok?

– Ok! Beijos?

– Te amo, fofa.

– Também – ela respondeu. Passou o telefone para Anna e disse: – Adivinhe?

– AHHHHHHHHHHHHHH, Caio! – ela deu um berro.

Todos começaram a rir. Kevin abraçou Amanda por trás.

– Não ofereço um sorvete porque se não a glicose daqui a pouco vai a mil – brincou.

– Vou comer quando voltar para casa mesmo – ela deu de ombros, e ele gargalhou.

– Malandra... Rola amanhã a festa das bruacas? – Kevin perguntou, olhando para todas.

Elas se entreolharam, e Fred riu.

– Eu vou – ele disse, e levou um beliscão de Guiga.

– Na falta do que fazer... – Carol deu de ombros.

– Então, combinado! Que emoção gente, adoro quando vocês estão animadas! – Kevin beijou Amanda no rosto. – Agora, vou indo porque tem um gato me esperando lá em casa! E vocês não!

Ele saiu correndo antes que elas batessem nele.

• • •

Amanda estava sentada em frente à sua escrivaninha, encarando os cadernos. Carbono, hidrogênio, hélio e mais o quê? Sua cabeça doía, e ela não conseguia se concentrar. Ainda não sabia o que iria querer no futuro, mas, com certeza, química não faria parte. Olhou para o celular, tentando fugir da chatice dos estudos. Suspirou. Tirou do bolso do jeans o papel com o número do hotel de São Paulo. Voltou a olhar para o celular.

– Alô? – a voz sonolenta de Caio atendeu.

– Caio? Erm, oi. O Daniel está?

– Amanda? Erm... o... Daniel?

– É – a menina achou estranho a confusão do amigo. – Pode chamá-lo?

– Eu posso... posso sim... um minuto... – Caio tampou a boca do telefone com a mão.

Dois minutos se passaram. Três. Amanda queria saber o que estava acontecendo. Será que deveria ter ligado? Mas ela queria saber o resultado da reunião. Precisava ter ligado, sim. Esperou mais um pouco.

– Oi, Mandy? – ele voltou.

– Caio? – a menina franziu a testa.

– Não achei o Daniel. Ele não está no hotel. Acho que saiu com o Bruno. Foram comemorar.

– Ah! Então, vocês assinaram?

Amanda sentiu um vazio no peito. Por que Daniel não ligou para falar da novidade?

– Ainda não, mas eles gostaram muito da gente. Foi uma loucura! Rafa passou o *scanner* do contrato pro Fred dar uma conferida, a mãe dele é advogada e vai ajudar. Mas parece que tá tudo certo! Dois anos, cara. Com direito a dois CDs e, se fizermos sucesso, lançamos um filme! – ele riu. – A parte do filme é mentira, mas, se a gente fizer sucesso, a gravadora renova nosso contrato!

– Aêêê, parabéns! Quem sabe, no filme, o Bruno não realiza o seu sonho...

– Ah? – ele pareceu confuso. – Ah, Bruno? Até parece que a Lindsay Lohan vai querer fazer filme com a gente. Nem bom ator a gente é! – Caio riu e indagou: – Não tá conseguindo dormir?

– Por que pergunta?

– Erm... já passou da meia-noite – Caio disse.

A menina soltou um palavrão ao se dar conta do horário.

– Tudo bem, tava acordado mesmo! – fez uma pausa. – Como vocês estão? Como a.. – deu longo suspiro.

– Na mesma, a cidade não muda. E, bom, a Anna tá tentando lidar com essa mudança, sabe? – ela sorriu.

Os meninos saíram para comemorar, mas ele ficara no hotel, na sua. Devia sentir muita falta da namorada.

– Bom, eu vou dormir – Amanda falou. – Fico feliz por vocês! Parabéns de novo!

– Obrigado. Boa-noite, e pode deixar que aviso o Daniel que você ligou!

– Ok, beijos.

Eles desligaram. Amanda levantou e se jogou na cama, encarando o teto.

Daniel estava se divertindo.

sessenta e quatro

Carol entrou no quarto de Amanda bufando, com uma chapinha na mão e uma mochila na outra.

– Faz tempo que estou precisando me arrumar bem! Você precisa me ajudar! – ela exclamou.

– Bem? – Amanda riu, deixando a revista de lado.

– É...

Carol abriu a mochila e jogou tudo em cima da cama da amiga. Estojos de sombra, batom, *blush* e pó ficaram espalhados, ao lado de escovas de cabelo, grampos, cremes e pomadas fixadoras.

– A gente tem que estar estonteante – ela afirmou. – É festa na casa das bruacas, hellooooo?

– Você falou com Bruno hoje? – Amanda disse, remexendo na maquiagem jogada em sua cama.

Carol negou.

– Por que falaria? – Perguntou friamente.

Ligou a chapinha na tomada e começou a escovar os cabelos.

– Por nada – Amanda desistiu de falar sobre os garotos.

– Eu não consigo decidir que vestido usar! Eu tô uma baleia! – Anna reclamou.

Ela entrou no quarto de Amanda com Maya. As duas carregavam mochilas e sacolas.

– Ei, quando foi que vocês começaram a entrar aqui sem avisar? – Amanda perguntou, fazendo cara de espanto.

– Desde que a tia Judith disse que somos praticamente de casa, oras – Maya respondeu, sentando-se na cama e espalhando peças de roupas em cima das maquiagens de Carol. – E aí, qual melhor *look* pra bater numa bruaca?

• • •

Perto da rua das Abóboras, o barulho era imenso. A batida do *hip hop*, ou seja lá como aquilo era chamado, tomava conta daquela parte da cidade. A rua estava lotada. Estavam todas bem-vestidas e até mais produzidas do que nas idas aos bailes de sábado à noite. Haviam passado a tarde com máscaras de pepino no rosto, tratando dos cabelos e fofocando sobre tudo e todos. Não falaram dos garotos, da Scotty nem do contrato. Elas precisariam se acostumar com o fato de eles estarem longe, certo? Mas, mesmo sem falar deles, cada uma pensava no que os meninos estavam fazendo. Anna e Amanda criaram uma mania de checar o celular a cada cinco minutos. Quando Kevin passou para buscá-las, Amanda desligou seu aparelho antes de sair. Se Daniel quisesse falar com ela, já teria ligado.

– Faz sinal pro Fred parar por aqui, não vai ter vaga lá perto – Maya disse, olhando pela janela.

Kevin começou a piscar o farol.

– Impressionante! – Anna falou. – A festa é pra adolescentes. Onde eles conseguem tantos carros?

– Como é que vão impressionar as garotas sem um possante? – Kevin opinou, estacionando o seu.

– Não deve ser fácil mesmo – Amanda riu.

– Não é? – Kevin desceu do carro, abriu a porta e deu o braço para ela. – Prontas pra uma noite de arraso?

– Tô pronta pra beber um litro de vodca! – Maya sorriu.

– Eu tenho que voltar pra casa antes das duas – Carol pôs a língua para fora.

– Não se preocupe! – Fred chegou perto. – A gente não vai aguentar mais que isso mesmo.

• • •

A porta da casa estava aberta. Guiga, de mãos dadas com Fred, entrou primeiro. Kevin foi puxando Amanda, enquanto as outras vinham atrás. Ninguém prestou atenção neles. Todos estavam dançando e conversando. Perceber a chegada dos perdedores era o de menos. Elas não eram mais nada no colégio.

– Eu vou atrás de bebidas! – Maya saiu andando.

Carol correu para segui-la. Anna se virou para Amanda e Kevin.

– E agora?

– Vamos dançar – Kevin sugeriu. – Esqueceram o que se faz em festa?

As meninas se entreolharam e negaram com a cabeça. Ele riu e segurou as duas pelo braço.

– Nem pense, Kev, eu... – Amanda dizia, tentando evitar, enquanto ele as puxava para o meio de uma sala sem móveis, improvisada como pista de dança.

– Kevin, estou com problemas nas juntas! – Anna berrou.

Kevin riu e começou a dançar uma música eletrônica esquisita. Elas ficaram paradas ao seu lado, apenas mexendo os braços de leve.

• • •

– Daniel, ligue pra Amanda! – Caio disse, fechando a porta do frigobar do hotel.

– É mesmo – o menino bateu na testa. – Poxa, fiquei tão enrolado que nem pude falar direito com ela hoje.

– Cara – Rafael chamou, segurando o telefone nas mão –, vocês acham que a gente volta pra cidade?

– Ahn? – Bruno quase cuspiu a cerveja.

Caio abriu a latinha de refrigerante e andou até perto dos outros.

– O que quer dizer com isso, cara? – Daniel perguntou.

– A gente não volta pra lá – Rafael mordeu os lábios.

– Claro que não, a gente tem um contrato milionário! – Bruno disse.

– Vamos gravar um CD e... – Caio ia dizendo.

– A gente não volta pra lá – Rafael concluiu.

Daniel parou por um minuto. Encarou as mãos e olhou para o chão, respirando fundo.

– E agora?

– E agora o quê? – Bruno falou preocupado, percebendo que Daniel estava quase chorando. – Danny, o que foi?

– Rafa tá certo... A gente não volta pra lá. E agora?

– Agora? – Caio perguntou.

– O que eu faço com a Amanda? – Daniel cobriu o rosto com as mãos.

Rafael colocou o telefone no gancho, olhando para Caio. Andou até a porta.

– Vou pro outro quarto. Não quero lembrar que alguém aqui sofre mais que eu com essa mudança! – Rafael bateu a porta.

Bruno abraçou Daniel em um gesto fraternal e olhou para Caio, que puxou o celular rapidamente.

• • •

– Opa! – Anna falou alto, pegando o celular da bolsa. – Já volto.

– Quer beber algo? – Amanda virou-se para Kevin.

– Vodca?

– Algo decente – Amanda revirou os olhos.

– Fica na sua – Kevin pôs a língua para fora – que vou buscar algo pra gente. Dance, Mandy, dance!

Ele saiu balançando os braços no ritmo da música de um jeito afetado demais. Amanda ficou parada na sala da casa da tal Shaira. Até aquele momento, nem sinal das bruacas. Melhor assim. Enquanto olhava para as pessoas circulando por ali, sentiu um pequeno empurrão.

– Ih, foi mal... – ela falou, virando-se.

Era um casal que dançava alegremente. O rapaz tinha os cabelos iguais aos de Daniel, e a menina sorria radiante. Amanda engoliu em seco. Não queria se lembrar de Daniel.

Então, ela viu alguns meninos passando e sorriu quando um deles veio em sua direção.

– Nick! – cumprimentou.

O garoto loiro se aproximou e a beijou na bochecha. Logo atrás, veio André. Desde a noite em que ela vomitara em Nick, os dois não se falaram mais. Agora, que eles tinham ido para a faculdade, mal se encontravam.

– Muito tempo que não nos vemos!

– É verdade. Cadê suas amigas? – André perguntou, interessado.

– Por aí, procurando bebidas! – ela sorriu.

– E os amigos? – Nick franziu a testa, olhando para os lados.

– Em São Paulo – Amanda fingiu estar contente.

– Jura? – André sorriu. – Então, acho melhor a gente aproveitar a companhia de vocês enquanto eles não chegam!

– É... é bom mesmo – Amanda falou, aceitando a mão de Nick para dançar.

• • •

– A gente vai dar um jeito, ok, cara? – Bruno falou, dando tapas nas costas de Daniel.

– Elas estão em uma festa – Caio contou ao chegar perto dos dois. – A Anna me disse...

– E a Amanda está com ela?

– Estava dançando – Caio engoliu em seco e bebeu um gole de cerveja.

– Por que essa cara? – Daniel franziu a testa.

– Quando Caio faz essa cara... – Bruno alertou.

– Ela estava dançando? E daí? – Daniel perguntou.

– E daí que ela estava dançando com o Nick, cara. Desculpe.

sessenta e cinco

Dezembro. Mais um ciclo chegando ao fim. E ao fim do terceiro ano!

Diário estelar sem atualizações durante os últimos meses devido à ausência de seus cadetes espaciais.

• • •

– Ok, eu nem acredito! – Guiga dava gritinhos com o celular na mão.

Carol e Amanda tomaram um susto, rindo, enquanto esperavam as amigas no final da aula. O portão do colégio estava cheio de alunos, todos conferindo seus boletins e analisando quanto ficariam de castigo nas próximas férias.

– O que foi, doida?

– Eu e Fred passamos pra mesma faculdade! – ela dançava, alegremente.

As amigas se entreolharam e, em segundos, comemoravam juntas.

Kevin chegou caminhando com um papel nas mãos. Anna e Maya discutiam do seu lado.

– Oito? Professor infeliz! Ainda bem que não vou vê-lo mais...

– Pare de resmungar, Anna. Com as suas notas você passa em qualquer faculdade que quiser, diferente das minhas!

– Kevin, o burro aqui é você que não estuda – Maya pôs a língua para fora.

– Se você tivesse um namorado gostoso que nem o meu, duvido que iria pensar assim.

– Bruto! – Maya gargalhou. Chegou perto das amigas, e perguntou: – Ok, qual é o motivo para as gazelas estarem saltitando?

– Eu e Fred passamos pra mesma faculdade! – Guiga repetiu.

– Ahhhh, isso é ótimo! – Anna abraçou a amiga.

– A Guiga é a garota mais sortuda do mundo! – Amanda sorriu e espiou o boletim da amiga. – Passou em tudo, Anna?

– Uhum. Mas esse oito em matemática estraga tudo! Ainda bem que não verei aquele homem de novo na vida!

Ouviram uma buzina e viram o fusca verde de Fred estacionar diante do portão do colégio. Mesmo se não estivessem tão perto, não havia como não reparar no carro cor de ervilha, carinhosamente chamado pelo dono de Alfacinho, chegando. Guiga deu pulinhos e se pendurou no pescoço do namorado quando ele se aproximou.

– O que faz por aqui, Bourne? – Carol perguntou, amassando seu boletim e mirando a lata de lixo mais próxima.

– O diretor quer falar comigo. – Fred franziu a testa de repente. – Vocês fizeram alguma merda?

– Não – Kevin riu. – E a diretoria chamaria no máximo nossas mães, né? Não você, superFred, o protetor dos perdedores sem faculdade!

– Muito bom, Kevin, você se superou – Amanda zombou. – Ora, Fred, vai nessa então. Vamos ficar esperando você pra comemorar o fim do ano!

– Ok, me deem alguns minutos! – Fred correu.

• • •

– Com licença.

A porta do estúdio se abriu.

– Sim? – Bruno levantou a cabeça e olhou para a estagiária parada na porta.

Ele e Caio conferiam a partitura da próxima música que gravariam.

– Desculpe, meninos, mas tem alguém na linha pra vocês.

– Pra mim? – Caio levantou-se na hora. – Quem pode ser?

– Ela disse "pra gente" – Rafael riu e saiu correndo até a sala da recepção da gravadora. Atendeu o telefone com pressa. – Alô? Ahhh, Fred! Frederico Bourne, que saudade!

– Eu mesmo, Rafa! Espero não estar atrapalhando nada. Vocês já estão gravando a nova música?

– Yep. Vamos começar agora – Rafael falou animado, empurrando Caio que tentava pegar o telefone.

– Vamos logo com isso, rapaz – o diretor disse, impaciente, ao lado de Fred.

– Então – Fred virou-se de costas para ele –, eu preciso de um pequeno favor.

– Qualquer coisa, cara! Estamos morrendo de saudade do seu sotaque! – Rafael riu. – Aqui todo mundo é mano pra cá, mano pra lá...

– *Gay* – Bruno zombou, e todos riram, aproximando o ouvido do telefone.

– Hum, eu chequei a agenda de vocês aqui, mas preciso confirmar para saber se a gravadora não tem nada reservado para semana que vem. Eu sei que a gente não se vê há algum tempo, e trabalhar pra vocês só pela internet tá ficando chato...

– É, tem meses que não vemos essa sua cara feia! Tá tudo muito enrolado. Eles não deixam a gente em paz por aqui, você sabe. A gente trabalha muito! E eu achando que ser *rockstar* era moleza...

– Pois é, e agora com o lançamento do álbum só vai piorar! – Fred afirmou, sentindo o diretor bufar atrás dele.

– Loucura total! Mas fale, cara, do que você precisa? Sabe que a gente faz tudo pelos amigos!

– Valeu, Rafa. É o seguinte, vai ter um baile no próximo sábado, no mesmo horário de sempre, sabe? Então, eu estava pensando em uma banda e... – ele olhou para o diretor, que balançava a cabeça animado – por que não trazer os mascarados de volta aos bailes de sábado à noite? Pelo menos por uma noite, a que seria a formatura de vocês. Podem pensar nisso?

– Tocar? – Rafael olhou para os amigos, em dúvida. – No baile de fim de ano?

– Nossa! – Bruno arregalou os olhos e se sentou no sofá perto deles.

– Bom, estamos livres, eu acho... – Rafael esperava uma resposta dos amigos.

– O que está esperando, Rafa? Claro que a gente aceita! Claro! – Daniel sorriu, animado.

Caio concordou e Bruno deu de ombros. Rafael respirou fundo e aceitou o convite:

– Claro, Fred. Pode contar conosco.

sessenta e seis

– Ainda não divulgaram a banda? – Amanda perguntou, penteando os cabelos.

Ela e as amigas estavam apenas de toalha, sentadas na cama de Carol. Maya tinha um creme verde espalhado no rosto todo, e Guiga pintava as unhas. Seria a última vez que pisariam no colégio. Era o baile de formatura delas!

– Não, mas ouvi falar que vem de fora! – Anna disse.

– Duvido que seja boa – Maya bufou. – Depois dos Scotty, ninguém mais arrasou o palco dos sábados à noite.

– Eu não quero crescer! – Carol resmungou, enquanto passava creme hidratante nas pernas.

– Por que não? – Guiga perguntou.

– Estou quase em depressão por terminar o colégio, sério! – Maya comentou. – Não é por causa das aulas, claro.

– Eu entendo você – Anna riu.

– Por causa das responsabilidades? – Amanda perguntou.

Carol concordou.

– Não é como se eu fosse montar uma banda e fazer o que quero. Vou ter que sair e fazer faculdade. Talvez, de algo de que eu nem goste, só porque minha mãe quer.

– E, quando voltar, seremos vendedoras na sorveteria do Kevin! – Amanda brincou.

– Eu meio que escolhi Administração por causa do meu pai; ele vive dizendo que eu preciso entender dos negócios da família – Guiga deu de ombros. – Queria mesmo era fazer Letras...

– Não tenho medo. Só queria convencer meus pais de que eu poderia morar em uma cidade grande. Vai ser impossível! – Amanda suspirou.

– Nem eu. Tudo o que eu quero é ser uma boa advogada e fazer diferença na vida das pessoas. Meu pai me apoia muito, mas minha mãe, vocês sabem... Ela só repete que estou perdendo a oportunidade de ser uma das modelos mais famosas do país! Muito exagero – Anna contou.

Ela nunca soube lidar com a frustração da mãe, ex-modelo e atriz, mas que abandonou a carreira promissora para cuidar da família. É como se Anna precisasse viver a vida que sua mãe havia deixado para trás.

– Por favor, se você virar uma das Victoria's Angels, me leve com você! – Amanda zombou, jogando um travesseiro na amiga.

• • •

O ginásio estava lotado de fitas e balões vermelhos e brancos. A comissão de formatura tinha decidido fazer uma festa temática. Fogo e água. Na pista já cheia, pessoas dançavam animadas alguma música da moda quando as amigas chegaram. Os pais de Amanda conversavam com os de Anna e Kevin, dividindo a mesma mesa. A menina logo tratou de se livrar daquele papo chato de "minha filha agora é uma adulta com um futuro pela frente" e foi encontrar Maya perto da bancada de frios, conversando com André.

– Cadê o Kevin? – Amanda perguntou, puxando o celular e discando o número do amigo.

Ela usava vestido branco com corpete justo brilhante e saia rodada de tule, parecendo uma bailarina de *Lago dos Cisnes*.

– Oi, mocreia! – Kevin apareceu na sua frente, usando um terno todo branco e gravata borboleta vermelha.

Os formandos deveriam usar branco e vermelho, assim como a decoração da festa. O menino estava sorridente, de mãos dadas com Lucas, seu namorado. Amanda ficava muito feliz pelo amigo, agora ele não tinha mais vergonha nenhuma de assumir sua sexualidade.

As cinco amigas e os dois rapazes ocuparam a mesa de sempre. Kevin segurava uma garrafa de champanhe e bebia no gargalo. Amanda viu Nick passar ali perto de mãos dadas com uma menina morena, uma das amigas de Rebeca. Sorriu, lembrando-se de que quase passara a noite com ele. Céus, como a gente pode fazer besteiras sem pensar direito! Não que Nick não fosse um cara legal, mas ela sabia que só teria um homem em sua vida. Ela jamais gostaria de outra pessoa. Sentiu o coração dar um pulo ao pensar em Daniel. Tantos meses sem notícias dele. Além dos poucos e-mails trocados com Bruno, ela só sabia o que Anna contava quando falava com Caio ou quando via alguma notícia da banda em portais de revistas adolescentes ou de música. Nem perfil nas redes sociais os meninos tinham mais! Agora eram só páginas sobre a banda, sobre a Scotty.

Amanda sentia falta deles. E sabia que as amigas também. Mas, aos poucos, foram deixando de falar sobre eles, e a vida foi se encaixando e voltando ao normal. Ela e Daniel nunca mais conversaram sobre a relação, sobre o namoro dos dois. Amanda não sabia se ainda estavam juntos ou se ele estava aproveitando a fama e conhecendo outras meninas. Para dizer a verdade, não ligava muito, sabia que não podia ser diferente. Eles agora viviam vidas completamente opostas. Anna e Caio, sim, continuaram namorando, mesmo à distância. E eles só se encontraram uma vez naqueles meses todos, quando Caio veio fazer uma visita surpresa no aniversário de um ano de namoro.

As luzes do salão diminuíram, tirando Amanda de seus pensamentos. O diretor subiu ao palco e foi até o microfone.

– Vamos lá pra frente, o show vai começar! – Maya se levantou da mesa, puxando Anna pelo braço.

Amanda correu com as amigas para perto do palco. Viram o diretor chamar Fred ao microfone. Elas logo olharam para Guiga, que deu de ombros, tão surpresa quanto as amigas.

Fred usava terno cinza-claro, e seus cabelos loiros estavam maior do que de costume e trançados, como um lorde inglês do século passado. Ele sorriu.

– Senhoras e senhores, damas e cavalheiros, eu tenho orgulho de apresentar a banda que marcou nossas vidas neste colégio. A banda que começou a carreira aqui mesmo neste palco, nos nossos saudosos bailes de sábado à noite! Os meus amigos, os nossos mascarados: Scotty!

Os aplausos estouraram. Muita gente gritava. Amanda sentiu o coração parar de bater. Sua visão ficou embaçada. Seriam lágrimas em seus olhos? Ela teria ouvido direito? Os meninos estavam ali? Daniel estava ali?

E, então, quatro garotos de ternos pretos idênticos, usando máscaras brancas, subiram ao palco.

Era o show dos Scotty.

O último baile de sábado à noite.

• • •

Daniel sentiu a luz forte nos olhos e colocou a mão na frente. Os gritos. Era tudo o que sempre quisera ouvir quando começou a tocar. Todos aqueles que um dia foram seus amigos, que um dia o sacanearam ou foram sacaneados por ele, estavam ali. Naquele pequeno espaço, no baile. Em um sábado à noite.

– Então, boa-noite! – Rafael cumprimentou ao microfone.

Duas garotas berravam à sua frente. Ele sorriu para elas.

– É um prazer estar aqui – Caio acrescentou, tossindo um pouco, e se sentindo muito nervoso, como era normal quando estava em cima de um palco. E brincou: – Acorde, Danny!

Bruno fez uma virada na bateria, e todos começaram a rir. Daniel olhou para Caio.

– Caraca, tá todo mundo aqui! – ele disse alto, no microfone, fazendo as pessoas rirem ainda mais. – Oi, tia Carminha! Tá bonitona nesse vestidinho, hein?!

Daniel falou, apontando para uma das inspetoras. A plateia deu boas gargalhadas.

– Não é? Olha só, o Augusto do primeiro ano. Fala aí, cara, tranquilo? – Rafael acenou.

– Meninas, bem-vindas e parabéns pelas notas. O professor Luciano disse que foram muito bem! – Caio apontou para um grupo de garotas de roupas estranhas e óculos parecidos com os da sua avó.

Elas sorriram. Caio fez um barulho com a guitarra.

– Bom... Acho que vocês nos conhecem. Mas, por via das dúvidas, muito prazer. Somos os Beatles! – o garoto riu, coçando os cabelos, e as pessoas gargalharam. – Brincadeira, somos os Scotty! Vamos tocar algumas músicas conhecidas, espero que gostem!

– Vamos logo! – Rafael gritou e mostrou o dedo do meio, fazendo todos baterem palmas.

– Essa é para a garota mais bonita dessa cidade – Daniel anunciou, dando início ao show com os acordes da introdução de *Quero te abraçar*.

• • •

Amanda se impressionou por saber cantar todas as músicas. Ficou surpresa ao ver como eles tinham crescido, evoluído profissionalmente. Agora, pareciam uma banda famosa de verdade. Por incrível que pareça, tudo havia mudado. Eles não eram mais seus amigos estranhos, os marotos, que faziam zona e que todo mundo detestava. Não eram mais aqueles que iam ao *paintball* ou à sorveteria do Kevin. Ou que ficavam de cueca jogando videogame e bebendo cerveja quente.

– Amiga, não chore! – Anna disse, abraçando Amanda de lado, e as duas sorriram.

– Você já sabia disso? – Amanda olhou desconfiada.

– Juro que não! O Caio não me contou que eles que iam tocar hoje – Anna falou, abraçando Amanda mais forte. – Você tá bem?

– Tô sim. Nossa, eles estão incríveis no palco! – Amanda sorriu olhando para Daniel, cantando e comandando o show. – Eu sei que ele vai ficar longe de mim, Anna.

– Como se a gente já não tivesse acostumada, né?

– Caraca, tá todo mundo cantando junto! – Maya falou, aproximando-se das amigas.

Guiga e Carol ficaram boquiabertas quando perceberam o mesmo.

A música acabou, e todos aplaudiram fervorosamente. Daniel secou o suor do rosto e localizou as amigas. Amanda estava linda como sempre. Ficou surpreso ao sentir seu corpo sendo atraído pelo dela. Nunca deixara de amá-la, mas ainda se surpreendia ao perceber quanto gostava dela. Ao ver como o sorriso de Amanda fazia sua vida valer mais a pena.

– Obrigado! – agradeceu ao microfone. – Antes de finalizar o nosso baile, quero dizer algumas coisas.

Todos ficaram em silêncio.

– Parabéns aos formandos deste ano! A gente sente como se fosse nossa formatura também! Obrigado por essa oportunidade de estar com vocês, mais uma vez. E, aos nossos amigos...

Daniel olhou para eles perto do palco. Fred gritou um "eu te amo, cara", fazendo as meninas rirem.

– Obrigado por tudo – Daniel sorriu. – Vocês serão parte da nossa vida pra sempre. E, em homenagem a essa mudança toda e às pessoas que nos ajudaram a chegar até aqui, vamos tocar um *cover* da nossa banda preferida, McFly. Essa música fala muito sobre nossas vidas, sobre hoje e sobre quem somos. Espero que gostem e até o ano que vem, se tudo der certo! Boa-noite!

Ele olhou nervoso para Caio, que deu os primeiros acordes.

We ran through strawberry fields and smelt the summer time,
(Nós corremos pelos campos de morango e sentimos o cheiro do verão)
When it gets dark I'll hold your body close to mine,
(E quando fica escuro eu abraço seu corpo perto do meu)
Then we'll find some wood and hell we'll build a fire,
(Então a gente acha madeira e como vamos fazer fogo)
And then we'll find some rope and make a string guitar
(E então vamos achar cordas e fazer um violão)

Amanda olhou para Daniel, que parecia sorrir mais do que o normal. Ela se lembrava de já ter ouvido aquela música antes, mas cantada pelos amigos parecia muito melhor. Sentiu os olhos de Daniel sobre ela e ficou vermelha de repente, pelo jeito que ele cantava.

Captivated by the way you look tonight the light is dancing in your eyes
(Cativado pelo jeito que você está esta noite com a luz dançando em seus olhos)
Your sweet eyes. Times like these we'll never forget,
(Seus doces olhos. Tempos como esse a gente nunca vai esquecer)
Staying out to watch the sunset, I'm glad I shared this with you,
(Ficando lá fora para assistir ao pôr do sol, estou feliz de dividir isso com você)
Coz you set me free, showed me how good my life could be,
(Porque você me libertou, me mostrou quão boa pode ser minha vida)
How did you happen to me, Yeahhh!
(Como é que você foi acontecer pra mim, yeah!)

Eles se encaravam. Olhos nos olhos. Era seu mascarado. Novamente, em cima de um palco cantando para ela, só para ela. Não importava o tempo que tinham ficado sem se falar ou se ver. Ele sempre seria dela. E o coração de Amanda sempre seria dele. Ela sentiu lágrimas escorrerem pela sua bochecha e entendeu que aquela música era um tipo de adeus. Sabia que nada seria como antes. E, por um instante, estava tudo bem com isso. Daniel pertencia ao palco agora, e não só a ela. Agora sabia bem disso.

And then I'll swing you girl until you fall asleep,
(E então eu vou balançar você até que adormeça)
And when you wake up you'll be lying next to me,
(E quando você acordar estará deitada ao meu lado)
We'll go to Hollywood make you a movie star,
(Iremos a Hollywood para você ser uma estrela de cinema)
I want the the world to know how beautiful you are.
(Eu quero que o mundo saiba como você é linda.)

Rafael pulou com o baixo até onde elas estavam e se agachou na ponta do palco. Chamou Maya com o dedo, vendo André soltar a mão dela. Quando a menina se aproximou, ele lascou um beijo na sua boca. Os amigos começaram a gritar lá embaixo e a rir, enquanto Maya se desvencilhava, xingando o menino. Caio ria abertamente em cima do palco, enquanto as pessoas ainda dançavam com a melodia da música.

Uma música que significava tanto para eles.

Daniel olhou para Amanda e depois para Caio. Os amigos sorriram.

There are no secrets to be told,
(Não existem segredos para serem contados)
Nothing we don't already know,
(Nada que a gente já não saiba)
We've got no fears of growing old,
(Nós não temos medo de crescer)
We've got no worries in the world!
(Não temos preocupações com o mundo!)

Amanda olhou para Daniel, ouvindo de longe os amigos rirem e gritarem. Sorriu ao vê-lo desviar os olhos e encarar o enorme público agitado com o show, com o que eles cantavam. Ela abaixou a cabeça e se deixou levar pela emoção, rindo junto aos amigos.

Eles já não tinham mais medo de crescer.

Mesmo que tudo fosse ficar tão diferente daquele sábado à noite.

epílogo

– Já está pronta? – Guiga gritou do andar de baixo.

Amanda se olhou mais uma vez no espelho e ajeitou os cabelos. Desceu a escada e deu de cara com uma Guiga um tanto gorda e um tanto grávida, em um vestido simples rosa-claro.

– Que pressa é essa?

– Acha que vão nos esperar? Leva uma hora daqui até o hotel Everest, dona Amanda! – Fred disse, abrindo a porta da casa da amiga, rolando a chave nos dedos; em um deles, repousava uma grossa aliança de ouro.

Amanda olhou para ele.

– Muito elegante, senhor Bourne.

– Obrigado!

– E a banda nova, como anda?

– Anda com nome e fama, obrigado também.

Ele riu mais uma vez, enquanto ela saía de casa, trancando a porta. Usava vestido claro, quase branco, de um tecido leve que ia até os tornozelos. Os cabelos estavam em uma trança de lado, e uma flor branca os prendia na ponta. O vestido fora escolha do noivo, ela não podia contrariá-lo.

– Qual nome? Marotos? Perdedores?

– Não – ele abriu a porta do carro para elas.

Não era mais seu antigo fusca. Agora, era uma picape grande e cara, mas a cor era a mesma, verde-ervilha.

– Idiotas Enlouquecidos, se algum dia ouvir falar da gente... – Fred Acrescentou.

– Eu ligo pra você – ela disse, rindo, entrando no carro.

• • •

Amanda sentiu o estômago dar voltas durante o caminho. Quatro anos não era pouca coisa! Foi tempo suficiente para Guiga e Fred se casarem, o único jeito de os pais dela aprovarem o relacionamento deles. E agora ela estava grávida! E uma senhora grávida. Amanda desconfiava que, pelo tamanho da barriga da amiga, havia mais de um de bebê ali dentro. Guiga estava radiante, tão mais madura, tão mais bonita.

Amanda sorriu. Tudo tinha passado tão rápido. Ainda se lembrava bem da formatura do colégio, do dia em que entrara na faculdade de Jornalismo, quando arrumara um estágio no jornal da cidade, do dia em que Daniel se mudara definitivamente para São Paulo com os outros meninos. Ela suspirou.

Por que Daniel Marques tinha sempre que atrapalhar sua vida? Já fazia quatro anos, e ele ainda estava preso no mural do seu quarto. Preso no seu coração. Talvez o casamento do Kevin fosse uma chance de ambos se verem. Mas não tinha certeza. Por causa da última turnê da banda, Daniel talvez não pudesse se dar ao luxo de voltar à pequena cidade. Uau, eles estavam em turnê!

• • •

Ao chegarem ao hotel Everest, os três foram andando pela grama baixa. A arquitetura do local parecia a de um prédio antigo, talvez do início do século passado. Algumas pessoas também caminhavam pelo jardim. Ainda era fim de tarde, e o sol brilhava no céu azul e limpo. Dentro do salão, havia uma enorme mesa branca de bufê. Bem arrumadas, pessoas de toda a cidade estavam conversando e andando para todos os lados. Guiga segurava a mão de Amanda muito animada. De repente, ouviram um grito.

– Amanda! Guiga! Ai, meu Deus!

Era Carol correndo na direção delas. Amanda arregalou os olhos sem conseguir acreditar. Como sua amiga tinha mudado! Seu cabelo estava bem maior e solto, e ela, mais magra, usava um vestido preto bem justo. Sentiu vontade de chorar por vê-la de novo. Por muito tempo, achou que isso não voltaria a acontecer.

– Ah-Meu-Deus! – Fred falou de forma feminina. – Se não é a dona Carolina por aqui!

– Oh, Fred! Você também! – ela abraçou todos e segurou na mão de Amanda. – Amiga, quanto tempo!

– Tempo demais – Amanda sorriu verdadeiramente.

Sentia falta da amiga desde que ela tinha ido fazer faculdade na capital e mal voltara para visitá-las.

– Kevin me ligou há uns dias, e eu nem pude acreditar! Não sei como ele achou meu telefone...

– Que bom que achou – Guiga abraçou Carol novamente.

– E você, hein? Que barriga enorme! Quantos bebês têm aí dentro? – Carol perguntou, colocando a mão na barriga de Guiga.

– Pelo amor de todos os santos, só um! – Fred arregalou os olhos.

Elas riram alto. Um garçom apareceu servindo taças de champanhe.

– E você, Mandy? Não saiu da cidade mesmo?

– Não. Meus pais não deixaram. Vivo na mesma casa e no mesmo lugar até hoje.

– Não sei como aguenta! – Guiga disse.

Ela e Carol entraram em uma conversa animada sobre as mudanças. E Amanda se afastou, dando a desculpa de procurar o noivo.

Caminhou lentamente pelo salão, reparando nos arranjos de flores e nos enormes candelabros dourados colocados em cima das mesas redondas. Tudo com muita classe. Kevin era um lorde inglês mesmo. Reparava nas pessoas chegando, tentando reconhecê-las. Será que sua vida era a única que não tinha mudado?

Sentiu, então, uma mão no ombro e se virou.

– Acho que não dá sorte ver a noiva antes da festa – ela sorriu.

– Tô nem aí pra esse povo! – Kevin suspirou, estava pálido de nervosismo. – Sabia que você ficaria linda nesse vestido! Bom, estaria mais linda se não fosse essa fisionomia triste – ele pegou no rosto dela. – Está triste no meu casamento? Como ousa?

Os dois sorriram.

– Estou muito feliz por você, Kev! Você não sabe quanto. Estava apenas pensativa, só isso...

– Que bom, porque preciso mostrar alguém pra você...

– Alguém?

– Sim, lembra-se de uma menina ruiva chamada Maya? – perguntou.

Amanda deu um gritinho ao ver Maya parada mais adiante. Dois anos atrás, ela tinha saído da cidade para fazer faculdade no interior de São Paulo, onde o curso de Engenharia Eletrônica era mais conceituado. Desde então, as duas não tinham se encontrado mais. Correu até a amiga e abraçou-a com força.

– Tá maluca? Sumir assim! – Amanda reclamou.

– Querida – Maya riu –, depois de sofrer nessa cidadezinha, eu não queria nem ver os cascalhos de perto!

– Bem pensado.

As duas sorriram. Kevin se aproximou, estava incrivelmente bonito em um *smoking* todo branco, realçando seus enormes olhos azuis.

– Como duas adolescentes, é assim que eu gosto.

– Não enche – Maya deu língua. – Então? Algum gato pra me mostrar?

– E desde quando nessa cidade tem algum gato? – Amanda pôs a língua para fora.

– Bom, tinha...

– Tinha! – Amanda disse, e as duas riram.

– Eu ainda moro lá – Kevin balançou a cabeça.

– Mas você tem dono – Amanda apertou a bochecha dele. – Por acaso alguém sabe o paradeiro da Anna?

– Ela tinha ido com o Caio, não?

– Fora isso – Amanda disse.

Ela olhou para Maya, que deu de ombros. Os três ficaram em silêncio.

– Talvez estejam felizes por aí – Kevin pareceu sentir raiva.

– Que houve? – Maya pôs a mão em seu ombro.

– Vou ficar muito chateado se os meninos não vierem por causa de bandinha, de turnêzinha. Eu não quero saber se são famosos ou não, se são Beatles ou não. É o meu casamento!

– Verdade – Maya concordou.

Amanda reparou como ela estava bonita, muito mais do que antes. Maya usava um vestido azul-escuro de cetim, contrastando com seus cabelos vermelhos presos em um coque e com a sua pele muito branca.

– Erm... falou com eles? – Maya perguntou.

Amanda viu o brilho nos olhos da amiga. Sorriu.

– Falei com Rafael e Bruno na semana passada. Caio e Daniel não estavam em casa – Kevin contou e balançou as mãos. – Eles disseram que iriam fazer o possível...

– Mencionaram a Anna? – Amanda olhou para o amigo, que negou.

Ficaram em silêncio até o celular de Kevin tocar.

– Quem é? – atendeu grosseiro.

– Erm, maldade falar comigo assim depois de vinte anos!

– Quatro anos, seu idiota – Kevin riu ficando, de repente, feliz. – Tudo bem, Danny?

Amanda congelou. Sentiu um frio na barriga que tomou conta de seu corpo. Era Daniel. Será que ele estava vindo? Mordeu a própria boca e, em segundos, se viu roendo unhas. Que idiota.

– Pois é, Kevin. Tudo ótimo comigo. Acredito que com você também... – ele riu.

Kevin pôs o celular no viva-voz.

– Como você sabe, estou usando vestido hoje – Kevin brincou.

As meninas riram baixo para que Daniel não as ouvisse.

– Hmm, sei. Você está bonito, se me perdoa falar isso – Daniel gargalhou.

Kevin olhou para os lados à procura do menino. Não viu ninguém parecido com ele.

– Caio, Rafael e Bruno mandam oi pra você.

– O mesmo – Kevin ficou com os olhos cerrados. – Então... onde estão?

– Isso não importa...

Amanda fechou os olhos. Claro que ele não viria para a festa e estava dando uma desculpa.

– O que importa é que você está do lado da mulher mais linda que já vi na vida. Pode me apresentar quando eu sair de trás do bar?

– Daniel! – Kevin berrou olhando para os lados.

Amanda sentiu o coração disparar. Ele estava ali.

– Brincadeira... – Daniel riu. – Fale pra Amanda que ela está linda... e pra Maya que o Rafael manda beijos.

– Idiota! – Maya gritou emburrada.

– Ops, ouvi isso! – Daniel gargalhou.

– Pare com isso, onde você está?

– Caraca! Olha o tamanho da barriga da Guiga! – Daniel disse, mas, de repente, o barulho ficou confuso.

Amanda, Maya e Kevin olharam para onde estavam Guiga, Carol e Fred. Viram quatro garotos pulando em cima deles. Quatro garotos não. Quatro homens lindos de terno.

Amanda sentiu o coração de Maya pular fora do peito. Seus braços estavam tremendo. Ela pegou a mão de Kevin.

– Me diz que o Daniel ficou gordo e feio!

– Sinto informar que isso não aconteceu. Meu Deus, talvez eu desista de me casar... – Kevin se abanou. – Vamos falar com eles!

– Não – Maya respirou fundo. – Não vamos.

– Erm, não? – Amanda olhou para ela.

Viu algumas lágrimas nos olhos da amiga. Sentiu-se triste.

– Eu não vou, façam como quiserem! – Maya saiu andando.
Amanda olhou para Kevin.
– O que eu faço?
– Não sei... – Kevin mordeu a boca e sentiu uma mão em seu ombro.
– Quem diria que você iria se casar um dia, mocreia! – Bruno falou.
Kevin balançou a cabeça.
– Quem diria que você iria ficar famoso, senhor Torres!
Os dois riram, abraçando-se. Amanda olhou para os quatro amigos e percebeu quanto tinha ficado longe deles. Eram outros. Eram homens, bonitos, bem-vestidos. Não mais os marotos da escola que ficavam jogando bolinha de papel por aí.
Olhou para Daniel. Ele não era mais o garoto que se prendia com ela no almoxarifado ou aquele menino que fazia serenata debaixo da sua janela. Suspirou. Será que ele não era mais o seu Daniel?
– Eu mereço um abraço – ele disse perto dela.
Amanda sorriu, sem conseguir se conter, e pulou no pescoço do menino. Não sabia que reação ter nem o que fazer. Sentiu o perfume dele e o apertou mais forte contra seu corpo.

• • •

Daniel sentiu que esse seria o dia mais feliz de sua vida. Com clichês e tudo mais. Não conseguia tirar os olhos de Amanda. Ela estava diferente, crescida, mais mulher, mais segura de si. Mas ainda era a sua garota. Enquanto a abraçava, ele murmurava coisas que quase o faziam chorar.
– Eu não acredito nisso... eu senti tantas saudades... eu... ficava pensando se ia ver você de novo e...
Amanda enfiou mais o rosto no pescoço de Daniel, que fez um barulho estranho e a levantou do chão, segurando em sua cintura, ainda abraçados. Os dois riram, cúmplices. Por um momento, não existia mais ninguém em volta. Só os dois.
– Daniel! – a menina disse.
O coração dele deu um salto. Como era doce ouvir seu nome na voz dela.
– Me solte – pediu.
– Ah, desculpe, é a empolgação – ele a colocou no chão e ficou encarando a menina arrumar o vestido –, mas você está linda.
– Você já disse isso – ela riu envergonhada. – Obrigada, você também.
– Não precisa mentir. Os fãs dizem que sou o mais feio da banda!
– Bom, eu sou quase uma fã e desminto isso. Bruno é o mais feio – ela riu.
Daniel deu uma risadinha e depois encarou os sapatos.
– Então, quatro anos...
– Pois é, pena que eu não trouxe meus quatro filhos pra vocês conhecerem, são umas gracinhas! – Amanda falou.
De repente, Daniel mudou de expressão e arregalou os olhos.
– Você... erm, casou?
– Claro, acha que iria morar sozinha nessa cidade? – ela riu.

– Ah... poxa – ele balbuciou –, que... legal... filhos? Você disse que nunca teria mais de três filhos comigo!

– Ah, disse? – ela perguntou, insolente.

– Você não se casou – Daniel franziu a testa –, isso é mentira.

– Como você sabe? – a menina acirrou os olhos.

Daniel balançou a cabeça.

– Você me prometeu!

– Eu? – Amanda se fez de desentendida. De repente, ouviu Guiga chamá-la e disse: – Bom, Kevin vai se casar agora. Depois falamos sobre isso.

Ela sorriu e saiu andando para perto de Carol. Foi quando viu que Rafael não estava mais ali e sorriu ao ver Fred sussurrar o nome de Maya.

Daniel veio atrás, meio carrancudo. Caio parou o amigo.

– O que houve? Vocês já brigaram?

– Não – Daniel disse com uma voz fraca. – Caio, ela se casou?

– Ahn? – o amigo não entendeu nada.

Sabia que Amanda não tinha se casado, Fred contara tudo sobre a vida das amigas, atualizando-o.

– Eu ia casar com ela, Caio! Como é que eu deixei isso? – Daniel parecia assustado e triste.

O amigo não sabia o que dizer.

– Pode ser um engano, deixe pra falar com ela depois da cerimônia – ele opinou.

Caminharam atrás das pessoas até o jardim.

Daniel estava desolado. Não acreditava no que tinha ouvido. Apalpou o bolso do terno e sentiu uma caixinha ali dentro. Não podia dar errado. Ela não podia estar casada. Viu Amanda sentando-se na primeira fileira de cadeiras e correu atrás da garota. Ele não podia ser idiota mais uma vez na vida.

Segurou no braço de Amanda, que se virou para ele. Os dois ficaram se encarando, e ela riu. Maya passou do lado, chamando a amiga para ficar no pequeno altar perto de Kevin, já que era sua madrinha de honra. Daniel balançou a cabeça, ainda segurando o braço dela. Amanda olhou dentro dos olhos dele e, sorrindo de forma marota, sussurrou.

– Espero que você me peça em casamento assim que a gente sair daqui. Eu não esperei você por quatro anos à toa.

Ela virou as costas, soltando-se da mão dele, sem ver o sorriso que Daniel deu ao apalpar novamente a caixinha no bolso do terno.

Contato com a autora:

bdewet@editoraevora.com.br

Este livro foi impresso em papel Pólen Bold 70 g
pela gráfica Paym